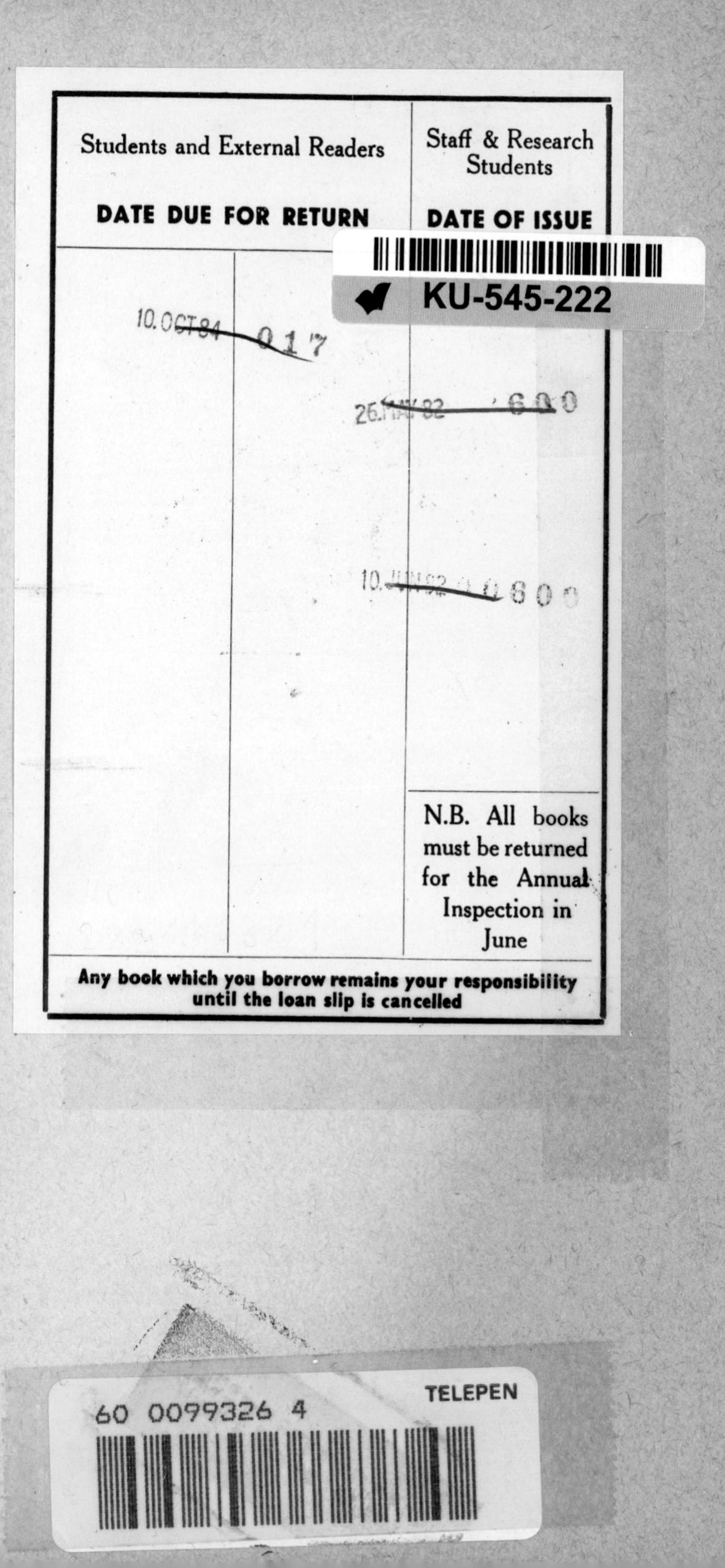

Histoire
et culture historique
dans l'Occident médiéval

ISBN 2-7007-0212-3

Si vous souhaitez
être tenu au courant
de nos publications,
il vous suffit
d'envoyer
vos nom et adresse
aux

Editions Aubier-Montaigne
13, quai de Conti
75006 PARIS.

BERNARD GUENÉE

HISTOIRE ET CULTURE HISTORIQUE

DANS L'OCCIDENT MÉDIÉVAL

Collection
historique
dirigée par
Maurice Agulhon
et Paul Lemerle

AUBIER MONTAIGNE
13, quai de Conti, Paris

Remerciements

J'ai commencé ce livre en 1970.

Presque quotidiennement, j'ai profité de la bibliothèque de la Sorbonne et j'ai eu le privilège de pouvoir utiliser l'irremplaçable bibliothèque de l'Ecole des Chartes.

En 1974, j'ai passé quelques mois à All Souls College, Oxford. En 1976, j'ai passé quelques mois à l'Institute for Advanced Study, Princeton. Ces deux séjours ont été, dans l'élaboration de mon travail, deux moments décisifs.

En 1980 enfin, l'Ecole pratique des Hautes Etudes (IVe Section) a créé pour moi une direction d'études d'Historiographie médiévale.

Je tiens à reconnaître ici les dettes que j'ai contractées envers toutes ces institutions qui m'ont aidé et m'ont fait confiance. Je ne prétends pas que ce livre puisse les payer.

Ces dettes ne sont pourtant rien à côté de ce que je dois à la quinzaine d'auditeurs fidèles qui, dans mon séminaire, à l'Université de Paris I, ont vu les premiers pas de ma recherche et l'ont, pendant dix ans, soutenue plus qu'eux-mêmes n'en ont conscience.

C'est à eux, s'ils le veulent bien, que je dédie ce livre.

AVERTISSEMENT

Ce livre n'a qu'une ambition. Trop de gens croient encore que le Moyen Age n'a pas eu d'historiens. Trop de gens osent encore dire que personne, au Moyen Age, n'a même eu le sens du passé. Je voudrais simplement convaincre qu'il y a eu, au Moyen Age, des historiens, et qu'ils ont eu des lecteurs.

Il y a même eu tant d'historiens, ils ont eu tant de lecteurs et d'auditeurs ; le champ de la littérature et de la culture historiques, dans tout l'Occident, pendant dix siècles, est si vaste que je vois trop combien de mes propres lecteurs, voyant mon titre et espérant plus, seront déçus.

Je ne prétends nullement offrir un panorama complet et détaillé de la littérature historique médiévale. Beaucoup de noms manquent et, même, beaucoup de noms importants. Faute de place. Mais aussi, tout simplement, faute de connaissances. Car si l'historiographie française m'est un peu plus familière, mes lacunes, ailleurs, ne sont que trop évidentes.

Je n'ai pas non plus entendu traiter des idées des historiens. Ils en avaient, certes. Mais ils les partageaient avec leur temps. Et, à vouloir en parler, j'aurais fatalement été amené à étudier toute la pensée du Moyen Age à travers les œuvres des historiens. J'aurais dû écrire quelques gros volumes, où mon propos précis se serait dilué.

Mon propos précis était de poser quelques questions. Quelle a été, au Moyen Age, la place de l'histoire ? Qui a été historien ? Comment ces historiens ont-ils travaillé ? Par quel effort ont-ils reconstruit leur passé proche et lointain ? Qui les a lus ? Qui les a entendus ? Quelle somme de connaissances, quelle image du passé ont-ils pu léguer à leurs contemporains et à leurs successeurs ? Et de quel poids ces connaissances et cette image ont-ils pu peser sur les mentalités et les comportements ?

A ces questions posées, nul n'imagine, je pense, que je pouvais répondre autrement que par des hypothèses. Qu'on ne s'y trompe pas. Mes phrases apparemment les plus assurées ne sont en fait, le plus souvent, que des idées proposées.

Mon livre n'est qu'un essai dont la seule ambition a été de poser quelques questions et de donner quelques incertitudes. Et je reprendrai volontiers pour moi-même la devise d'un de mes lointains prédécesseurs, Jean Lemaire de Belges, dont on ne saura jamais, d'ailleurs, si la modestie n'était pas un peu feinte :

De peu assez

INTRODUCTION

Le Moyen Age est né du mépris. Au XVIe siècle encore, les historiens s'en tenaient aux périodisations traditionnelles. Dans l'histoire du monde se succédaient six âges ou quatre empires ; dans l'histoire de France, trois dynasties. Et ces traditionnelles périodisations avaient en commun de marquer une continuité. Le sixième âge avait commencé à la naissance du Christ et durait toujours. Le quatrième empire était l'empire romain ; il existait encore. Et, depuis le Xe siècle, les descendants d'Hugues Capet continuaient à régner.

Mais dès le XIVe siècle Pétrarque avait eu l'idée que si, après une période de splendeur, les lettres romaines avaient sombré, un temps de renouveau était maintenant venu. Au XVe siècle, Ghiberti vit aux arts une évolution analogue et situa précisément à Giotto le début de cette renaissance. Après eux, ce devint un lieu commun, en France comme en Italie, de distinguer dans l'histoire des lettres et des arts, entre le temps de la splendeur romaine et le temps de la renaissance, un temps de barbarie, d'ignorance et d'obscurité, qui n'était rien d'autre qu'une parenthèse, un entre-deux. Ainsi vinrent tout naturellement sous la plume des historiens des lettres et des arts des expressions comme *media tempestas* (depuis 1469), *media antiquitas* (depuis 1494), *medium tempus* (depuis 1531), *saeculum medium* (en 1596). Et *media aetas* apparaît en 1551, *medium aevum* en 1596. Pithou parle de « moyen aage » en 1572 et Camden de « middle age » en 1605. Par la suite, *media aetas, medium aevum,* « moyen âge » furent en France d'un usage courant, mais ils restèrent longtemps confinés dans les domaines de l'érudition, des lettres et des arts, au point que le dictionnaire de Furetière en 1690 et celui de l'Académie en 1694 reconnaissent bien l'expression de « moyen âge », mais parlent exclusivement des « auteurs du moyen âge ». Et pourtant, juste au même moment, le « moyen âge » s'imposait en Allemagne comme une des grandes périodes de l'histoire universelle. Christophe Keller, dit Cellarius, était en train d'écrire son histoire universelle dont le second volume, paru en 1688, était l'histoire du moyen âge, *Historia medii aevi.* C'est que, en Allemagne, l'Empire était trop affaibli pour que le sentiment de la continuité politique s'imposât encore, et les protestants étaient trop heureux de fouler aux pieds tous les siècles qui séparaient la réforme de l'église primitive. En France au contraire les théologiens pouvaient ne pas apprécier la scolastique, les jésuites pouvaient mépriser les « ténèbres gothiques », les gallicans pouvaient se méfier d'un temps où avait triomphé la papauté, tous ces catholiques pouvaient avoir, pour le moyen âge, peu de sympathie ; ils devaient pourtant, face aux protestants, s'en proclamer solidaires. Et surtout, comment ces fidèles sujets du roi de France auraient-ils pu rejeter en bloc les temps de Clovis, de Charlemagne et de saint Louis ? Jusque dans la seconde moitié du XVIIIe siècle, pas un livre d'histoire français ne fit du moyen âge une période historique. Mais bientôt les philosophes criblaient de leurs traits ces siècles d'ignorance, de tyrannie cléricale et de gouvernement « féodal ». Sous ces mépris accumulés, le Moyen Age grandit et s'imposa. Dans son édition de 1798, le dictionnaire de l'Académie sait qu'« On appelle Moyen Age le temps qui s'est écoulé depuis Constantin jusqu'à la renaissance des lettres au quinzième siècle ». Et nombreux sont désormais les livres où le Moyen Age est une période essentielle, comme évidente, de l'histoire.

Le Moyen Age était né du mépris. Et pourtant, dès le XVIIIe siècle, leur patriotisme en empêchait beaucoup de condamner les vieux auteurs. De plus en plus nombreux furent ceux qui apprécièrent leur « naïveté » et leur « simplicité ». L'idée qu'ils avaient du progrès continu de l'esprit humain imposait même aux philosophes qu'ils trouvassent au Moyen Age quelques vertus. Les nobles s'intéressèrent aux « siècles de la chevalerie ». Plus tard, au début du XIXe siècle, les libéraux scrutèrent les temps où, dans les communes, la liberté avait fait ses premiers pas. Les catholiques, devenus ultra-montains, en retinrent la grandeur romaine. Et surtout le romantisme triomphant imposa la totale réhabilitation du Moyen Age. Puisque le mépris seul avait créé l'idée du Moyen Age, les défenseurs des siècles calomniés auraient pu se donner pour tâche de la faire disparaître. Il n'en fut rien. Toute leur ambition fut de mieux comprendre un Moyen Age dont ils ne contestaient pas l'existence. Réhabilité, le Moyen Age restait une personne. Il devenait même une institution. En 1838, les programmes de l'enseignement secondaire prévoyaient l'étude du Moyen Age. En 1856, Henri Martin publiait la première histoire de France articulée en trois périodes, dont le Moyen Age. En 1863, les historiens qui se consacraient à l'étude du Moyen Age commencèrent à se dire « médiévistes ». En 1874 enfin, alors que « moyenagé », « moyenagiste », et « moyenageux » fleurissaient depuis quelques décennies, « médiéval » apparut. Et depuis un siècle les meilleurs esprits se demandent quand commence et quand finit le Moyen Age, ou cherchent à définir l'esprit médiéval [1].

Tout médiéviste sait aujourd'hui que le Moyen Age n'a jamais existé, et encore moins l'esprit médiéval. Qui songerait encore à mettre dans le même sac les hommes et les institutions du VIIe, du XIe et du XIVe siècle ? S'il faut périodiser, l'an 1000 ou l'an 1300 n'ont ni plus ni moins de titres que la fin du Ve ou celle du XVe siècle. La vérité est que, dans ce tissu complexe qu'est l'histoire, les évolutions, dans les différents domaines, et, dans chaque domaine, à différents niveaux, ne sont pas concomitantes. Une périodisation est d'autant plus contestable qu'elle est plus générale. A la limite, ce n'est plus qu'une ombre, un mot commode pour désigner une certaine tranche chronologique mais qui serait dangereux à vouloir dire plus, et dont il ne convient pas d'être la dupe.

Il est bien vrai cependant que, dans un Occident qui s'oppose à l'Orient grec et qui, de l'Espagne et de l'Italie, s'étend jusqu'à comprendre les pays du Nord, la Pologne et la Hongrie [2], pendant une période d'à peu près un millénaire qui s'ébauche entre le IVe et le VIe siècle et s'efface entre le XIVe et le XVIe siècle, par-dessus la diversité des pays et des temps, se retrouve une certaine unité : ces pays et ces temps sont ceux de la Chrétienté latine ; ils reconnaissent la prééminence du pontife romain ; leur langue de culture est le latin ; ils ont en commun, à tout le moins, certaines croyances, certaines idées et certaines lectures. Il n'est donc peut-être pas illégitime d'embrasser d'un seul regard la culture de cette période-là, quitte à bien marquer les différences et les évolutions. Et il semble bien naturel qu'un historien s'interroge plus particulièrement sur ceux qui furent, dans l'Occident médiéval, ses devanciers.

Et pourtant, s'il est bien vrai que, dans la première moitié du XIXe siècle, érudits et historiens lisaient avec passion, pour mieux connaître le Moyen Age, ses sources narratives, les uns n'y cherchaient, comme Dom Bouquet avant eux [3], « que des faits », et les autres n'en retenaient que les récits originaux. Les médiévistes de ce temps ne s'inquiétaient guère des historiens du Moyen Age eux-mêmes, ils se souciaient peu de leurs constructions et de leurs intentions, ils n'envisageaient pas d'ensemble une littérature historique pour laquelle, d'ailleurs, ils n'avaient même pas de mot. Les premiers à véritablement sympathiser de l'intérieur avec les historiens du Moyen Age furent quelques érudits formés à l'Ecole des

Chartes qui, dans les années 1840, sous l'influence conjointe du romantisme et d'un catholicisme désormais ultramontain, voulurent comprendre et réhabiliter toutes les œuvres du Moyen Age, les œuvres historiques comme les autres. Ils s'intéressèrent donc au travail et à la philosophie des historiens du Moyen Age. Mais à vrai dire ces historiens ne dépassèrent pas le stade des intentions parce que les meilleurs d'entre eux, comme L. Gautier, pour mieux défendre dans un large public leurs convictions religieuses, se tournèrent vers des tâches, qu'ils considéraient plus urgentes, de vulgarisation. La réhabilitation totale des historiens du Moyen Age vint pendant la formidable révolution qui, entre 1866 et 1876, transforma complètement la science historique française [4]. Ses artisans, Gaston Paris, Paul Meyer, Gabriel Monod, d'autres encore, serrés autour de l'agressive *Revue critique d'histoire et de littérature,* étaient pénétrés des perspectives et des méthodes allemandes. Ils étaient donc tout naturellement convaincus qu'il y avait eu au Moyen Age une littérature historique digne d'intérêt. Et ce n'est pas un hasard si le mot « historiographie », dans le sens de littérature historique qu'il avait depuis fort longtemps en Allemagne, apparaît à ma connaissance pour la première fois en France en 1869 sous la plume de l'alsacien Rodolphe Reuss dans la *Revue critique d'histoire et de littérature* [5].

A la vérité, le mot « historiographie » est, dans le français contemporain, d'une redoutable ambiguïté. Dès 1845, Bescherelle l'avait accueilli dans son dictionnaire mais, évidemment influencé par l'école polonaise dont certains membres étaient venus se réfugier à Paris après les événements de 1830-1831, il lui avait donné le sens dans lequel Lelewel, Wronsky et Plebanski l'entendaient. L'historiographie était pour lui « l'art d'écrire l'histoire », et nos dictionnaires les plus récents répètent encore cette définition. Puis, après 1869, « historiographie » se répandit avec le sens allemand de « littérature historique » et les historiens français qui commencèrent à étudier cette littérature historique se consacraient tout naturellement à l' « histoire de l'historiographie », comme les allemands cultivaient la « Geschichte der Historiographie » et les italiens la « storia della storiografia ». Malheureusement, lorsque Littré accueillit le mot « historiographie », non pas dans son dictionnaire de 1876 mais dans son supplément de 1877, il ne lui donna pas le sens de « littérature historique ». Il définit l'historiographie comme « l'histoire littéraire des livres d'histoire ». L'historiographie est donc pour lui ce que d'autres appelaient au même moment l'histoire de l'historiographie. Et, depuis Littré, nombreux sont en France ceux pour qui l'historiographie est une province de l'histoire littéraire, une science auxiliaire de l'histoire. Trois sens pour un seul mot. Et si un adjectif veut préciser de quelle historiographie on entend parler, la confusion est plus grande encore. Disant « historiographie médiévale », les uns entendent aujourd'hui les œuvres écrites par les historiens du Moyen Age, mais d'autres pensent aux œuvres que les historiens contemporains consacrent à l'étude du Moyen Age, et d'autres encore veulent plus précisément désigner les œuvres consacrées de nos jours à l'étude des historiens du Moyen Age. Pour plus de clarté, j'userai toujours d' « historiographie » dans le sens de « littérature historique », et l' « historiographie médiévale » ne sera jamais pour moi que l'ensemble des œuvres écrites par les historiens du Moyen Age. Mais le fait est aussi que, sans reculer devant d'autres ambiguïtés tout aussi redoutables, les Français ont souvent utilisé depuis un siècle, pour parler de « littérature historique », à côté d' « historiographie », le simple mot d' « histoire ». En employant indifféremment, pour parler de la littérature historique médiévale, les deux mots d' « historiographie » ou d' « histoire », je suivrai donc un usage français séculaire qui veut que l'étude de la littérature historique soit moins souvent l' « histoire de l'historiographie » que, tout simplement, comme disait A. Lecoy de la Marche dès 1861 et comme dirent beaucoup d'autres après lui, l' « histoire de l'histoire ».

De l'histoire de l'historiographie médiévale, G. Monod savait, dès 1872, l'importance et l'enjeu. « Ces travaux d'érudition et de critique, disait-il en introduisant ses *Etudes critiques sur les sources de l'histoire mérovingienne,* rebutent quelquefois par une apparence de sécheresse et de monotonie ceux qui ne les ont point encore abordés. Aucune étude pourtant ne fait pénétrer plus profondément dans la connaissance des temps passés. Le critique est obligé de vivre avec les historiens dont il analyse les ouvrages ; il cherche à surprendre leur vie de tous les instants, leur manière de travailler, les mobiles cachés de leurs idées et de leurs paroles. Il assiste à la composition de leurs écrits, il voit les manuscrits déposés sur leur table et les sources qu'ils consultent, il va parfois jusqu'à découvrir quels passages ils ont lus, quels autres ils ont mal compris. Et lorsque le critique étend cette étude à toute une époque, lorsqu'il marque les liens qui unissent entre elles les diverses sources historiques, lorsqu'il découvre comment elles se copient ou s'imitent les unes les autres, comment les mêmes idées, les mêmes sentiments se répètent ou se transforment d'âge en âge, n'est-ce pas à l'histoire même de l'esprit humain qu'il travaille ? [6] ». Sous l'impulsion de G. Monod, à la fin du XIXe et au début du XXe

siècle, les historiens français publiaient sur l'historiographie médiévale des travaux qui ne le cédaient en rien aux nombreux travaux parus au même moment en Allemagne, en Angleterre, ou en Italie.

Mais tandis que l'histoire de l'historiographie médiévale continuait par la suite à prospérer dans ces trois pays et restait, dans les universités, l'objet d'un enseignement à part entière, le moins qu'on puisse dire est qu'en France peu d'étudiants allaient au-delà d'un coup de chapeau pressé à Villehardouin, Joinville, Froissart et Commynes, et ce ne sont pas leurs maîtres qui les eussent encouragés à faire davantage. C'est que la *Revue de synthèse historique* qu'Henri Berr avait fondée en 1900 s'interrogeait sur la théorie et la méthodologie de l'histoire, se demandait comment les historiens du XXe siècle devaient écrire l'histoire. Et cette méditation passionnée sur l' « art d'écrire l'histoire » (ou historiographie) en détournait beaucoup, G. Monod tout le premier, de l'étude de la littérature historique (ou historiographie) des temps passés. Au même moment, nombre de médiévistes français commencèrent à fouler des champs nouveaux et immenses, comme l'histoire institutionnelle, puis l'histoire économique et sociale, à quoi tout leur temps ne suffisait pas. En outre, héritiers plus ou moins conscients des positivistes, les médiévistes français se méfièrent en général de ce que les gens du Moyen Age avaient pu raconter ; ils préférèrent aux chroniques la solidité des cartulaires. Surtout, l'urgence d'inventorier toutes les sources qui permissent de mieux connaître le Moyen Age exigeait qu'on ne s'attardât pas trop aux sources narratives. A. Molinier avait été l'élève de G. Monod à l'Ecole pratique des Hautes Etudes. Il savait donc les vastes ambitions de l'histoire de l'historiographie médiévale. Et d'ailleurs c'est lui qui a donné la meilleure histoire de l'historiographie médiévale française dont nous disposions encore [7]. Mais, dans son catalogue, au lieu de s'en tenir aux historiens du Moyen Age, pressé par la nécessité, il a fini par rassembler toutes les sources de toutes sortes dont le médiéviste pouvait espérer tirer parti. Dans cet effort immense oh combien profitable, l'histoire de l'historiographie s'était diluée. Dans la mesure enfin où les historiens s'intéressaient encore aux sources narratives, anxieux d'atteindre ce qui avait été vraiment, ils continuaient à poursuivre, dans chaque œuvre, ce qui était « original » et se satisfaisaient d'ignorer tout le reste de ce qu'avaient construit leurs devanciers. On sait l'importance des *Grandes Chroniques de France.* Elles nous donnent l'idée qu'un historien de la seconde moitié du XIIIe siècle se faisait de l'histoire de France, et le succès de l'œuvre imposa cette idée à tous les Français cultivés des XIVe et XVe siècles. Une édition critique de ce texte capital était donc fondamentale pour l'histoire de l'historiographie médiévale française. J. Viard s'y attelle et en publie le premier volume en 1921. Dans son compte rendu, L. Halphen constate que ce premier volume ne dépasse pas 585 et qu'il en faudra plusieurs avant « que l'on atteigne la partie originale de la chronique, qui n'est pour les périodes anciennes qu'une traduction d'œuvres dont le texte original est venu jusqu'à nous. Sans doute eût-il été plus sage, en ce temps de crise du papier et de la librairie, de condenser le début de la compilation... » [8]. Il fallut un beau courage à J. Viard pour mener à bien, en dix volumes, son édition des *Grandes Chroniques*. La réserve des médiévistes confirma les modernistes dans leur idée qu'il n'y avait pas eu, avant les temps modernes, d'historien digne de ce nom. Le mépris des modernistes renforça les médiévistes dans leur abstention. Dans les chroniques qu'il donnait à la *Revue historique* en 1953, en 1957 et en 1965 encore, H.-I. Marrou déplorait de n'avoir rien à recenser sur l'historiographie médiévale. L'histoire de l'historiographie médiévale pouvait sembler un parent pauvre.

A la vérité, cette carence était plus apparente que réelle. Le feu couvait sous la cendre. Un grand effort érudit dont l'objet n'était pas précisément l'histoire de l'historiographie médiévale fourbissait les armes dont elle aurait un jour besoin. La critique des sources la plus traditionnelle, sœur de la *Quellenforschung* allemande, donnait de nombreux textes d'irréprochables éditions. En généralisant les principes que Dom Quentin avait préconisés pour l'édition de la Vulgate et en fondant l'Institut de recherche et d'histoire des textes, F. Grat faisait progresser l'étude de la tradition manuscrite qui habitua les historiens à ne plus considérer simplement une œuvre à sa naissance, mais tout au long de sa vie et de son succès. L'archéologie du livre manuscrit, à laquelle Ch. Samaran donnait le nom de codicologie, habituait les historiens à ne plus considérer une œuvre en elle-même mais dans le contexte du manuscrit où elle avait été copiée. L'histoire des bibliothèques enfin habituait les historiens à ne plus considérer une œuvre en elle-même, mais dans le contexte de toute une culture. Des spectaculaires progrès de ces disciplines, l'histoire de l'historiographie médiévale pourrait profiter dès qu'elle aurait réaffirmé son objet.

Or, en 1921, L. Halphen savait bien, malgré ses critiques, que les *Grandes Chroniques de France* avaient un certain intérêt puisqu'elles se rattachaient « au grand mouvement de curiosité encyclopédique du XIIIe siècle dont Vincent de Beauvais est, dans un autre ordre d'idées, un des plus illustres représentants [9] ». Toutefois, les historiens du Moyen Age ne retrouvèrent vraiment la sympathie et la considération de leurs successeurs qu'avec, dans une certaine mesure, M. Bloch et ses *Annales,* et surtout avec des historiens catholiques comme E. Gilson et H.-I. Marrou. En affirmant la continuité de la tradition historique depuis Homère jusqu'à nos jours [10], H.-I. Marrou rendait aux historiens du Moyen Age leur dignité. Les médiévistes étaient désormais persuadés que l'étude du passé n'avait été au Moyen Age ni délaissée ni impuissante. Leur problème n'était plus de se demander s'il y avait eu au Moyen Age des historiens dont l'œuvre méritait d'être étudiée. Il était de savoir quels ils furent, et quelle fut leur œuvre. Assurée de ses méthodes, l'histoire de l'historiographie médiévale était plus consciente que jamais de son objet.

Il m'a alors semblé qu'il n'était peut-être pas inutile de faire le point, et de montrer comment d'innombrables travaux français et étrangers permettaient aujourd'hui de définir et de situer l'histoire dans l'Occident médiéval, d'y voir quels hommes furent les historiens, de bien comprendre le travail qui fut le leur.

J'irai même au-delà. En effet, l'étude de l'histoire politique m'a persuadé qu'en définitive la vie et la solidité des Etats dépend moins de leurs institutions que des idées, des sentiments et des croyances des gouvernés. Mais ces mentalités politiques elles-mêmes ne sont-elles pas largement façonnées par le passé que chacun se croit ? Un groupe social, une société politique, une civilisation se définissent d'abord par leur mémoire, c'est-à-dire par leur histoire, non pas l'histoire qu'ils eurent vraiment, mais celle que les historiens leur firent. Désireux de comprendre l'histoire du Moyen Age, il m'a semblé indispensable de considérer non seulement l'histoire au Moyen Age, mais aussi le poids qu'elle put avoir. Je suis intéressé par l'historien, mais plus encore par son public ; par l'œuvre historique, mais plus encore par son succès ; par l'histoire, mais plus encore par la culture historique.

Pour tout dire en un mot, il m'a paru légitime et nécessaire d'envisager d'un même mouvement l'histoire et la culture historique dans l'Occident médiéval.

1. Sur tout ceci, Voss (65).
2. Guenée (3), 57-60.
3. *RHF,* t. I, Paris, 1738, p. ix.
4. Ch.-O. Carbonell, *Histoire et historiens. Une mutation idéologique des historiens français, 1865-1885,* Toulouse, 1976.

5. Année 1869, p. 77, 78, 139.
6. Monod (524), 19.
7. Molinier (106), V, i-clxxxvii.
8. *RH,* 138 (1921), 228.
9. *RH,* 138 (1921), 229.
10. *RH,* 217 (1957), 272.

CHAPITRE I

QU'EST-CE QUE L'HISTOIRE?

I. DÉFINITION DE L'HISTOIRE

§ 1. *Un récit simple et vrai*

Définissant l'histoire, il suffisait à l'Occident médiéval de reprendre les mots mêmes de l'Antiquité. Pour Cicéron, les vieux historiens romains comme Caton, Fabius Pictor ou Calpurnius Piso étaient « ceux qui racontaient les choses », les « *narratores rerum* [1] » ; pour Aulu-Gelle, l'histoire était « le récit de ce qui s'était passé », « *rerum gestarum narratio* [2] ». Dans ses *Etymologies,* Isidore de Séville donne la même définition : « *Historia est narratio rei gestae* [3] ». L'écho s'en répète tout au long du Moyen Age [4], et même au-delà.

Partant de là, le sens du mot histoire a pu gauchir au cours des temps. Certains auteurs ont pu avoir une tendance toute naturelle à entendre par histoire non pas le récit des événements, mais les événements eux-mêmes [5]. Dans un mouvement tout aussi naturel, d'autres ont entendu par histoire non pas le récit des événements, mais l'œuvre, le livre où se trouvait ce récit [6]. Depuis le IXe siècle, les liturgistes enferment histoire dans un sens technique précis ; ils appellent *historia* un récit qui s'attache essentiellement à dire la vie d'un saint et sert de base à la composition de *repons* qui seront dits à l'office de ce saint [7]. Mais quoi qu'il en soit de ces glissements, à généralement parler, l'histoire est pour tout le Moyen Age ce qu'avait dit Isidore de Séville au VIIe siècle, la « *narratio rei gestae* », ou, comme dira La Popelinière au XVIe siècle, « le narré des choses faictes [8] ».

La Popelinière dit même le « vray et particulier narré des choses faictes ». En quoi il marque simplement, après cent autres, depuis des siècles, la qualité primordiale qui a toujours été exigée du récit historique : il doit être vrai. L'histoire, avait dit Cicéron, est lumière de vérité, « *lux veri-*

tatis ». L'historien devait donc oser rien que la vérité et toute la vérité [9]. Reprenant ces mots mêmes [10], les traduisant [11], les commentant [12] ou s'en inspirant, tout historien du Moyen Age est d'accord que l'histoire ne doit « s'écarter par aucun faux sentier du droit chemin de la vérité [13] », qu' « estoire est raconter les anciennes choses qui ont esté veraiement [14] ». Aussi l'historien entend-il poursuivre la vérité de ce qui s'est passé [15], atteindre la complète certitude de ce qui s'est passé [16], ne pas accueillir une phrase qu'il ne croie « contenir verité [17] ». La rhétorique classique avait distingué l'*historia,* qui dit le vrai, l'*argumentum,* qui dit non le vrai mais le vraisemblable, et la *fabula* dont le récit n'est ni vrai ni vraisemblable [18]. Cette triple distinction n'a pas été oubliée au Moyen Age [19]. Mais, dans leur ensemble, les auteurs du Moyen Age n'ont retenu que l'opposition fondamentale entre « l'histoire, qui s'efforce à la vérité, et la fable, qui tresse des fictions [20] », entre la vérité historique et la fiction [21], entre l'histoire et la poésie. Sans doute des jongleurs sans scrupules ont-ils pu abusivement tenter de couvrir leurs inventions du voile de la vérité, mais les historiens dénoncent leurs fables et supplient leur public de ne pas confondre. Geoffroi Gaimar marque bien ce qu'est son *Histoire des Anglais* :

> « N'est pas cest livre ne fable ne sunge
> Ainz est de veire estoire estrait [22] ».

Histoire vraie, mais aussi simple histoire, qui entend d'abord être crue à la lettre. Lorsque les Chrétiens des premiers temps commencèrent à construire leur doctrine, ils auraient pu tout simplement rejeter l'Ancien Testament, dont les enseignements étaient trop souvent contraires à l'esprit de l'Evangile. Le fait est qu'ils l'adoptèrent comme partie intégrante de leur héritage. Mais ils ne pouvaient admettre de laisser au texte sacré sa valeur littérale, telle qu'elle s'imposait aux Juifs. Ils le soumirent donc à une réinterprétation radicale et cherchèrent, derrière ce qu'il disait, ce qu'il voulait dire. Dès lors, un esprit chrétien fut dressé à distinguer dans la Bible, puis dans tout texte, la lettre de l'esprit, le sens littéral de l'interprétation allégorique. Or, ce sens littéral, c'est ce que toute la culture médiévale appelle son sens historique. L'histoire prend les choses pour ce qu'elles sont et donne aux mots leur sens premier [23]. Même si le mot est lourd d'interprétations allégoriques, historiquement parlant, Jérusalem n'est rien d'autre que cette cité sise en Palestine [24]. L'historien a pour simple ambition de donner le récit littéral de ce qui s'est passé [25].

§ 2. *L'espace et le temps*

Si l'on suit Hugues de Saint-Victor, la connaissance historique se réduit à trois données fondamentales : « les personnes par qui les événements arrivent, les lieux où ils arrivent, et les temps où ils arrivent [26] ». D'ailleurs, Cicéron l'avait déjà constaté, « les faits exigent qu'on suive l'ordre exact des temps, qu'on décrive les lieux [27] ». Il faut toutefois reconnaître que, à généralement parler, les historiens du Moyen Age n'ont pas ressenti comme indispensable de se situer dans l'espace. Certes, à la suite d'Orose et de Bède, des historiens, surtout des historiens anglais, ont tenu à donner à leur récit une introduction géographique. D'autres, comme Lambert de Saint-Omer ou Mathieu Paris, ont compris l'intérêt des cartes. Mais, commençant sa chronique universelle, Otton de Freising se contente de liquider en quelques mots la description du monde et de renvoyer pour plus de détails à Orose. Et nombreux sont ceux qui ne donnent même pas ce coup de chapeau à la géographie. En faisant du lieu une donnée fondamentale de la connaissance historique, Hugues de Saint-Victor se situait bien au-delà de beaucoup d'historiens du Moyen Age. Par contre, Cicéron avait déjà surtout souligné que l'histoire était le témoin des temps [28], et pendant des siècles après lui tous s'accordèrent sur cette évidence que l'histoire s'inscrit dans le temps.

Les historiens païens voyaient l'histoire du monde sous une forme cyclique. Les civilisations naissaient, fleurissaient et mouraient l'une après l'autre. L'histoire étudiait des temps toujours recommencés. Mais le christianisme imposait une conception linéaire du temps. Toute l'histoire du monde, de sa création à sa fin, se déroulait dans un seul temps. Un historien chrétien conséquent devait donc suivre d'un même mouvement toute l'histoire du monde, de sa création à sa fin. Dans les sept premiers livres de sa *Chronique,* Otton de Freising va d'Adam à son temps, mais son livre VIII donne un récit détaillé de la fin du monde. Au début de son *Speculum historiale,* Vincent de Beauvais déclare qu'il va dire l'histoire du monde « *ab initio seculi usque ad finem* [29] ». Et de fait ce *Miroir* se termine par un épilogue traitant en vingt-quatre chapitres *de ultimis temporibus.* Pour dire les derniers temps, Otton et Vincent s'appuient sur des textes bibliques, comme pour dire les premiers temps. Joachim de Flore lui-même ne veut rien être d'autre qu'un érudit utilisant, pour comprendre les écrits prophétiques de l'Ancien Testament et donc percer le mystère du futur, les méthodes mises au point, au XIIe siècle, par la critique biblique [30]. Il n'y a pas de différence de nature entre histoire et prophétie. D'ailleurs, dans les bibliothèques anglaises, à la fin du Moyen Age encore, livres d'histoire et prophéties sont le plus souvent groupés ensemble. A rigoureusement parler, pour un historien chrétien, il n'y a bien qu'un temps.

Il y a cependant une différence fondamentale entre les choses passées et les choses à venir. C'est que, ces choses à venir, même lorsque Dieu a levé un voile sur leur déroulement, personne ne peut dire *quand* elles arriveront. Personne, par exemple, si passionnément qu'il en ait envie, ne peut espérer savoir quand le monde finira. Comme le dit Lambert de Saint-Omer : « Ni un prophète, ni un ange, ni un archange, ni même le fils de Dieu ne connaît le temps du jour du Jugement, mais le Père seul [31] ». Il y a donc une grande différence entre les événements passés, dont la date est assurée, et les événements à venir, dont la date, pour ne parler que d'elle, est incertaine. Résigné, l'historien distingue, dans le cours uniforme du temps, le passé et l'avenir. L'avenir est le domaine du prophète, mais l'historien a dans le passé son royaume. Comme le précise Henri Knighton dans la préface de sa chronique en reprenant l'*historia testis temporum* de Cicéron mais avec le souci de lever toute ambiguïté : « l'histoire est le témoin des temps passés » (*testis transactorum temporum*) [32].

Limité au passé, l'historien entend du moins le couvrir tout entier, du commencement du monde à son temps. Hélinand de Froidmont, nous dit Nicolas Trivet, a écrit sa chronique *ab initio usque ad tempus suum* [33]. Ranulf Higden s'est proposé de retracer l'histoire du monde *ab initio macrocosmi usque ad nostram aetatem* [34]. Bien d'autres encore, avant et après eux. Dans ce tissu continu qu'est le temps passé, le seul moment décisif est à proprement parler la mort de l'historien. Tant qu'il vit, il n'a aucune raison de ne pas poursuivre son récit. Sa mort seule y met fin. C'est ici, nous dit Guillaume de Nangis à la date de 1113, que Sigebert de Gembloux a mis, en mourant, le point final à sa chronique (*moriens finem chronicae suae fecit*) [35]. C'est ainsi, nous dit le continuateur de Robert de Reading, que Robert a conclu et sa chronique et sa vie (*cronicarum, vitae quoque suae, finem conclusit*) [36]. Contrairement aux païens de l'Antiquité, la conscience chrétienne médiévale a donc très vif le sentiment de l'unité du temps passé.

Et tout le travail de l'historien consistera donc à conserver la mémoire de ces temps passés, *memoria temporum* [37], à raconter les faits des temps, *gesta temporum* [38], à donner la description des temps, *temporum descriptio* [39], à mieux connaître la « succession des temps [40] », *series temporum* [41], à établir la certitude des temps, *temporum certitudo* [42]. En s'attachant à surtout connaître la vérité des choses mêmes, en disant son mépris de la chronologie, en proclamant son désir d'étudier plus les faits des temps que les temps des faits [43], Pierre le Vénérable s'en prenait bien à la nature de l'histoire, disait bien son hostilité à l'histoire telle qu'elle était traditionnellement conçue. Il n'est pas douteux que pour tous les historiens du Moyen Age l'histoire était, comme pour Engelbert d'Admont, « le récit des choses passées dans l'ordre où elles se sont passées [44] ». L'historiographie médiévale se situa mal dans l'espace mais vit dans le temps son essence même. Sur elle pesa la tyrannie de la chronologie.

§ 3. *L'objet du récit*

L'historien n'est attentif au temps et à l'espace que pour mieux dire ce qui s'est passé. Toute l'ambition de l'histoire médiévale est d'être événementielle. Les mots ne manquaient pas auxquels leur étymologie donnait vocation à désigner l'événement. C'était le cas de plusieurs noms formés à partir de verbes signifiant « arriver », « se produire », comme *accidere, evenire, advenire.* Mais le fait est que l'emploi d'*accidens* ou *accidentia* dans le sens d'événement historique est rarissime [45] et que celui d'*eventus* est à peine plus fréquent [46] ; quant à *adventus,* il n'a, semble-t-il, jamais le sens d'événement, même si c'est parfois le cas du français « aventure [47] ». Si le Moyen Age emploie peu ces mots, c'est qu'il considère beaucoup moins les événements en eux-mêmes que par rapport à leurs auteurs [48]. Il parle moins de ce qui s'est passé que de ce qui a été fait. Les mots le plus souvent employés sont donc des noms formés à partir de verbes signifiant « faire ». Ainsi *actus,* ainsi *facta,* ainsi *gesta, res gestae. Actus,* les actes, a toujours appelé la précision de qui agit [49]. Il est resté d'un emploi plus limité. On trouve par contre plus fréquemment *facta* et *gesta* qui étaient, eux aussi, normalement suivis du nom de celui ou ceux qui faisaient, mais ont également pu prendre une valeur absolue et désigner « les faits » en général [50]. Dès l'origine, les Français ont volontiers utilisé la traduction française de *facta* et parlé des « faits [51] ». Par contre, *facta* lui-même n'a pas été trop fréquent. Et en latin *res gestae, gesta* furent la plus courante et plus constante façon de dire « faits » ou « événements ». Si bien que les *res gestae,* les *gesta* (au neutre pluriel), la *gesta* (au féminin singulier), en français la « geste » ou les « faits », sont les mots qui vinrent tout naturellement sous la plume de l'historien pour désigner l'ensemble des faits dont il entreprenait le récit. Le français moderne confond sous le même mot d'histoire les faits eux-mêmes et leur récit. Mais l'allemand moderne distingue bien ce qui s'est passé (*das Geschehen*) du récit qui en est fait (*die Geschichte*). De même si le Moyen Age qualifie parfois abusivement ce qui s'est passé d' « histoire [52] », son récit de « geste [53] », et fait donc d'*historia* et *gesta* deux synonymes [54], en général il maintient nette la distinction entre les événements eux-mêmes (*gesta*) et leur récit (*historia*). L'historien est celui qui dit l' « estoire » d'une « geste [55] », qui écrit une « *historia de rebus gestis* ». Il ne doute pas un instant que sa tâche ne soit de raconter les événements.

Il est même encouragé par Cicéron à tout dire de ce qui a été vraiment. Malheureusement, « comme la multitude des événements est infinie [56] », tout dire et tout retenir est hors de la portée des hommes. Dieu seul le peut [57]. Dans l'océan des faits, l'historien doit choisir. La « mémoire des temps », c'est une évidence, ne notera que ce qui est digne de mémoire [58], que les événements mémorables [59], insignes, que les *notabilia facta,* les faits notables [60]. Des faits peuvent être notables en eux-mêmes. Nombre d'historiens furent ainsi attentifs aux choses étonnantes, aux prodiges, aux « fais plus merveilleus qui sont advenuz en divers lieus [61] ». D'autant plus que ces prodiges, ces présages qui pouvaient annoncer aux fils des hommes des famines et des mortalités que la colère de Dieu leur envoyait pour leurs péchés devaient inciter des esprits chrétiens à la pénitence [62]. D'autre part, les abréviateurs du Bas Empire, tel Festus, attachaient déjà une importance primordiale aux événements des guerres, *eventus bellorum* [63]. Des esprits chrétiens ne pouvaient qu'y insister encore pour montrer les misères d'un monde muable et chancelant [64]. Il n'est donc pas étonnant que l'auteur de l'*Eulogium Historiarum,* par exemple, ait choisi de surtout traiter « *de mirabilibus, de bellis* [65] ». Mais puisque le Moyen Age considère moins ce qui s'est passé que ce qui a été fait, les événements seront pour lui d'ordinaire moins remarquables par eux-mêmes que par ceux qui les font. L'historien du Moyen Age s'intéressera donc moins aux faits remarquables qu'aux actes des hommes remarquables. L'Eglise distingue les esprits sérieux des histrions et des jongleurs en ceci que les premiers chantent « les actions des princes et les vies des saints [66] ». Hugues de Fleury se donne pour tâche de rapporter les actions des empereurs et de quelques hommes agréables à Dieu [67]. Mais comme les saints sont d'abord le domaine de l'hagiographe, la tâche essentielle de l'historien sera de traiter des princes, des puissants. Au début de ses *Annales,* Nicolas Trivet nous dit qu'il s'attachera surtout à l'histoire du peuple anglais, mais on comprend vite qu'il s'en tiendra à ce qu'ont fait les rois d'Angleterre, à quoi il ajoutera, lorsqu'ils seront venus à sa connaissance, « les faits mémorables des pontifes et des empereurs romains, ceux des rois de France, et ceux de quelques autres contemporains des dits rois d'Angleterre [68] ». Mathieu Paris, nous dit Thomas Walsingham, a passé sa vie à mettre par écrit des événements divers et étonnants, mais surtout les faits et gestes des grands, tant laïques qu'ecclésiastiques [69].

Bien rares les historiens qui estiment nécessaire d'aller audelà. Tout au plus, les lois du genre biographique les incitent-elles parfois à brosser de leurs héros de plus riches portraits. Au XIIe siècle, Jean de Marmoutier entendait dire ce qu'avaient fait les comtes d'Anjou, mais aussi leur vie et leurs mœurs [70]. Wace estime que les livres d'histoire sont faits

> Pur remembrer des ancessurs
> les feiz e les diz e les murs [71].

Au XIIIe siècle, Vincent de Beauvais retient dans son *Miroir historial* les faits, mais aussi les dits mémorables [72]. De même Joinville écrit-il un « Livre des saintes paroles et des bons faits de notre saint roi Louis ». Les grands hommes sont donc parfois moins schématiques. D'un autre côté, suivant l'exemple du *De viris illustribus* de saint Jérôme, et la vanité littéraire aidant, certains historiens, dont Sigebert de Gembloux est le plus remarquable, n'ont pas hésité à donner des catalogues d'auteurs et à étendre vers la culture leurs intérêts d'historien. Il a pu arriver aussi que le goût des prodiges et des merveilles débouche sur une plus large curiosité. Dès la fin du XIIe siècle, Gérard de Galles, dans sa *Topographia hibernica,* se donnait pour tâche non seulement de dire prodiges et miracles, mais encore d'étudier les mœurs des Irlandais [73]. A la fin du XIVe siècle, Thomas Burton notait avec intérêt que Marco Polo, marchand vénitien, après avoir voyagé pendant vingt-six ans, avait décrit « les merveilles du monde, et aussi les peuples, les religions et les pays dans leur diversité [74] ». D'ailleurs, dans les deux derniers siècles du Moyen Age, plus nombreux commencent à être les historiens qui donnent à leur discipline un plus vaste objet. « Il y a sept sortes de personnes, dit Ranulf Higden dans sa *Polychronique,* dont les actes sont plus souvent rappelés dans les histoires, à savoir le prince dans son royaume, le chevalier à la guerre, le juge au tribunal, l'évêque parmi les clercs, l'homme politique dans la société, le maître dans sa maison, le moine dans son monastère. Auxquels correspondent sept sortes d'actions, à savoir la construction des cités, la victoire sur les ennemis, l'application des droits, la correction des crimes, l'organisation de la chose politique, la gestion de la chose domestique, la conquête du salut [75] ». La lecture d'Aristote avait évidemment inspiré l'historien anglais. Ce sont des perspectives humanistes qui incitèrent Leonardo Bruni à s'intéresser non plus simplement aux guerres, mais aussi à l'histoire intérieure de l'Etat, à ses institutions [76]. Donc, ici et là, à la fin du Moyen Age, l'histoire se fait plus ambitieuse. Mais ces amorces représentent au total peu de choses. L'histoire reste pour l'essentiel la narration des faits mémorables. Et lorsque, au début du XVIe siècle, Jean Lemaire de Belges se donne pour but de « forger une histoire totale, laquelle chose n'ha esté encores attentée de nul autre, que je sache, ny en françois ny en latin », n'allons pas imaginer je ne sais quelle initiative lourde d'avenir lointain. Il s'opposait simplement à ceux de ses confrères qui, dans la meilleure tradition médiévale, entendaient trier les faits à retenir, et affichait son ambition d'absolument tout dire, jusqu'aux plus « menues particularitez » de ses héros [77]. Condamné à dire des faits, lui qui voulait pousser plus haut sa science, étaler plus large son érudition et ne plus s'en tenir aux faits mémorables, il n'avait d'autre issue que les faits minuscules.

II. Place de l'histoire

§ 1. *L'histoire, science auxiliaire*

Ecrire l'histoire n'est pas toujours un plaisir. Et pour un Guillaume de Malmesbury qui, quadragénaire, reconnaît avoir dans sa jeunesse « joué à l'histoire [78] », tant d'autres disent plutôt combien la chose est difficile, et comme ils ont peiné [79]. Du moins ont-ils peiné, c'est leur consolation, pour le plaisir de ceux qui les liront ou les entendront. Car lecteurs et auditeurs attendaient d'abord du récit historique ce que Quintilien demandait à tout récit, qu'il leur fût une distraction et un divertissement. Au XIIe siècle, à Ardres, les jours de pluie, trois vieux chevaliers se relayaient à dire des récits historiques « pour l'amusement de leurs auditeurs », « *ad aurium delectationem* [80] ». Au début du XIVe siècle, à Saint-Denis, l'abbé et les moines demandaient à leur frère Yves d'écrire « aucun traité ou aucune bele estoire qui (leur) soient plesant à oïr [81] » ; avant et après lui, nombreux furent les moines dont l'intention était, écrivant l'histoire, d'offrir une « récréation », « *recreatio* », à ceux qui cessaient un moment de travailler et de prier [82]. En 1338, dans son prieuré de Sixhill, Robert Manning traduisait en anglais la chronique de Pierre de Langtoft

6 « non pour les savants mais pour les humbles
pour ceux qui vivent en ce pays
et ne savent ni latin ni français,
pour qu'ils aient quelque plaisir *(solace)*
10 quand ils sont assis tous ensemble »,

et il leur demandait à tous, dans son prologue, de prier Dieu pour lui,

134 « moi qui ai peiné pour votre plaisir » *(solace)* [83].

Bref, pour tous, tout au long du Moyen Age, comme le dit l'auteur du *Rosier des guerres,* « c'est grant plaisir et bon passe temps de ouyr reciter les choses passées [84] ». L'histoire n'est pas si loin de la littérature.

Mais comme le récit historique raconte ce qui s'est réellement passé, l'histoire est en même temps beaucoup plus sérieuse ; elle est moins proche de la littérature que de la science. Disant la vérité première des choses, elle est même, si l'on en croit Hugues de Saint-Victor, « le fondement de toute science », « *fundamentum omnis doctrinae* » [85]. L'histoire n'était cependant pas elle-même une discipline essentielle, comme la théologie ou le droit. Pour les maîtres du XIIe siècle, elle ne fut pas davantage, comme la grammaire, la rhétorique ou la dialectique, un « art » qui pût faire l'objet d'un enseignement particulier. Et puisqu'il n'y a de science, selon Aristote, que du général, l'influence du Stagirite, au XIIIe siècle, renforçait les universitaires dans leur conviction que l'histoire, qui s'attachait à dire les faits passés dans leur singularité, ne pouvait être un art [86]. Et comme le classement des bibliothèques, lorsqu'il y en avait un, reflétait la structure de l'enseignement universitaire, les livres d'histoire n'y étaient jamais, au même moment, tous groupés ensemble. Et personne ne songeait à méditer sur l'histoire et sa nature. Apparemment, le dernier traité théorique sur l'histoire non pas même composé, mais copié au Moyen Age, le fut à Bénévent au VIIIe siècle. Il y dormait encore au milieu du XVe [87]. L'histoire n'était pas un art autonome.

Elle existait pourtant. Elle avait un nom. Elle avait son objet. Des auteurs se disaient historiens et se sentaient solidaires de ceux qui, parfois *historici, cronici* ou *historiologi,* le plus souvent *chronographi* ou *historiographi,* se vouaient comme eux à l'étude du passé [88]. L'histoire était à tout le moins un savoir, une pratique, et son utilité n'était contestée par personne. Dans le prologue de son *Historia pontificalis,* Jean de Salisbury nous dit que son but est le même que celui des chroniqueurs qui l'ont précédé : être utile à ses contemporains et à leurs successeurs. Il nous précise même en quoi l'histoire est utile. Elle donne des exemples de récompense et de châtiment qui apprennent à vivre. Elle révèle l'invisible divin. Elle aide à établir ou abolir les coutumes, renforcer ou détruire les privilèges [89]. L'histoire sert donc la morale, la théologie et le droit. Elle est chez elle à la faculté de droit, à la faculté de théologie comme elle l'est à la faculté des arts. Trois siècles plus tard, dans une tout autre atmosphère, lorsque Laurent Valla écrivait sa dissertation critique sur la donation de Constantin, il avait conscience que c'était une œuvre oratoire, *opus oratorium,* qui intéressait à la fois le droit canon, *res canonici juris,* et la théologie, *res theologiae* [90]. Là encore, l'histoire était commune à la théologie, au droit et aux arts. L'histoire n'était pas autonome. Ce n'était qu'une science auxiliaire. Mais il n'était pas une grande discipline qui n'eût besoin d'elle.

§ 2. *La morale et l'histoire*

Pour Cicéron déjà, l'histoire était « école de vie », « *magistra vitae* [91] ». Pendant des siècles après lui, pas un historien n'a douté que l'histoire ne dût donner la voie à suivre, « *via vitae* [92] », l'exemple à imiter, « *exemplum vitae* [93] ». Il n'est pas un historien qui n'ait annoncé dans sa préface son intention de donner le « bon exemple », pour « mouvoir a vertus » ses lecteurs [94], ou, plus généralement, d'écrire pour que son lecteur « voie clairement ce qu'il doit éviter avec soin et ce qu'il doit principalement rechercher [95] », « pour que le sage sache rejeter le mal et choisir le bien [96] ». A la fin du Moyen Age, Cicéron, si toutefois la chose était possible, fut encore mieux entendu. Les historiens italiens ou allemands que la culture humaniste avait pénétrés ne désiraient pas autre chose que leurs prédécesseurs les plus traditionnels. Ils voulaient que l'histoire donnât des exemples. Ils voulaient être professeurs de vie [97]. Sans doute un Erasme s'inquiétait-il. On trouvait dans trop de livres d'histoire de bien mauvais exemples [98]. Mais sa voix restait isolée. Tout historien attendait de l'histoire la réponse qu'en obtint Jean Lemaire de Belges :

> « — Histoire, que faiz tu ?
> — Je fay les bons ensuivre [99] ».

Tout livre d'histoire pouvait donner cet enseignement, aussi bien l'histoire d'un homme que celle d'un monastère ou d'un peuple. Saint Paul l'avait bien dit : « *Quaecumque scripta sunt ad nostram doctrinam scripta sunt* », « Tout ce qui est écrit est écrit pour notre instruction [100] ». L'histoire sainte, cependant, était une mine d'exemples à suivre et à éviter plus quotidiennement exploitée [101]. Guillaume de Saint-Denis, cherchant des exemples, utilisait la Bible qui lui était familière. Mais il citait aussi les auteurs classiques et, parmi eux, beaucoup d'historiens [102]. C'est que les historiens de l'Antiquité avaient usé de leur rhétorique pour satisfaire aux ambitions de l'histoire cicéronienne, et, pour tous les clercs comme pour tous les laïcs du Moyen Age, leurs œuvres étaient de merveilleux recueils d'exemples. Tous étaient persuadés qu'à les lire

> « ... devroit on exemple prendre
> laissier le mal et al bien tendre [103] ».

Les vieilles histoires plaisaient particulièrement à Jean de Courcy, l'auteur de *la Boucquechardière,* parce qu'elles avaient « substance de fait de haulte memoire, coulouree de couleur historial et oudeur de moralité [104] ». Cette odeur de moralité, les adultes pouvaient la respirer, mais elle était plus importante encore pour les enfants qu'il convenait de former. Lisant les historiens anciens dès leur plus jeune âge, les élèves y apprenaient à la fois règles de grammaire et maximes de sagesse. Etudiant les nombreux discours dont ces historiens émaillaient leurs œuvres, ils y apprenaient même les secrets du style [105]. Aussi n'est-il pas étonnant que la lecture des livres d'histoire soit le plus souvent prévue dans les classes de grammaire, parfois, surtout en Italie où l'enseignement de la rhétorique est toujours resté plus vivace, dans les classes de rhétorique [106]. Et les œuvres des historiens de l'Antiquité ou les compilations d'histoire ancienne furent souvent liées, dans un manuscrit, à des traités moraux [107]. Les livres d'histoire ancienne furent le plus souvent rangés avec les livres de grammaire. Les gloses dont ils furent souvent couverts ne commentaient guère que les discours [108]. Les index dont ils furent parfois pourvus n'eurent guère d'autre but que de retrouver les exemples moraux [109].

Cette étroite dépendance de l'histoire, de la morale et de la rhétorique eut du moins pour résultat que l'histoire ancienne fut bien connue au Moyen Age. Tite-Live, Lucain, Salluste, Suétone, Valère-Maxime, d'autres encore, furent abondamment lus, copiés et traduits. D'une façon plus générale, toute l'histoire resta présente. Mais on ne pourra dès lors être surpris de trouver à l'historiographie médiévale des traits rhétoriques et moralisateurs. De plus, puisque l'historien disait la vérité pour exciter à la vertu son lecteur, il fut parfois tenté de passer sous silence des faits qui lui paraissaient peu convenables [110]. La morale l'écartait ainsi de son devoir de dire toute la vérité. Surtout, les pasteurs d'âme avaient très vite compris que si un exemple véridique était salutaire, une fable bien choisie pouvait l'être tout autant, voire davantage [111]. Or, depuis 1130 environ, la *cura animarum,* le souci de prêcher étaient devenus un des soucis majeurs des clercs [112]. Il arriva que les historiens, lorsqu'ils étaient clercs, furent plus soucieux d'efficacité pastorale que de vérité. Adam de Clermont, dans le prologue de ses *Flores historiarum,* déclarait s'être moins attaché aux faits sûrs qu'aux faits intéressants [113]. Même un Ranulf Higden, rapportant une histoire qu'il avait lue, n'entendait pas jurer que tout y était vrai car, expliquait-il, l'apôtre n'a pas dit : « Tout ce qui est écrit est vrai », mais : « Tout ce qui est écrit est écrit pour notre instruction [114] ». A servir la morale, l'histoire avait d'abord profité. Mais à la longue elle y perdit de son exigence de vérité. Son sens critique s'émoussa. L'histoire manqua sombrer sur l'océan des exemples.

§ 3. *La théologie et l'histoire*

« Daniel prit la parole et dit : que le nom de Dieu soit béni d'éternité en éternité ; à lui appartiennent la sagesse et la force ; c'est lui qui change les temps, renverse et établit les rois... [115] ». Dieu « *qui mutat tempora et transfert regna* », cite exactement Innocent III [116] ; Dieu « *qui secundum voluntatem suam transfert regna et mutat imperia* », retrouve un notaire catalan, en 1149, dans l'à peu près de sa mémoire [117] ; Dieu « qui fait les mutacions des royaumes, provinces et principaultez, et les distribue et départ à son plaisir et où bon luy semble », commente Pierre Le Baud en sa verbosité [118]. Chacun sait, au Moyen Age, que ce qui arrive arrive par la volonté de Dieu. L'histoire a la noble tâche de dire ce qu'a fait Dieu, *gesta Dei.* Elle est par essence religieuse.

D'ailleurs, dès le VIe siècle, Cassiodore avait sélectionné quelques « historiens chrétiens » dont il estimait la lecture nécessaire à une formation religieuse. Parmi eux Josèphe, Eusèbe de Césarée, l'*Histoire tripartite,* Orose [119]. A sa suite, tout monastère carolingien eut dans sa bibliothèque une section d'historiens chrétiens [120]. Au début du Xe siècle, le second comte de Hollande, nous dit Jean de Beke, reconstruisit en pierre le monastère d'Egmond et le dota richement : il lui offrit entre autres le texte des quatre évangiles dans une reliure précieuse, et l'*Histoire tripartite* [121]. A la fin du xve siècle encore, Hartmann Schedel rangeait parmi ses livres de théologie plusieurs œuvres historiques [122] et certaines étaient celles-là même qu'avait retenues Cassiodore, celles de Josèphe, d'Orose, et surtout l'*Histoire ecclésiastique* d'Eusèbe de Césarée.

Dans son *Histoire ecclésiastique* Eusèbe n'avait pas écrit une histoire de l'Eglise au sens où nous l'entendons depuis le xvie siècle mais l'histoire de tout un peuple, rassemblé en une seule Eglise, tendant vers son salut [123]. Il avait fait œuvre de théologien. Après lui, nombre de chrétiens furent à la fois théologiens et historiens. Ecrivant leur histoire, leur seul but était de travailler à la louange et à la gloire de Dieu [124]. Ils situaient tout naturellement leur histoire dans une perspective théologique, au point qu'il serait vain de prétendre comprendre leurs travaux historiques une fois qu'on les aurait artificiellement coupés de leurs réflexions et de leurs écrits théologiques [125]. Histoire et théologie avaient des liens très étroits, ou plutôt, disons que l'histoire était très étroitement liée à cette reine des sciences qu'est la théologie. Pour beaucoup, tout au long du Moyen Âge, l'histoire fut, comme pour Hugues de Saint-Victor, le fondement de la doctrine sacrée [126]. Pour beaucoup, comme pour Barthélemy de Lucques, l'histoire appartenait d'abord aux théologiens [127].

Il n'est pas difficile de dire en général l'affinité qui existe entre les théologiens, les historiens et la Bible, qui est l' « histoire divine », l' « histoire sacrée », l' « histoire sainte », l' « histoire » en un mot [128]. Il est peut-être moins aisé de la préciser [129]. A qui le tenterait l'influence de la Bible sur les historiens apparaîtrait sans doute moins forte et moins constante qu'on ne le croit souvent. Car dans les premiers siècles du Moyen Age bien rares furent ceux qui possédèrent une Bible complète, une « bibliothèque [130] ». C'était déjà beaucoup d'avoir les livres de la Bible que réclamait la liturgie, c'est-à-dire les évangiles, les épîtres, et surtout les psaumes. La culture de l'immense majorité des laïques, et même des clercs, à l'époque carolingienne encore, se nourrit moins de la Bible que du seul psautier [131]. Les livres historiques de la Bible sont connus d'une minorité, mais seul leur sens spirituel l'intéresse, elle n'y cherche guère que des allégories. Si bien que, pendant longtemps, l'histoire semble rester à distance de la Bible. Bède connaît admirablement le livre sacré, mais rien n'en transparaît dans son *Histoire ecclésiastique du peuple anglais* [132]. Au début du xiie siècle encore, les œuvres théologiques et exégétiques de Rupert de Deutz sont nourries des Ecritures, mais, dans son œuvre historique, les citations bibliques sont rares, purement ornementales, et l'auteur suit surtout des historiens profanes, comme Salluste[133].

Mais au même moment, la réforme monastique, la multiplication des écoles, l'enthousiasme que les croisades suscitaient pour les guerres d'Israël et de Juda favorisaient une meilleure connaissance de la Bible en général, de ses livres historiques en particulier[134]. Et si les cloîtres préféraient continuer à en sonder le sens moral, les écoles s'attachaient de plus en plus à en étudier le sens littéral. La science juive s'était toujours consacrée à l'étude du sens littéral de la Bible, au point que les Pères de l'Eglise opposaient déjà au *sensus mysticus* le *sensus judaïcus*[135]. Mais à partir du xe siècle, en Espagne, puis en France, les rabbins avaient approfondi la connaissance de la Bible par une systématique approche à la fois linguistique et historique, et leur effort avait abouti au commentaire de Rashi. Au xiie siècle, les écoles chrétiennes tirèrent un immense profit de l'exégèse juive. Elles comprirent mieux la lettre de la Bible. Et jamais plus qu'en ce temps les théologiens qui s'appuyaient sur les Ecritures, les exégètes qui s'attachaient à leur sens historique, et les historiens, ne furent si proches les uns des autres.

Dans le livre d'histoire qu'était bien, désormais, la Bible, les historiens trouvaient d'abord une justification de leur discipline : « Demande à la génération précédente, et sois attentif à l'expérience de tes pères... le papyrus pousse-t-il sans marais ? Le jonc croît-il sans eaux ? [136] » L'homme raisonnable doit savoir le passé ; il se distingue ainsi de la brute et des animaux « qui ignorent d'où ils viennent, ignorent leur race, ignorent l'histoire de leur pays, mieux même ne veulent pas le savoir[137] ». Les historiens doivent aussi à la lecture de la Bible une de leurs façons d'appréhender le temps. En effet, des trois rédacteurs principaux de la Bible, les deux premiers, le Iahviste et l'Elohiste, étaient des conteurs orientaux peu soucieux de chiffres et de chronologie. Le troisième au contraire, le Chroniqueur, en était très soucieux, et il coulait sa chronologie dans le cadre des générations successives. La généalogie était pour lui l'auxiliaire de la chronologie[138]. Le lisant, les exégètes bibliques multiplièrent les tableaux généalogiques[139]. L'abondance des généalogies au xiie siècle a certes bien d'autres explications, mais faut-il s'étonner que le grand moment des généalogies soit aussi le grand moment de l'érudition biblique ? L'étude de la Bible va par ailleurs susciter, aux xiie et xiiie siècles, la création de nombreux instruments de travail (divisions et subdivisions des textes par besoin de références précises ; confection d'index, de lexiques, de concordances...) dont l'histoire fera son profit. Mais l'utilité majeure des livres historiques de la Bible est encore de fournir à l'historien le seul récit qu'il ait des premiers temps de l'humanité. « Si nous considérons, dit Alphonse le Sage dans le prologue de la *Cronica de España,* le bénéfice que nous pouvons tirer des saintes Ecritures, nous voyons qu'il consiste dans le fait qu'il nous instruit sur la création du monde, la venue des patriarches, la sortie d'Egypte, les lois données par Dieu à Moïse, le règne des rois du saint pays de Jérusalem, leur exil, la promesse de la venue de notre seigneur Jésus-Christ, sa passion, sa résurrection et son ascension [140] ».

Les écoles, au XIIe siècle, s'étaient attachées à mieux connaître cette histoire biblique. Et tout leur effort avait abouti à l'œuvre de Pierre Le Mangeur, en latin Petrus Comestor. Pierre Le Mangeur était champenois, comme Rashi. Il avait reçu sa première formation à Troyes, où Rashi avait vécu. Puis sa carrière avait été tout entière parisienne. En 1160, il était déjà célèbre par son savoir. Quelques années plus tard il devenait chancelier, c'est-à-dire écolâtre de Notre-Dame. Avant 1173, il avait achevé son *Histoire* ou ses *Histoires,* où les gloses allégoriques ne manquaient pas mais où il expliquait essentiellement le sens littéral des Ecritures. L'œuvre du « Maître des Histoires » eut un énorme succès. Elle fut si lue dans les classes qu'elle en garda le titre d'*Historica scolastica* [141]. Elle prit place, dans de nombreuses bibliothèques théologiques, aux côtés de Josèphe, d'Eusèbe et d'Orose. L'*Histoire scolastique,* dans le texte latin de Pierre Le Mangeur, dans l'adaptation française qu'en fit Guiart des Moulins à la fin du XIIIe siècle, à travers toutes les œuvres qui la copièrent ou la résumèrent, fut pendant trois siècles un des piliers de la culture historique de l'Occident, continuant à témoigner avec éclat des liens étroits qui avaient uni, au XIIe siècle, théologie, exégèse, et histoire.

Ce durable succès marquait aussi, malheureusement, une sclérose. Il disait comme l'histoire biblique, après Pierre Le Mangeur, s'était essoufflée. Dès la première moitié du XIIIe siècle, Guillaume d'Auvergne se plaignait que « certains se satisfaisaient d'avoir entendu les préliminaires de l'Ecriture sainte, tels que les *Histoires* ou quelques autres œuvres. Le reste, ils le négligeaient [142] ». Et cette sclérose fut d'autant plus rapide que, dès le XIIe siècle, la théologie, de scripturaire, s'était voulue spéculative. Au moment même où Hugues de Saint-Victor fondait sa théologie sur l'histoire, des maîtres des écoles de Paris et de Laon, se détournant des Ecritures, entendaient construire la leur hors du temps, sur la logique et la raison [143]. De la logique, la critique historique pouvait très bien profiter. En 1121, pour résoudre le problème de savoir si c'était bien Denis l'Aréopagite qui avait fondé l'abbaye de Saint-Denis, Abélard appliquait aux textes historiques qu'il avait rassemblés précisément les principes qu'il énonçait au même moment dans son *Sic et non.* Mais c'est un fait que la logique et la théologie intemporelle, triomphant dans les écoles et les universités, en détournèrent beaucoup de l'histoire. L'élite des clercs, vouée à la théologie, se contentait de lire l'*Histoire scolastique* pour s'informer des temps antérieurs au Christ ; pour les temps postérieurs, la courte chronique que Martin le Polonais écrivit pour eux vers la fin du XIIIe siècle leur suffisait. Encore heureux s'ils lisaient ou possédaient ces deux livres. Aux XIVe et XVe siècles, beaucoup de théologiens n'avaient aucun livre d'histoire dans leur bibliothèque ; beaucoup n'en empruntaient aucun [144]. Et lorsque, à la veille de la Réforme, les Ecritures connurent chez les théologiens un regain de faveur, l'histoire n'en profita pas. Comme jadis les Pères, ce ne fut pas le sens littéral de l'histoire sainte, mais son sens spirituel qui intéressa les théologiens. Après saint Paul, Erasme était convaincu que « la lettre tue, l'esprit vivifie [145] ». L'esprit vivifiait mais, à trop souffler, il desséchait l'histoire.

§ 4. *Le droit et l'histoire*

Pour défendre leurs droits, les monastères compilèrent, à partir du Xe et surtout du XIe siècle, des cartulaires ; dans la plupart d'entre eux, les chartes pouvaient être précédées d'un titre et d'une analyse plus ou moins développée, mais elles étaient copiées sans commentaire, et ignoraient l'histoire. A partir de la seconde moitié du XIIe siècle, la renaissance du droit romain ne fit que renforcer cette tendance ; suivant l'exemple de Justinien, l'école habitua les juristes à étudier, à interpréter et à utiliser leurs textes dans un monde plat, intemporel, avec le but unique de les plier à leurs besoins présents. Science ou pratique, le droit médiéval pouvait donc rejeter l'histoire. En Sicile, au XVe siècle, l'histoire était quasiment absente car la culture était entre les mains des juristes et les juristes n'avaient pour ainsi dire, dans leurs bibliothèques, aucun livre d'histoire [146].

Parfois cependant, dès le début du Moyen Age, des juristes avaient éprouvé le besoin de mettre leurs textes en perspective historique, de mieux les situer dans le temps et dans l'espace. C'est pourquoi le *Liber pontificalis* accompagne souvent une collection ou des textes canoniques ; les annales carolingiennes nous sont souvent parvenues dans des manuscrits qui sont surtout ou même exclusivement des recueils de lois ou de capitulaires [147] ; la chronique saxonne est un appendice au *Sachsenspiegel* comme le *Könige Buch* est un appendice au *Schwabenspiegel*[148]. Vers la fin du XIIIe siècle, Martin le Polonais donnait une histoire des papes et des empereurs aussi brève que possible, dans un opuscule dont l'auteur espérait que les théologiens pourraient l'ajouter aux *Histoires scolastiques* et les canonistes au décret ou aux décrétales[149]. Son espoir ne fut pas déçu, son livre eut un grand succès. Mais ce succès même marque la modestie du rôle que les juristes assignaient à l'histoire. Leur suffisaient quelques noms, quelques dates, la routine d'un aide-mémoire. Dans les facultés de droit, l'histoire a moins vécu qu'elle n'a survécu.

L'histoire était plus intimement et plus fructueusement liée à la pratique du droit. A Farfa, à la fin du XIe et au début du XIIe siècle, le moine Gregorio di Catino, après avoir composé les deux cartulaires du monastère, intégrait la documentation précédemment transcrite dans un récit historique continu bourré de références documentaires, le *Chronicon Farfense*[150]. En 1200, Pérégrin, l'abbé cistercien de Fontaine-les-Blanches, écrivait en deux livres l'histoire de son monastère, donnant dans le premier le récit de sa fondation et la suite de ses abbés, dans le second la liste de ses privilèges et de ses possessions ; au début de son second livre, il encourageait ses successeurs à continuer son œuvre « non seulement pour la récréation des lecteurs mais aussi pour la connaissance, la défense et le maintien de nos possessions[151] ». Comme eux, d'autres compilateurs de cartulaires enchâssèrent leurs documents dans un récit plus ou moins long, et plus ou moins adroit. L'occasion plus précise d'un procès obligeait à composer un dossier ou un mémoire qui, replaçant les documents dans leur suite chronologique, pouvait devenir une véritable histoire. Dès la fin du XIe siècle, l'*Historia monasterii Figiacensis* était une sorte de mémoire judiciaire en faveur de l'abbaye de Figeac contre celle de Conques[152]. Par la suite, l'augmentation du nombre des procédures écrites favorisa la multiplication des dossiers et des traités historiques. Ce n'est pas un hasard si l'admirable floraison historique des années 1090-1130 en Angleterre se situe au moment où les grands monastères, après la conquête, doivent défendre leurs droits et leur existence même : elle est en partie née de cette nécessité[153]. Plus tard, Gervais de Canterbury fut moine à Christ Church ; c'est pour en défendre les droits contre l'archevêque et s'appuyer sur des précédents que, en 1185, à la demande de sa communauté, il commença à étudier l'histoire[154]. John Wessington fut prieur de Durham de 1416 à 1446 ; c'est en maîtrisant les énormes archives de la cathédrale pour soutenir ses longs et nombreux procès qu'il devint un des meilleurs historiens anglais du XVe siècle[155].

L'étude du droit avait parfois pu être de quelque profit à l'historien. Aimoin de Fleury, par exemple, préparant ses œuvres historiques, avait fait des fiches, agencé et cité ses sources comme le canoniste qu'il était avait l'habitude de le faire [156]. Mais on n'a pas assez souvent souligné combien la simple compilation d'un cartulaire ou l'élaboration d'un dossier juridique préparaient mieux encore l'historien à la maîtrise technique de son métier [157]. Il lui fallait d'abord lire les documents et faire preuve de compétence paléographique. Il lui fallait ensuite se faire archiviste pour les classer ou les retrouver. Pour les dater, il devait pouvoir et savoir se servir de tables chronologiques, de catalogues de papes, d'empereurs, de rois, d'évêques, et même de généalogies familiales. De la masse documentaire ainsi rassemblée et préparée, il pouvait enfin faire la synthèse, construisant des généalogies [158], écrivant des histoires nourries de documents, et même, d'autant plus que les fonds d'archives étaient mieux classés et plus accessibles, de documents originaux. Pour répondre, enfin, à ses adversaires, il devait se rendre capable, s'il en était besoin, de dénoncer des faux ; il devait aussi énoncer des principes critiques qui lui permissent de démontrer la supériorité de sa propre documentation. Dans les écoles, l'histoire trouvait vite sa limite. Mais, du cartulariste au juriste et du juriste à l'historien, la pratique du droit avait mené sans solution de continuité à une histoire richement documentée, bien distincte de l'histoire rhétorique ou de l'histoire théologique, et dont en somme notre érudition contemporaine s'inspire directement.

§ 5. *La conquête de l'autonomie*

Ecartelée entre la théologie, le droit et les arts, l'histoire n'eut jamais, dans l'université médiévale, qu'une place secondaire. Comme le classement des bibliothèques reflétait la structure de l'enseignement, les livres d'histoire y étaient, ici et là, dispersés. Mais lentement, très lentement, les choses évoluèrent. L'histoire conquit son autonomie.

C'est d'abord que des passions nationales de plus en plus vives, cherchant à enraciner dans le passé l'amour du prince et du pays, en poussaient beaucoup vers l'histoire et ne contribuaient pas peu à ruiner les structures d'un enseignement que l'église avait voulu universel. C'est ensuite que les progrès de l'Etat favorisèrent la réflexion politique. Or, la réflexion politique se situait traditionnellement sur deux plans. D'une part elle entendait déterminer quelle conduite un homme politique devait tenir ; d'autre part elle s'attachait à examiner et à comparer les différentes formes de gouvernement possibles. Théorie et morale politiques pouvaient se développer en dehors du temps. Un miroir aux princes ou un traité politique peuvent très bien totalement négliger l'histoire [159]. Mais beaucoup étaient convaincus, comme Engelbert d'Admont, que rien ne pouvait mieux que la connaissance du passé guider la décision politique [160]. Et beaucoup, comme Marsile de Padoue, tentèrent de justifier par l'histoire leurs théories politiques [161]. Mais la science politique, commencée et continuée ici dans le cadre de la rhétorique, là dans celui de la théologie, où elle est la théologie pratique [162], là encore dans celui de la philosophie, où elle est la philosophie morale, se sent mal à l'aise dans les structures universitaires classiques et, à se développer, tend à les ébranler. Les humanistes enfin, répétant Cicéron, admirant Tite-Live et Salluste, ne contribuèrent pas peu à imposer l'idée que l'histoire était importante et devait être indépendante [163].

Dans ces nouveautés, tout n'était pas profit pour l'histoire. Beaucoup d'historiens humanistes, dans leur souci passionné de la forme, s'attachèrent uniquement à récrire leurs prédécesseurs et n'eurent que mépris pour l'érudition. Loin de se mettre à l'école de l'histoire, la science politique, trop souvent, l'utilisa et, se souciant peu de recherche historique approfondie, se satisfaisant de rudiments d'histoire, la ployait à ses vues. L'histoire n'échappait aux théologiens et aux juristes que pour servir la science politique, « *historia ancilla scientiae politicae* [164] ». Il n'empêche qu'avec les humanistes et les publicistes, l'histoire fit de décisifs progrès : au lieu de simplement enregistrer des faits et constater la volonté de Dieu, elle se mit à penser ; elle voulut expliquer ; elle organisa son discours autour d'une idée, ou d'un thème. Ce en quoi l'œuvre de Leonardo Bruni est originale, c'est qu'elle est sous-tendue par l'ambition de montrer la construction de l'Etat florentin, le développement des institutions florentines [165].

De ses ambitions accrues, l'histoire tira une assurance et une dignité nouvelles. En 1437, Lapo de Castiglionchio le jeune écrivait une longue lettre dont les idées n'étaient d'ailleurs pas neuves. Elles avaient été cent fois, depuis Cicéron, répétées tout au long du Moyen Age. Mais l'auteur, foulant un terrain où s'étaient déjà engagés Coluccio Salutati et Georges de Trébizonde, eut du moins le mérite de grouper ces propositions dispersées en un exposé systématique. Il donnait ainsi, le premier, un véritable traité sur l'histoire, *ars historica* [166]. En 1482, Bartolommeo della Fonte, professeur de poésie et de rhétorique à l'Université de Florence, commençait son cours annuel, où il se proposait de parler de Lucain et de César, par un discours sur l'histoire. Il y exposait des vues parfaitement traditionnelles mais y donnait aussi ce qu'on peut considérer comme la première histoire de l'historiographie [167]. Peu à peu, l'histoire conquérait son autonomie, et même à l'université. Dès la fin du XIIIe siècle, Nicolas Trivet nous raconte comment, étudiant à Paris, poussé par l'amour de son pays, il lisait avec passion histoires et chroniques pour en retenir tout ce qui avait trait au passé des Anglais [168]. Nicolas Trivet était peut-être, en son temps, une exception. Mais en Angleterre, au XVe siècle, dans les *Inns of Court,* « la majeure partie des étudiants, nous dit John Fortescue, s'adonnait en semaine à l'étude du droit et les jours de fête, après les offices, à la lecture des Ecritures saintes et des chroniques [169]. Mieux encore. En Pologne, l'histoire devint objet d'enseignement. Maître Vincent, dit Kadłubek, mort évêque de Cracovie en 1223, avait écrit une *Chronica Polonorum.* Jean de Dabrowka, professeur à l'Université de Cracovie, en donnait du haut de sa chaire, en 1436-1437, un commentaire qui, copié et modifié, fut à l'origine d'un véritable manuel d'histoire universitaire largement diffusé et bien propre à soutenir l'orgueil polonais [170]. En 1504 enfin, une chaire de professeur d'histoire était fondée à Mayence. La fondation fut éphémère [171], mais elle marquait l'aboutissement du long mouvement qui devait bientôt imposer l'histoire comme discipline majeure. Parallèlement, les bibliothèques, attentives aux évolutions de l'enseignement, reflétaient dans leurs catalogues les progrès de l'histoire. Dès 1338, le catalogue de la bibliothèque de la Sorbonne avait une section d'*Historie* et une section de *Cronice.* Mais la première regroupait simplement les nombreux exemplaires de l'*Histoire scolastique* de Pierre Le Mangeur que possédait le collège de théologie, et la seconde les œuvres hagiographiques comme la *Légende dorée* de Jacques de Voragine. Par contre, dans le catalogue que les frères augustins d'York dressaient de leur bibliothèque en 1372 apparaissaient bien, à côté de sections classiques comme *logicalia et philosophia..., grammatica, rhetorica,* des sections nouvelles qui marquaient les progrès de l'histoire : *Hystorie ecclesiastice* où l'on trouve trois exemplaires de l'œuvre de Pierre Le Mangeur, mais aussi *Historie gencium, Hystorie et cronice.* En 1498, non seulement Hartmann Schedel classait les historiens à part lorsqu'il rédigeait le catalogue de sa bibliothèque, mais encore il y distinguait les *Historici greci,* les *Latini veteres,* les *Moderniores historici,* et même les *Cosmographi et geographi* [172].

L'histoire n'était plus simplement servante. Mais elle ne coupa pour autant ses liens ni avec la grammaire, ni avec la théologie, ni avec le droit. Si bien que les progrès de la philosophie, les controverses religieuses[173], la pratique judiciaire[174] furent l'enclume où les historiens forgèrent leurs techniques de recherche et leurs méthodes critiques. Longtemps encore l'histoire continua de vivre dans le même environnement scientifique. Tout cependant était changé en ceci que, majeure, elle tirait le meilleur parti des liens qui, servante, l'avaient figée.

1. Cicéron (460), II, 12 ; t. II, p. 27.
2. Aulu-Gelle (443), V, 18 ; t. I, p. 234.
3. Isidore de Séville, *Etymologies,* I, 41 ; *PL* 82, 122.
4. « Hystoria est rerum gestarum narratio », Green (579), 490-491. « Res enim gestas scribere... proposuimus », Otton de Freising (676), VI, 23 ; p. 466. « Quum historia sit rerum gestarum diligens expositio », Georges de Trébizonde (510), 509.
5. « Historiae sunt res verae quae factae sunt », Isidore de Séville, *Etymologies,* I, 44 ; *PL* 82, 124.
6. « Non me tamen per hec librum vel historiam texturum expectetis », Jean de Montreuil (624), II, 68. « Je, Enguerran de Monstrelet... me suis entremis et occupé d'en faire et composer ung livre ou histoire en prose », Enguerran de Monstrelet (473), I, 3.
7. Jonsson (37). Cette remarque a son importance : une histoire peut être le récit que les clercs doivent lire, la « légende » d'un saint, une œuvre très précisément liturgique. Il n'est donc pas surprenant de trouver, par exemple, dans un inventaire de bibliothèque, l'*Historia de Sancto Karolo Magno* à la sacristie, parmi les livres de chœur.
8. J. Ehrard et G. Palmade, *L'histoire,* Paris, 1964, p. 120.
9. « Historia vero testis temporum, lux veritatis, vita memoriae, magistra vitae, nuntia vetustatis... », Cicéron (460), II, 9 ; t. II, p. 21. *Ibid.,* II, 15 ; t. II, p. 31.
10. Vincent de Beauvais, *Speculum doctrinale* (751), III, 127 ; col. 297. Ullman (649), 50.
11. « Histoire... est tesmoingz des tempoires, lumiere de verité, vie de memoire, maistresse d'anchienneté », Chronique dite de Baudouin d'Avesnes, *MGH, SS,* XXV, 419. Cf. Sayers (117), 154.
12. Jean de Montreuil (624), II, 68.
13. *Gesta Cnutis regis,* MGH, SS, XIX, 511. Cf. Lacroix (41), 134.
14. Brunet Latin. Cf. Keuck (39), 62.
15. « Sic nimirum in doctrina fieri oportet, ut videlicet prius historiam discas et rerum gestarum veritatem », Hugues de Saint-Victor (577), VI, 3 ; p. 113. « Rerum gestarum veritatem prosequentes », Guillaume de Tyr (549), p. 3.
16. « Desiderans in cunctis et singulis veritatis certitudinem plenius invenire », Bernard Gui, *Flores chronicarum,* prologue ; *RHF,* XXI, 692.
17. Pierre Le Baud, *Chroniques,* prologue ; Chauvois (695), 163.
18. Melville (347), 66.
19. Isidore de Séville, *Etymologies,* I, 44 ; *PL* 82, 124. Vincent de Beauvais, *Speculum doctrinale* (751), III, 127 ; col. 297. Georges de Trébizonde (510), 31.
20. « Historia, que veritate nititur, et fabula, que ficta contexit », Gautier Map (500), 62.
21. Nicolas Trivet (665), 1.
22. Geoffroi Gaimar (501), 207. Cf. Sayers (117), 499.
23. Lubac (294), I, *passim. Cambridge History of the Bible* (252), II, 157-173.

24. Etienne de Tournai (479), 101.
25. « Hystoria est rerum gestarum narratio per primam litterae significationem expressa », Green (579), 491.
26. Green (579), 491. Cf. Lacroix (41), 21, 85.
27. Cicéron (460), II, 15 ; t. II, p. 31.
28. Cf. *supra,* n. 9.
29. Oursel (754), 262.
30. Southern (59), 173-174.
31. Lambert de Saint-Omer (640), fol. 220.
32. Henri Knighton (565), I, 2.
33. Nicolas Trivet (665), 180.
34. Ranulf Higden (699), I, 8.
35. *RHF,* XX, 725.
36. *Flores historiarum* (657), I, xiv.
37. Laurent Valla. Cf. Kelley (38), 27.
38. Lacroix (41), 19, 25.
39. Robert de Torigni (716), I, 91.
40. « Manuel d'histoire » de Philippe VI de Valois, prologue ; P. Paris, *Les manuscrits français de la Bibliothèque du Roi,* t. V, Paris, 1842, p. 349. Egalement : *Catalogue général des manuscrits des bibliothèques publiques de France,* t. XI, Paris, 1890, p. 355.
41. Vincent de Beauvais ; Oursel (754), 262.
42. Orderic Vital, *Histoire ecclésiastique,* VI, 10 ; Chibnall (671), III, 306.
43. « Quae namque utilitas est in hujusmodi re nosse quid prius quidve posterius gestum sit, dum vero constet quod fuerit ? Multo enim magis gesta temporum quam tempora gestorum inquirenda fecit », Pierre le Vénérable, *De miraculis,* I, 9 ; *PL* 189, 871. Cf. A. Guerreau, *La fin du comte,* dactylographié, Paris, 1975, p. 334.
44. Fowler (472), 150.
45. « Veteres hystoriographos qui a primordio mundi ad sua usque tempora accidentia temporum descripserunt », *Chronicon Vedastinum, MGH, SS,* XIII, 677.
46. « Telam eventuum », Henri Knighton (565), I, 2.
47. « ... un livere engleis
U il trovad escrit des reis
E de tuz les emperurs
Ke de Rome furent seignurs
E de Engleterre ourent treu,
Des reis ki d'els ourent tenu,
De lur vies e de lur plaiz,
Des aventures e des faiz,
Coment chascuns maintint la terre,
Quel amat pes e li quel guere »,

Geoffroi Gaimar (501), v. 6463-6472 ; p. 204-205. « J'ai ainsi que les temps l'ont porté ensuivi la mutabilité de fortune et répété les aventures tant adverses que prospères, lesquelles j'ai trouvé être advenues en ladite Bretagne armoricaine durant le temps desdits rois et princes », Pierre Le Baud, *Chroniques,* prologue ; Chauvois (695), 162.
48. Cf. *supra,* n. 26.
49. Hugues de Fleury, *Liber qui modernorum regum Francorum continet actus ;* Vidier (178), 79. « Intentio igitur nostra est vitam, mores et actus antecessorum tuorum Andegavorum consulum in propatulo demonstrare », Jean de Marmoutier ; Halphen et Poupardin (815), 163.
50. « Romanorum pontificum nomina et tempora quibus Christi ecclesiae praefuerunt, necnon insignia gesta et notabilia facta quae sub

eorum temporibus evenerunt scire gestiens... », Bernard Gui, *Flores chronicarum,* prologue ; *RHF,* XXI, 692.

51. Geoffroi Gaimar, cf. *supra,* n. 47. Wace, cf. *infra,* n .53. Et songer tout simplement aux « Faits des Romains ».

52. Cf. *supra,* n. 5.

53. « Pur remembrer des ancessurs
les feiz e les diz e les murs,
les felunies des feluns
e les barnages des baruns,
deit l'um les livres e les gestes
e les estoires lire a festes »,

Wace (762), III, v. 1-6 ; t. I, p. 161.

54. « Historiam sive gestam Andegavorum consulum », Jean de Marmoutier ; Halphen et Poupardin (815), 163.

55. « Longue est la geste des Normanz
e a metre est grieve en romanz.
Se l'on demande qui ço dist,
qui ceste estoire en romanz fist,
jo di e dirai que jo sui :
Wace... »,

Wace (762), III, v. 5297-5302 ; t. II, p. 83-84.

56. « Gesta temporum infinita pene sunt », Green (579), 491. « Cum infinita sunt temporum gesta », *Chronicon Turonense ;* Martène et Durand (820), 917.

57. « Dei potius est quam hominis omnium habere memoriam », Richard de San Germano. Cf. Schulz (296), 13.

58. « In rebus magnis memoriaque dignis », Cicéron (460), II, 15 ; t. II, p. 32. « Memoranda tantum ea scilicet quae digna memoria esse videntur », Gervais de Canterbury (512), I, 89.

59. « Actus videlicet antiquorum imperatorum et quorundam Deo amabilium virorum pariter memorabiles actus », Hugues de Fleury ; Jedin (574), p. 563, n. 20.

60. Cf. *supra,* n. 50.

61. Cf. *supra,* n. 40.

62. Robert de Torigni (716), I, 92.

63. Festus (482), 58.

64. Otton de Freising (676), II, 32 ; p. 164.

65. *Eulogium* (785), I, 2.

66. Sayers (117), 55.

67. Cf. *supra,* n. 59.

68. Nicolas Trivet (665), 3.

69. « Gesta magnatum, tam saecularium quam ecclesiasticorum, necnon casus et eventus varios et mirabiles in scriptis plenarie redegit », Thomas Walsingham (744), I, 394-395.

70. Cf. *supra,* n. 49.

71. Cf. *supra,* n. 53.

72. Oursel (754), 262.

73. Gérard de Galles (515), V, 7-8.

74. « Scripsit de mundi mirabilibus et de diversitatibus gentium, rituum et provinciarum, sicut in peregrinatione sua vidit et audivit », Thomas Burton (738), II, 244.

75. Ranulf Higden (699), I, 34.

76. « Nam cum duae sint historiae partes et quasi membra, foris gesta et domi, non minoris sane putandum fuerit domesticos status quam externa bella cognoscere », Joachimsen (92), 21.

77. Jodogne (618), 410-411.

78. Guillaume de Malmesbury (536), I, cxxii.

79. Giraud le Cambrien (515), VI, 163. Et cf. *infra,* n. 83.

80. *MGH, SS,* XXIV, 607.
81. *HLF,* XXXIII, 386.
82. Salmon (826), 273. *Eulogium* (785), I, 4.
83. Robert Manning (715), I, 1 et 5.
84. Bibl. nat., Fr. 1238, 2 v°.
85. Green (579), 491.
86. « Porro quarta et ultima, videlicet historialis, licet ad philosophiam non pertineat, eo quod singularia rerum gestarum tantum enarrat, de quibus scilicet singularibus secundum Aristotilem ars non est, plurimum tamen et admirationis et recreationis et utilitatis habet... », Vincent de Beauvais ; cité par Schneider (757), 180.
87. Miglio (105), 54.
88. Guenée, *L'historien* (9), 3-4.
89. Jean de Salisbury (629), 3.
90. Setz (647), 46, 51, 54, 83.
91. Cf. *supra,* n. 9.
92. Huygens (517), 99.
93. Chenu (136), 116.
94. Jean de Montreuil (624), II, 92.
95. Hariulf (556), 1-2.
96. Geoffroy de Vigeois ; Labbe (818), II, 279.
97. Par ex. : Ullman (649), 329. Lhotsky (98), 67.
98. Bietenholz (475), 17.
99. Jodogne (618), 392.
100. Rom., XV, 4. « Si enim oculo rationis quae geruntur inspexeris, ad doctrinam universorum quaecunque scripta sunt reperies, ut sciat reprobare malum vir prudens, et eligere bonum », Geoffroy de Vigeois ; Labbe (818), II, 279.
101. Henri de Huntingdon (564), 2. Robert de Torigni (716), 92.
102. Leclercq (170), 135-137.
103. Histoire ancienne jusqu'à César ; Raynaud de Lage (796), 369.
104. Monfrin (260), 163.
105. Rupert de Deutz témoigne de la fréquente lecture des discours que Lucain fait prononcer aux héros de sa *Pharsale :* « Cum in scholis quoque pueri lectitent ducem nobilem dicentem militibus suis... » ; Silvestre (720), 151.
106. Hugues de Saint-Victor (577), 45. Aeneas Sylvius Piccolomini (418), 76-77.
107. Par ex. le *Compendial historial* d'Henri Romain ; Dupré La Tour, (569), 153-154.
108. Smalley (722).
109. Guenée (7), 275-276.
110. Janik (646), 398-399.
111. Gautier Map (500), 61-62. Nicolas Trivet (665), 95.
112. A. Vauchez, *La spiritualité du Moyen Age occidental, VIIIe-XIIe siècles,* Paris, 1975, p. 99-100.
113. Melville (347), 75.
114. Ranulf Higden (699), I, 18. Cf. Taylor (700), 48.
115. Daniel, 2, 21.
116. *PL* 151, 331.
117. Zimmermann (355), 49.
118. Chauvois (695), 158.
119. Cassiodore (456), I, 17 ; p. 55-57.
120. Lesne (227), 774.
121. Jean de Beke (590), 61.
122. Stauber (558), 128-131.
123. Zimmermann (411), 24.
124. Lacroix (41), 157, 160.

125. Ray (52), 43-47.
126. Hugues de Saint-Victor (577), VI, 3 ; p. 116. Zinn (581), 135.
127. Barthélemy de Lucques, *Historia ecclesiastica nova ;* Muratori, XI, 751.
128. Lehmann (46), V, 63.
129. *La Bibbia* (249), 134.
130. *CHB* (252), II, 108-109.
131. *La Bibbia* (249), 107-108, 297-298, 645. Riché (237), 94-95.
132. *La Bibbia* (249), 132-133, 632-634.
133. Silvestre (720).
134. *La Bibbia* (249), 645. *CHB* (252), II, 437, 444, 458.
135. *CHB* (252), II, 256.
136. Job, 8, 8-10.
137. Henri de Huntingdon (564), 2-3. Dans le même esprit, voici plus tard Joan Margarit : « Quis enim futuram agere vitam excogitat, qui diem sue nativitatis ignorat aut quis quo tendat scire potest, qui unde venit nesciat ? » ; Tate (620), 147-148.
138. *La Bible. Ancien Testament,* E. Dhorme éd., t. I, Paris, 1956, p. xxxiii-xxxiv.
139. *CHB* (252), II, 206.
140. *CHB* (252), II, 470.
141. Daly (696).
142. Cité sans référence par J.-P. Virat, *La pauvreté dans l'œuvre de Pierre Le Mangeur,* Mémoire de maîtrise dactylographié, Paris, 1970, p. 17.
143. Cf. *supra,* n. 126.
144. Un seul exemple : J. Vielliard, Martin Talayero, familier des rois d'Aragon, *socius sorbonicus* au xve siècle, *Economies et sociétés au Moyen Age. Mélanges offerts à Edouard Perroy,* Paris, 1973, p. 666-677.
145. Bietenholz (475), 13.
146. Bresc (191).
147. Werner (311), 145.
148. Joachimsen (92), 6.
149. *MGH, SS,* XXII, 397.
150. Toubert (126), I, 77-79.
151. Salmon (826), 273.
152. Molinier (106), n° 1535.
153. Southern (60), 246 et suiv.
154. Gransden (89), 253.
155. Brentano (634), 331. Dobson (635).
156. Werner (427), 82-85.
157. Genet (288), 95-129.
158. G. Duby démontre de façon convaincante que les *Généalogies angevines* publiées par Poupardin (279) ont été composées pour appuyer des procédures de divorce pour consanguinité.
159. *Four English Political Tracts of the Later Middle Ages,* J.-Ph. Genet éd., Londres, 1977.
160. Fowler (472), 150 et suiv.
161. Guenée (12).
162. Genet, *op. cit. supra* n. 159, p. xiv.
163. Gilbert (384), 203 et suiv.
164. Fueter (29), 67, 79.
165. Joachimsen (92), 21.
166. Miglio (105), 31-59.
167. Trinkhaus (444). Gilbert (384), 207.
168. Nicolas Trivet (665), 2-3.
169. John Fortescue, *De Laudibus Legum Anglie,* S.B. Chrimes éd., Cambridge, 1942, p. 118-119. Cf. Genet (140), 333.

170. Zwiercan (760).
171. Goez (290), 31-32.
172. Guenée (10), 273.
173. Kendrick (253), 114-115.
174. Kelley (38).

CHAPITRE II

PROFILS D'HISTORIENS

L'HISTOIRE, ACTIVITE SECONDAIRE

Au Moyen Age, il arrive que l'historien se désigne ou soit désigné par des mots spécifiques qui marquent sans ambiguïté son activité d'historien. Ne nous attachons pas ici à la différence de sens qui peut assurément exister, du moins jusqu'au XIIIe siècle, entre *historia* et *chronica.* Et retenons simplement que l'un et l'autre mots sont à l'origine de plusieurs substantifs qui distinguent bien, parmi tous les auteurs, ceux qui se sont attachés à transmettre, d'une manière ou d'une autre, la mémoire des temps passés. Dans les premiers siècles du Moyen Age, *historicus* ou *chronicus* ont pu être employés. Hugues de Fleury, quant à lui, usa volontiers du mot *historiologus.* Mais, du moins à partir du XIIIe siècle et jusqu'à la fin du Moyen Age, les deux mots les plus constants furent bien *historiographus* et *chronographus,* le premier désignant d'abord exactement celui qui a composé une histoire et le second celui qui a écrit une chronique, jusqu'à ce que, par la suite, les deux mots fussent parfaits synonymes. Au dire de Thomas Walsingham, Mathieu Paris a été un « *historiographus ac chronographus magnificus* ».

Historiographus et *chronographus,* par leur précision, soulignent l'originalité et la solidarité du petit groupe des auteurs voués à l'étude du passé. Ainsi Thomas Wykes, à la fin du XIIIe siècle, marque-t-il bien où il entend se situer lorsqu'il déclare « *Venerabilis Beda, Willelmus de Newburge, Matthaeus de Parys et plurique praedecessores nostri historiographi famosissimi gesta Anglorum sufficienter conscripserunt, nihil memorabile relinquentes* ». Mais il est justement remarquable qu'*historiographus* et *chronographus* sont au total d'un emploi assez peu fréquent. Lambert de Saint-Omer cite de nombreux historiens ; il ne donne qu'à un tout petit nombre d'entre eux le qualificatif d'*historiographus.*

Sigebert de Gembloux, dans son *De virus illustribus,* mentionne de très nombreux historiens ; il n'emploie jamais un de ces mots formés à partir d'*historia* ou *chronica.* C'est qu'il y a, au Moyen Age, des auteurs qui écrivent des œuvres historiques, mais bien rares sont ceux qui se consacrent exclusivement à l'histoire, bien rares ceux qui se diraient d'abord historiens. *Historiographus* et *chronographus* existent, mais sont d'un emploi relativement peu fréquent parce que, à proprement parler, au Moyen Age, on fait souvent de l'histoire, mais on est rarement historien. Se dire ou être dit historien marque une activité, non un état. L'histoire est une activité secondaire [1].

Or, les hommes qui l'ont pratiquée ont été, d'un temps à l'autre et d'un pays à l'autre, mieux, dans le même pays et le même temps, de profils très variés. Seule, cette diversité des historiens peut expliquer la diversité de l'histoire qu'ils ont faite.

I. A l'abri des cloitres

§ 1. *Evêques et chanoines*

Les historiens que cite Sigebert de Gembloux dans son *De viris illustribus* pour les premiers siècles du Moyen Age sont presque exclusivement des évêques, comme Hydace au ve siècle, ou Grégoire de Tours au vi^e^, ou Fréculphe au ixe. Il est vrai que les évêques ont alors le rare privilège d'être instruits, de pouvoir disposer de bonnes bibliothèques et d'être, par leur position, au fait des grandes affaires de leur temps. C'est un des traits du remarquable épiscopat allemand des xie et xiie siècles qu'il fournit encore des historiens. Un Thietmar, évêque de Merseburg, et surtout un Otton, évêque de Freising, furent des historiens de premier plan, qui dominèrent leurs contemporains par la supériorité de leur information, écrite ou orale, et la hauteur de leurs vues.

Dès l'époque carolingienne cependant, un évêque fut un homme trop occupé pour se consacrer en général lui-même à l'histoire. Mais il en encouragea très souvent, autour de lui, l'étude, car au moment même où il réorganisait son église, où il en reconstruisait les bâtiments, où il en restructurait l'espace sacré, l'histoire lui était indispensable pour l'ancrer dans le temps, pour retrouver le nom et la figure de ses prédécesseurs, en établir la continuité, en prouver la sainteté et remonter par eux à la sainteté des apôtres et des martyrs. Aussi, dans de nombreuses cités d'Occident, des chanoines, s'inspirant du *Liber pontificalis* de Rome, utilisant la bibliothèque et les archives de leur cathédrale, tirant même quelquefois parti des tombeaux et des ruines, écrivirent l'histoire de leur diocèse ou, plus précisément, de ses évêques. Tel le *Liber pontificalis* rédigé par Agnellus, à Ravenne, entre 830 et 846. Tels les *Actus pontificum* du Mans et les *Gesta pontificum* d'Auxerre rédigés l'un et l'autre par des chanoines de la cité, entre 832 et 863 pour le premier, vers 873-876 pour le second [2]. Aux xe et xie siècles, les chapitres cathédraux continuèrent à être d'actifs centres historiques. Flodoard, chanoine de Reims, achevait son *Historia ecclesiae Remensis* en 948. Bertharius, chanoine de Saint-Vanne, composait l'histoire des évêques de Verdun au début du xe siècle. En 1066-1067, Adam était attiré de Bamberg à Brême par l'archevêque Adalbert ; il y devenait chanoine et y écrivait les *Gesta Hammaburgensis ecclesiae pontificum* [3].

Dans le même temps, des chanoines d'Auxerre continuaient, pontificat après pontificat, l'histoire des évêques d'Auxerre. Leur intérêt faiblit si peu que le seul manuscrit qui en subsiste fut copié en 1167, et d'autres notices lui furent même ajoutées plus tard. Mais cette continuité fait figure d'exception. Il y avait alors beau temps que, à généralement parler, l'histoire avait déserté les chapitres cathédraux. Les chanoines ne pouvaient plus s'appuyer sur des bibliothèques désormais trop pauvres et trop peu fournies d'ouvrages historiques. Surtout, leur église ne leur inspirait plus un amour assez vif pour qu'ils se penchent sur son passé. En Romagne, au xive siècle encore, des chanoines furent assez souvent historiens. Mais lorsque, à Césène, vers 1334, le chanoine Francesco entreprenait de mettre en ordre toute la production historiographique de la ville depuis le xiie siècle, il s'appuyait sans doute sur l'institution capitulaire mais l'amour de son église le poussait moins que celui de sa commune [4].

§ 2. *Moines*

Les études historiques avaient déserté les chapitres cathédraux parce que, surtout à partir de l'an mille, elles avaient trouvé dans les monastères leur foyer de prédilection. Certes, tout monastère ne fut pas, loin de là, un centre historiographique. Il ne faut même pas s'imaginer qu'un monastère médiéval était nécessairement un centre culturel. Sans doute les nécessités de la liturgie imposaient-elles normalement aux moines de savoir lire. Mais la lecture et l'écriture étaient apprises séparément, et il est sûr que beaucoup de moines ne savaient pas écrire. En 1289, dans le diocèse de Constance, la majorité des membres du prieuré augustin d'Ittingen, prieur en tête, ne savait pas écrire, manquait de la *scribendi peritia* et devait, pour signer un acte, recourir aux services d'un notaire de la curie bâloise [5]. A Saint-Pons, près de Nice, en 1320, sur dix-huit moines dont dix étaient certainement des prêtres, deux seulement étaient capables d'écrire [6]. Il s'agit ici d'écriture courante. Le nombre de moines qui pouvaient calligraphier un manuscrit devait être plus réduit encore. Tout moine n'est pas un scribe, tout monastère n'a pas un *scriptorium*.

Et tout scriptorium n'eut pas l'ambition de cultiver l'histoire. L'atmosphère proprement bénédictine fut très favorable à son étude. Par contre, la spiritualité clunisienne ne l'encourageait guère. Cluny avait un très actif scriptorium et une superbe bibliothèque où l'on trouvait les grands historiens de l'Antiquité païenne, Salluste, Tite-Live ou Suétone, et les grands historiens chrétiens, Josèphe, Eusèbe ou Orose. Mais le souci primordial des Clunisiens était la perfection du culte, qui exigeait la maîtrise de la langue latine, et donc l'étude approfondie des classiques. Ils cherchaient d'abord, chez les historiens païens, des leçons de style [7]. D'autre part, la réflexion clunisienne se souciait peu de chronologie [8], entendait retrouver Dieu au-delà du temps et de l'histoire et, dans la mesure où elle s'attachait au passé, portait plus à la philosophie de l'histoire qu'à la recherche historique. Aussi Richard le Poitevin est-il, au XIIe siècle, le seul historien d'obédience strictement clunisienne [9].

Saint Bernard se méfiait, disait-il, de la culture. Les statuts de l'ordre cistercien interdisaient à tout abbé, moine ou novice d'écrire des livres sans l'autorisation du chapitre général des abbés. Guillaume de Newburgh, qui était lui-même chanoine au prieuré augustin de Newburgh, raconte comment, en 1196, Ernald, abbé du monastère cistercien de Rievaulx, lui demanda d'écrire son histoire d'Angleterre, non pas que les talents nécessaires manquassent à Rievaulx mais parce qu'il ne voulait pas que ses propres moines le fissent [10]. L'histoire aurait pu végéter dans les monastères cisterciens. En fait, de nombreux abbés cisterciens écrivirent ou firent écrire, à tout le moins, l'histoire de leur propre maison depuis sa fondation, par piété, et pour défendre ses droits [11]. Mieux encore. Saint Bernard lui-même avait encouragé Ailred, abbé de Rievaulx, à écrire, et celui-ci n'hésita pas à écrire des livres, et même des livres d'histoire [12]. En 1155-1157 il composa le récit de la fameuse bataille de l'Etendard où, en 1138, l'armée anglaise avait mis en déroute l'envahisseur écossais. D'une façon générale, l'amour du pays et la haine de l'écossais aidant, les jeunes abbayes cisterciennes du nord de l'Angleterre furent au XIIe siècle d'actifs foyers d'histoire anglaise en général et d'histoire northumbrienne en particulier [13]. Vers 1165-1170, le scriptorium de l'abbaye de Sawley produisit deux livres qui formaient un épais dossier sur l'histoire de la Northumbrie [14]. Au même moment ou presque, en 1161, au Danemark, l'évêque de Roskilde donnait aux Cisterciens le monastère de Soroe et confiait à leur érudition le soin d'écrire les annales du royaume [15]. Au Danemark comme dans le nord de l'Angleterre, au XIIe siècle, l'ordre nouveau portait les jeunes passions nationales. Et vers 1200, dans l'ensemble de l'Occident, les scrupules qu'avaient eus, à faire de l'histoire, les premières générations cisterciennes étaient partout apaisés. Les œuvres de Raoul de Coggeshall, d'Hélinand de Froidmont, d'Aubri de Troisfontaines et de tant d'autres cisterciens vinrent grossir la production historique monastique sans que rien, d'ailleurs, les distingue des travaux bénédictins.

Il est traditionnel de noter, à partir du XIIIe siècle, l'essoufflement de l'historiographie monastique. Sans doute les monastères n'eurent-ils plus alors la quasi-exclusivité de l'histoire savante qu'ils s'étaient un moment assurée. Mais Ranulf Higden, qui passa, pendant plus de soixante années, le plus clair de son temps dans le scriptorium de l'abbaye bénédictine de Saint-Werburgh, à Chester, fut un des plus grands historiens du XIVe siècle. Mais au début du XVe siècle, l'histoire est bien vivante à Saint-Denis comme à Saint-Albans [16], elle est pratiquée avec maîtrise aussi bien par Aimeri de Peyrat, abbé de l'abbaye clunisienne de Moissac que par Thomas Burton, abbé de l'abbaye cistercienne de Meaux, en Angleterre. Mais les monastères bénédictins réformés sont au XVe siècle, en Autriche et en Allemagne méridionale, de très actifs centres historiographiques [17], et Jean Trithème, qui meurt en 1516 après avoir été abbé de Sponheim, puis abbé du monastère des Ecossais à Würzburg, est encore le type même de ces historiens monastiques dont les traits, depuis l'an mille, n'ont guère changé.

V. H. Galbraith se plaisait à affirmer que la tâche d'écrire l'histoire avait été confiée, dans les monastères, aux *misfits,* aux ratés [18]. Ne nous laissons pas abuser par l'humour oxonien du grand historien parlant à ses collègues de leurs lointains prédécesseurs. En fait, le moindre des historiens monastiques était déjà au-dessus de beaucoup de ses frères par le simple fait qu'il travaillait au scriptorium. Il s'y consacrait à la pénible et noble activité de copiste. Il était toujours un technicien de l'écriture, un calligraphe doué au point d'être parfois, comme Adémar de Chabannes [19] et surtout Mathieu Paris [20], un véritable artiste. Mais souvent les qualités des historiens monastiques furent assez éclatantes pour qu'on leur confiât des responsabilités bien supérieures à celles de simple scribe. Beaucoup furent ainsi chefs du scriptorium. Et Abbon fut écolâtre à Fleury comme Sigebert le fut à Gembloux ; les techniques et la littérature du trivium leur étaient donc familières. Guillaume fut bibliothécaire à Malmesbury [21] comme Ranulf Higden le fut à Chester [22] ; ils pouvaient maîtriser sans effort une vaste culture livresque. Avec le titre de *chimiliarchus,* Helgaud était à Fleury gardien des reliques et du trésor [23] ; avec celui de *custos,* Gislebert avait à Saint-Trond la responsabilité des archives, du trésor et des reliques [24], c'est-à-dire que lui étaient familiers non seulement les documents originaux mais encore la littérature hagiographique liée aux restes précieux dont il avait la garde. Helgaud fut aussi préchantre à Fleury, comme Thomas Walsingham le fut plus tard à Saint-Albans [25] et comme Michel Pintoin fut chantre à Saint-Denis [26] ; ils étaient donc versés dans la musique et la liturgie. En somme, l'histoire n'était qu'une des activités parmi bien d'autres auxquelles se livrait, avec ou sans le titre d'*armarius,* le moine dont ses talents avaient fait, dans son monastère, « le dépositaire de tout le patrimoine intellectuel, le gardien des manuscrits, le responsable du bon état et de la bonne qualité des textes, de l'enseignement et du chant, de la lecture et de la liturgie, celui enfin qui organisait et dont dépendait l'essentiel de la vie monastique [27] ». Il était normal que ce moine fût au centre de la vie de relations du monastère, au courant de toutes les nouvelles, et chargé, presque officiellement, de les recueillir [28]. Plus le temps passait et plus, même, la position de l'historien semblait s'élever. Aux XIVe et XVe siècles, avec le titre de sacriste ou de *bursarius,* il fut souvent chargé d'administrer le temporel de son monastère [29] ; ses capacités juridiques et administratives en firent souvent un prieur ou un abbé [30] qui savait ce qu'étaient des papiers, et un dossier. Les historiens monastiques ne sont pas des ratés. Ce sont tout simplement des intellectuels de talent, et même parfois des administrateurs compétents.

La position dominante de l'historien dans son monastère explique le premier trait de l'histoire monastique : elle est collective, elle est le fruit d'un travail d'équipe. Pour écrire ses *Gesta Francorum,* Aimoin a été aidé par de nombreux moines de Fleury qui ont lu et corrigé les textes, et choisi les extraits [31]. A San Vincenzo al Volturno, le moine Jean a certes été le maître d'œuvre du *Chronicon Vulturnense* ; il en a même composé les prologues et les notices les plus importantes ; mais deux confrères de son âge ont écrit le reste, sept autres, dont trois plus jeunes, ont préparé les documents, et ce sont encore des collaborateurs différents qui ont incorporé au début du texte des extraits moraux et liturgiques, préparé les rubriques, réalisé les miniatures [32]. De même faut-il voir à Saint-Albans, autour de Mathieu Paris, un essaim de moines l'aidant à composer, à écrire et à illustrer son œuvre [33]. En négligeant souvent de donner le nom de l' « auteur » auquel l'érudition contemporaine attache tant d'importance, en ne retenant que le nom du monastère où l'œuvre a été élaborée, le Moyen Age marquait bien ce qu'est d'abord l'histoire monastique : un travail d'atelier.

A la tête de cet atelier, le responsable de l'œuvre peut à bon droit en être dit l' « auteur ». Mais comme cet auteur, chef du scriptorium et scribe lui-même, en copie souvent tout ou partie, il l' « écrit » ainsi dans les deux sens que le mot avait très couramment depuis l'Antiquité, ceux de composer et de copier. L'historien peut vraiment être dit *scriptor*. A la vérité, le mot n'est pas trop souvent employé au Moyen Age. *Scribere* et *scriptor* sont trop ambigus. Les esprits exacts en souffrent. Mathieu Paris avait écrit sa *Chronica majora* dans les deux sens du terme. Scriptor venait donc tout naturellement sous sa plume : « *scriptor hujus libri* », « *hujus paginae scriptori* ». Mais le scribe qui reproduisit plus tard son manuscrit autographe prit bien soin, retrouvant ces passages, d'écrire : « *confector hujus libri* », « *hujus paginae compositori* ». Voulant donc rendre au copiste ce qui est au copiste et à l'auteur ce qui est à l'auteur, le Moyen Age n'a pas trop usé de *scriptor* pour désigner l'historien. Mais le fait demeure que l'histoire médiévale prend ses racines dans la copie et en reste profondément marquée. En effet, les scribes pouvaient être médiocres, étourdis et passifs. Mais dès l'époque carolingienne les meilleurs d'entre eux surent prendre initiatives et responsabilités. Ils refusèrent d'abord de copier sans comprendre, faisant les corrections nécessaires, comparant même, lorsqu'ils le pouvaient, deux manuscrits différents, se livrant ainsi à un véritable travail d'édition et de critique. D'un autre côté, ils ne se contentaient pas de copier une œuvre ; ils en copiaient plusieurs à la suite pour constituer un dossier ; ils extrayaient d'une ou plusieurs œuvres les passages qui répondaient à leur dessein ; ils copiaient ces extraits à la suite, ajoutaient quelques mots, quelques phrases de liaison... Par transitions insensibles notre scribe était devenu historien. Parce qu'il était scribe lui-même et parce que ses aides étaient dressés à lui fournir des extraits, l'historien monastique en venait tout naturellement à composer une œuvre d'extraits juxtaposés. A l'époque carolingienne, *excer-*

pere désignait cette technique de composition fondamentale dans la culture médiévale. Au XIIe siècle, *excerpere* et *excerptor* ont quasiment disparu au profit de *compilare* et *compilator.* Au XIIIe siècle, « compiler » apparaît en français [34]. Il est de bon ton, depuis le XVIe siècle, de stigmatiser le caractère de « compilation » de trop d'histoires médiévales. Mais après tout, entre une « compilation » du XIIe siècle et telle thèse érudite du XIXe ou du XXe siècle, la seule différence est que la thèse moderne produit ses extraits en notes, les appelle citations et leur donne souvent des références plus précises. La différence est de présentation mais l'intention est la même : comme l'érudition moderne l'histoire monastique médiévale se veut savante. Et nous devons prendre les grandes compilations monastiques pour ce qu'elles voulaient être : le produit achevé d'une histoire savante.

Cette histoire savante ne néglige pas forcément le présent. Sigebert de Gembloux est un écrivain engagé, un polémiste anti-grégorien ; après avoir écrit ses *Gesta regum Anglorum,* c'est-à-dire une histoire d'Angleterre jusqu'en 1120, Guillaume de Malmesbury entreprend une *Historia novella* qui raconte les événements contemporains et est en même temps un pamphlet en faveur de Robert de Gloucester ; et Mathieu Paris prend visiblement plus de plaisir à raconter son époque que les temps anciens. Mais Ranulf Higden qui, vivant pourtant les grands moments du règne d'Edouard III, n'a aucun intérêt pour les événements contemporains [35], est plus représentatif, car d'une façon générale les moines, qui ont peu de goût pour les choses du siècle et sont des intellectuels de scriptorium, mettent tout leur effort à reconstruire le passé. Ils le font avec les archives de leur monastère et surtout avec les livres de sa bibliothèque ou des bibliothèques voisines. L'histoire monastique est une histoire livresque.

Cette histoire savante et livresque est enfin marquée par un obsédant souci de la chronologie. Certains moines des premiers siècles chrétiens avaient prétendu, pour mieux vivre leur foi, refuser la culture. Ils avaient pu se passer de tous les livres sauf d'un seul : un calendrier qui leur permît de fêter Pâques, chaque année, le même jour que tous leurs frères chrétiens. Les exigences de la liturgie réintroduisirent ainsi dans les monastères la culture tout entière, car l'établissement d'une table pascale posa des problèmes assez complexes pour susciter le développement d'une discipline, le comput, qui mettait en jeu toutes les connaissances scientifiques de ces temps. De plus, l'adoption d'une ère chrétienne exigeait qu'on sût avec certitude en quelle année le Christ était né. Or, la solution de ce problème central dépendait d'une confrontation ardue entre les textes scripturaires d'une part, les données du calendrier de l'autre. Débats et incertitudes durèrent des siècles. A la fin du XIe siècle, Marianus Scotus construisait sa chronique en partant d'une année de l'incarnation de vingt-deux ans antérieure à la date traditionnelle. Certains historiens le suivaient encore au XIIe siècle. C'est dire que le problème scientifique n'était toujours pas, à ce moment-là, résolu. Beaucoup étaient convaincus que l'année de l'incarnation traditionnellement adoptée était fausse. Mais comme elle était maintenant très généralement reçue, le débat perdit de son intérêt, la fièvre computistique tomba [36]. Il n'empêche que pendant des siècles la science du comput et le souci du temps, aiguillonnés par la passion de la liturgie, avaient profondément marqué la culture monastique. Après Bède, de nombreux historiens monastiques, comme Abbon de Fleury ou Sigebert de Gembloux, furent des virtuoses du comput. Il n'est pas étonnant que leur histoire ait poussé si loin le souci de la chronologie.

Si passionné d'histoire que fût un moine, il était pourtant d'abord un moine. Il n'y pouvait et voulait donc consacrer qu'une faible partie de son temps. Il devait passer de longues heures à prier. Les nombreuses occupations de Suger, nous dit son biographe, le frère Guillaume, ne l'empêchaient pas d'être assidu aux offices ; et il ne se contentait pas d'écouter en silence, il était le premier à lire et à chanter ; il se pénétrait aussi des saintes écritures ; et comme sa mémoire était sans failles, il savait par cœur textes sacrés et liturgiques [37]. Suger était un historien de type un peu exceptionnel, ce n'était pas un historien de scriptorium. Mais même un historien de scriptorium ne passait pas tout son temps, au scriptorium, à faire de l'histoire. Sur les trente-cinq œuvres de Bède, vingt commentent les écritures, six sont consacrées au comput et à la mesure du temps, deux à l'hagiographie, etc. ; deux seulement sont des œuvres historiques [38]. Lorsque, à la fin de son *De viris illustribus,* Sigebert de Gembloux donne sa propre bibliographie, il énumère ses manuels scolaires, ses écrits polémiques, ses commentaires scripturaires, ses études liturgiques, il détaille ses œuvres hagiographiques, il commente longuement ses recherches sur le comput ; mais il dit d'un mot sa chronique. Guillaume de Malmesbury trouvait fort bon, dans sa jeunesse, de « jouer à l'histoire », mais, au seuil de la quarantaine, il jugeait plus convenable de commenter Jérémie [39]. Pour un moine, l'histoire ne pouvait être une passion exclusive. Ce n'était même pas une occupation essentielle. C'était bien une activité secondaire.

Le temps qu'il consacrait à l'histoire, un moine n'avait d'ailleurs pas le sentiment de le voler à Dieu, car l'histoire n'était pour lui qu'une autre façon de le louer et de le servir. En effet, étudiant l'histoire, il n'est pas exclu que les moines aient songé à quelque puissant, ou aux bienfaiteurs de leur monastère [40]. Il n'est pas exclu non plus qu'ils aient parfois eu l'ambition d'instruire un plus large public, comme le prouvent leurs œuvres en langues vernaculaires, moins rares qu'on ne le croit souvent [41]. Mais d'une façon générale l'activité historique d'un moine s'inscrivait strictement dans le cadre de son monastère : il était encouragé par l'abbé et ses frères ; il écrivait pour eux ; il voulait leur fournir des textes à méditer, mieux même, des textes qui pussent être lus à la « collation » ou au réfectoire. L'histoire d'Orderic Vital était lue à ses frères au fur et à mesure de sa composition. Elle avait, dans l'esprit de son auteur, une destination fondamentalement liturgique [42]. La culture liturgique des historiens et la fonction liturgique de leur œuvre donnent à l'histoire monastique un caractère liturgique qui a récemment été mis en valeur. R. D. Ray a observé que le système de ponctuation d'Orderic Vital, la qualité de sa prose rimée, le choix même de ses sources seraient incompréhensibles si l'on ne tenait pas compte du but de l'auteur : fournir à ses frères le texte d'une *lectio*. Par exemple, Orderic sait fort bien que Foucher de Chartres donne le meilleur récit de la première croisade et que Baudri de Bourgueil est plus loin de la vérité ; il suit pourtant Baudri, dont le texte est mieux adapté à son propos liturgique [43]. Si bien que, d'une façon générale, comme le dit L. Arbusow, l'éditeur d'un historien médiéval devrait en bonne méthode retrouver non seulement les phrases qu'il a empruntées à d'autres historiens, non seulement celles qu'il a tirées de la Bible et des Pères, mais aussi toutes celles qu'il faudrait aller chercher dans les textes liturgiques qu'il pratiquait quotidiennement [44].

Enfin, comme la liturgie, l'hagiographie donne de sa couleur à l'histoire monastique. En principe, hagiographie et histoire sont deux genres distincts. Le but de l'hagiographe est d'élever et d'instruire son lecteur en lui disant les vertus et les pouvoirs surnaturels d'un saint. Il multiplie donc exhortations et sermons, qui n'ont pas leur place dans un texte historique. Bède a écrit trois fois la vie de saint Cuthbert : d'abord, entre 705 et 716, en 976 hexamètres ; puis, en 721 au plus tard, une plus longue *Vie* en prose ; enfin, entre 725 et 731, dans les derniers chapitres du quatrième livre de son *Histoire ecclésiastique* du peuple anglais [45]. Or Bède supprime de son *Histoire* tous les sermons et toutes les exhortations de la *Vie* en prose. Attentif à instruire, l'hagiographe est moins intéressé par les traits individuels d'un homme que par un type de sainteté, un catalogue de vertus. Alors que le temps est une donnée fondamentale de l'histoire, l'hagiographie est intemporelle [46] : Bède ne donne pas dans sa *Vie* de saint Cuthbert en prose des dates qu'il fournit dans son *Histoire.* Par contre, il raconte longuement dans la *Vie* l'enfance de son héros, qu'il ne juge pas bon de reprendre dans l'*Histoire.* Un récit hagiographique et un récit historique ont chacun leur propre matière, et lorsqu'Helgaud de Fleury compose sa *Vie du roi Robert le Pieux* sans faire mystère de ses intentions hagiographiques, il dit longuement les vertus du roi mais passe explicitement « le reste, c'est-à-dire ses combats dans le siècle, ses ennemis vaincus, les honneurs acquis par la force et l'intelligence, qu' (il) laisse aux historiens le soin d'écrire [47] ». Les récits hagiographiques sont aussi pleins de miracles et font constamment intervenir des forces surnaturelles qui sont, en général, dans les écrits historiques, beaucoup plus discrètes. A. Momigliano a observé que l'invasion des diables dans la littérature avait précédé et accompagné l'invasion des Barbares dans l'Empire romain ; mais que leurs bataillons avaient respecté les genres littéraires, en s'établissant massivement dans la biographie et en ne faisant que d'occasionnelles irruptions dans les annales [48]. Enfin, plus soucieux de ce qui a dû être que de ce qui a réellement été, un hagiographe aussi scrupuleux qu'Hucbald de Saint-Amand ne croit pas « contrevenir à la foi catholique » lorsque, « la matière lui manquant », il « emprunte » à d'autres vies. Il le dit expressément [49]. Cent autres le font sans le dire, et d'autant plus aisément que leur mémoire a emmagasiné, lues et relues, d'innombrables vies de saints [50]. Au total, la différence peut être nette entre hagiographie et histoire. Donnant les sources de ses *exempla,* Etienne de Bourbon prend bien soin de distinguer les histoires, puis les chroniques, et enfin les vies, les passions et les miracles des saints [51].

Cependant, dans le monastère, les œuvres historiques ont le même souci d'édification que les œuvres hagiographiques, elles ont la même fonction liturgique, elles sont destinées au même public, elles sont écrites par les mêmes auteurs qui, de surcroît, sont hagiographes avant d'être historiens et, comme Eadmer par exemple, doivent souvent à l'hagiographie leur formation d'historien [52]. Il était inévitable que les moines trempassent leur plume historique dans leur encre hagiographique. Déjà le style des *Histoires* de Grégoire de Tours, que l'érudition moderne a trop souvent qualifié de simple et naïf, était proprement le style d'un récit hagiographique [53]. La forme, mais aussi le fond : Orderic Vital avait l'ambition d'écrire une « simple histoire » ; il dut peu à peu céder à la pression de ses frères qui lui reprochaient non seulement de consacrer à l'histoire trop de temps, de ne pas assez copier de manuscrits liturgiques et hagiographiques, mais aussi d'écrire une histoire où les allégories, les miracles, le surnaturel tenaient trop peu de place. Encore céda-t-il si peu, et de si mauvais gré, à leurs objurgations, que son œuvre trop personnelle n'eut, dans les monastères, aucun succès [54]. L'empreinte de l'hagiographie sur l'histoire fut parfois plus profonde encore. Lorsque, à la fin du XIe siècle, des moines de Saint-Germain-des-Prés continuèrent l'œuvre d'Aimoin, ils disposaient pour la première moitié du IXe siècle d'œuvres historiques qu'ils suivirent tout naturellement. Mais pour la plus grande partie de la seconde moitié du IXe siècle, ils en furent réduits à des sources hagiographiques [55]. Ils n'y virent d'ailleurs aucun inconvénient et, d'une façon générale, penchant ou nécessité, les historiens monastiques n'hésitèrent pas à truffer leur œuvre historique d'extraits hagiographiques. La limite n'était décidément pas nette entre hagiographie et histoire. D'ailleurs, en 1338, à la bibliothèque de la Sorbonne, les œuvres hagiographiques comme la *Légende dorée* de Jacques de Voragine étaient groupées dans une section de « Chroniques [56] » ; au XVe siècle, William Worcestre ne trouvait rien d'étrange à dire qu'il avait trouvé dans la bibliothèque d'un couvent un « livre de chroniques » traitant « de la vie des saints d'Angleterre [57] ». Tout le Moyen Age admettait ainsi les rapports privilégiés que la religion avait tissés entre l'hagiographie et l'histoire. Si érudite et savante que fût l'histoire monastique, elle n'était en même temps qu'un « sous-produit de la religion [58] ».

§ 3. *Frères*

Au XIIIe siècle apparurent les Mendiants, dont le moins qu'on puisse dire est que l'histoire n'était pas au centre de leurs soucis. Il y eut donc au total, chez les dominicains et les franciscains, un nombre infime de frères à la cultiver. Il y en eut cependant, qui, portés par les temps nouveaux et la spiritualité de leur ordre, donnèrent à l'histoire un autre visage.

Au milieu du XIIIe siècle, le dominicain Vincent de Beauvais vint à bout de composer un énorme *Miroir* où il voulait que se reflétassent toutes les connaissances de son temps. La partie de cette encyclopédie qui disait l'histoire universelle était très proche encore de la tradition monastique : l'histoire y était à la fois savante et religieuse. Le *Speculum historiale* ou *Miroir historial* est en effet une magistrale compilation érudite que seule a pu réaliser une équipe dont Vincent de Beauvais avoue lui-même n'avoir été que le maître d'œuvre [59]. Mais en même temps il « donne plus de 500 récits hagiographiques qui font de ce recueil l'un des légendiers les plus importants du Moyen Age[60] » ; il pousse l'histoire du monde, s'appuyant sur des textes bibliques, jusqu'à sa fin[61] ; une atmosphère religieuse l'imprègne tout entier. Au XIVe siècle, l'histoire de Bernard Gui n'est pas moins savante ; celle de Nicolas Trivet, qui n'étudie l'Antiquité que pour mieux comprendre Augustin[62], n'est pas moins religieuse. Et pourtant, si savante et religieuse qu'elle pût parfois être, l'histoire dominicaine se distinguait de plus en plus nettement de l'histoire monastique. C'est d'abord qu'un dominicain n'était pas ancré comme un historien monastique près d'une bibliothèque riche en livres d'histoire et, surtout, près d'un gros fonds d'archives. Il allait, au cours de sa vie, d'une maison de son ordre à l'autre. Il n'avait avec leurs pauvres archives aucune familiarité. L'histoire dominicaine se nourrissait rarement de documents originaux ; elle était presque exclusivement livresque. Et comme l'ordre dominicain entendait donner à ses frères une formation universitaire surtout orientée vers les arts et la théologie et que les bibliothèques dominicaines avaient pour seul but de faciliter ces études, le dominicain qui voulait s'adonner à l'histoire n'avait pas à portée de main l'aide d'une riche bibliothèque historique. En règle générale un dominicain n'avait donc pas aisément les moyens de la recherche historique. Il n'en avait guère non plus le goût car, marqué par son expérience d'étudiant et, souvent, de professeur, il était le pur produit d'une institution qui faisait à l'histoire une bien chiche place. Et si Vincent de Beauvais, pour satisfaire aux goûts de Louis IX, avait d'abord travaillé au *Speculum historiale,* plus il remaniait son encyclopédie et plus l'histoire, qui n'était pas une science puisqu'il ne saurait y avoir de science du particulier, y était dépréciée au regard des traités « philosophiques » et « scientifiques[63] ». Vincent de Beauvais avait subi dans le même temps une autre pression. Nombre de ses frères lui avaient demandé d'abréger son œuvre et de la réduire à un manuel. Il fut trop occupé pour le faire[64]. Mais après lui ses successeurs comprirent qu'avec le XIIIe siècle le temps était passé des érudits de scriptorium. La diffusion de la culture donnait la priorité à la vulgarisation. Les historiens dominicains s'entendirent moins à faire des recherches qu'à écrire des manuels. La chronique que Martin le Polonais publia en 1272-1274 n'est qu'un bref opuscule à l'usage des théologiens et des juristes[65]. En 1312-1314, Bernard Gui publiait une chronique des rois de France, un catalogue des rois de France, un arbre généalogique des rois de France qu'il revisait plusieurs fois dans les vingt années suivantes. En 1331, il offrait à Philippe VI un bref catalogue des papes et des empereurs. C'est dire que la réalisation de manuels simples, clairs, parfois illustrés, lui tenait particulièrement à cœur. Une grande partie de sa production historiographique était marquée de ce souci de vulgarisation. Aux dominicains le manuel était aussi naturel qu'aux bénédictins la compilation.

Des nuances distinguaient des bénédictins les dominicains. Un monde en séparait les franciscains. Non seulement le souci de la pastorale était le souci presque exclusif des franciscains, mais encore ils avaient la volonté de prêcher les plus humbles, de rivaliser, auprès d'eux, avec les jongleurs, d'être les jongleurs de Dieu, *joculatores Domini* [66]. Evoquant le passé, un franciscain n'y cherchait donc rien d'autre que des exemples qui pussent retenir l'attention des rustres et des enfants dont il se voulait proche. Son récit rejetait les règles de la rhétorique et la tyrannie du *cursus*. Salimbene usait d'un latin très ordinaire, pour être compris de sa nièce. Rien de moins composé, rien de plus spontané qu'une histoire franciscaine. Et histoire d'autant plus facile que l'érudition ne lui pesait guère. Des archives, un franciscain ignorait tout. En fait de livres, il n'utilisait que quelques compilations récentes, toujours les mêmes : l'*Histoire scolastique* de Pierre Le Mangeur, le *Miroir historial* de Vincent de Beauvais, la *Légende dorée* de Jacques de Voragine, la chronique de Martin le Polonais. D'ailleurs, le passé lointain, enterré dans les livres, l'intéressait peu. Son domaine, c'était le passé proche. Il se mettait volontiers dans son œuvre. Il racontait ce dont il avait été témoin. Il se faisait surtout, comme Jean de Winterthur, le « vivant écho des récits qui couraient dans cette société merveilleusement bavarde qu'était un couvent franciscain [67] ». Il en reflétait naïvement les intérêts, les émotions et les préjugés [68]. Juifs, hérésies, croisades peuplaient ainsi son histoire. Et comme les franciscains furent de grands voyageurs, qu'ils allaient constamment d'une maison franciscaine à l'autre, que beaucoup même visitèrent, surtout en Asie, des terres lointaines, ces esprits curieux, ces géographes et ces ethnologues amateurs ne contribuèrent pas peu à élargir les horizons de l'histoire médiévale, à lui donner le sens de l'espace, et de la diversité humaine [69]. Jean de Plancarpin, envoyé en pays tartare en 1245, fut un témoin précis des Mongols. Jean de Marignola, envoyé en ambassade auprès du grand khan en 1338, arrivé à Pékin en 1343 et revenu en Italie en 1353, fut peut-être le seul historien du Moyen Age à avoir une connaissance directe de l'Extrême-Orient. Sans doute fut-il un témoin décevant parce que ses connaissances linguistiques étaient trop légères et que la Bible dressa toujours, entre son expérience et lui, un fâcheux écran, mais son témoignage est tout pénétré de la curiosité, de la sympathie et de la compréhension franciscaines [70]. L'histoire franciscaine était donc le contraire d'une histoire livresque. Elle se nourrissait d'expériences, de témoignages, de récits populaires qui font aujourd'hui la joie du folkloriste, d'une très vivante tradition orale qui finissait par charrier plus de faux que de vrai. Mais les moralistes passionnés et curieux qu'étaient les franciscains n'avaient ni les moyens ni le goût d'une austère critique. Ils étaient prompts à accueillir tout exemple qui fût frappant [71]. Les *Gesta Romanorum,* nés en milieu franciscain, dont le plus ancien manuscrit actuellement subsistant fut copié à Innsbrück en 1342, ne sont, malgré leur nom, qu'un recueil d'exemples où le fantastique et le légendaire ont fini par étouffer le vrai [72]. Ils sont, en quelque sorte, comme l'aboutissement naturel de l'historiographie franciscaine.

II. Au hasard des cours et des places

Dudon de Saint-Quentin, vers l'an mille, était un clerc du Vermandois, un disciple probable d'Adalbéron, un lettré, un rhéteur passionné de belle prose, un poète exercé aux mètres les plus difficiles [73] ; à la demande de Richard Ier et de Richard II, il écrivit l'histoire des princes normands. Géraud était, dans la seconde moitié du XIe siècle, un clerc servant dans la chapelle d'Hugues d'Avranches ; sa piété l'incitait à convertir ceux qui l'entouraient ; il leur disait les combats de saints chevaliers, de Démétrius et de Georges, de Théodore et de Sébastien, de Maurice et de sa légion thébaine [74]. Guernes de Pont-Sainte-Maxence était clerc et jongleur ; un moment accueilli, en 1172, à Christ Church de Canterbury, il y écrivit la vie du tout récent martyr Thomas Becket. Ambroise était, à la fin du XIIe siècle, un jongleur ; il avait à son répertoire nombre

« de vielles chançons de geste
Dont jugleur font si grant feste » ;

il chantait d'Alexandre et de Troie, d'Arthur, de Pépin et de Charlemagne ; il savait surtout, semble-t-il, la Chanson d'Aspremont et la Chanson des Saisnes [75] ; revenu de la troisième croisade, il composa un poème qui en disait l'histoire, pour le réciter en public. Tous ceux-là étaient des jongleurs que l'Eglise admettait, parce qu'ils chantaient « les faits des princes et les vies des saints [76] ». Au XIVe siècle,

Froissart était un clerc tonsuré, mais surtout un ménestrel que comblait la douceur de la vie des cours ; il employait ses dons de poète et de prosateur à divertir les seigneurs et les dames qu'il côtoyait ; c'est pour eux qu'il composa ses longs poèmes allégoriques, ses chansons, ses ballades, ses virelais, ses rondeaux, et les quatre livres de ses chroniques en prose. Jean Lemaire de Belges était un clerc frotté d'université qui, maniant avec une égale aisance la prose et le vers, excellant aux rimes les plus compliquées, mettait ses bouillonnants talents littéraires au service des grands qui le protégeaient ; en 1500, il aborda un sujet à la mode bien propre à plaire au public des cours ; il le poursuivit lentement, en même temps que bien d'autres projets, et, en 1513, il acheva enfin ses « Illustrations de Gaule et singularités de Troie [77] ». Ainsi retrouve-t-on au cours des siècles un type d'historien aux multiples avatars, en tout cas bien différents des historiens protégés qu'étaient moines et frères : des « gens de lettres » pour lesquels l'histoire n'était qu'une branche de la littérature ; des clercs, des jongleurs, des ménestrels vivant de leur plume, livrés au hasard des cours et des places, des auteurs professionnels qui disaient tout crûment ce qu'étaient d'abord pour eux leurs œuvres historiques : un moyen d'exister. A la fin de son *De moribus et actis primorum Normanniae ducum,* Dudon de Saint-Quentin n'oublie pas de réclamer son salaire [78]. Cent autres après lui disent qu'ils espèrent tirer de leur travail « quelque fruit », une « digne rétribution [79] », une « récompense », une « rémunération décente [80] ». L'histoire est le gagne-pain de ces clercs et de ces jongleurs [81]. Ils espèrent en vivre [82] et rêvent d'en bien vivre :

« — Vaillant n'ay ung festu,
Mais de t'aymer suis yvre »

dit Jean Lemaire de Belges à l'histoire, qui lui répond :

« — Ayes engin poinctu ;
Je te feray bien vivre [83] ».

Y parvenir exige l'âpre conquête d'un public. Géraud d'Avranches entendait s'adresser aux « gens des cours », aux « grands seigneurs, aux simples chevaliers et aux enfants nobles [84] ». Au début du XIIe siècle, Gallus Anonymus avait dit « les triomphes et les victoires des rois et des ducs » de Pologne pour qu'ils fussent récités « dans les écoles et les palais » ; ses espoirs avaient été déçus ; son œuvre était tombée dans le vide *(in vacuum)* ; il dut en conclure qu'elle avait « besoin du suffrage des chapelains et des prêtres » et c'est vers ce public de clercs que finalement il se tourna [85]. C'est essentiellement le même public auquel Giraud le Cambrien voulut faire connaître en 1189 sa *Topographia hibernica* (« Topographie irlandaise ») par un effort de publicité sans précédents et sans imitations : « Lorsque, finalement, l'œuvre fut achevée et corrigée, ne voulant pas mettre la chandelle qu'il avait allumée sous le boisseau, mais sur un chandelier, pour qu'elle éclaire [86] », raconte Giraud en parlant de lui-même à la troisième personne, « il décida de la lire devant un grand auditoire, à Oxford, où les clercs étaient les plus cultivés de toute l'Angleterre. Et comme son livre était divisé en trois parties, la lecture dura trois jours consécutifs, une partie étant lue chaque jour. Le premier jour, il convoqua les pauvres de toute la ville, et leur offrit à dîner ; le lendemain, c'était le tour de tous les docteurs des différentes facultés et de leurs élèves les plus notables ; le troisième jour, celui de tous les autres étudiants, des chevaliers de la ville, et de nombreux bourgeois. Ce fut une chose coûteuse et magnifique, qui ressuscita, en quelque sorte, une bonne coutume qu'avaient les poètes dans les temps anciens. Et personne ne se souvient qu'en Angleterre, ni dans le passé ni de nos jours, rien de semblable ait été entrepris [87] ». Cette chose coûteuse et magnifique ne fut heureusement point tout à fait vaine car, nous dit plus loin Giraud, après la lecture publique d'Oxford, l'œuvre se répandit en divers lieux et tomba finalement entre les mains d'un chanoine de Salisbury, qui l'apprécia fort [88]. Robert Manning, quant à lui, visait un public beaucoup plus modeste ; il n'écrivit ni pour les cours ni

> « pour les savants, mais pour les humbles,
> pour ceux qui vivent en ce pays
> et ne savent ni latin ni français,
> pour qu'ils aient quelque plaisir
> quand ils sont assis tous ensemble [89] ».

Trouver un patron qui sût vous imposer était sans doute le meilleur moyen de conquérir un public. C'était aussi une fin en soi car seul ce patron pouvait donner au malheureux auteur un peu de la sécurité et du bien-être auxquels il aspirait. Mais c'était un art que de trouver un bon patron. Parmi les puissants, il y en avait « auxquels les lettres donnaient la nausée et qui, lorsqu'on leur offrait des livres, les fourraient aussitôt dans un coffre et les condamnaient ainsi à la prison perpétuelle [90] ». Ces « ânes couronnés » dont le Moyen Age s'est tant moqué étaient heureusement moins nombreux que le XXe siècle ne l'a souvent cru. Parmi les grands, beaucoup en vérité aimèrent la culture. Dès la première moitié du XIe siècle un grand seigneur méridional comme Guillaume III le Grand, comte de Poitiers et duc d'Aquitaine, avait, au dire d'Adémar de Chabannes, reçu de l'instruction ; il savait lire et écrire ; il avait en son palais une bonne bibliothèque et lisait tout seul le soir avant de s'endormir [91]. Au nord de la France, dans la seconde moitié du XIIe siècle, le seigneur d'Ardres n'avait encore aucune formation scolaire ; mais il savait écouter, assimiler ce qu'on disait autour de lui, et en garder la mémoire [92]. Ce que ces puissants aimaient lire ou écouter n'était pas toujours de l'histoire, mais ce pouvait être de l'histoire. Amaury de Jérusalem était un avide auditeur d'histoires et comme sa mémoire était infaillible il pouvait les répéter avec une parfaite fidélité. C'était aussi des histoires que préférait entendre son frère Baudouin III. De même leur neveu Henri II d'Angleterre. Le gendre d'Henri II, le fameux Henri le Lion, passait à entendre lire les vieilles chroniques des nuits sans sommeil [93]. Trois siècles plus tard, jamais Charles le Téméraire « ne se couchoit qu'il ne fist lire deux heures devant luy, et lisoit souvent devant luy le seigneur de Humbercourt, qui moult bien lisoit et retenoit ; et faisoit lors lire les haultes histoires de Romme et prenoit moult grant plaisir es *Faictz des Rommains* [94] ». Il était naturel que tous ces amateurs d'histoire aidassent les historiens. Ils les accueillaient, comme Alexandre de Blois, évêque de Lincoln (1123-1148), dont Pierre de Langtoft, deux siècles plus tard, savait encore la réputation de « bon viandour », de bon hôte [95]. Ils les encourageaient à écrire, les aidaient dans leurs recherches, leur ouvraient leur bibliothèque, leur procuraient des livres. Ils diffusaient leurs œuvres, comme Robert de Gloucester, qui contribua ainsi au succès de l'*Historia regum Britanniae* de son protégé Geoffroy de Monmouth [96]. Mais surtout ils leur donnaient ces récompenses après lesquelles ils couraient tous. Ils en faisaient leur chapelain, leur secrétaire, leur aumônier, ils leur donnaient des bénéfices [97]. Grâce à eux, et grâce à l'histoire, beaucoup « s'élevèrent ainsi fort au-delà du point que leur assignait leur naissance [98] ».

Autant l'histoire monastique, solidement ancrée dans les *scriptoria,* pouvait être fidèle à elle-même, autant cette histoire livrée au hasard des cours et des places devait s'adapter aux besoins de ses publics, répondre aux goûts de ses patrons, ployer au gré des modes. Pour être entendu d'un plus large public, les clercs du XIIe siècle devaient renoncer à l'impossible latin qu'ils avaient appris aux écoles, écrire un latin simple et facile [99]. L'usage du latin lui-même fut très vite mis en question. Dès le début du XIIe siècle, Gallus Anonymus concluait de l'échec de son œuvre qu'elle avait « besoin du suffrage des chapelains et des prêtres », mais aussi « qu'il fallait la traduire [100] ». Et, au début du XIIIe siècle, le gentil Gautier Map expliquait à Giraud le Cambrien, que torturait l'ambition d'un grand succès littéraire et que la célébrité de Gautier emplissait d'amertume : « Ce que vous avez écrit est bien plus remarquable et sera bien plus durable que ce que j'ai dit, mais ce que j'ai dit, en langue vulgaire, est bien plus accessible, alors que ce que vous avez écrit, en latin, n'en touche qu'un bien plus petit nombre [101] ». Dès le XIIe siècle, nombre de nos historiens avaient donc écrit leur histoire en langue vulgaire, et en vers, parce que la rime semblait alors nécessaire à toute œuvre en langue vulgaire. Puis, au XIIIe siècle, la rime devint suspecte. « Nus contes rimés n'est verais » écrivait dès le début du XIIIe siècle Nicolas de Senlis en commençant sa traduction en prose de la chronique dite de Turpin [102]. Et Jean de Flixicourt, traduisant en 1262 Darès le Phrygien, expliquait pourquoi : « Li roumans de Troies rimés continet molt de coses que on ne treuve mie ens u Latin, car chis que le fist ne peüst autrement belement avoir trouvee se rime [103] ». Les auteurs sérieux laissèrent donc la rime aux littérateurs que ne taraudait pas le souci de la vérité. Et l'histoire, peu à peu, se fit prose. Dans le même temps, elle s'employait à traiter les thèmes propres à captiver son auditoire. Et c'est ainsi qu'après la seconde croisade qui mit tant de chevaliers en contact avec la civilisation byzantine, le « roman » antique fit, pendant une quinzaine d'années, fureur. Puis ce fut, avec Chrétien de Troyes, le triomphe de la matière de Bretagne. Puis les Carolingiens s'imposèrent à peu près dans le même temps où la troisième et la quatrième croisades multipliaient les récits de croisade. Plus tard, au XIIIe siècle, sans rien exclure d'ailleurs, l'histoire de Rome et l'histoire de France, en France évidemment, furent les sujets de prédilection des historiens et de leurs publics [104].

Certains patrons eurent parfois l'érudition exigeante. Baudouin V, comte de Hainaut (1171-1192), était passionné d'histoire carolingienne ; il envoya, dit-il lui-même à Frédéric Barberousse, ses clercs et ses notaires faire des recherches dans les bibliothèques de Cluny, de Tours et de Saint-Denis [105]. C'était l'exception. En général, clercs et jongleurs se contentaient des quelques livres que pouvait contenir la petite bibliothèque de leur seigneur. Souvent même ils n'eurent entre les mains qu'un seul livre, qu'il leur suffisait de traduire ou d'adapter, de mettre au goût du jour. Rien de moins livresque que leur histoire. Elle était par contre abondamment nourrie d'informations et de traditions orales. Au dire d'Orderic Vital, les savants qui vécurent à la cour du roi Guillaume le Conquérant n'eurent pas simplement l'avantage de profiter de ses richesses, « ils eurent » aussi « connaissance de ses exploits, des événements divers et glorieux de son règne ; ils n'ignorèrent pas ses desseins secrets et profonds » et eurent ainsi « d'amples matériaux pour composer plusieurs ouvrages [106] ». Orderic pensait sans doute, entre autres, à Guillaume de Poitiers, dont le récit est nourri de témoignages oraux. De même, en 1153, l'auteur de l' « Histoire des seigneurs d'Amboise » se propose-t-il de dire « ce qu'il a trouvé dans certains écrits et ce que les dires des anciens lui ont appris [107] ». Deux siècles plus tard, Jean Froissart allant de cour en cour prendre des interviews construisait lui aussi ses chroniques sur des récits oraux de témoins. Mais au-delà des témoins oculaires, remontant vers un plus lointain passé, ces historiens utilisaient tout naturellement traditions orales et chansons de geste. Au début du XIe siècle, l'œuvre de Dudon de Saint-Quentin en était pleine [108]. Dans la seconde moitié du XVe siècle, Jean Le Clerc, un familier d'Antoine de Chabannes, usait du roman de *Theséus* pour ouvrir sa généalogie des comtes de Dammartin [109]. Ainsi, par la nature de ses sources, par la culture littéraire de ses auteurs, par les goûts des publics auxquels elle s'adressait, cette histoire était irrésistiblement attirée vers l'épopée. Elle en respirait l'air. Elle se souciait peu de chronologie. Elle n'avait pas scrupule à mêler à la vérité la poésie [110]. Pour cette histoire trop littéraire, les érudits monastiques n'avaient que méfiance et mépris : sur saint Guillaume, dit Orderic Vital, « une cantilène est chantée en public par les jongleurs, mais on aura bien raison de lui préférer la relation authentique que de pieux savants ont mis tout leur soin à écrire et que de studieux lecteurs lisent avec respect aux moines assemblés [111] ».

La vérité de cette histoire n'était pas fardée que par la littérature. Bien rares furent les patrons qui, encourageant les clercs à écrire et les jongleurs à chanter, avaient en tête le simple désir de se distraire ou de s'instruire. Un patron entendait d'abord servir sa propre gloire. Guillaume Longchamp, évêque d'Ely, chancelier d'Angleterre en l'absence de Richard Cœur de Lion, avait « pour accroître sa renommée, mendié les chants et les rythmes flatteurs et avait attiré du royaume de France, par ses dons, chanteurs et jongleurs pour qu'ils chantassent de lui sur les places ; et on disait bientôt partout qu'il n'y en avait pas, de par le monde, un autre comme lui [112] ». Méprisable entreprise stigmatisée par ses ennemis, que ses partisans voyaient sans doute tout autrement : l'histoire dans laquelle Dudon de Saint-Quentin a raconté les exploits guerriers des ducs de Normandie est, au jugement d'Orderic Vital, un éloquent « panégyrique [113] » ; narrant, beaucoup plus tard, la vie et le pontificat du pape Paul II, Michele Canensi avait conscience d'aborder le noble genre de la *laudatio* [114]. Ces biographies flatteuses n'étaient pas simplement l'affaire d'un homme. C'était l'affaire de tout son lignage. L'historien qui, au début du XIIIe siècle, a écrit, en plus de dix-neuf mille vers, l' « Histoire de Guillaume le Maréchal » à la demande de son fils aîné, ne s'y est pas trompé :

> « Quant (li) lignages, frère et suers
> Orront ce, molt lor iert as cuers,
> ...
> Car bien sai que molt s'esjorront
> De cest (livre), quant il l'orront,
> Por les granz biens et por l'enor
> Qu'il orront de lor anseisor[115] ! »

Le XVe siècle fut un autre moment où se multiplièrent « à la gloire des grandes familles les biographies domestiques, celles de Louis de Bourbon, de Boucicaut, d'Arthur de Richemont, de Gaston de Foix[116] ». Mais pour glorifier une famille, l'histoire de cette famille, depuis ses plus lointains ancêtres, était un monument plus approprié encore. G. Duby a bien montré comment, au XIIe siècle, grands princes et petits seigneurs, pour hausser la réputation de leur lignage, plus précisément pour aider leur stratégie matrimonale et pouvoir contracter de plus flatteuses alliances, ont patronné une abondante littérature généalogique[117]. Dans les grandes familles régnantes, les soucis généalogiques étaient d'une autre nature : ils devenaient alors une affaire d'Etat[118]. Et lorsque, à l'aube du XVIe siècle, l'empereur Maximilien suscitait et surveillait très étroitement les travaux généalogiques de Ladislaus Sunthaym et de Jacob Mennel, son ambition de glorifier sa dynastie débouchait sur les plus vastes desseins politiques[119]. Ainsi proliférèrent dans les cours médiévales des biographies, des généalogies, des histoires qui étaient rien moins qu'innocentes. La religion n'y tenait aucune place, mais la politique y était partout présente. C'était des « écrits politiques rédigés à une certaine date pour une certaine cause[120] », justifiant des ambitions, imposant une idéologie ; des textes où les problèmes présents transparaissaient toujours sous le voile trop léger du passé. Dans cette littérature de « propagande » soumise aux intérêts des patrons, dans cette production mercenaire sensible aux profits des auteurs, la vérité n'était guère à l'aise. Des réputations faites ou défaites, de l'hyperbole ou du silence, les raisons devaient parfois être cherchées bien bas. A Antioche, en 1096, Arnaud de Guines avait eu une remarquable conduite. Et pourtant l'histoire n'en garde pas trace. Lambert d'Ardres le déplore et nous dit pourquoi : l'auteur de la « Chanson d'Antioche » était mené par la cupidité ; il était avide de gains matériels ; et, parce qu'Arnaud lui avait refusé une paire de chaussures écarlates, dans sa Chanson où d'ailleurs le faux se mêle au vrai, ce misérable bouffon lui avait refusé les éloges et la gloire qu'il méritait, il n'en avait même pas fait mention [121].

III. Dans la fièvre des bureaux

Dudon de Saint-Quentin se disait le chapelain, mais aussi le chancelier du duc de Normandie [122] ; il n'était pas simplement un courtisan, mais aussi le premier rouage d'une administration rudimentaire. Au XVe siècle encore, en Bourgogne comme en Italie, les liens étaient étroits entre la cour et la chancellerie. Pendant des siècles, il ne fut pas toujours facile de distinguer courtisans et administrateurs. Il n'empêche que le monde des cours et celui des bureaux ne se recouvraient que très partiellement, et les bureaux sécrétèrent des historiens bien différents des historiens de cour.

En Italie, une vie communale intense fit des XIIe et XIIIe siècles l'âge d'or du notariat [123] et ces laïcs qu'étaient les notaires furent très tôt très nombreux. Au nord des Alpes, par contre, ce furent d'abord des clercs séculiers qui eurent l'instruction nécessaire pour accomplir les tâches que les villes et surtout les princes attendaient d'eux et, dans la première moitié du XIIe siècle, ces clercs de chancellerie étaient encore fort rares. Puis les progrès de la bureaucratie accrurent le nombre des chancelleries, des cours de justice et des institutions financières, et multiplièrent le nombre des clercs qui œuvraient en chacune d'elles. Ne parlons plus des gens de finances, qui n'ont jamais marqué à l'histoire le moindre intérêt. Mais dans les chancelleries et les cours de justice, à côté des clercs, les laïcs prenaient peu à peu une place importante [124]. Au delà comme en deçà des Alpes enfin, le nombre s'accrût lentement de ceux qui avaient fréquenté l'université et s'étaient donné une culture juridique plus ou moins approfondie. Clercs ou laïcs, savants légistes ou modestes notaires, fourmillant dans une puissante chancellerie princière ou près d'une importante cour de justice, ou peinant, presque isolés, dans un humble bureau de ville, tous avaient en commun que leurs quotidiennes écritures les préparaient à être historiens [125]. Et de fait, parmi eux, les historiens furent nombreux ; bien plus nombreux, d'ailleurs, au Moyen Age, dans les chancelleries que dans les cours de justice. Et les œuvres historiques de l'archidiacre Renaud, jouant au XIe siècle le rôle de chancelier du comte d'Anjou même si l'institution était trop jeune encore pour qu'il en prît toujours le titre [126] ; de Galbert, notaire travaillant au début du XIIe siècle au service du châtelain comtal de Bruges [127] ; de Gislebert de Mons, notaire et chancelier, à la fin du XIIe siècle, du comte de Hainaut Baudouin V ; du notaire Rolandino de Padoue, qui était maître de grammaire et de rhétorique au *studium* de Padoue lorsqu'il écrivait, entre 1260 et 1262, sa chronique [128] ; de Jean Cavallini, *scriptor* à la chancellerie pontificale de 1325 à sa mort, en 1349 ; de Jean de Montreuil, employé à la chancellerie du roi de France Charles VI ; de Laurent de Březová, travaillant dans les années 1420 et 1430 à la chancellerie de la Nouvelle Ville de Prague ; de Leonardo Bruni, chancelier de Florence de 1427 à sa mort, en 1444 ; de Jean Długosz, auquel l'évêque de Cracovie avait confié la direction de sa chancellerie [129] ; celles de cent autres illustres chanceliers ou notaires obscurs, si diverses soient-elles, ont en commun des traits originaux qu'elles doivent au fait d'être, en quelque sorte, des sous-produits de l'administration.

Lorsque ces bureaucrates consciencieux et compétents font œuvre d'historiens, leur histoire est le reflet de leur expérience professionnelle. Plus encore que les moines, ces notaires et ces secrétaires sont d'abord par métier des scribes, et même des techniciens de l'écriture. Héritière de la minuscule caroline, l'écriture du XIIIe siècle était une écriture fractionnée, c'est-à-dire que chaque lettre était exécutée en deux ou trois mouvements. Le résultat de ces levés de plumes constants était une écriture lisible mais lente, dont des scribes pressés par le temps ne pouvaient plus se satisfaire. A la recherche de ductus plus économiques les clercs de la chancellerie du roi de France, à l'aube du XIVe siècle, s'apprirent à lever moins souvent la plume du parchemin ou du papier, et inventèrent l'écriture mixte qui, de progrès en progrès, devait aboutir à l'écriture liée du XVe siècle [130]. Cette cursive gothique avait l'avantage d'être rapide ; elle eut, pour les humanistes, le tort d'être trop éloignée des canons antiques. Les lettrés du Trecento usèrent d'une minuscule livresque inspirée de la *littera antiqua,* à partir de laquelle Poggio Bracciolini, au tout début du XVe siècle, inventa l'écriture humanistique. Or, dès 1415, Jean de Montreuil introduisait celle-ci en France et l'utilisait dans ses travaux érudits. L'écriture était, dans les chancelleries, une technique si réfléchie que Jean de Montreuil jouait de différentes façons de tailler sa plume [131], et que Jean Lebègue achevait de compiler, en 1431, un recueil de recettes d'encres et de couleurs [132]. Les langues, comme l'écriture, durent répondre aux besoins des bureaucrates, qui pesèrent d'un grand poids sur leurs destinées. A la fin du XIIIe siècle, les laïcs envahirent en Allemagne les chancelleries urbaines et princières ; c'est eux qui diffusèrent dans l'écrit l'usage de la langue allemande [133]. Un siècle plus tard, comme le latin était resté la langue des relations internationales, Jean de Montreuil, pour mieux faire entendre la voix de son maître, abandonnait le médiocre latin qu'écrivait la chancellerie de France et se mettait à l'école du chancelier de Florence Coluccio Salutati, dont le latin élégant avait la réputation d'être d'une redoutable efficacité [134]. Dans l'Angleterre du XVe siècle enfin, où le latin restait la langue de l'école et le français la langue de la justice, ce sont les clercs de l'administration centrale qui forgèrent l'anglais écrit et en imposèrent l'usage [135]. Quoi d'étonnant si ces techniciens de l'écriture et de la langue impriment à leurs histoires une forme originale ? De leur propre aveu, au XIIIe et au XIVe siècles, les notaires italiens écrivaient l'histoire comme ils écrivaient leurs contrats [136]. Les discours dont ils émaillaient leur récit, ils ne les composaient pas simplement parce que, ayant lu les auteurs antiques, ils en avaient la passion gratuite, mais parce que, étant souvent *dictatores* de leur commune et rédigeant tous les discours officiels, le discours était leur chef-d'œuvre professionnel [137]. Au XVe siècle, le latin assez gauche de Jean de Montreuil véhiculait bien des tournures empruntées aux formulaires de la chancellerie française [138], mais le beau latin des humanistes italiens était aussi celui qu'ils s'étaient créé pour les besoins de leur chancellerie. Sèche, maladroite ou somptueuse, l'histoire des bureaucrates est toujours, dans sa forme, un travail de bureau.

Pour se documenter, notaires ou clercs savent recueillir des témoignages oraux [139]. Ils peuvent même, faute de mieux, utiliser des traditions orales. Mais ces hommes de cabinet se méfient plus encore que les moines des « chants jacasseurs des jongleurs » et des « contes menteurs des paysans [140] ». Tous les porte à privilégier l'écrit. Vivant en ville, et dans l'aisance, leur situation leur permet de consulter et même d'acquérir de nombreux livres. Par exemple, c'est parce qu'il est *scriptor* à la chancellerie pontificale et qu'il vit près de ce gros marché de livres qu'est Avignon que Jean Cavallini a pu acquérir un Valère-Maxime qu'il couvre de notations marginales et de gloses, et surtout l'unique copie, réalisée par Pierre Guillaume en 1142, du *Liber Pontificalis* continué par Pandolfe, qu'il annote pareillement [141]. L'histoire des bureaucrates est d'abord une histoire livresque. Mais c'est surtout une histoire fondée sur les documents originaux. Ayant accès aux archives, dressés à ne point s'y perdre, capables de comprendre et d'annoter leur documentation [142], habitués à constituer des dossiers [143], clercs et notaires surent nourrir leurs histoires de sources diplomatiques. Dudon de Saint-Quentin avait déjà utilisé dans son histoire des chartes du duc de Normandie Richard Ier ; il ne les avait pas citées mot à mot [144]. Galbert de Bruges donne parfaitement le sens de ses documents ; il ne se croit pas obligé de les reproduire exactement [145]. Mais plus le temps passe et plus leurs successeurs entendent donner des citations et des pièces justificatives correctes. Jean de Montreuil a le souci d'une rigoureuse exactitude lorsqu'il cite ses textes [146], et les transcriptions de Laurent de Březová sont si fidèles qu'on peut très bien dire aujourd'hui de quels documents il a eu, entre les mains, l'original [147]. C'est dans les *scriptoria* monastiques mais aussi dans les bureaux des administrateurs médiévaux que l'érudition moderne a forgé ses exigences.

Les bureaucrates tirent de leur expérience professionnelle leur aisance à jouer des documents originaux, mais les archives qu'ils utilisent en fait sont celles de l'institution où ils travaillent. Et cette institution baigne dans un milieu dont elle reflète les idées et les passions, et même les oriente ou les fortifie. Sans qu'on puisse vraiment parler d'histoire officielle, il y a donc entre l'histoire d'un bureaucrate et le milieu dont il est solidaire une entente, une complicité profonde que souligne parfois une cérémonie solennelle. Le 3 avril 1262, lecture publique est faite dans le cloître de Saint-Urbain de Padoue devant les maîtres et les étudiants du *studium* de la chronique que le notaire Rolandino avait écrite à partir des notes de son père et des siennes propres ; les docteurs l'approuvent de leur autorité et en font ainsi un document authentique où la communauté urbaine de Padoue puisse trouver son histoire vraie [148]. En 1439, les neuf premiers livres de l'*Histoire du peuple florentin* de Leonardo Bruni sont solennellement présentés à la Seigneurie ; mais cette cérémonie ne fait que constater les liens étroits que chacun savait déjà entre Florence et l'œuvre de son chancelier : lorsque, en 1429, Leonardo Bruni avait publié les six premiers livres de son *Histoire,* l'archevêque de Milan n'avait pas dit : « Leonardo Bruni vient d'achever les six premiers livres de son *Histoire du peuple florentin* », mais : « Les Florentins viennent d'achever les six premiers livres de leur histoire [149] ». Ainsi s'élaborent des œuvres historiques dont se nourrit la mémoire d'un peuple, où se reconnaissent et s'alimentent fierté civique ou passion nationale. En France, l'abbaye de Saint-Denis a été pendant des siècles le foyer de l'histoire nationale ; elle continue à l'être sous Charles VI ; mais c'est alors la plume d'un secrétaire de la chancellerie, Jean de Montreuil, qui défend avec le plus de passion les droits du roi et les intérêts du royaume[150]. En Pologne, sous Ladislas Jagellon (1386-1434), pour soutenir la lutte du roi contre l'Ordre teutonique, l'élite intellectuelle rassemblée à la chancellerie de Cracovie fait un effort de documentation historique sans lequel la grande historiographie nationale polonaise du XVe siècle n'eût pas été possible[151]. En Hongrie, c'est à la chancellerie royale « que s'est formée la conscience historique des Hongrois[152] ». A Florence, de 1424 à 1494, cinq humanistes furent successivement chanceliers ; quatre d'entre eux firent œuvre historique, parmi lesquels Leonardo Bruni, Poggio Bracciolini et Bartolommeo della Scala qui tous les trois travaillèrent à l'histoire de Florence[153]. Les chancelleries furent le creuset de l'histoire nationale aussi naturellement que les monastères l'avaient été de l'histoire universelle, et les cours de l'histoire dynastique.

De son activité d'historien, le moine attendait sa récompense dans l'au-delà. Le courtisan avouait sans fard qu'il l'attendait de son patron dès ce bas monde. L'originalité du bureaucrate est que sa passion est gratuite. Vivant plus ou moins confortablement de son activité professionnelle, il n'attendait de son histoire aucun bienfait particulier. Ainsi se forgeait peu à peu l'image idéale d'une érudition désintéressée. Jean Cavallini aurait pu, comme tant d'autres *scriptores* de la chancellerie pontificale, consacrer tout son temps à multiplier ses revenus ; il laissa ses collègues à leur cupidité et vécut modestement à étudier l'histoire. Pendant trente ans et jusqu'à sa mort, Flavio Biondo fut un secrétaire du pape ; en 1463, nous dit Pie II, « il mourut pauvre, comme il convient à un érudit[154] ». Est-ce un hasard si Jean Cavallini et Flavio Biondo, se détournant d'une histoire plus actuelle et plus brûlante, ont mis à étudier les monuments et les institutions de Rome une passion d'antiquaire ? Dans ce bouillon de culture historique qu'étaient les bureaux, l'étude de l'histoire ne fut pour beaucoup qu'un nouvel instrument de leurs passions politiques. Mais d'autres, plus détachés des biens de ce monde et des événements qu'ils vivaient, y virent un moyen d'échapper à leurs soucis professionnels, et goûtèrent sans remords le calme plaisir d'une érudition inutile.

IV. Amateurs, érudits, antiquaires

D'ailleurs, aux XIVe et XVe siècles, avec les progrès de la culture en général et de la culture historique en particulier, le nombre s'accrût des amateurs qui eurent le goût de l'histoire et consacrèrent leur temps libre à écrire des livres d'histoire sans d'autre but que leur plaisir. Thomas Gray de Heaton « prisonnier estoit pris de guer » et s'ennuyait au château d'Edimbourg ; il se mit à lire des livres d'histoire « et durement ly poisoit que il nust hu devaunt le hour meillour conisaunce du cours du siecle » ; il s'enhardit bientôt à écrire une histoire [155]. C'est lorsqu'il ne put « plus pour la guerre servir », qu'il fut « plain de jours et vuydié de jeunesse » que Jean de Courcy, « pour eschiver à vie oyseuse », se mit à étudier les vieilles histoires et finit par écrire *La Boucquechardière* [156]. Si Goro Dati est l'auteur de l'*Istoria di Firenze,* c'est qu'il fut un de ces commerçants médiocres auxquels leurs affaires laissaient le temps d'écrire [157]. Guillaume Saignet composa son histoire universelle lorsque, frais émoulu de l'université, il n'était pas encore entré dans le tourbillon d'une carrière administrative et politique qui devait être particulièrement active [158]. William Worcestre dut attendre sa retraite pour s'adonner à ses recherches. De plus en plus souvent à la fin du Moyen Age, l'histoire fut le repos du guerrier, du marchand, ou du fonctionnaire.

Racontant les temps modernes, ces œuvres d'amateurs se contentaient le plus souvent de rapporter ce qu'avaient vu et entendu leurs auteurs. Parlant des temps anciens, ce qui frappe est la faible base documentaire de leur récit. Jamais, pour ainsi dire, ces historiens de bonne volonté n'utilisent de sources non narratives. Ils n'avaient accès à aucun dépôt d'archives, et, d'ailleurs, eussent-ils eu entre les mains quelque document qu'ils n'auraient probablement rien pu en faire. Le chevalier Hans Ebran de Wildenberg ne fait état que d'une pièce originale, la lettre de fondation d'un monastère, et il n'en a rien lu d'autre que la date, qu'il donne [159]. Leur histoire repose donc au mieux sur des livres, ou plutôt sur quelques livres, souvent même sur un ou deux livres. Thomas Gray écrivit une histoire d'Angleterre dont toute la science semble venir de la chronique perdue du franciscain Thomas Otterbourne [160]. Pour composer son histoire universelle, Guillaume Saignet se contenta de résumer l'œuvre fort répandue qu'était le « Manuel d'histoire de Philippe VI de Valois ». Mis aux arrêts par Louis XI en 1463, Jean de Hangest, chevalier, seigneur de Genlis, occupa ses loisirs à abréger Valère-Maxime [161]. Ces livres sont en somme l'œuvre de lecteurs attentifs plus que de chercheurs. C'est d'abord que ces amateurs d'histoire ne disposaient pas d'une de ces grandes bibliothèques qui eussent été nécessaires à une recherche approfondie. Auraient-ils eu cette chance qu'ils n'auraient pas eu le temps d'en user, ni les moyens. Non qu'ils ignorassent les langues. Thomas Gray a lu, du moins s'en vante-t-il, des « livers de cronicles enrymaiez et en prose, en latin, en fraunceis, et en engles [162] ». La chose n'a rien d'invraisemblable. Ces nobles voués aux armes savaient du latin plus souvent qu'on n'a parfois cru. De là à lire un latin savant de surcroît écrit en une écriture ancienne, il y a un pas qu'ils ne pouvaient franchir. Si Hans Ebran a pu utiliser la chronique d'Otton de Freising, c'est, nous avoue-t-il, grâce « à l'aide de deux savants prêtres [163] ».

Rien donc d'étonnant si ces auteurs écrivent la langue qu'ils ont apprise au berceau. L'écrivant, ils usent sans doute des règles rhétoriques qui collent à la peau de quiconque a, au Moyen Age, tant soit peu fréquenté les écoles, mais leur plume retrouve aussi les métaphores, les proverbes, les tournures familières ou triviales qui colorent la langue du milieu social et professionnel dont ils sont solidaires [164] et dont ils reflètent, dans leur histoire, les idées et les passions. Bertrand Boysset est un modeste bourgeois d'Arles ; la chronique qu'il écrit en provençal est animée d'un vrai patriotisme local [165]. Goro Dati est un médiocre marchand de Florence ; son *Istoria di Firenze* vante l'éthique mercantile, chante Florence et sa *libertas* [166] et forge, un des premiers, cet humanisme civique florentin cher à Hans Baron [167]. Les problèmes religieux laissent de marbre le chevalier Hans Ebran ; sa passion, c'est la Bavière, et son esprit critique n'est jamais plus vif que pour dénoncer les historiens qui ont tenté de glorifier l'Autriche aux dépens de la Bavière [168]. Pietro da Villola et son fils Floriano ont tenu, à Bologne, boutique de papetier ; de 1324 à 1376, ils ont enregistré les événements survenus dans la ville, et ils ont constamment laissé leur chronique exposée dans leur boutique, en plein centre de Bologne [169]. Comment cette histoire pouvait-elle ne pas être étroitement solidaire de son milieu ?

Il y a loin de l'histoire de ces amateurs à l'érudition des hérauts. Souvent d'humble origine mais très proches des nobles dont ils partageaient la vie et les campagnes, les hérauts écrivaient pourtant à la fin du Moyen Age des œuvres historiques bien éloignées de celles d'un Thomas Gray ou d'un Jean de Hangest. Depuis longtemps, des clercs suivaient les armées pour en décrire les batailles. Mais lorsque les combattants eurent pris l'habitude de porter des armoiries pour se reconnaître les uns des autres, les princes eurent surtout besoin de spécialistes pour identifier les blasons. Indispensables aux opérations d'une campagne, les hérauts apparurent d'abord occasionnellement, puis ils finirent par constituer, à partir du début du XIVe siècle, un corps permanent. Chaque prince en eut. Or ces hérauts ne se contentèrent pas de raconter les engagements auxquels ils assistaient, d'être des témoins écoutés. Habitués à décrire, à dessiner et à justifier des armoiries, les hérauts surent utiliser des archives pour dresser des généalogies, ils eurent la main et l'œil exercés qu'exige un dessin exact. Non seulement la maîtrise et le souci du document permirent aux hérauts de mener à bien avec éclat leurs recherches généalogiques et héraldiques, mais encore elles nourrirent leur histoire d'une érudition riche et précise [170].

Comme eux, de nombreux amateurs en vinrent à étudier le passé pour lui-même et mirent en œuvre, au service de leur passion d'antiquaire, une exigeante érudition. Leur formation les y aida ; beaucoup furent des médecins ou des juristes. Ils tirèrent surtout parti d'une documentation plus systématique et plus accessible. Dès avant l'invention de l'imprimerie, ils avaient pu se constituer des bibliothèques plus riches de livres moins coûteux. Ils avaient également compris l'intérêt des collections, d'inscriptions ou de monuments par exemple, et avaient commencé à en rassembler. C'est à un médecin, Giovanni Marcanova, qu'est due une des premières collections de textes épigraphiques, qui avait le double mérite d'être importante et bien classée [171]. L'imprimerie arma mieux encore l'érudition des antiquaires en mettant à leur disposition des collections plus nombreuses d'objets plus exactement et régulièrement reproduits, et en multipliant les livres, classiques ou nouveaux, qu'il leur était facile de lire [172]. Déjà l'imprimé permit à un amateur comme Hans Ebran d'utiliser les *Etymologies* d'Isidore de Séville, l'*Histoire ecclésiastique* de Pierre Le Mangeur et même le *Fasciculus Temporum* de Werner Rolevinck paru tout récemment, en 1476 [173]. Combien plus riche était l'érudition d'Hartmann Schedel, un médecin de Nuremberg, dont la culture historique pouvait non seulement s'appuyer sur une bibliothèque de plus de 600 volumes parmi lesquels plus de cent livres d'histoire, mais encore tirer parti des travaux et des informations que lui communiquaient ses compagnons d'érudition, bourgeois des villes d'Allemagne méridionale en général et de Nuremberg en particulier. Car ces amateurs cultivés, libres de patrons sinon de mécènes, tenant leur milieu à distance, étaient surtout solidaires de ces petites sociétés savantes qui, dans les villes d'Occident, à l'aube des temps modernes, se multiplièrent.

⁂

Il y a donc, au Moyen Age, bien des façons d'être historien. Les « gens de lettres » eurent certes la plume la plus séduisante. Si bien que, parlant d'historiens au Moyen Age, c'est, par exemple, un nom comme celui de Froissart qui vient d'abord à l'esprit. Et le discours des humanistes a tellement impressionné leurs successeurs qu'ils en firent les pères de l'histoire « moderne ». Mais si l'on considère que le propre de l'historien n'est pas le discours, mais ce lent effort ingrat et obscur qui lui permet enfin de découvrir et reconstruire le passé dans sa vérité, l'éclat des gens de lettres pâlit singulièrement. Et l'histoire « moderne », lourde d'érudition, que nous entendons aujourd'hui pratiquer, a en vérité des racines beaucoup plus profondes, et médiévales, mais c'est dans les *scriptoria* des moines, dans les bureaux des administrateurs et dans les cabinets des antiquaires qu'il faut aller les chercher. C'est là surtout que l'on pourra saisir l'historien au travail.

1. Guenée (9), 3-5.
2. M. Sot, Organisation de l'espace et historiographie épiscopale dans quelques cités de la Gaule carolingienne (31), 31-43.
3. Wattenbach, Holtzmann et Schmale (130), 563 et suiv.
4. Ortalli (108), 28, 32 ; et (109), 624-625.
5. *Scriptoria Medii Aevi Helvetica. Denkmäler Schweizerischer Schreibkunst des Mittelalters,* t. X, *Schreibschulen der Diözese Konstanz,* A. Bruckner éd., Genève, 1964, p. 36.
6. Wendehorst (179).
7. Wilmart (245). Giocarinis (451).
8. Cf. *supra,* p. 22, n. 43.
9. Lamma (169), 12-13, 34 et suiv.
10. Gransden (89), 263.
11. Cf. *supra,* p. 34, n. 151.
12. Knowles (167), 643-645.
13. Taylor (125), 9-14.
14. Hunter Blair (729).
15. Leclercq (170), 148.
16. Galbraith (162).
17. Joachimsen (92), 40-41.
18. Galbraith (87), 10-11.
19. Gaborit-Chopin (416).
20. Vaughan (659), 205-234.
21. Guillaume de Malmesbury (537), xiii et 1.
22. Taylor (700), 2.
23. Helgaud de Fleury (560), 18.
24. Tombeur (518), 445.
25. Galbraith (162), xxxvii.
26. Grévy-Pons et Ornato (662).
27. Gasparri (212), 237.
28. Gransden (89), 116.
29. Gransden (89), 396, 452. Thomas Burton (738), I, liv et suiv.
30. Cf. *supra,* p. 34 et 48.

31. Werner (427), 86.
32. Leclercq (171), 74.
33. Vaughan (659), 226.
34. Guenée (9), 6-7, 10.
35. Taylor (701), 646.
36. Cordoliani (299, 300 et 412). Bède (447). Jones (143).
37. Suger (733), 381.
38. Southern (61), 5.
39. Guillaume de Malmesbury (536), I, cxxii.
40. Ray (673), 23.
41. Legge (172), 3.
42. Ray (672), 1117. *Id.* (673), 33.
43. Ray (672), 1125.
44. Arbusow (340), 88.
45. Wolpers (151), 77-79. La traduction de la *Vie* en prose se trouve dans : *Lives of the Saints,* J.F. Webb éd., Harmondsworth, 1965, p 69-129. Dans l'*Histoire ecclésiastique,* la vie de saint Cuthbert est aux chapitres 27-32 du livre IV, p. 430-449.
46. Wolpers (151), 22, 34.
47. Helgaud (560), 138. Cf. Carozzi (561), 1.
48. Momigliano (51), 93.
49. Van der Essen (573), 551.
50. Gaiffier d'Hestroy (139), 146.
51. Etienne de Bourbon (476), 5-7.
52. Gransden (89), 129.
53. Walter (525).
54. Ray (673).
55. Lemarignier (425).
56. Cf. *supra,* p. 37.
57. William Worcestre (553), 164.
58. Gransden (89), 14.
59. Schneider (757), p. 182, n. 28.
60. Schneider (757), 182.
61. Cf. *supra,* p. 20.
62. Smalley (264), 62-63.
63. Schneider (757), 176, 179-180.
64. Schneider (757), 188.
65. *MGH, SS,* XXII, 397.
66. Baethgen (154). Gransden (89), 487-507.
67. M. Bloch, dans *RH,* 158 (1928), 109.
68. Brentano (76), 328.
69. Brentano (76), 332-337.
70. Den Brincken (621).
71. Baethgen (154), 343-345. Smalley (264), 306.
72. Krepinsky (791). Smalley (264), 8, 183.
73. Prentout (467), 15-19.
74. Orderic Vital, *Histoire ecclésiastique,* VI, 2 ; Chibnall (671), III, 216-217.
75. Ambroise (435), viii-ix.
76. Faral (159), 44.
77. Jodogne (618), 404 et suiv.
78. Prentout (467), 21.
79. Giraud le Cambrien (515), V, 410-411.
80. Miglio (105), 67, 84.
81. « Hunc laborem suscepi... ut otium evitarem, et dictandi consuetudinem conservarem, et ne frustra panem Polonicum manducarem » ; Gallus Anonymus, *MGH, SS,* IX, 463.
82. « Quer nuls qui de trouver volt vivre », *Histoire de Guillaume le Maréchal* (797), v. 11101 ; t. II, p. 35.

83. Jodogne (618), 392.
84. Cf. *supra,* n. 74.
85. David (81), 40-42.
86. Mathieu, V, 15.
87. Giraud le Cambrien (515), I, 72-73.
88. *Ibid.,* 413-414.
89. Robert Manning (715), I, 1.
90. Giraud le Cambrien (515), VI, 161.
91. Adémar de Chabannes (415), 176-177.
92. *MGH, SS,* XXIV, 598. Texte traduit par J. Paul, *Histoire intellectuelle de l'Occident médiéval,* Paris, 1973, p. 143-144.
93. *Gesta regis Henrici secundi* (790), I, xviii-xix.
94. Guenée (7), 283.
95. Pierre de Langtoft (691), I, 286.
96. Gransden (89), 208-209.
97. Dudon de Saint-Quentin, chapelain du duc de Normandie Richard II (Fauroux (466)) ; le duc Richard Ier lui avait donné deux bénéfices dans le pays de Caux (Prentout (467), 14). Guillaume de Poitiers, chapelain de Guillaume le Conquérant (Guillaume de Poitiers (546), xii). Geoffroi Gaimar, chapelain d'un grand seigneur anglais (Sayers (117), 111). Melis Stoke, clerc ou chapelain du comte de Hollande Guillaume III (Molinier (106), n° 2893). Pierre Le Baud, secrétaire de Jean de Derval, puis aumônier de Guy XV de Laval, chanoine de la Madeleine de Vitré, chantre de Saint-Tugdual de Laval (Chauvois (695), 27).

(98) Orderic Vital parlant des lettrés qui entouraient Guillaume le Conquérant, *Histoire ecclésiastique,* IV, 1 ; Le Prévost (671), II, 162.

99. Giraud le Cambrien (515), V, 207-208.
100. David (81), 42.
101. Giraud le Cambrien (515), V, 410-411.
102. Auracher (745), 262. Sayers (117), 287.
103. Woledge (409), 315.
104. Guenée (7), 265-268.
105. Smyser (748), 110.
106. Cf. *supra,* n. 98.
107. Halphen et Poupardin (815), 75.
108. Prentout (467), 326-328, 427-431.
109. R. Bossuat (811), 572-573.
110. Frappier (138), 6.
111. Orderic Vital, *Histoire ecclésiastique,* VI, 3 ; Chibnall (671), III, 218-219.
112. Roger de Hovedene (719), III, 143.
113. Orderic Vital, *Histoire ecclésiastique,* III, prologue ; Le Prevost (671), II, 2.
114. Miglio (105), 66.
115. *Histoire de Guillaume le Maréchal* (797), v. 19201-19202, 19207-19210 ; II, 330-331.
116. R. Bossuat (811), 573.
117. Duby (270).
118. Guenée (11).
119. Lhotsky (98), 61-63.
120. Prentout (467), 23.
121. *MGH, SS,* XXIV, 626-627. Duparc-Quioc (770), 234.
122. Fauroux (466).
123. Arnaldi (153), 300.
124. Strayer (177). Prevenier (175).
125. Voir en particulier pour l'Angleterre : Genet (140).
126. Guenée (11), 451-452.
127. Sproemberg (495), 248.

128. Arnaldi (153), 302-306.
129. David (81), 244.
130. E. Poulle, *Une histoire de l'écriture, BEC,* 135 (1977), 137-144.
131. Ouy (625), 60.
132. Ouy (612), 371.
133. Lhotsky (98), 27.
134. Jean de Montreuil (624), II, xv.
135. Fisher (160).
136. Arnaldi (153), 302, 309.
137. *Ibid.,* 301-302.
138. Jean de Montreuil (624), II, xviii.
139. Arnaldi (153), 300. Jean de Montreuil (624), II, xiv.
140. Malyusz (174), 68.
141. Diener (596). Billanovich (804).
142. Gransden (89), 234.
143. Jean de Montreuil (624), II, 62.
144. Chibnall (284), 4-5.
145. Sproemberg (495), 248 et suiv.
146. Jean de Montreuil (624), II, xiv.
147. Hlaváček (645), 181, 183.
148. Arnaldi (67), 85-107.
149. « Florentini nuper in scriptis suis sua gesta fecerunt sex libris distincta » ; Wilcox (132), 3, 8.
150. Jean de Montreuil (624), II, xii.
151. Krzyzaniakowa (168).
152. Malyusz (174), 226.
153. Wilcox (132), 2.
154. Hay (484), 99-101.
155. Thomas Gray (742), 1-2.
156. Monfrin (260), 162-163.
157. Bec (156), 153.
158. Coville (157), 320-323.
159. Hans Ebran (605), lxx.
160. Smalley (264), 13-14.
161. Monfrin (260), 170.
162. Thomas Gray (742), 2.
163. Hans Ebran (605), lix.
164. Bec (156), 153-159.
165. Coville (157), 497.
166. Bec (156), 160, 164, 169.
167. Guenée (3), 315.
168. Hans Ebran (605), lxxviii.
169. Ortalli (109), 630.
170. Kendrick (253), 114-115. Exemples de hérauts historiens ou érudits : Gilles Le Bouvier, dit le Héraut Berry, héraut du roi de France Charles VII ; Guillaume Revel, héraut du duc de Bourbon ; Jean Lefèvre de Saint-Rémy, dit Toison d'Or, héraut du duc de Bourgogne Philippe le Bon.
171. Weiss (266), 148.
172. Eisenstein (27). Guenée (10), 274.
173. Hans Ebran (605), lxx-lxxi.

CHAPITRE III

LE TRAVAIL DE L'HISTORIEN : LA DOCUMENTATION

I. La nature des sources

Difficile. Tel est le mot qui revient trois fois sous la plume de Giraud le Cambrien lorsqu'il décrit les différentes étapes de son travail. Et la première difficulté à laquelle se heurte l'historien est celle de la documentation : il lui faut mener « une enquête assurée sur chaque point particulier [1] ». Or, une enquête exhaustive doit s'appuyer sur des sources de différentes natures dont il est banal, pour un historien du Moyen Age, de rappeler qu'il les a bien toutes utilisées. Déjà Orose distinguait ce qu'il avait vu, ce qu'il avait entendu et ce qu'il avait lu [2]. Bède ne faisait que le suivre lorsqu'il disait avoir composé son *Histoire ecclésiastique du peuple anglais* « avec ce qu'il avait pu apprendre dans les écrits des anciens ou par les récits des ancêtres, ou avec ce qu'il savait lui-même pour en avoir été témoin [3] ». Cent autres, après Bède, et jusqu'à la fin du Moyen Age, dirent comme lui [4].

Ce que l'historien rapporte le plus aisément et le plus fidèlement, avec le plus d'assurance et le plus de détails, c'est ce qu'il a vu de ses propres yeux, *oculis propriis* [5], dont il a été le témoin oculaire, *fide oculata* [6]. D'ailleurs, pour les Grecs, ἵστωρ avait d'abord été « celui qui sait pour l'avoir vu », « le témoin », d'où pour ἱστορία le sens premier de « ce qu'on sait pour avoir été témoin ». Les Romains s'étaient souvenu de l'étymologie du mot « histoire ». Et Isidore de Séville avait dit après eux qu'*historia* était un mot grec tiré d'ἱστορεῖν, qui voulait dire « voir » ou « connaître », et que « chez les anciens personne n'écrivait une histoire à moins qu'il n'eût été témoin ». Les auteurs du Moyen Age répètèrent d'autant plus volontiers les paroles d'Isidore que l'évangile de saint Jean rappelait aux chrétiens la supériorité de celui qui a vu : « Celui qui l'a vu en a rendu témoignage, et son témoignage est digne de foi [7] ». L'historien entend donc d'abord raconter ce dont il a été témoin, prend bien soin de souvent préciser que lui-même était là et que lui-même a vu [8], et respecte particulièrement les récits de ceux dont il sait, ou dont il croit, qu'ils ont été des témoins oculaires, ainsi Darès [9], ainsi César [10], ainsi Widukind [11].

Mais l'historien ne peut évidemment témoigner que de ce qui est arrivé en son temps. Pis encore, il n'a pu voir par lui-même qu'une infime partie de ce qui s'y est passé. Son récit, qu'il veut complet, ne pourra donc se satisfaire de ce qu'il a vu personnellement. Il lui faut solliciter ou, comme dit Guillaume de Tyr, « mendier » le témoignage d'autrui [12]. Certes, à dire ce qu'il a entendu, et non plus simplement ce qu'il a vu, l'historien sera moins prolixe et moins assuré [13], mais s'il est vrai, comme le dit encore saint Jean et comme le rappelle Guibert de Nogent, que l'homme véridique rend témoignage de ce qu'il a vu et entendu, il est parfaitement loisible à l'historien de dire non seulement ce qu'il a vu, mais aussi ce qu'il a entendu de témoins véridiques [14].

§ 1. *Témoignages et traditions orales*

L'historien avait bien conscience que les sources orales ne couvraient pas également le passé. Il connaissait les événements des temps les plus proches non seulement par ce qu'il avait vu lui-même mais encore grâce à des témoins nombreux, d'autant plus sûrs qu'ils avaient vu de leurs propres yeux ce qu'ils racontaient. Leurs récits circonstanciés donnaient des noms exacts, des lieux précis, suivaient l'enchaînement des faits et situaient bien ceux-ci dans le temps. Ils ne donnaient certes pas, sauf exceptions, l'année où tel événement s'était passé ; l'année de l'incarnation n'était pas la donnée première que se rappelait une mémoire médiévale ; mais ils appréciaient très exactement les durées, le temps écoulé d'un événement à l'autre, car chacun, au Moyen Age, était habitué à « toujours... compte (r) les ans ainsi comme ilz venoient [15] ». Au-delà de cette première tranche de temps que l'historien connaît par la tradition orale et où la tradition orale lui est d'autant plus nécessaire qu'il ne dispose, en règle générale, pour la raconter, d'aucun récit déjà écrit, s'ouvre une seconde période dont l'écrit a déjà souvent fixé la trame, mais que des témoignages oraux peuvent encore enrichir. Témoignages, il est vrai, maintenant beaucoup plus rares. Et indirects : ce ne sont plus les témoins oculaires qui informent l'historien, mais des tiers qui le tiennent des témoins oculaires. Et imprécis : avec lec années, les détails ont été oubliés, la connaissance des personnes et des lieux s'est brouillée, l'enchaînement des faits s'est rompu, les points de repère chronologiques ont disparu ; la mémoire des hommes ne charrie plus que des récits sommaires d'événements marquants et isolés. Pour cette seconde période la tradition orale n'est plus exclusive ; elle est imparfaite ; mais elle reste importante.

Il est bien difficile de préciser la durée de chacune de ces deux périodes. Elle est d'ailleurs très variable. Un quelconque auteur connaît naturellement les faits dont toute une génération garde encore la mémoire. Aussi le passé proche d'un historien compte-t-il toujours au moins une trentaine d'années [16]. Mais nombreux sont les gens âgés, *seniores et longaevi, annosi et vetusti homines* [17], dont un historien scrupuleux peut provoquer le témoignage direct, remontant ainsi bien plus haut. Le dominicain Etienne de Bourbon, une fois retiré de la vie active, passée la soixantaine, vers 1250 ou peu après, entreprit de composer son gros recueil d'*exempla*. Il y raconte entre autres, avec force détails qu'il tenait de témoins directs, les débuts de la secte vaudoise à Lyon et précise qu'ils se situent sous l'archevêque Jean aux Belles-Mains, vers 1180. Etienne peut donc rapporter des événements précisément datés vieux, lorsqu'il écrit, d'environ soixante-dix ans [18]. Racontant les événements du 23 mai 1430 à Compiègne, Alain Bouchart précise une de ses sources : « Et ces parolles ay ouy reciter à Compiegne, l'an 1498, ou moys de juillet, à deux vieulx et anciens hommes de la ville de Compiegne, aagez l'un de 97 ans et l'autre de 91, lesquelz dient avoir esté presens en l'eglise de Sainct Jacques de Compiegne alors que la dessusdicte pucelle prononcza celles parolles [19] ». Admettons qu'un témoignage direct remontant soixante-dix années est aussi exceptionnel qu'un témoignage en remontant trente est banal et disons qu'interrogeant des témoins oculaires un historien peut normalement espérer couvrir une cinquantaine d'années. En 1200, Pérégrin, abbé du monastère cistercien de Fontaine-les-Blanches, entreprend d'en raconter l'histoire. De 1171 à 1200, il s'appuie sur ses propres souvenirs. De 1149 à 1171, il réussit encore à donner des récits détaillés et des durées assurées en s'appuyant sur ce qu'il a entendu de témoins oculaires. Au-delà de cette cinquantaine d'années, l'histoire qu'il tire de narrateurs qui eux-mêmes l'avaient appris de témoins oculaires se perd dans un brouillard chronologique [20]. En 1096, Foulques le Réchin, né en 1043, met par écrit ce que la tradition orale lui a appris de l'histoire des comtes d'Anjou ses ancêtres et prédécesseurs. A partir du règne de Geoffroi Martel (1040-1060), c'est-à-dire sur un peu plus de cinquante ans, son récit, appuyé sur ce que lui-même a vu et sur ce que lui a dit son oncle Geoffroi, retrouve sans efforts les faits dans leur suite chronologique. Mais au-delà de 1040 Foulques renonce à suivre le fil du temps et ne peut donner de chaque règne qu'un bilan global, d'ailleurs de plus en plus succinct [21]. Lorsque, vers 830, Eginhard se met à écrire la vie de Charlemagne, il renonce à parler « de sa naissance, de ses premières années et même de son enfance » parce qu' « il n'en est question chez aucun auteur et il ne se rencontre plus personne aujourd'hui qui se dise informé de cette période de sa vie » ; il commence directement par le récit de la guerre d'Aquitaine (769), qu'il tire d'ailleurs entièrement des *Annales royales* et n'appuie encore sur aucun témoignage oral [22]. Le chiffre rond de cinquante ans donne si bien la durée approximative du proche passé que Jean de la Gogue, après avoir dit la conduite admirable et la mort d'André de Chauvigny à la bataille de Poitiers, conclut « que moult grand renom a esté par l'espace de cinquante ans de sa prouesse [23] ».

Au-delà de ce proche passé, les témoignages indirects permettent à l'historien de retrouver plus imparfaitement un passé plus lointain et de remonter au moins un siècle en arrière. Bède achève son *Histoire ecclésiastique du peuple anglais* en 731. A un moment de son récit, il raconte comment l'évêque Paulin avait, en présence du roi Edwin, baptisé une grande foule de peuple dans la Trent. Il précise qu'il le tenait de l'abbé du monastère de Partney, nommé Deda, qui l'avait entendu d'un vieil homme baptisé ce jour-là. Or, ceci ne peut qu'être antérieur à 633, date à laquelle Paulin quitta le nord de l'Angleterre pour se rendre dans le Kent [24]. Racontant l'histoire des comtes d'Anjou, Foulques le Réchin peut encore dresser un bilan relativement honorable du règne de Foulques Nerra (987-1040), ce qui nous reporte environ cent dix ans avant le temps du récit [25]. Au-delà de quoi l'auteur avoue ne savoir pratiquement rien. En 1152, Lambert de Waterlos, chanoine de Cambrai, se prend à écrire une chronique où il enchâsse, entre les notations qu'il tire de Sigebert de Gembloux et de ses continuateurs, ses propres souvenirs. Une seule fois, il dépasse son propre temps et fait appel à des témoignages oraux, pour dresser la généalogie de ses ancêtres. De cette enquête surgit un monde foisonnant de soixante-treize individus. Le plus lointain est, à la quatrième génération, « un homme dont on trouve la trace parmi les documents d'archives aux environs de 1050 et qui, par conséquent, était actif une soixante d'années avant la naissance de Lambert, guère plus d'un siècle avant le moment où celui-ci rédige » sa chronique [26]. En 1196, Guillaume de

Newburgh se met à écrire son *Historia rerum anglicarum* qu'il a le temps d'achever avant sa mort, en 1198. Or, venant à parler de l'enterrement de Guillaume le Conquérant, en 1086, il en rapporte un incident mémorable qu'il connaît, tient-il à nous préciser, « par une relation digne de foi [27] ». C'est donc encore cent dix ans en arrière que nous reporte cette tradition orale, indirecte à n'en pas douter. Racontant, dans les années 1420, l'histoire des seigneurs de Châteauroux, Jean de la Gogue en vient à parler de la guerre qui avait opposé Guillaume, dit Dent de May, à ses fils, et que l'érudition moderne situe en 1314 [28]. Et l'auteur d'ajouter sur cette guerre ce détail : « Et disoit mon père que le père de son père avoit esté leur prisonnier [29] ». Le soin avec lequel ces auteurs notent le cheminement du témoignage montre combien ils sont conscients d'être arrivés là à l'extrême limite des possibilités d'une tradition orale exactement jalonnée et donc digne de foi, et d'ailleurs c'est souvent le chiffre rond et approximatif de cent ans qui vient à l'esprit de qui veut marquer la plus lointaine portée de la mémoire des hommes [30].

Les historiens du Moyen Age sont si conscients de l'importance du témoignage oral dans les cinquante ou cent dernières années qu'ils en font parfois la pierre de touche grâce à quoi ils rythment le passé. Depuis le ve siècle en effet, dans le tissu continu du passé, les historiens distinguent traditionnellement les temps anciens des temps modernes. Ils ne manquent pas de mots pour opposer aux *prisca tempora,* aux *vetera tempora,* aux *antiqua tempora,* à *l'antiquitas,* la période qu'ils appellent *dies hodiernus, nostrum saeculum, nostrum tempus, nostra tempora, nostra aetas, aetas praesens,* etc., mais qu'ils qualifient le plus souvent et le plus spontanément de « moderne [31] ». Le point de rupture entre temps anciens et temps modernes a beaucoup varié d'une époque à l'autre : les premiers historiens chrétiens distinguaient leur temps d'une antiquité qu'ils situaient avant la naissance du Christ ; plus tard, leurs successeurs opposaient à leur temps les temps anciens des pères de l'église et des grands conciles. Le point de rupture a aussi varié d'un pays à l'autre, au gré des histoires nationales : au XIIe siècle par exemple, les historiens français scandaient parfois leur passé avec l'époque carolingienne, alors que la coupure de 1066 s'imposait aux historiens anglais. Mais par delà cette diversité, plus ou moins consciemment, un certain nombre d'auteurs se retrouvent à distinguer les temps anciens de leurs temps en fonction de la nature des sources qui les font connaître. Ils appellent temps anciens ceux que l'écrit leur permet seul d'atteindre ; leurs temps sont ceux dont ils ont été eux-mêmes témoins [32]. Mais à quoi donc faut-il rattacher les temps essentiellement connus par le témoignage oral ? Aux temps anciens de l'écrit, ou aux temps que l'auteur a vécus ? Dans un passage bien remarquable, Réginon de Prüm, qui écrit sans doute entre 906, date à laquelle sa chronique s'achève, et 915, date de sa mort, distingue trois périodes dans le passé : la plus ancienne, qui va jusqu'à la mort de Charlemagne, en 814, il la connaît essentiellement par l'écrit, qu'il a pu compléter par quelques témoignages oraux ; pour la seconde, qui va de 814 à la mort de Lothaire, en 855, il dispose de sources écrites et d'informations orales, d'ailleurs aussi rares les unes que les autres ; et à ces deux périodes qu'il connaît par ce qu'il a lu et ce qu'il a entendu, et ne peut raconter en détail, il oppose « son temps », dont il dira plus longuement les événements pour en avoir été lui-même témoin [33]. Réginon de Prüm n'est pas suivi, et ses successeurs distinguent, semble-t-il, spontanément, d'un passé lointain qu'ils ne connaissent que par l'écrit, une période récente qui est celle dont ils ont entendu parler ou qu'ils ont vue de leurs propres yeux [34]. Gautier Map va même jusqu'à fixer la durée de ces temps modernes. Nous ne nous étonnerons pas qu'il leur donne un siècle, qu'il considère comme l'extrême limite de la tradition orale directe ou indirecte : « J'entends, dit-il, par « notre époque » la période qui est pour nous moderne, c'est-à-dire la plage de ces cent années dont nous voyons maintenant la fin et dont tous les événements notables sont encore suffisamment frais et présents dans nos mémoires, d'abord parce que quelques centenaires survivent encore et aussi parce que d'innombrables fils tiennent de leurs pères et de leurs grands-pères des récits très sûrs de ce qu'ils n'ont pas vu [35] ». Et le sentiment de Gautier Map est si naturel que nous le sentons par la suite, ici ou là, implicitement partagé. Ce n'est certes pas un hasard si Etienne de Conty oppose à la situation des temps anciens *(antiquitus)* celle d'à présent *(hodiernis temporibus)*, c'est-à-dire celle de ces cent dernières années *(jam sunt centum anni elapsi)* [36]. C'est donc une idée assez répandue au Moyen Age que l'époque moderne, qui couvre, un peu plus un peu moins, une centaine d'années, est celle que l'historien connaît pour l'avoir vue ou en avoir entendu parler.

Ce n'est pas à dire qu'aucun écho ne lui parvient d'un passé plus lointain. Et il est très attentif à ce qu'il appelle la *fama,* la *publica terrae fama* [37], la *vulgaris opinio* [38]. Certes, devant cette rumeur diffuse et anonyme, qu'il sait fort bien distinguer des récits exacts d'hommes connus et dignes de foi, il n'est pas sans éprouver un certain malaise ; il sait que la mémoire populaire n'est guère fidèle [39], qu'elle charrie trop de fables et de contes de bonnes femmes [40] ; il se méfie encore plus de ce que les jongleurs brodent à partir d'elle [41]. Mais, quitte à être prudent, il n'entend pas s'en priver, car souvent, après tout, ce qui est dit n'est pas écrit mais aurait pu l'être [42], permet seul de combler des sources écrites indigentes, et, comme le disait saint Augustin, ce que rapporte la rumeur publique ne doit être ni entièrement accepté ni tout à fait rejeté [43]. Dès avant le XIIe siècle, ici ou là, des historiens avaient nourri leur récit de textes épiques. Mais dans ce moment de grande floraison historiographique que furent les XIIe et XIIIe siècles, partout en Europe, les historiens, soucieux de mieux éclairer un passé trop obscur, firent un systématique usage des récits populaires et des textes épiques. Déjà, Sigebert de Gembloux enrichissait sa chronique de renseignements qu'il ne pouvait avoir appris que dans la Chanson de Roland et la Chanson de Girart de Roussillon [44]. En 1096, le comte d'Anjou Foulques le Réchin ne se connaissait aucun ancêtre avant Ingelger, et avouait ne pas savoir grand-chose sur Geoffroi Grisegonelle ; quelques décennies plus tard, les *Gesta consulum Andegavorum* parlaient longuement, avant Ingelger, de Tertullus, et, à propos de Geoffroi Grisegonelle, répétaient tout ce que les jongleurs pouvaient en dire [45]. De même en Hongrie où, au début du XIIe siècle, l'auteur des *Gesta Ladislai regis* faisait ample usage des chansons de geste hongroises [46]. De même en Castille : la *Cronica Najerense,* vers 1160, y reprend le contenu de cinq cantars épiques ; Lucas de Tuy en 1236 et Rodrigo Ximenez de Rada en 1243 reprennent le contenu de onze cantars ; et, dans la seconde moitié du XIIIe siècle, les compilateurs travaillant sous les ordres du roi Alphonse X à la rédaction de la *Primera Crónica General de España* font usage, de façon beaucoup plus systématique, d'au moins quatorze cantars [47]. De même en Angleterre où, au XIIe siècle, Geoffroi Gaimar allait dans le Lincolnshire recueillir les légendes orales concernant Havelok le Danois [48], et où, au XIIIe siècle, Mathieu Paris utilisait, pour parler d'Offa Ier, poèmes épiques et récits populaires [49]. Et tous ces auteurs avaient-ils tellement tort de prendre en compte toutes ces traditions orales, puisque l'érudition du XXe siècle admet que les chansons de geste françaises conservaient toujours « au moins quelques paillettes de vérité historique [50] », parfois bien davantage, et que sagas et cantars étaient, eux, encore beaucoup plus fidèles à l'histoire [51]. Il n'y a donc pas lieu de s'étonner, comme on le fait trop souvent, que les grands historiens des XIIe et XIIIe siècles aient pu reproduire tant de légendes populaires et d'œuvres épiques malgré le sens critique dont ils font autrement preuve. Bien plutôt faudrait-il dire que l'utilisation de ces sources orales a été une décision délibérée de leur érudition.

Le malheur est que, peu à peu, les œuvres épiques dérivèrent de plus en plus loin de l'histoire. Elles firent de plus en plus grande leur part aux allusions contemporaines, à l'imaginaire. Et les historiens des XIVe et XVe siècles, parce qu'ils avaient le sens critique moins aiguisé, mais aussi parce que leur appétit de succès littéraire les poussait à rechercher les récits qui plairaient à leurs lecteurs, utilisèrent avec moins de retenue des œuvres plus douteuses [52]. Ecrivant l'histoire des seigneurs de Châteauroux, Jean de la Gogue tirait parti de la documentation dont notre érudition tirerait elle-même parti, mais il utilisait aussi une œuvre parfaitement romanesque racontant les aventures d'André de Chauvigny en Terre Sainte. Racontant les conquêtes de Charlemagne, David Aubert copiait parfois littéralement les *Grandes Chroniques de France,* mais il tirait aussi des chansons de geste, sans se prononcer sur leur véracité, de nombreux épisodes romanesques [53]. Composant en 1478 pour le plaisir d'Henri Bolomier, chanoine de Lausanne, son *Roman de Fierabras,* Jean Baignon en tirait les livres I et III de Vincent de Beauvais, mais le livre II n'était que la réduction en prose d'un vieux roman français [54]. Dans quelle mesure ces auteurs et tant d'autres furent-ils des historiens dupes de leurs sources ? Dans quelle mesure des littérateurs conscients de leurs effets ? Je laisse à de plus savants, ou à de moins prudents, le soin de trancher. Je peux simplement dire que le problème se pose, l'ambiguïté existe uniquement parce que, au XIIe siècle, l'érudition historique, sans en ignorer les dangers, avait choisi de tirer au maximum parti des sources orales.

En somme, deux traits caractérisent ici l'historiographie médiévale : ce sont les mêmes auteurs qui traitent d'un même mouvement l'histoire des temps anciens et l'histoire contemporaine [55] ; et si les historiens disent les événements de leur temps exclusivement à partir de ce qu'ils ont vu et entendu, pour l'ensemble de l'époque moderne et même pour les temps plus anciens, ils osent encore recourir aux sources orales. Au XIXe siècle au contraire, les érudits et les antiquaires qui étudiaient les temps passés d'une part, les journalistes et les mémorialistes qui témoignaient du temps présent d'autre part étaient bien éloignés les uns des autres, et l'oral était, par rapport à l'écrit, bien dévalué ; les historiens du XIXe siècle n'avaient certes rien pour apprécier leurs lointains prédécesseurs. Mais aujourd'hui, où l'étude du présent tend à être réintroduite dans le champ de l'histoire et où les traditions orales retrouvent leur dignité de sources fondamentales, difficiles mais fondamentales, peut-être sommes-nous mieux placés pour mieux comprendre les historiens du Moyen Age.

§ 2. *Monuments et inscriptions*

Partout, au Moyen Age, des ruines de constructions anciennes s'imposaient à la vue de tous. Chacun pouvait contempler les restes de Chester, en Angleterre, comme le fit Ranulf Higden [56], ceux de Carnuntum, sur le Danube, comme Thomas Ebendorfer [57], ceux de Sagonte ou de Numance, dans la péninsule ibérique, comme Joan Margarit [58], ceux de Rome, surtout, comme des milliers de voyageurs. Bien mieux, le sol regorgeait d'objets d'or ou d'argent, de bouts de tuiles, de morceaux de vases, de monnaies, de sarcophages qui apparaissaient au hasard d'un sillon [59] ou d'un chantier [60]. Ces découvertes fortuites se multiplièrent au XIe, et surtout au XIIe siècle, lorsque l'essor de l'Occident incitait à construire et à défricher [61]. Elles furent naturellement, par la suite, plus rares, mais ne cessèrent jamais. Certes, souvent, la guerre, le zèle religieux détruisirent statues et monuments anciens ; la cupidité fit disparaître objets et monnaies ; leurs pierres furent arrachées aux ruines pour de nouvelles constructions ; en dix siècles, l'intérêt, l'indifférence ou l'hostilité des hommes effacèrent largement les vestiges du passé. Mais aussi la passion poussa clercs et laïques à les vénérer et à les préserver. Ce fut parfois l'amour du pays : en 1162, le sénat de Rome ordonna la restauration de la colonne trajane et voulut qu'elle restât intacte, tant que le monde durerait, pour honorer le peuple romain tout entier [62]. Ce fut plus souvent la piété dynastique : par exemple, les Français allaient nombreux voir les tombes de leurs rois à Saint-Denis, où plusieurs guides furent écrits pour satisfaire la curiosité des visiteurs [63]. Mais ce fut généralement la dévotion religieuse : le culte des saints incitait à retrouver leurs sépultures. La translation des reliques obligeait à ouvrir des tombes dont le mobilier témoignait d'un passé différent [64]. Et d'innombrables pèlerins visitaient, guide en main, églises et sépulcres [65]. Sans doute la plupart d'entre eux passaient-ils sans profit. Mais voici, en 1190, Guy de Bazoches : il part en croisade ; son voyage de Châlons à Marseille devient une longue excursion littéraire et archéologique [66]. En 1375, le médecin Giovanni Dondi va en pèlerinage à Rome ; il passe tant de temps à mesurer les monuments anciens et à en relever les inscriptions qu'on peut se demander s'il a songé à visiter les églises [67]. En 1450, à l'occasion du jubilé, John Capgrave va à Rome ; pèlerin consciencieux, il visite, lui, les églises, mais il s'intéresse aussi à beaucoup de monuments anciens et copie avec soin de nombreuses inscriptions [68]. Vers 1480, sa piété pousse William Worcestre d'église en monastère anglais, mais il n'oublie jamais de fouiller les bibliothèques, et d'observer et de mesurer les monuments, de lire les inscriptions. Parfois, le dévôt faisait ainsi place au touriste et le touriste à l'antiquaire. L'archéologie fut un peu fille de la religion.

Il ne faut donc pas s'étonner qu'au total, tout au long du Moyen Age, du gallois Nennius au IXe siècle [69] au bavarois Hans Ebran à la fin du XVe [70], illustres ou plus humbles, des historiens, plus nombreux qu'on n'aurait d'abord cru, mis en présence, par le hasard ou la piété, de vieilles pierres, d'objets anciens ou de monuments du passé, s'y intéressent, en cherchent d'autres, en parlent, et les décrivent. Sans doute peut-on se demander si un Agnellus de Ravenne, au IXe siècle, n'a pas plus souvent suivi les textes que regardé les monuments [71]. Sans doute peut-on déplorer les grandes faiblesses des descriptions des *Mirabilia Romae,* au XIIe siècle [72]. Mais très tôt des historiens, surtout des historiens monastiques, eurent l'œil assez exercé et assez exigeant pour donner des descriptions précises [73], et, pour être plus précis encore, certains en vinrent, à la fin du Moyen Age, à donner des mesures et des dessins. Dès le XIVe siècle, un siècle avant William Worcestre, un moine de Saint-Augustin de Canterbury donnait une liste remarquable des bâtiments de son monastère, avec leurs dimensions, et, au XVe siècle, Thomas Elmham dessinait le grand autel du même monastère de façon si détaillée et si précise que les antiquaires en sont, depuis le XVIIe siècle, fascinés [74]. Et nos historiens ne se contentent pas de décrire. Ils sentent ces monuments et ces ruines comme des vestiges du passé, d'un passé révolu et différent. Et ils le disent explicitement. Pour prouver que les Romains ont occupé toute l'Angleterre au sud du mur dont il vient de parler, Bède invoque « les villes, les phares, les ponts et les routes qui en témoignent encore aujourd'hui [75] ». Au XIIe siècle, l'auteur de la chronique des comtes d'Anjou sait fort bien distinguer un beau mur antique des pauvres murs que ses contemporains sont capables d'édifier [76]. Guibert sait fort bien reconnaître pour païennes les tombes découvertes en son monastère de Nogent : leur disposition, le mobilier qu'elles contiennent ne permettent pas de penser qu'elles sont chrétiennes [77]. L'auteur des *Historiae Tornacenses* date correctement de l'Antiquité les sarcophages découverts, à Laon, à Reims et à Tournai, à l'extérieur des murs romains, puisque jamais, remarque-t-il, les corps n'étaient enterrés dans l'Antiquité à l'intérieur des murailles urbaines [78]. Les ruines découvertes en construisant la nouvelle église de Saint-Albans, Mathieu Paris ne doute pas qu'elles soient des ruines de l'antique Verulamium, car elles témoignent de croyances et d'usages différents [79]. Ranulf Higden sait fort bien que les énormes pierres dont sont construits les murs de Chester sont l'œuvre de Romains, ou de géants, mais point de Bretons [80]. On a trop souvent, et en particulier les meilleurs spécialistes de la Renaissance [81], dit et répété que les gens du Moyen Age ne s'intéressaient pas aux ruines, n'avaient pas le sens du passé. Combien de preuves faudra-t-il accumuler pour les convaincre que beaucoup, au Moyen Age, et en particulier beaucoup d'historiens, s'intéressaient aux ruines, ne manquaient pas de les décrire et avaient, de toute évidence, le sens du passé ?

C'est une autre question de savoir s'ils ont pu faire de l'archéologie une science auxiliaire de l'histoire. Certains, comme Agnellus de Ravenne [82] ou Etienne Maleu [83], en ont affiché la volonté. Mais qu'ont-ils réussi à faire ? Il y a une sorte de monuments dont tous les historiens du Moyen Age entendirent s'aider et purent effectivement tirer parti : ce sont les tombeaux. Tous, les uns plus sporadiquement, les autres plus systématiquement, ont cherché les sépultures et relevé les épitaphes gravées sur elles ou auprès d'elles pour en nourrir leur histoire. Dès l'époque carolingienne les auteurs de catalogues épiscopaux utilisaient, lorsqu'ils pouvaient, les inscriptions funéraires. Au XIe siècle, Raoul Glaber fut un si habile épigraphiste que plusieurs monastères l'employèrent à déchiffrer et restaurer leurs épitaphes anciennes rongées par le temps [84]. Lorsque, au début du XIVe siècle, Etienne Maleu entreprit d'écrire l'histoire de l'église de Saint-Junien, il s'aida sans doute d'une liste de dix-sept prévôts qui s'y étaient succédé et sut par un obituaire le jour de leur mort ; mais il chercha toujours aussi à retrouver leur tombeau. Pour les onze premiers, l'historien ne put qu'avouer l'insuccès de ses recherches ; c'est simplement à partir du douzième prévôt qu'il peut dire le lieu de sa sépulture, lire son épitaphe et donner l'année de sa mort : 1226. Lorsque, au milieu du XIVe siècle, un historien dont le nom nous est inconnu entreprit d'établir la généalogie des comtes de Savoie, il fit un systématique usage des épitaphes qu'il put relever sur les tombeaux de ceux des membres de la famille qui avaient été enterrés à l'abbaye d'Hautecombe. Sa tâche fut d'autant plus aisée que le comte Amédée avait, en 1342, fait transférer ces corps du cloître de l'abbaye dans la chapelle qu'il venait de faire construire et que cette translation avait, à n'en pas douter, favorisé l'étude des sépultures et des épitaphes. L'auteur put ainsi enrichir sa généalogie de dates précises, à partir de 1239 [85]. Au début du xve siècle, Jean de la Gogue déchiffre l'épitaphe de Guillaume Ier de Chauvigny (mort en 1234) dans l'église de Déols [86]. Thomas Ebendorfer voit la tombe d'Ottokar II (mort en 1278) et en relève l'inscription [87]. En 1479, William Worcestre, visitant l'abbaye Saint-Benet d'Hulme, près de Norwich, ne manque pas de noter l'épitaphe de l'abbé Thustan (mort en 1064) [88]. En 1492, composant un abrégé de la chronique de Saint-Riquier qu'avait écrite Hariulf, Jean de la Chapelle l'enrichit de quelques épitaphes... Ceux-là et beaucoup d'autres. Au Moyen Age, le moindre des historiens sait l'intérêt des sépultures et des épitaphes. Il sait, à l'occasion, y recourir. La religion médiévale fait grand cas des tombes ; l'érudition médiévale aussi.

L'historien, toutefois, ne devait pas trop demander aux tombes. Sans parler des nombreuses tombes anonymes, une inscription tumulaire ne livrait le plus souvent qu'un nom et un état : évêque, abbé ou chanoine, comte ou chevalier, etc. Beaucoup ne portaient même qu'un simple nom. Rares étaient celles qui disaient davantage, ne fût-ce qu'une parenté, ou un fait marquant dans la vie du défunt. Dans le Poitou et les Charentes, sur quatre-vingt-douze épitaphes antérieures à 1300 que la pierre nous a conservées, il n'y en a guère qu'une sur cinq à se montrer ainsi un peu plus bavarde [89]. Un historien médiéval est bien capable de tirer parti de pareille aubaine : Jean de la Gogue sait fort bien utiliser l'épitaphe de Guillaume Ier de Chauvigny pour fixer un point de la généalogie des seigneurs de Châteauroux [90]. Pour l'essentiel cependant, ce que l'historien cherchait en général dans ces inscriptions funéraires, c'étaient des années de décès précises qui lui auraient autrement fait défaut. Or, le nombre de tombes qui livrent ce renseignement fondamental est limité. Non pas tant à l'époque carolingienne : sur dix tombes des viiie et ixe siècles conservées dans le Poitou et les Charentes, cinq datent le décès de l'année du règne du souverain et une de l'année de l'incarnation. Mais, au xe siècle, quatre des six tombes conservées ne donnent aucune indication de temps ; les deux autres ne donnent que l'indication liturgiquement nécessaire pour célébrer la mémoire du défunt, c'est-à-dire le mois et le jour du décès. Au xiie siècle, sur quarante-six tombes conservées, vingt et une sont sans date, dix-neuf ne donnent que le mois et le jour, six seulement, soit 13 %, donnent l'année de l'incarnation, accompagnée ou non de l'indication du mois et du jour. Au xiiie siècle, l'année de l'incarnation est beaucoup plus souvent donnée ; mais elle ne l'est encore que pour huit tombes sur seize, soit dans 50 % des cas. Malgré ces lents progrès de la précision chronologique, il est évident que les inscriptions tumulaires sont faites pour attirer les prières des fidèles, non pour satisfaire la curiosité des historiens. Si bien qu'au total une trouvaille ancienne riche d'enseignements était toujours possible, mais qui voulait faire des sépultures une utilisation systématique ne pouvait pas remonter si loin, soit que les morts anciens se perdissent sur place dans l'anonymat des tombes sans épitaphe, ou dans la foule des épitaphes sans intérêt, soit que l'historien n'eût guère les moyens de découvrir hors de son cadre étroit et familier l'inscription dont il aurait eu besoin. C'est ainsi qu'Etienne Maleu étudiant les prévôts de Saint-Junien comme l'auteur qui dressa la généalogie des comtes de Savoie, travaillant tous les deux dans la première moitié du XIVe siècle, butèrent tous les deux sur la première moitié du XIIIe. Des morts antérieurs, ils ne trouvaient plus les tombes, ou les tombes étaient sans date. Les sépulcres ne jalonnaient donc pas ici un passé plus long que celui que couvrait habituellement la tradition orale. Et même dans le prestigieux « cimetière aus rois » qu'était l'abbaye de Saint-Denis, au milieu du XIIe siècle, la mémoire était perdue de la plupart des tombes mérovingiennes [91]. Les sépultures n'apportèrent à l'histoire qu'une aide limitée.

Mais si leur exploitation n'allait pas loin, l'étude d'autres monuments, sans inscriptions, ne pouvait même pas être amorcée puisque rien ne permettait de les dater, fût-ce approximativement. Au début du XIVe siècle, Etienne Maleu est fort capable de décrire l'église de Saint-Junien ; il peut même y distinguer les parties plus anciennes des parties plus récentes ; mais il croit que les parties anciennes, que nous savons romanes et consacrées vers 1100, sont l'église dont l'évêque Rorice décida la construction et qui était presque achevée à la fin du VIe siècle [92]. Presque impuissants devant les monuments médiévaux, les historiens du Moyen Age le sont tout à fait devant les vestiges antiques. Ils ne les datent pas. Ils ne les identifient pas. Ils n'ont aucun moyen de comprendre la moindre inscription romaine. Au IXe siècle, le pèlerin d'Einsiedeln peut encore copier et interpréter certaines de ces inscriptions [93], mais par la suite personne n'est plus capable de les lire à la fois parce que la lecture de caractères en capitales latines, qui nous semble à nous si évidente, leur est désormais impossible, et parce que les abréviations traditionnellement employées sont pour eux insolubles. « Autrefois, remarque un auteur du XIIIe siècle, on faisait des sculptures admirables dans des marbres excellents ; on y gravait des lettres que nous ne pouvons aujourd'hui ni lire ni comprendre [94] ». Au tournant des XIIe et XIIIe siècles, Me Grégoire, un anglais visitant Rome, admire la superbe table de bronze qu'on pouvait voir devant le palais du Latran ; et il ajoute : « On dit que cette table interdit le péché. De cette table, j'ai lu beaucoup mais j'ai peu compris, car ce sont des phrases où presque tous les mots sont sous-entendus [95] ». Plus tard dans le XIIIe siècle, le juriste bolonais Odofredus (mort en 1265), examinant la même table de bronze, y voit une partie de la Loi des douze tables [96]. En 1300, pendant la reconstruction de l'église paroissiale d'Enns, on trouve dans le sol du vieil édifice une pierre romaine. Cette pierre et son inscription sont encore aujourd'hui conservées. Elles rappellent le souvenir d'un jeune homme mort à 25 ans. L'auteur de l'histoire de Kremsmunster signale la trouvaille, copie tant bien que mal l'inscription, avoue que « le sens de ces lettres n'est pas clair à qui les lit », mais croit pouvoir conclure en tout cas que l'église où se trouvait la pierre avait été fondée en 25 après Jésus-Christ, et donc sans aucun doute par saint Hermagoras, baptisé à Aquilée par l'évangéliste Marc lui-même [97]. Dans le village de Petronell, près de Vienne, les restes d'une imposante ville romaine s'offraient au regard. De nombreuses inscriptions auraient aisément dit à qui aurait su les déchiffrer que c'était là les ruines de Carnuntum. Mais faute de pouvoir les lire, les historiens autrichiens, dans la seconde moitié du XVe siècle encore, y voyaient les ruines de Celeia, où les textes disaient qu'était né saint Maximilien, l'apôtre du Norique [98]. Incapables de rien conclure, les historiens du Moyen Age n'avaient plus qu'à admirer tous ces vestiges de civilisations disparues, et à répéter, faute de mieux, les récits qu'y accrochait la tradition orale. Ils avaient bien le sens du passé. Ils s'intéressaient bien aux monuments du passé. Mais ils étaient, devant eux, aussi désarmés que les égyptologues, avant Champollion, devant ce qu'avaient laissé les sujets des pharaons.

Lents furent les progrès qui permirent à l'historien de tirer parti des monuments et des inscriptions, qui firent de l'archéologie et de l'épigraphie des sciences auxiliaires de l'histoire. C'est en Italie que ces progrès intervinrent d'abord. Au milieu du XIVe siècle, l'épigraphie fit ses premiers pas. On connaît surtout, de Cola di Rienzo, l'action politique. Mais ce notaire romain fut aussi le premier épigraphiste. Il fut le premier à comprendre les inscriptions antiques et laissa la première collection épigraphique, riche de quatre-vingt inscriptions. C'est lui qui découvrit que la table de bronze à laquelle Grégoire et Odofredus n'avaient rien compris donnait en réalité le texte de la *Lex regia* [99]. Cependant, à la fin du XIVe siècle encore, bien rares furent les épigraphistes qui purent lire les inscriptions antiques. Pour presque tous, ces lettres restaient « difficiles à lire ». Mais au XVe siècle les collections épigraphiques se multiplièrent, qui permirent des comparaisons. En 1417, alors qu'il était au concile de Constance, le Pogge découvrit le manuel de Valerius Probus, qui permit d'interpréter les abréviations. Les savants, correspondant entre eux, s'aidèrent à résoudre les difficultés [100]. Les historiens purent désormais s'appuyer sur l'épigraphie. L'archéologie devenait aussi, dans la première moitié du xve siècle, une science auxiliaire de l'histoire [101]. Sans doute les ouvrages que Flavio Biondo publiait au milieu du xve siècle contenaient-ils de nombreux anachronismes [102], mais c'étaient les premiers où l'histoire commençait à tirer parti de l'archéologie [103]. La numismatique enfin suivait une évolution parallèle : au xve siècle, les pièces étaient rassemblées en collections qui en facilitaient l'étude et, d'objets de curiosité, elles devenaient documents historiques [104]. Et l'imprimerie joua un rôle décisif : en multipliant les dessins de monuments, d'inscriptions et de monnaies exactement reproduits d'un exemplaire à l'autre, elle permit à une illustration décorative de se muer en documentation scientifique [105]. Et bientôt, dans toute l'Europe, l'histoire commença à s'aider de ses toutes jeunes sciences auxiliaires. En 1505, Conrad Peutinger publiait les inscriptions romaines d'Augsbourg [106]. En 1515, les maîtres de l'université de Vienne, où inscriptions et monnaies trouvées à Petronell avaient afflué, savaient que c'était là le site de l'antique Carnuntum [107]. Et en 1503 était né en Angleterre John Leland, qui fut le premier des grands antiquaires de ce pays [108]. L'histoire moderne pouvait désormais s'appuyer sur une archéologie, une épigraphie et une numismatique de plus en plus assurées. Non pas que les historiens du Moyen Age ne portassent point intérêt aux monuments et aux inscriptions. Mais ils ne pouvaient s'aider de presque rien, que des épitaphes récentes. L'histoire, au Moyen Age, était en somme une science auxiliaire sans sciences auxiliaires.

§ 3. *Chartes et archives*

Nombreux furent les historiens du Moyen Age qui affirmèrent avoir utilisé des documents originaux *(instrumenta)*, des parchemins *(membrana)*, des feuilles volantes *(scedulae)*, des chartes *(cartae, chartae, kartae)* [109]. Et innombrables furent, tout au long du Moyen Age, les œuvres historiques qui s'appuyèrent en effet, peu ou prou, sur la documentation dispersée qu'offraient les archives. Déjà Bède avait tiré des archives des lettres pontificales [110]. Aux temps carolingiens, de plus nombreux historiens pouvaient utiliser des archives plus abondantes et mieux classées, en particulier celles des églises cathédrales. Hincmar, par exemple, avait eu à Reims le souci d'archives bien tenues, dont Flodoard, un siècle plus tard, s'était aisément servi [111]. Et, une fois passés les ravages normands et les troubles qui s'en suivirent, dès le xᵉ siècle parfois, mais surtout à partir du milieu du xIᵉ siècle [112], les archives des monastères se gonflèrent de chartes dont les historiens, en grand nombre, surent tirer parti. Parmi eux, les uns se donnèrent pour seul but d'ordonner la documentation de seconde main qu'ils trouvaient, écrite par certains des leurs, mais sans ordre, mal digérée *(indigesta)* [113]. Beaucoup se vantèrent cependant d'avoir eux-mêmes plongé dans les archives et d'en avoir ramassé la documentation dispersée en un seul ouvrage [114]. De ces derniers, quelques-uns abusaient leurs lecteurs : le moine Paul, compilant vers 1087 le cartulaire de Saint-Père de Chartres, explique bien qu'il avait entrepris de recueillir les chartes échappées à l'incendie (de 1078), mais il semble avoir surtout travaillé sur des copies anciennes en rouleau et sur un polyptyque du xᵉ siècle [115]. Mises à part, toutefois, de rares exceptions comme celle-là, de nombreux historiens surent en effet utiliser les titres originaux qu'ils trouvaient dans les archives. Les uns se contentèrent d'en donner dans leur texte un abrégé, une analyse [116] ; ils ne se croyaient pas obligés de citer avec exactitude ; l'esprit d'une mesure comptait pour eux plus que sa lettre [117]. Mais beaucoup d'autres savaient le prix de citations textuelles et copièrent leurs documents tout au long [118], « *ex integro* [119] ». Les uns préférèrent fondre le texte de leurs documents dans la suite de leur récit, sans marquer de différence de nature entre le document et le récit [120] ; mais d'autres annonçaient avec clarté leurs transcriptions intégrales [121] ; quelques-uns même finirent par grouper leurs documents à part, tels nos modernes pièces justificatives, comme l'auteur de la chronique de Worcester dès la première moitié du xIIᵉ siècle [122] et surtout Mathieu Paris, au xIIIᵉ [123]. Bref, les façons d'exploiter et de présenter les sources diplomatiques pouvaient varier, mais d'innombrables historiens du Moyen Age, dans tout l'Occident, ont prouvé que les documents d'archives leur étaient, de toute évidence, familiers.

Leur utilisation, toutefois, n'excédait pas certaines limites. A l'historien du xIᵉ, du xIIᵉ et même encore du xIIIᵉ siècle, seules étaient accessibles les archives de sa propre maison. Devenu abbé de Lobbes, pour écrire l'histoire des abbés de Lobbes, Folcuin précise bien qu'il utilise les archives de l'abbaye de Lobbes [124]. Odorannus de Sens tire parti des archives de son monastère, auxquelles il renvoie [125]. Pour écrire sa chronique de Tournus, Falcon exploite les archives de Tournus [126]. L'auteur des *Gesta episcoporum Cameracensium* utilise des sources narratives et des sources diplomatiques, mais il n'invoque que « les chartes conservées dans les archives de l'église elle-même [127] ». En dehors du chartrier de son abbaye, Pierre de Maillezais n'a connu aucun document [128]. Hariulf, dans sa chronique de Saint-Riquier, ne renvoie qu'à des documents de Saint-Riquier [129]. Eadmer en est réduit aux archives de Christ Church de Canterbury [130] comme Rigord à celles de Saint-Denis. Or, des archives importantes comme celles de Canterbury ou de Saint-Denis peuvent fournir quelques documents utiles à une histoire générale. Mais c'est l'exception. Abbé du Mont-Saint-Michel, Robert de Torigni sait fort bien l'intérêt des documents d'archives et, préparant une histoire de son administration, il en assemble un grand nombre ; mais dans sa chronique il en utilise peu parce que, de toute évidence, il en trouve peu, au Mont-Saint-Michel même, de pertinents [131]. André de Marchiennes connaît fort bien le chartrier de son monastère, dont il a rédigé le polyptyque, mais dans son histoire des rois de France il ne peut faire état d'aucun document d'archives. Ne connaissant, par force, qu'un fonds d'archives, l'historien médiéval ne peut guère appuyer une histoire générale sur des documents originaux. Les sources diplomatiques ne sont guère utiles qu'à l'historien local.

Et cet historien local n'est point d'ordinaire animé par l'ambition gratuite de ressusciter le passé de sa maison. Ce qu'il veut, c'est la défendre, lui donner les moyens de défendre ses libertés et ses possessions [132]. Il n'y a donc pas de différence de nature entre l'histoire d'une maison et le cartulaire qu'elle prenait soin de compiler pour assurer la conservation de ses titres et rendre leur consultation, en cas de besoin, plus aisée [133]. Un abbé conséquent faisait écrire à la fois le cartulaire et l'histoire de son monastère, qui utilisaient les mêmes archives, tendaient au même but et s'épaulaient l'un l'autre. Car l'historien avait besoin des documents originaux ou de leurs copies et, pour bien classer et interpréter ses documents, le cartulariste devait bien connaître l'histoire locale ; il avait besoin de guides chronologiques [134], il devait savoir les noms des abbés, la succession des évêques du diocèse, les généalogies des puissants donateurs [135] et même, au-delà, ne pouvait ignorer tout à fait l'histoire des papes et des rois. D'ailleurs, dans le monastère, l'archiviste, le cartulariste et l'historien furent souvent une seule et même personne ou, à tout le moins, le classement des archives, la composition des cartulaires et celle des chroniques furent le fait d'une seule et même équipe. Si bien que, finalement, cartulaires et chroniques ne se distinguaient pas en deux genres bien tranchés ; les transitions étaient, de l'un à l'autre, insensibles. Certes, parfois, comme au Mont-Cassin, cartulaires purs et chroniques narratives se côtoyèrent dans les bibliothèques sans se pénétrer [136]. Mais souvent, comme à l'abbaye de Marœuil au diocèse d'Arras, une brève chronique fut mise en tête du cartulaire [137]. Ou bien, comme à Saint-Bertin, dans des œuvres que les érudits modernes ne savent point s'ils doivent les appeler des histoires *(gesta)* ou des cartulaires, et pour lesquelles leur rage de classer a créé les expressions de « cartulaires historiques » ou « cartulaires-chroniques » ou « chroniques-cartulaires », le texte des chartes est inséré dans le récit continu de la geste des abbés [138]. Ou bien, comme dans l'histoire du monastère cistercien de Fontaine-les-Blanches, en Touraine, l'œuvre est conçue en deux parties d'importance à peu près égale : la première raconte la fondation de l'abbaye et la vie de ses abbés ; la seconde donne « en les classant, dans leur texte intégral », les privilèges pontificaux puis « les titres obtenus des comtes, des barons et des pouvoirs judiciaires », pour que nul moine, « à l'avenir, ne puisse prétendre ignorer... les privilèges et les possessions de son monastère [139] ». Ou bien encore un long récit historique émaillé de documents ou suivi de pièces justificatives n'est rien d'autre que la pièce d'un procès, un dossier d'avocat [140]. Ou bien enfin l'historien, sans rien citer textuellement, nourrit son récit d'innombrables détails tirés des archives, si exacts que, par exemple, l'*Historia de Sancto Cuthberto,* écrite à Durham au milieu du xe siècle, fut utilisée un siècle plus tard par un auteur qui en parla, tout naturellement, comme d'un cartulaire [141].

Ces histoires locales appuyées sur des documents originaux voulaient aider l'avocat, en imposer à l'arbitre ou au juge. Elles étaient, comme les cartulaires, précieusement conservées dans les archives ou le trésor de l'église. Elles ne cherchaient pas les lecteurs. Elles n'existèrent jamais qu'à un seul exemplaire et n'eurent aucune diffusion en dehors de l'établissement même où elles avaient vu le jour [142]. D'ailleurs, leur érudition aurait rebuté les amateurs d'histoires. Dans son *Historia Novorum,* Eadmer, qui veut être lu mais ne renonce pas à copier *in extenso* les documents sur lesquels il s'appuie, supplie ses lecteurs ou ses auditeurs d'être patients, et de comprendre combien, dans une histoire, la connaissance précise des documents est importante [143]. Mais dans leur majorité, les historiens qui veulent être lus, plus réalistes, abrègent les documents, les résument, ou les passent tout à fait. En 1120, une cour générale du royaume de

Jérusalem prend une série de mesures que Guillaume de Tyr, évoque d'une phrase. Et il ajoute : « Quiconque, pris de la rage de lire, veut en savoir les détails, peut facilement les trouver dans les archives de nombreuses églises ». Ce dont le livre d'Eracles conserve à peu près fidèlement l'esprit dans sa traduction : « Ne convient mie que l'en les vos mete ici en livre [144] ». Abhorrés des lecteurs, les documents originaux n'étaient à l'aise que dans des œuvres d'une érudition confidentielle.

Appuyés sur eux, les historiens éclairent aisément le passé récent. Et même un passé moins récent. Flodoard, au milieu du xe siècle, remonte par eux jusqu'au milieu du ixe. Falcon, qui écrit à l'extrême fin du xie siècle, utilise de nombreuses chartes du ixe, dont il nourrit son récit [145]. Etienne Maleu, qui écrit en 1316, peut s'appuyer sur une documentation d'archives qui commence en 1149. Les chartes jalonnent donc une large tranche du passé. Mais il faut bien reconnaître que, sauf exceptions, elles ne permettent pas à l'historien médiéval d'aller au-delà de certaines limites. C'est d'abord qu'il n'y a rien de plus fragile qu'un fonds d'archives. Les invasions normandes en ont détruit beaucoup. Mais, par la suite, des incendies, accidentels ou criminels, ne cessaient pas d'en réduire en cendres, comme ceux de Saint-Bertin en 1033, de Saint-Père de Chartres en 1078, de Saint-Hubert en 1130, de Saint-Riquier en 1131, etc. [146]. C'est aussi que plus les documents étaient vieux, plus leur étude présentait des difficultés que la plupart des érudits ne pouvaient bientôt plus surmonter. Lorsqu'elles n'avaient pas été totalement détruites ou qu'elles n'étaient pas complètement illisibles, les vieilles chartes, léchées par les flammes, exposées aux intempéries, pourries par l'humidité, rongées par les vers, offraient trop souvent un texte lacunaire et difficile à comprendre [147]. Trop souvent aussi leurs écritures étaient indéchiffrables : il fallait, dès le xiie siècle, être un paléographe habile et exercé pour lire les cursives lombardes [148], les écritures mérovingiennes ou anglo-saxonnes [149]. Les documents anglo-saxons offraient une difficulté supplémentaire : ils étaient écrits en une langue barbare ; il fallait les traduire en latin [150]. Il est vrai que les incorrections du latin vulgaire des documents mérovingiens ou lombards étaient des pièges peut-être encore plus redoutables. La nature et la forme des actes, enfin, posait des problèmes qui requéraient des talents de diplomatiste. Bref, l'exploitation de documents originaux demandait, au cartulariste ou à l'historien qui s'y attelaient, de rares compétences.

Beaucoup cependant se mirent bravement à la tâche. Ils tentèrent de restituer les mots et les phrases devenus illisibles, récrivant souvent sur l'original lui-même le texte auquel ils s'étaient finalement arrêtés, de telle sorte qu'il fût alors plus facile aux autorités d'authentifier ce texte restauré [151]. D'autre part, transcrivant, dans un cartulaire ou dans une chronique, des chartes de lecture difficile, ils avaient le souci d'en donner une copie fidèle, mais ils entendaient agir en bons éditeurs de textes. Du latin barbare qu'ils copiaient, ils corrigeaient aisément les formes incorrectes. Gregorio di Catino n'avait aucun mal à écrire *nepos* au lieu du *nepus* qu'il lisait dans ses chartes lombardes, *subscripsi* au lieu de *supscripsi, largitatem* au lieu de *largietatem,* etc. [152]. Il était déjà moins aisé de rétablir avec un constant succès les fins des mots. L'attention de l'érudit pouvait ici être mise en défaut [153]. Mais c'est avec les noms propres que les choses devenaient vraiment difficiles. Comment ne pas trébucher parfois sur les noms de lieux, comme l'auteur de la chronique de Saint-Hubert dite *Cantatorium,* qui confond *Summolum* et *Sulmodium* [154] ? Comment ne pas achopper parfois sur les noms de personnes ? Au xe siècle, Flodoard rassemble dans les archives de Reims les lettres de l'archevêque Hervé, dont il veut écrire la vie. Tombant sur une minute qui désigne l'auteur par la simple lettre H, il développe *Heriveus* et incorpore la lettre dans sa collection. Nous savons aujourd'hui qu'il aurait dû lire *Hincmarus* [155]. Les homonymies tendent des pièges encore plus redoutables. L'auteur du cartulaire de Saint-Mihiel se trouve en présence d'un diplôme donné par le roi Lothaire en la troisième année de son règne. L'éditeur moderne établit aisément qu'il s'agit du roi de Lorraine Lothaire II et que le diplôme est de 858. Mais l'auteur de la chronique de Saint-Mihiel au XIe siècle, pas plus que celui du cartulaire de Saint-Mihiel au XIIe, ne doute un instant que ce soit un acte de l'empereur Lothaire, le seul Lothaire qu'ils connaissent [156]. Hariulf, lui, a lu un diplôme donné par Lothaire, roi de Francie occidentale, en la vingt et unième année de son règne, et correctement daté de 974. Mais il ne connaît, comme les érudits de Saint-Mihiel, qu'un seul Lothaire, l'empereur du IXe siècle, dont, pardessus le marché, il ignore les dates exactes. Il est si persuadé qu'il est en présence d'un acte de l'empereur Lothaire qu'il corrige le texte, y écrit à un moment « *imperiali praeceptione pleniter firmaremus* » au lieu de « *regali* », et met comme année de l'incarnation 843 au lieu de 974 [157]. De ces erreurs fâcheuses, de ces corrections malencontreuses, de ces écritures douteuses, l'érudition moderne s'indigne. Au mieux, elle stigmatise une « méthode insuffisamment rigoureuse [158] ». Au pire, elle parle de faux et de falsifications. Faut-il rappeler à ces pointilleux censeurs qu'au XVIe siècle encore le grand Matthew Parker n'hésitait pas à améliorer et compléter le texte des manuscrits qu'il travaillait sur le manuscrit même [159] ; et qu'après tout on ne sache pas que l'érudition d'aujourd'hui, avec tous les moyens dont elle dispose, soit infaillible. Il ne faut pas trop vite taxer de falsification ce qui n'est parfois qu'effort de savant, défaillance d'érudit. Les documents originaux posaient aux historiens du Moyen Age des problèmes si difficiles que beaucoup en étaient dépassés et qu'il faut reconnaître aux plus compétents le droit à l'erreur.

Telles étant, au XIIIe siècle encore, les limites de l'exploitation historique des documents d'archives, c'est alors que s'amorça un lent mais continu progrès. D'abord les documents diplomatiques furent de plus en plus nettement différenciés des simples sources narratives. Les historiens du XIIe siècle avaient pu ne pas toujours mettre une grande différence de nature entre les deux types de sources. A la fin du Moyen Age, leurs successeurs distinguaient bien récits et documents. Ils distinguaient aussi originaux et copies. Un Thomas Elmham savait quelles erreurs pouvaient être dues à la tradition manuscrite, préférait aux copies les originaux, examinait ceux-ci avec le plus grand soin, et poussait même le souci jusqu'à en donner des fac-similés. Les documents écrits prirent aussi une importance croissante. A la fin du XIIe siècle, Rigord raconte comment, en 1186, les évêques et les abbés de Bourgogne vinrent se plaindre au roi de leur duc. Il ne dit point qu'ils se soient souciés de pouvoir appuyer leurs plaintes sur des documents écrits. Mais Primat, traduisant Rigord trois quarts de siècle plus tard, ajoute qu'ils demandèrent au roi « que il leur feist tenir les chartres et les munimenz que li preudome donerent, qui les eglises avoient fondées par leur devotion [160] ». Cette simple addition prouve assez les progrès de l'écrit dans la conscience des Français du XIIIe siècle. Enfin les historiens du Moyen Age surent de mieux en mieux tirer parti de leurs documents écrits. Uniquement soucieux de défendre privilèges et possessions, ils ne s'en servaient en général, aux XIe, XIIe ou XIIIe siècles, que pour prouver le fait qui était l'objet même de l'acte qu'ils alléguaient. Mais dès le commencement du XIVe siècle un Bernard Gui discutait la date d'une charte d'un évêque de Limoges et s'en servait pour réfuter l'assertion d'un auteur relative à la date de la translation des reliques de saint Augustin ; ou encore il recueillait dans des actes anciens des éléments biographiques ou des notions sur les origines des églises [161]. Et au XVe siècle un historien aussi modeste que Jean de la Gogue savait fort bien utiliser les données des textes à établir des généalogies [162]. Posant aux archives plus de questions, l'historien se mit à tirer parti de plus de documents plus variés. Comme l'historien du XIe ou du XIIe siècle ne s'intéressait qu'aux titres durables qui lui permissent de défendre les droits de sa maison, seuls privilèges et chartes de donation avaient retenu son attention. A la fin du XIVe siècle, un Thomas Burton savait fort bien utiliser le cartulaire de son abbaye de Meaux, mais il faisait aussi surgir des papiers nés de son administration, et en particulier des registres de comptes, une histoire plus concrète et plus quotidienne[163].

Dans le même temps, les progrès des Etats, de leurs rouages politiques, judiciaires et financiers, le développement des villes et de leurs administrations multipliaient les dépôts d'archives où s'entassait une documentation d'une richesse croissante, qui était d'ailleurs plus apte que les archives monastiques à satisfaire les curiosités d'historiens moins souvent bornés à l'histoire locale. La difficulté était que le chercheur pouvait bien se noyer dans cette avalanche de papiers. En 1290-1291, enquêtant sur les droits que leur maître pouvait avoir sur le royaume d'Ecosse, les clercs du roi d'Angleterre fouillèrent fébrilement leurs archives pour y trouver les documents dont ils avaient besoin. Le désordre était tel que ce fut en vain. Les malheureux durent alors se tourner vers les sources narratives[164]. Les clercs du roi d'Angleterre comprirent la leçon et entreprirent de mieux classer leurs archives. De son côté, pour ordonner « la mer de lettres et de registres[165] » qu'elle conservait dans la plus extrême confusion, la chancellerie du roi de France avait d'abord tâté, au XIIIe siècle, comme les monastères, des cartulaires. Elle comprit dès le début du XIVe que mieux valait tenter de classer l'ensemble et d'en dresser un inventaire. Des essais maladroits préparèrent l'œuvre admirable de Gérard de Montaigu qui, clerc du Trésor des chartes en 1364, garde du même Trésor de 1370 à 1391, vint à bout de classer et d'inventorier les 109 registres et les 310 layettes de chartes que le Trésor comptait alors[166]. Après les rois de France et d'Angleterre, le souci d'avoir des archives classées et utilisables s'empara bientôt de tous les princes d'Occident. Michel du Bernis, procureur et notaire à Foix, classa le chartrier du château de Foix et en rédigea l'inventaire de 1403 à 1429. Mais rien n'est plus fragile qu'un classement d'archives. Quelques années plus tard, tout était à nouveau en désordre, à l'abandon. En 1445, voulant retrouver les titres dont il avait besoin pour défendre ses droits contre le roi de France, le comte de Foix chargea le même Michel du Bernis de refaire un nouvel inventaire du chartrier du château. Le désordre du chartrier de Foix n'avait rien d'anachronique. C'est simplement au début du XVIe siècle que les archives de la maison d'Autriche furent enfin classées.

Au XIe ou au XIIe siècle, les archives d'un monastère n'étaient guère utilisées que par l'archiviste qui en avait la garde. A la fin du Moyen Age, un clerc de chancellerie restait l'utilisateur naturel des archives de sa chancellerie. Jean de Montreuil pouvait sans difficultés citer des lettres qui étaient « au tresor des chartres royaulx a Paris [167] ». Après celle des moines, l'histoire des administrateurs s'appuyait aisément sur des documents d'archives. Mais que les archives fussent désormais mieux classées et plus accessibles eut pour l'histoire des effets plus importants encore. Même les historiens qui n'avaient pas de rapports privilégiés avec un fonds d'archives purent tirer parti de documents originaux. Et il devint naturel qu'un chercheur pût mener son enquête dans plusieurs dépôts. Dès la fin du XIIIe siècle Barthélemy Cotton a sans doute utilisé à la fois les archives de l'évêque de Norwich, celles de la cathédrale, et celles du sheriff de Norfolk [168]. Au début du XIVe siècle, Etienne Maleu, pour écrire son histoire de Saint-Junien, ne s'appuyait pas seulement sur les archives de Saint-Junien ; il visitait celles de Saint-Martial, de Saint-Martin et de Saint-Augustin de Limoges, et aussi celles des églises de Lesterps et du Dorat [169]. L'inventaire du chartrier du château de Foix réalisé par Michel du Bernis en 1445 permettait seul à Arnaud Esquerrier d'écrire, dix ans plus tard, sa chronique des comtes de Foix [170]. Au même moment, Jean Długosz tirait sa documentation des archives du chapitre de Cracovie, mais aussi de celles de la couronne de Pologne, et de celles de quantité d'églises, de couvents et de familles polonaises [171]. Un peu plus tard, en 1498, une lettre de la duchesse Anne ouvrait à Pierre Le Baud les archives de tous les évêchés et de tous les monastères bretons, et il les visitait en effet [172]. En 1512, alors que Frédéric III n'avait jamais ouvert ses archives à Thomas Ebendorfer, Jean Cuspinien obtenait de Maximilien le droit de consulter les archives de la maison d'Autriche enfin classées [173]. Au reste, il n'était maintenant même plus nécessaire aux historiens de fréquenter les archives pour faire état de nombreuses lettres. Car, dans leur effort d'information et de propagande, les chancelleries, les parlements, les conciles diffusaient une documentation si abondante qu'elle pouvait atteindre chez eux les historiens, qui, dans leurs œuvres, s'en faisaient l'écho [174]. Le document se taillait dans l'histoire une place de plus en plus importante. Et un événement majeur comme le concile de Constance, suscitant un flot de discussions et de conflits, de traités et de dossiers, contribuait à développer encore une manière d'écrire l'histoire, non plus simplement l'histoire locale mais aussi l'histoire générale, où le document devenait l'essentiel [175].

Ainsi, peu à peu, était née l'érudition moderne. Mais il est bien vrai que pendant longtemps, au Moyen Age, l'utilisation des documents d'archives, pourtant importante, avait été contenue dans de telles limites que, les historiens en avaient conscience, les grands ouvrages ambitieux devaient s'appuyer bien moins sur les chartes que sur les livres. « J'ai, disait Adam de Brême, tiré quelque parti des chartes originales, mais j'ai surtout beaucoup emprunté aux livres [176] ».

§ 4. *Livres et bibliothèques*

Lorsqu'un historien du Moyen Age donnait au début de son œuvre les sources de toutes natures qu'il avait utilisées, il commençait presque toujours par les livres. Il disait parfois explicitement qu'il ne s'était servi de chartes et témoignages que pour combler les lacunes des histoires, des chroniques et des annales [177]. Un historien n'aurait pas songé à se mettre à l'œuvre sans disposer de sources narratives en nombre suffisant [178]. Il savait bien que l'histoire se faisait surtout avec des livres. Il n'y a pas d'historien sans bibliothèque.

Or, pendant des siècles, le nombre des bibliothèques susceptibles de soutenir un effort historique fut, dans l'Occident, des plus restreints. Certes, du IXe au XIIe siècle, quelques riches seigneurs laïcs ou ecclésiastiques eurent les moyens de se constituer des bibliothèques relativement importantes : Ewrard, marquis de Frioul, laissait à ses enfants, en 864, une cinquantaine de volumes [179] ; Gérard, évêque d'Angoulême, laissait à son église, en 1136, plus de cent volumes [180]. C'était de rares exceptions. Au IXe siècle l'effort d'un Hincmar avait enrichi de plus de cent volumes la bibliothèque de l'église cathédrale de Reims [181] comme le legs de Gérard celle d'Angoulême au XIIe siècle. Mais les bibliothèques capitulaires étaient en général beaucoup plus pauvres. Il n'y avait que cinquante volumes dans la bibliothèque de la cathédrale de Strasbourg en 1027, quatorze dans celle de Spire en 1051 [182], quarante-cinq dans celle de Noyon en 1220 [183], cinquante-sept dans celle de Quimper en 1273 [184]. En comptant quelques dizaines de livres tout au plus, la bibliothèque de Notre-Dame de Paris n'était, au XIIIe siècle, ni plus ni moins riche que beaucoup d'autres [185]. Au même moment, d'innombrables monastères n'avaient pas de bibliothèques plus fournies [186]. Mais il n'était pas rare qu'une bonne bibliothèque monastique comptât de 200 à 300 volumes, et même parfois davantage : il y avait 400 volumes à Murbach en 870, plus de 300 à Fleury à la fin du XIe siècle [187], près de 350 à Corbie au XIIe siècle [188], 450 environ à Saint-Martial de Limoges vers 1220-1225 [189]... Bref, en ces temps-là, les grandes bibliothèques étaient rares, et elles étaient uniquement monastiques.

Et les richesses que les siècles y avaient accumulées étaient loin d'y être toujours accessibles. Les livres s'étaient d'abord entassés, dans la salle du chapitre ou une galerie du cloître, dans une armoire ou une simple niche creusée dans le mur. Débordant bientôt de ce premier réduit, ils avaient empli tous les recoins disponibles, jusque sous les escaliers. Beaucoup y souffraient d'une trop grande vétusté ; vers et mites les y rongeaient [190]. Et surtout ils s'y perdaient, ils vieillissaient oubliés de tous. De temps en temps un bibliothécaire consciencieux tentait de les classer et d'en dresser l'inventaire. Mais certaines bibliothèques parmi les plus riches n'eurent jamais de catalogue. Et ces inventaires de possession rudimentaires, simplement destinés à conserver la trace des volumes, les prenant dans l'ordre où ils étaient trouvés, n'indiquant pour chacun, même s'il contenait plusieurs œuvres, que la première d'entre elles, n'étaient guère utiles au chercheur. Ils étaient d'ailleurs, au bout de peu de temps, dépassés. Car de nouveaux livres enrichissaient la bibliothèque, qu'on entassait, pêle-mêle, où l'on pouvait. Et malheureusement, aussi, de nombreux livres disparaissaient. En effet, une bibliothèque du XIIe siècle n'étant qu'une armoire ou une niche, un livre n'était pas consulté sur place. Il était prêté. Aux moines du monastère d'abord [191] ; à d'autres ecclésiastiques ensuite ; et même à des laïques. C'est dans un livre emprunté à la bibliothèque du chapitre cathédral Saint-Pierre de Beauvais que Chrétien de Troyes a trouvé la matière de son Cligès. Il nous le dit du moins. Et s'il nous dit qu'il l'a lu, il ne nous dit pas qu'il l'ait rendu. Ce qui est sûr c'est que ce livre n'est plus dans cette bibliothèque lorsqu'un inventaire en est dressé au XVe siècle. Il aura disparu, comme bien d'autres. Dans la seconde moitié du XIe siècle le chantre Roscelin avait donné à Saint-Pierre de Beauvais quatorze manuscrits. De ces quatorze volumes il n'en restait que huit au XV siècle [192]. Une bibliothèque médiévale est un tonneau des Danaïdes.

Comme elle était alimentée par des dons et destinée au prêt, une bibliothèque monastique ou capitulaire pouvait avoir de très nombreux doubles. Il y avait dans la bibliothèque de Cluny douze *Consolation de la philosophie* de Boèce [193]. Une bibliothèque était beaucoup moins riche de titres que d'œuvres. D'autre part, sa première fonction était de soutenir la vie liturgique et de nourrir la réflexion religieuse de la communauté. Rien donc d'étonnant si une bibliothèque ordinaire ne comptait guère qu'écritures saintes, œuvres théologiques et livres liturgiques. Même dans une bibliothèque plus importante la place des livres d'histoire pouvait être fort réduite. La puissante abbaye de Cluny avait beau avoir une vie intellectuelle intense, un actif *scriptorium* et une très riche bibliothèque, très faible était son intérêt pour l'histoire, et très peu nombreux ses livres d'histoire [194]. Si bien qu'au total une bibliothèque de ce temps n'avait souvent aucun livre d'histoire ou n'en avait que quelques-uns. Et dans tout l'Occident les bibliothèques riches d'un bon fonds historique n'étaient pas si nombreuses. Il n'y en avait sans doute guère plus de trois ou quatre en France au sud de la Loire, une demi-douzaine en Autriche, deux douzaines en Angleterre, une cinquantaine peut-être du Rhin à la Seine [195]. Chacune de ces bibliothèques pouvait abriter quelque rare trésor, une chronique ou des annales locales, mais on y retrouvait principalement tout ou partie d'un très vieux fonds commun d'auteurs païens comme Lucain ou Salluste ; d'auteurs chrétiens que Cassiodore avait sélectionnés, comme Eusèbe de Césarée ou Orose ; à quoi s'étaient ajoutées des autorités un peu plus tardives, comme Isidore de Séville et Bède. Les temps carolingiens n'avaient guère enrichi ce catalogue d'une douzaine d'auteurs si bien qu'un historien de 1100, fût-il doué, eût-il accès à une bonne bibliothèque historique, était condamné, dès que ses ambitions s'élevaient au-dessus de l'histoire locale, à un récit attendu et traditionnel. L'histoire générale ne pouvait être que livresque ; l'histoire livresque ne pouvait être que routinière.

Dans la première moitié du XIIe siècle vécurent et travaillèrent un grand nombre d'historiens de grand talent, mais leurs œuvres se perdirent parfois au fond de quelque *armarium* et furent pour longtemps inutiles. Et lorsqu'elles connurent le succès, celui-ci fut fatalement lent et limité. Il put arriver que quelques moines, quittant leur monastère pour en fonder un autre plus loin et emportant avec eux quelques livres, fassent faire à un ouvrage un brusque saut dans l'espace. Une initiative individuelle, ou le hasard, pouvait avoir le même résultat. Mais d'ordinaire une œuvre, passant d'un monastère au monastère voisin, faisait très lentement tache d'huile. Sigebert de Gembloux avait publié sa chronique en 1105 et l'avait continuée jusqu'à sa mort, en 1112. Elle était à Cambrai avant 1132. C'est là qu'Orderic Vital la vit. Il nous dit en effet à la fin du quatrième livre de son *Histoire ecclésiastique* qu'il a beaucoup tiré des œuvres de Jean de Worcester et Sigebert de Gembloux. Il en est d'autant plus heureux qu' « on les trouve très difficilement. Ce sont en effet des œuvres modernes et elles ne sont pas encore parvenues partout dans le monde ». Il a vu l'œuvre de Jean de Worcester en Angleterre et celle de Sigebert lui a été montrée « à Cambrai, en Lotharingie » par « Fulbert, le sage abbé du monastère du Saint-Sépulcre [196] ». De Cambrai, la chronique de Sigebert passait à Arras où elle était avant 1136, à Laon où elle était en 1136, à Beauvais où elle était en 1147, trente-cinq ans après la mort de son auteur. C'est là que Robert de Torigni la trouva. De cette rencontre date son succès normand, puis anglais. Mais, à notre connaissance, la chronique de Sigebert de Gembloux ne touchait pas Londres avant 1199, près d'un siècle après avoir été écrite. Le résultat de ces lentes diffusions est qu'un historien du XIIe siècle a une chance infime de connaître une œuvre écrite moins d'un demi-siècle avant que lui-même ne se mette au travail. Lorsque, en 1125, Guillaume de Malmesbury écrit ses *Gesta Regum,* les historiens les plus récents qu'il puisse utiliser, malgré son exceptionnel effort documentaire, sont Guillaume de Jumièges, qui a dû achever ses *Gesta Normannorum Ducum* peu après 1072, Guillaume de Poitiers, qui a probablement écrit ses *Gesta Guillelmi Ducis* entre 1073 et 1074, Marianus Scotus, qui est mort en 1083, Hariulf, qui a composé sa chronique en 1088. Les *Gesta Francorum Jerusalem expugnantium,* publiés par Foucher de Chartres en 1105, sont la seule œuvre plus récente qu'il ait eue entre les mains ; mais ce rare succès prouve simplement l'écho qu'a eu en Occident la croisade. Guillaume de Malmesbury ne connaît aucun des grands historiens continentaux contemporains de Foucher, comme Sigebert de Gembloux ou Hugues de Fleury. Et c'est simplement en 1137 qu'il pourra enfin prendre connaissance de l'*Histoire ecclésiastique* qu'Hugues de Fleury avait publiée en 1110, dont un hasard politique avait fait passer un exemplaire en Angleterre un quart de siècle après sa parution [197]. Un historien du XIIe siècle travaille en aveugle, dans l'ignorance de ce qui s'écrit ou vient de s'écrire en dehors de son monastère. L'exploitation d'un chartrier permet à l'historien un effort original, qui ne débouche malheureusement que sur une histoire locale. L'exploitation d'une bibliothèque lui ouvre de plus vastes horizons, mais le condamne à la répétition pour les temps anciens et, pour les temps modernes, au silence.

Dans les derniers siècles du Moyen Age, les bibliothèques des chapitres cathédraux sont restées ce qu'elles étaient auparavant, d'assez pauvres bibliothèques atteignant rarement 200 volumes [198]. Pour les bibliothèques monastiques, c'est un lieu commun de parler de leur décadence [199]. Il est bien vrai que les guerres et les incendies, les vols et les prêts en ont appauvri beaucoup. La bibliothèque de l'abbaye de Saint-

Claude avait 115 manuscrits à la fin du XIe siècle, elle n'en avait plus que 83 en 1492 ; c'était alors un très vieux fonds qui dormait, sans enrichissements, depuis des siècles [200]. Mais à côté de ces ruines, de nombreux monastères avaient su accroître encore les richesses de leurs bibliothèques. En 1465, Saint-Denis avait 1.600 volumes environ, Clairvaux plus de 1.700 volumes en 1472, Leicester plus de 1.000 volumes en 1496 [201]. Quoi qu'on ait dit, les monastères d'Occident ont souvent participé à l'essor de la culture à la fin du Moyen Age. Mais ils n'en avaient plus l'exclusivité. Dans les villes universitaires, sans même parler de l'exception qu'était la bibliothèque de la Sorbonne avec ses 1.722 volumes en 1338 [202], de nombreux collèges avaient plusieurs centaines de volumes [203] et le moindre en avait plusieurs dizaines [204]. Dans presque toutes les villes, chaque couvent franciscain ou dominicain avait une bibliothèque de plusieurs centaines de volumes [205]. Sans doute les laïcs n'y avaient-ils point accès, mais des bibliothèques municipales commencèrent à se développer au XVe siècle. Il y en eut dans plusieurs villes allemandes [206]. En France, celle de Saint-Lô fut fondée vers 1470, celle de Poitiers existait en 1474, celle de Rouen passait pour remarquable dès la fin du XVe siècle [207]. Toutes ces librairies n'étaient guère alimentées que par des dons et des legs et leur développement fut parallèle au développement des bibliothèques privées. Bibliothèques des rois et des princes, qui consacraient des fortunes à acquérir, mieux même à faire écrire et enluminer des centaines de précieux manuscrits. Bibliothèques des universitaires, des évêques, des chanoines, qui comptaient aisément quelques dizaines de volumes. Même un pauvre clerc sans bénéfice comme le clerc d'Oxford dont parle Chaucer

> « ... n'avait guère d'or en son coffre,
> mais tout ce qu'il pouvait obtenir de ses amis,
> il en achetait des livres et du savoir »,

car ce qu'il préférait, c'était

> « ... avoir à la tête de son lit
> vingt volumes, reliés en noir ou en rouge [208] ».

Parmi les laïques, les gens de robe eurent à la fois la culture et l'argent nécessaires pour songer à acquérir des livres ; aussi sont-ce les gens du Parlement qui eurent à Paris les plus belles bibliothèques, comme les docteurs en droit en Sicile [209]. Mais il ne faut pas sous-estimer l'appétit de culture des nobles, dans les châteaux desquels on trouve parfois quelques dizaines d'ouvrages [210], ni celui des marchands dont beaucoup, à Florence du moins, ont une belle bibliothèque [211].

Il faut assurément mettre cette multiplication des bibliothèques en relation avec les progrès de la culture. Beaucoup de clercs et de laïques ont copié eux-mêmes les livres qu'ils voulaient posséder. Mais un livre s'achète aussi. Etait-on, à la fin du Moyen Age, disposé à consacrer plus d'argent à l'acquisition de livres ? Faut-il parler d'une production accrue des livres et d'une baisse de leurs prix tout au long des XIIIe, XIVe et XVe siècles ? Une production accrue, du moins à certaines périodes, n'est pas invraisemblable ; elle aurait répondu aux progrès de la culture ; mais elle n'est pas prouvée. Quant à la baisse des prix, on a justement fait remarquer qu'un livre étant produit, au milieu du XVe siècle encore, dans les mêmes conditions techniques qu'au XIIIe siècle, on ne voit pas pourquoi le prix d'un livre neuf aurait baissé, bien au contraire [212]. Mais il est vrai que, le livre étant une marchandise qui se conserve, une crise démographique, économique ou politique peut entraîner une sursaturation du marché du livre et une baisse sensible du prix du livre d'occasion qui, par contre-coup, tasse le prix du livre neuf. Ainsi en Bohême en 1420-1450 [213]. Ainsi en France dès la seconde moitié du XIVe siècle sans doute, et en tout cas au XVe siècle. La bibliothèque de Robert Le Coq fut estimée en 1362, celle de Nicolas de Baye en 1419. De nombreux titres sont communs aux deux bibliothèques. Or, le même ouvrage est estimé moitié moins en 1419 qu'en 1362 [214]. Au moment où, dans la seconde moitié du XVe siècle, la fin des crises et l'appétit croissant de culture auraient peut-être à nouveau pesé sur le prix des livres, l'imprimerie en accentuait la baisse. Si bien qu'au total, en deux siècles, le livre, de bien précieux, devenait vile marchandise. Un Lucain valait 6 s. en 1337, 6 d. en 1508 ; un Orose valait 20 s. en 1337, 2 s. en 1508 ; une chronique martinienne valait 15 s. en 1337, 12 d. en 1508 [215]. Si prudent qu'on veuille être sur la valeur de ces chiffres, ils ne peuvent dire qu'une chose : le prix des livres a baissé à la fin du Moyen Age. Et en tout cas, quelles qu'en soient les raisons, en 1500, les bibliothèques sont bien plus nombreuses et bien plus riches, et leurs possesseurs sont bien plus divers que trois siècles plus tôt.

Il est encore fréquent que ces livres gisent quelque part, délaissés et inutiles. La bibliothèque de l'église cathédrale de Châlons-sur-Marne avait bien, au début du XVe siècle, 211 volumes, mais 142 d'entre eux n'étaient que des livres nécessaires à la liturgie. Les 69 autres étaient « de vieux livres... écrits d'une écriture ancienne » ; ils étaient entassés « dans un coffre fermé à clé » ; l'inventaire n'en retenait que le chiffre global ; les chanoines ignoraient évidemment tout de leur contenu [216]. Les humanistes se sont souvent plaints d'avoir découvert leurs manuscrits anciens en s'astreignant à fouiller dans des dépôts infects ; Poggio Bracciolini a trouvé son Quintilien à Saint-Gall « dans un affreux et obscur cagibit, complètement moisi et couvert de poussière [217] ». Mais il est de plus en plus fréquent, à partir du XIIIe siècle, que les livres soient soigneusement regroupés par matières sur des tablettes, et qu'un inventaire précis reproduise fidèlement ce classement. La difficulté reste qu'un même volume renferme parfois plusieurs œuvres de natures différentes. Les bons bibliothécaires, à la fin du XIVe siècle, énuméraient donc, pour chaque volume qu'ils décrivaient, tous les titres des œuvres qui s'y trouvaient [218]. Et les meilleurs d'entre eux, à la fin du XVe siècle, ajoutaient à cette liste des tables, alphabétiques ou de matières, qui la complétaient ou en corrigeaient les imperfections [219]. Les classements devenaient d'autant plus faciles et les catalogues d'autant plus utiles que, dans le même temps, les bibliothèques, de simples dépôts de livres qu'elles avaient été, se muaient en véritables salles de travail. Le XIIIe siècle avait pris conscience que le prêt était un fléau. Pour limiter ses inconvénients, Humbert de Romans, vers 1270, demanda aux prieurs des couvents dominicains de distinguer dans leur bibliothèque les livres qui pourraient être prêtés et ceux qui devraient être consultés sur place et seraient enchaînés [220]. Il est peu probable que cette idée ait alors été réalisée dans les couvents dominicains, mais elle le fut, quelques années plus tard, à la bibliothèque de la Sorbonne [221] et devint courante par la suite. Il fallut alors s'adapter à la lecture sur place. Les vieux monastères bénédictins le firent parfois aux moindres frais : l'aile du cloître jouxtant l'église fut fermée par deux rideaux, des carreaux furent mis aux fenêtres et des planches délimitèrent de petits cabinets où les moines purent s'installer et lire [222]. Mais dès le début du XIVe siècle, dans certains couvents dominicains ou certains collèges universitaires, de petites pièces commencèrent à être aménagées pour les lecteurs [223] et ces premiers tâtonnements préparèrent la construction des spacieuses bibliothèques qui se multiplièrent bientôt : celle de Merton College, à Oxford, en 1375 ; celle de New College, à Oxford également, en 1380 [224] ; celle du chapitre cathédral de Beauvais, achevée en 1417 [225] ; et bien d'autres tout au long du XVe siècle. C'était, toujours situées au premier étage, car l'humidité des rez-de-chaussée était néfaste à la conservation des livres, des pièces de dix à vingt mètres de long sur cinq à sept mètres de large. De chaque côté d'une allée centrale un pupitre était disposé perpendiculairement au mur. Il y avait ainsi sept rangées de pupitres dans la bibliothèque du chapitre cathédral de Bayeux en 1480 [226] et onze dans la bibliothèque des Cordeliers de Troyes en 1528 [227]. Sur chaque pupitre les livres avaient d'abord été déposés, enchaînés, à plat, ce qui ne permettait pas d'avoir plus de quatre à cinq livres par pupitre [228]. Par la suite, ils furent rangés sous le pupitre, verticalement, soit sur un seul rayon, soit même parfois sur deux rayons, ce qui permettait de mettre en moyenne une vingtaine de livres par pupitre. Telle était la disposition des meilleures bibliothèques au début du XVIe siècle, qui fut conservée quelques décennies encore jusqu'à ce que le nombre croissant des livres oblige à d'autres aménagements. Une bibliothèque de ce genre, où les livres, regroupés par matières dans les pupitres, décrits dans les catalogues, affectés d'une cote qui permettait de retrouver leur pupitre et même leur place sous le pupitre [229], étaient aisément accessibles, rendait beaucoup plus facile le travail des chercheurs. Mais elle ne s'ouvrait guère qu'aux membres de la communauté dont elle dépendait. Un nouveau progrès, tardif il est vrai, exceptionnel encore à la fin du XVe siècle, fut la création de bibliothèques publiques, de prêt parfois mais surtout de consultation, ouvertes à tous. La première fut sans doute celle de Saint-Marc de Florence, ouverte en 1444 pour satisfaire aux dernières volontés de Niccolo Niccoli, qui avait voulu que ses livres fussent déposés en un lieu public et pussent servir à tous [230]. Son exemple fut lentement imité. Joseph Alberti était d'Einbeck. Il fut recteur de l'Université d'Erfurt de 1497 à 1499. Il revint mourir à Einbeck, légua ses livres à sa ville « *pro uso publico et pro tota communitate* » et chargea les magistrats municipaux de leur trouver un local convenable à cet usage [231]. Dès le début du XVIe siècle une bibliothèque publique existait à Worms [232]. D'autres encore. Et toutes ces bibliothèques mieux tenues et plus accessibles rendaient la recherche bien plus aisée que trois siècles plus tôt.

La multiplication des bibliothèques et des livres n'a pas toujours entraîné un accroissement du nombre des livres d'histoire. Car la culture des dominicains et des franciscains, celle des maîtres et des étudiants en théologie ne se souciait pas d'histoire. Les nombreuses et riches bibliothèques qu'ils constituaient pouvaient ne pas compter un livre d'histoire. En général, on y trouvait cependant l'*Histoire scolastique* de Pierre Le Mangeur, qui permettait de mieux lire la Bible. Au mieux, dans les deux derniers siècles du Moyen Age, les lectures historiques d'un universitaire se limitaient à cette *Histoire scolastique,* au *Miroir historial* de Vincent de Beauvais et à la chronique de Martin de Troppau, souvent rangés, d'ailleurs, parmi les livres de théologie [233]. Mais à côté de la culture universitaire la culture monastique restait traditionnellement plus favorable à l'histoire et surtout le nombre accru des manuscrits, la multiplication des traductions, les gros tirages, enfin, de l'imprimerie, mettaient à la portée de laïques, nobles, juristes ou marchands, moins tournés vers la spéculation théologique et plus avides d'histoires, les œuvres des grands historiens de l'antiquité païenne et d'autres, plus récentes et moins prestigieuses, qui leur disaient l'histoire de leur pays. Une culture historique plus large et plus variée soutenait ainsi l'inspiration des amateurs de bonne volonté. Elle permit aussi la composition d'œuvres historiques plus ambitieuses qu'un ou deux siècles plus tôt leurs auteurs, faute de bibliothèque, n'auraient pu mener à bien. Nicole Gilles, notaire et secrétaire du roi, a écrit des *Annales et croniques de France* qui ont connu une grande notoriété au XVIe siècle. Ce n'est pas une œuvre d'une pesante érudition. Elle a pu être, pour l'essentiel, composée à partir des livres que l'auteur avait su rassembler dans une bibliothèque qui n'avait d'ailleurs rien d'exceptionnel. La bibliothèque de Nicole Gilles comptait en 1499 une centaine d'ouvrages, dont une quarantaine de livres manuscrits et une soixantaine de livres imprimés. Parmi ceux-ci, une quinzaine de livres d'histoire, soit historiens de l'antiquité païenne comme Tite-Live et Valère-Maxime, soit historiens de l'antiquité chrétienne comme Flavius Josèphe et Orose, soit grands classiques du XIIIe siècle comme le *Miroir historial* de Vincent de Beauvais et les *Grandes Chroniques de France,* soit ouvrages plus récents encore comme les *Chroniques* de Froissart et la *Mer des histoires.* Tous ces livres avaient été imprimés à Paris entre 1476 et 1496. Nicole Gilles avait pu les rassembler sans effort. Mais ils n'avaient mis à sa portée qu'une culture traditionnelle [234]. Quelques années plus tard, les progrès de l'imprimerie permettaient à des érudits plus exigeants d'utiliser des œuvres plus nombreuses, plus diverses, et surtout plus récentes. Travaillant, de 1512 à 1524, à ses *Caesares,* le viennois Jean Cuspinien avait utilisé, pour leur seule partie médiévale, quarante-six livres manuscrits et vingt-trois livres imprimés. Si elles avaient été utilisées seules, ses sources manuscrites, qu'il avait trouvées dans les bibliothèques de Klosterneuburg, Ratisbonne, Strasbourg, etc. auraient fait de son livre l'exact reflet de la culture historique traditionnelle des pays rhénans et danubiens. Mais avec les livres qu'il a pu lire, imprimés à Nuremberg, à Mayence, à Strasbourg, à Bâle, à Augsbourg, mais aussi à Bude, à Venise, à Paris ou même à Hambourg, il a pu tirer parti non seulement d'auteurs classiques, comme Sigebert de Gembloux, dont les manuscrits n'avaient jamais pénétré l'espace rhéno-danubien, mais encore et surtout d'œuvres récentes, comme celle de l'italien Georges Mérula, publiée en 1494, celle du français Robert Gaguin, publiée en 1495, celles de Jean Trithème, de Paul Emile et de bien d'autres, parues après 1512 et jusqu'en 1520, dans le temps même où il élaborait son œuvre [235]. La multiplication des livres, leur diffusion plus rapide, leur consultation plus aisée mettaient désormais à la portée d'historiens plus nombreux une documentation plus massive, venue de plus loin, et surtout plus récente. Des historiens mieux armés n'en étaient plus réduits à répéter ou se taire. Au XVIe siècle comme au Moyen Age l'histoire se fit d'abord avec des livres, mais l'utilisation des livres avait été si difficile auparavant, elle était maintenant si aisée que cela, à soi seul, suffirait à expliquer une différence de degré, voire même de nature, entre l'œuvre d'un historien du Moyen Age et celle d'un historien moderne.

II. La quête des sources

§ 1. *La recherche des documents*

L'historien le plus doué n'aurait pu écrire une grande œuvre sans avoir accès à une riche bibliothèque. Lambert de Saint-Omer doit toute sa science aux livres qu'il a trouvés dans les deux bibliothèques voisines de la collégiale de Saint-Omer et du monastère de Saint-Bertin. L'école de Fleury n'aurait rien été sans la bibliothèque de Fleury. Il n'y aurait guère eu d'historiographie autrichienne sans la bibliothèque de Klosterneuburg [236]. Jean Thuroczy aurait été désarmé sans la bibliothèque de la chancellerie hongroise et celle du roi Mathias Corvin [237]. Il est vrai que les plus dynamiques des historiens, en faisant copier des livres, en en échangeant, en en achetant, ont contribué à forger eux-mêmes l'instrument dont ils avaient besoin. Hincmar avait bien un *Liber Pontificalis,* mais le récit s'y arrêtait à l'avènement de Sergius II, en 844. En septembre 866, il profitait de ce que l'archevêque de Sens Egilo partait à Rome pour lui demander de lui en rapporter la continuation « qui manque complètement dans notre région ». Il pourrait en échange, s'il ne l'avait pas, lui fournir une copie du texte du *Liber Pontificalis* dont il disposait [238]. La bibliothèque du Mont-Saint-Michel était surtout une bibliothèque liturgique et patristique. En ses trente-deux années d'abbatiat (1154-1186), Robert de Torigni en fit une bibliothèque historique relativement riche qui comptait non seulement une quinzaine de grandes œuvres historiques, dont la chronique de Sigebert de Gembloux, mais encore tous les usuels (catalogues de papes, d'empereurs et de rois, généalogies, listes géographiques) indispensables à l'historien [239].

Qu'ils fussent donnés ou acquis, l'exploitation d'une grande bibliothèque ou d'un riche fonds d'archives exigeait un effort long et ardu. La *Chronographia* de Jean de Beke n'est pas une œuvre démesurée. Mais c'est une œuvre sérieuse et Jean de Beke travaillait seul. En sept années d'un travail assidu, il ne l'avait pas encore achevée [240]. Pour mener à bien une grande œuvre, un historien avait donc besoin d'être aidé et il n'est pas étonnant que, pendant longtemps, les plus savants travaux soient sortis des *scriptoria* monastiques. Le maître d'œuvre, ou même simplement des collaborateurs en qui il avait confiance, repéraient dans les archives les documents ou, dans les livres, les passages qui leur semblaient intéressants. Ils les marquaient d'un *notandum,* d'un *notanda* [241] ou de la petite main à l'index tendu dont les lecteurs médiévaux attentifs couvraient si souvent les marges de leurs livres [242]. Un scribe devait alors copier les extraits repérés, ou les abréger, et c'était le tourment de l'auteur de trouver des scribes compétents en nombre suffisant [243].

Un effort collectif était encore plus nécessaire lorsqu'un patron entendait ne pas se contenter des ressources d'une seule bibliothèque et voulait largement étaler les recherches. Ces grandes — et rares — initiatives furent, à la fin du XIIe et au XIIIe siècle, le fait de quelques princes cultivés qui mirent tous leurs moyens au service des projets à la fois historiques et politiques qui leur tenaient à cœur. Baudouin V, comte de Hainaut (1171-1192), « ama molt Karlemaines », nous dit Nicolas de Senlis en 1202-1203 ; il « ne vout onque croire chose que l'on en chantast, ainz fist cercher totes les bones abeies de France et garder par totes les aumaires por saver si l'om i trouveroit la veraie estoire ». L'enquête fut-elle aussi générale que Nicolas veut bien le dire ? Toujours est-il que, comme Baudouin lui-même le raconte à Frédéric Barberousse, ses « clercs et notaires » trouvèrent le texte de cette « vraie histoire » de Charlemagne, c'est-à-dire ce que nous appelons la chronique du Pseudo-Turpin, dans les bibliothèques de Cluny, de Tours et de Saint-Denis, où ils mirent tout leur soin à le copier et le collationner [244]. Au milieu du XIIIe siècle, si l'on en croit Gilles Le Muisit, l'autorité de Louis IX ouvrit à Vincent de Beauvais et à ses aides toutes les bibliothèques du royaume ; et de fait le *Speculum majus* tire entre autres parti de livres trouvés dans les bibliothèques parisiennes, dans celle de Royaumont, dans celle de la cathédrale de Beauvais et dans celle de Saint-Martin de

Tournai où survivait encore au XIVe siècle le souvenir du passage de frère Vincent et de son admiration pour une bibliothèque qu'il avait dite plus riche que celle d'aucun autre monastère d'aucun ordre en bons livres et en vieilles histoires [245]. Dans les années 1270, Alphonse X de Castille, pour réaliser le monument historique auquel il rêvait, fit faire une vaste enquête dans toutes les bibliothèques de son royaume ; par là s'explique que la *Primera Crónica General de España* ait pu utiliser tant d'œuvres si variées et, parfois, si récentes [246]. En 1291, pour prouver ses droits sur le royaume d'Ecosse, Edouard Ier fit procéder à une vaste enquête ; il demanda à plusieurs dizaines de monastères anglais de rechercher dans leurs archives et dans leurs bibliothèques tout ce qui pouvait avoir trait aux relations anglo-écossaises, d'en faire des extraits, et de les lui envoyer ; ce que firent en effet une trentaine de maisons [247]. L'enquête historique d'Edouard Ier est remarquable par sa hâte, son but juridique et sa procédure exceptionnelle, mais elle se situe dans une suite d'enquêtes dont elle est d'ailleurs, sauf erreur, la dernière. Après 1300, le temps était passé des grandes enquêtes collectives, soit que les historiens eussent renoncé aux vastes entreprises, soit que les princes pussent profiter d'une documentation déjà rassemblée, soit qu'au hasard des événements quelques grands carrefours de livres comme Avignon, Constance ou Bâle rendissent les recherches plus aisées [248], soit que, enfin, les enquêtes individuelles devinssent plus faciles.

Dès le XIIe siècle, au hasard d'un voyage, Henri de Huntingdon avait pu tirer parti de la bibliothèque du Bec [249], Orderic Vital de celle de Worcester, en Angleterre, et de Cambrai, en Lotharingie [250], Robert de Torigni de celle de Beauvais [251], mais il faut reconnaître le caractère exceptionnel de la quête systématique de Guillaume de Malmesbury. Celui-ci suppléa à la pauvreté et au délabrement de la bibliothèque de Malmesbury par d'incessants déplacements. En vingt ans environ (1115-1135), il a assidûment fréquenté, étudiant leurs monuments et fouillant leurs bibliothèques, les monastères proches de Malmesbury, il a souvent visité les grandes bibliothèques du sud de l'Angleterre comme celles de Canterbury ou d'Oxford, il a même entrepris un grand voyage dans le nord du royaume qui l'a mené jusqu'à York et Carlisle [252]. C'était là, au XIIe siècle, l'exceptionnel effort d'un grand historien. Mais deux siècles plus tard, les voyages d'études devenaient bien moins rares. C'est Etienne Maleu qui lit les inscriptions, consulte les chartes, feuillette les livres qu'il trouve à Saint-Junien, à Lesterps, au Dorat et à Limoges [253]. C'est Ottokar de Styrie qui lâche en 1313 l'ambassade qu'il ramenait d'Aragon pour descendre le Rhin de Colmar à Neuss, puis aller en Flandre, puis aller à Erfurt, visitant à chaque étape archives et bibliothèques [254]. C'est William Worcestre qui profite de sa retraite pour parcourir l'Angleterre en étudiant et mesurant les monuments, en fouillant archives et bibliothèques. C'est Pierre Le Baud qui, pour écrire son histoire de Bretagne, se fait ouvrir, en 1498, par la duchesse Anne, toutes les archives et les bibliothèques du pays et en visite en effet plus de vingt, de Rennes à Quimper, et de Dol à Nantes [255]. En multipliant eux aussi les déplacements où ils poursuivaient leurs recherches [256], les érudits de la Renaissance marquaient simplement qu'ils respiraient l'air d'un temps où le voyage d'études était devenu une étape normale de toute enquête historique bien menée.

§ 2. *La constitution des dossiers*

Tantôt incroyablement fidèle, tantôt plus déformante, les intellectuels du Moyen Age jouissaient d'une mémoire qu'on a peine, aujourd'hui, à imaginer. Elle leur permettait de redire plus ou moins exactement le texte des saintes écritures, qui leur était familier, des textes liturgiques cent fois lus et relus, mais aussi tout texte récemment parcouru [257]. Pour retrouver et citer leurs sources, des historiens aux ambitions modestes ont pu ne compter que sur leur mémoire, d'où ces à-peu-près, ces variantes autrement inexplicables [258]. Mais à un auteur dont l'érudition exigeante voulait citer exactement de nombreuses sources, écrire ou faire écrire, copier ou faire copier, prendre des notes ou faire prendre des notes était indispensable.

Celles-ci pouvaient être prises au hasard dans des cahiers de formats différents [259] ; un historien aussi organisé que Guillaume de Malmesbury avait opté pour un format de poche qui lui était commode en voyage [260]. Mais ces notes pouvaient aussi être prises sur de simples feuilles volantes, sur des fiches. Aimoin de Fleury a fait des fiches [261]. André de Marchiennes a fait des fiches [262]. Le pape Calixte II raconte qu'il avait pour saint Jacques de Compostelle une si grande dévotion que, pendant les quatorze années où il a voyagé, il a copié tout ce qu'il a trouvé à son propos « sur de médiocres bouts de parchemin rugueux [263] ». A sa mort, en 1387, Jean de Czarnków laissait tout un portefeuille de fiches emplies de notes qu'il avait copiées dans les diverses villes où l'avait appelé sa carrière [264].

Nous n'avons plus de fiches d'érudits médiévaux, ni de cahiers de notes isolés. Les unes et les autres ont le plus souvent disparu après usage. Parfois cependant les cahiers furent conservés et liés ensemble comme ces quatorze cahiers de notes de formats différents qu'Hélinand de Froidmont avait écrits ou fait écrire pour préparer sa chronique et qui nous sont parvenus en un seul manuscrit. Les fiches aussi furent parfois recopiées dans des livres. Calixte II avait écrit ses bouts de parchemin « pour en faire un volume où les dévôts de saint Jacques pussent plus facilement retrouver ce qu'ils devaient lire aux jours de fête ». Les notes de Jean de Czarnków furent plusieurs fois recopiées, en un ordre qui, d'ailleurs, de façon bien compréhensible, variait d'une fois à l'autre. Formés de cahiers assemblés, de fiches recopiées, ou tout simplement de notes prises à la suite au hasard des recherches, certains dossiers de travail comptaient ainsi un grand nombre de brefs fragments se suivant dans le plus complet désordre. D'autres au contraire ne renfermaient que quatre ou cinq œuvres qui y avaient été copiées, soit intégralement soit par pans entiers. Dans d'autres enfin, œuvres complètes, longs extraits et courts fragments se côtoyaient.

Ces collections de formes diverses avaient en commun de préparer une œuvre ou du moins de répondre à certains intérêts. Ainsi furent constitués des dossiers portant sur l'histoire de l'Antiquité, de Charlemagne, des croisades, d'un monastère, d'un pays, d'une ville, etc. C'est dans une atmosphère de pré-croisade que fut écrit, vers 1070, par six scribes du *scriptorium* de Cluny, un recueil comprenant l'*Histoire ecclésiastique* d'Eusèbe de Césarée dans la traduction de Rufin, l'*Historia Persecutionis Vandalicae* de Victor de Vita et l'*Historia Longobardorum* de Paul Diacre [265]. Au XIIe siècle, au monastère de Vézelay, fut copié par plusieurs mains un manuscrit contenant les annales de Vézelay, une courte histoire des comtes de Nevers, un cartulaire de soixante-dix documents concernant Vézelay et ses privilèges, la chronique enfin d'Hugues de Poitiers, ensemble constituant un « véritable dossier de la liberté vézelienne [266] ». Vers 1165-1170, dans le *scriptorium* de l'abbaye cistercienne de Sawley, une même main a écrit deux épais volumes ; le premier contient plusieurs œuvres intégrales comme le *De Excidio Britanniae* de Gildas, l'*Historia Brittonum* de Nennius, le *De Temporibus* de Bède, etc. ; le second est un recueil de mélanges où l'on trouve du matériel annalistique, des extraits de l'*Histoire ecclésiastique* de Bède, de la *Vie du roi Alfred* d'Asser, des *Gesta Regum* de Guillaume de Malmesbury, etc., vingt-trois fragments différents au total ; l'ensemble constitue un gros dossier sur l'histoire de l'Angleterre en général et l'histoire de la Northumbrie en particulier, et donne une bonne idée de ce que pouvait être alors la culture historique dans une abbaye du nord de l'Angleterre [267]. Un recueil composé juste après le Concile de Latran de 1179 et contenant une douzaine d'extraits plus ou moins longs s'ouvre, avec la *Vie de Charlemagne* d'Eginhard, l'histoire de Charlemagne dite chronique du Peudo-Turpin et la *Vita Karoli* composée en 1165 sur ordre de Frédéric Barberousse, par un dossier sur Charlemagne [268]. On pourrait multiplier les exemples. Aux XIVe et XVe siècles la constitution de dossiers fut encore plus fréquente ; il en subsiste quatre-vingt-dix pour la seule Pologne [269]. En formant, en 1507-1508, une collection de sept morceaux relatifs à l'histoire de Tournai [270], Jean Blampain répétait simplement ce qu'avaient fait des centaines d'historiens consciencieux et d'amateurs éclairés, avant lui, tout au long du Moyen Age.

La constitution d'un dossier est une étape d'autant plus normale de la recherche historique qu'elle prépare tout naturellement le florilège ou la compilation qui en marque l'achèvement. Il est même à vrai dire parfois bien difficile de distinguer les derniers du premier car de la fiche au cahier, du cahier au dossier sommaire, du dossier sommaire au recueil élaboré, du recueil élaboré à la compilation achevée, les transitions sont insensibles, au point que l'érudition contemporaine hésite souvent. Le *Liber Floridus* de Lambert de Saint-Omer est-il un florilège historique dont la présentation élaborée répond à des idées directrices qu'il s'agit de retrouver ? Ou ne sont-ce que des notes prises par un lecteur particulièrement compétent au fil de ses lectures ? L'ensemble de vingt-trois fragments écrit à Sawley en 1165-1170 nous apparaît bien aujourd'hui comme une collection historique, mais on y a longtemps vu une œuvre achevée, l'*Historia Regum,* qu'on attribuait même, par surcroît, à Siméon de Durham. La détection des dossiers historiques posera donc problèmes. Mais leur étude systématique s'impose. On s'est trop longtemps contenté d'étudier une œuvre, ou un fragment d'œuvre, sans se soucier du contexte où ils se situaient. L'examen d'ensemble des dossiers tels qu'ils ont été constitués au Moyen Age, vers lequel on s'oriente aujourd'hui [271], est seul propre à percer les intentions des historiens et à jauger leur culture, mais il doit aussi permettre de mieux apprécier leur travail de documentation.

§ 3. *Le souci des références*

Bède et Fréculphe déjà entendaient donner leurs sources, et citaient les auteurs qu'ils suivaient pour qu'ils fussent auprès de leurs lecteurs les garants de leurs dires [272]. Lorsque la compilation fut devenue l'achèvement idéal de l'érudition, l'historien prit parfois grand soin de donner ses sources pour rendre plus évident au lecteur qu'il était, comme dit l'auteur des *Gesta Francorum* compilés à la fin du règne de Philippe Auguste, « hujus libri non auctorem, sed compilatorem », ou, comme dit, le traduisant en français, le Ménestrel d'Alphonse de Poitiers, « por ce que il sache plus certainement que je ne sui mie faisierres ne trouvierres de cest livre, ainz en sui compilierres et ne sui fors que racontierres des paroles que li ancien et li sage en ont dit [273] ». Les meilleurs historiens avaient donc la volonté de donner leurs références. Or, dans les écoles, dès le XIIe siècle, les théologiens et les juristes avaient mis au point, pour citer leurs autorités, un système de références précises. Il ne s'agissait évidemment pas, citant tel passage de telle œuvre, de le repérer par l'indication d'un *folio* qui changeait d'un manuscrit à l'autre. Mais dès l'Antiquité certaines œuvres avaient été divisées par leurs auteurs en livres et chapitres [274]. Pierre Lombard et Gratien firent beaucoup pour généraliser un système de références qui précisait livre et chapitre. Toute œuvre nouvelle qui s'adressait à un public universitaire fut donc divisée en livres et chapitres. De même le furent les œuvres anciennes lues et commentées dans les classes, et la Bible la première : Etienne Langton était d'abord, aux yeux de Nicolas Trevet, celui qui avait découpé le texte de la Bible en chapitres qui étaient encore en usage de son temps [275].

Mus par cette volonté, entraînés par cet exemple, il arriva que certains historiens donnèrent en tête de leur œuvre une liste de leurs sources qui se révèle, après examen, à peu près exacte [276], et surtout précisèrent au fil de leur récit l'autorité sur laquelle ils s'appuyaient, par une notation marginale [277] ou, mieux, par une indication dans le texte même, car la notation marginale a l'inconvénient de ne pas s'accrocher à un point précis du texte et tout nouveau copiste peut fâcheusement la décaler [278]. Des érudits aussi scrupuleux qu'Aimoin ou l'auteur de la chronique de Saint-Bénigne de Dijon donnent ainsi parfois le nom de l'auteur, et même aussi le nom de l'œuvre qu'ils suivent [279]. Hélinand de Froidmont, au début du XIIIe siècle, le fait systématiquement et peut même préciser, à l'occasion, de quel livre de l'œuvre il s'agit. Un peu plus tard, Etienne de Bourbon donne scrupuleusement l'identité de ses témoins. Certains historiens ont donc poussé très loin le souci de la référence. Mais il faut bien reconnaître que cette exacte érudition est exceptionnelle. Les listes d'auteurs étalées dans les prologues se révèlent trop souvent des trompe-l'œil. Dans le texte même, l'absence de toute référence est fréquente. Et quand référence il y a, il n'est pas rare qu'elle soit imprécise [280], inexacte [281], voire imaginaire [282]. Sans doute les références imaginaires sont-elles le fait d'auteurs qui confondent histoire et littérature. Sans doute les références inexactes viennent-elles parfois d'érudits trop pressés, qui ont eu le tort de plus se fier à leur mémoire qu'à leurs fiches [283]. Mais l'absence et l'imprécision des références sont très souvent des meilleurs auteurs et doivent avoir des explications plus profondes.

La première défaillance du système de références des historiens médiévaux est qu'ils ne citent presque jamais le ou les auteurs récents d'où ils tirent pourtant une grosse part de leur matière. L'auteur de l'*Eulogium (historiarum sive temporis)* doit beaucoup à Ranulf Higden ; il ne le cite jamais. Sabellico suit l'un après l'autre des auteurs récents comme Flavio Biondo et Platina ; il ne les cite jamais [284]. Alain Bouchart cite de nombreuses sources, mais point Pierre Le Baud, qui est son prédécesseur immédiat et sa source principale. On pense aussitôt que ces historiens médiévaux étaient de bien mauvais confrères. Mais un savant aussi scrupuleux que Vincent de Beauvais nous avertit d'entrée de jeu qu'il ne citera pas les docteurs modernes [285]. Il y a donc là un usage constant et avoué, qui vient sans doute du fait que, l'histoire s'appuyant sur des autorités et les anciens seuls ayant l'autorité nécessaire, il est tout à fait inutile de tenter de s'abriter derrière des auteurs modernes. De même semble-t-il tout à fait inutile de citer les intermédiaires qu'on a réellement lus, pour ne donner que les noms des auteurs anciens dont on invoque le témoignage respecté. On sait le rôle essentiel des florilèges et des encyclopédies dans la culture médiévale, mais ce rôle est masqué par le fait qu'un auteur ne s'y réfère jamais. L'exemple vient de haut. « Les *Etymologies* d'Isidore sont la seule œuvre d'un auteur chrétien dont on peut affirmer avec certitude que Bède reproduit des extraits sans nommer sa source. Cela ne s'explique-t-il pas tout simplement par le fait que Bède reconnaissait à cet ouvrage son caractère propre d'encyclopédie et donc de pure compilation ? Renvoie-t-on au *Petit Larousse* chaque fois qu'on le consulte et qu'on le suit ? [286] ». Et d'ailleurs, pourquoi ferait-on grief aux historiens du Moyen Age de ne pas avoir cité leurs intermédiaires puisque c'est encore pratique courante et avouée de l'érudition du XXe siècle [287] ? La seule différence est que l'historien du XXe siècle, du moins l'historien sérieux, a vérifié, du moins en principe, la source première, ce que l'historien du Moyen Age n'a en général pas fait. Le résultat est que les listes d'auteurs allégués sont singulièrement trompeuses. Hélinand de Froidmont, dans sa liste d'historiens, « mentionne beaucoup d'auteurs dont le nom seul pouvait être connu des écrivains du XIIe et du XIIIe siècle[288] ». Dans *La Sale,* Antoine de la Sale donne 250 références ; toutes, sauf dix-sept, viennent directement du commentaire de Valère-Maxime qu'avait donné Simon de Hesdin, qu'il ne cite jamais[289]. Dans ses *Illustrations de Gaule et singularites de Troye,* Jean Lemaire de Belges invoque une centaine d'auteurs comme s'il les avait effectivement lus. Or, il n'en connaît directement qu'une trentaine ; les autres, il ne les connaît qu'à travers les *Antiquités* d'Annius de Viterbe et le *Miroir* de Vincent de Beauvais. En 1491 paraît sous le titre *Croniques des roys de France* un abrégé d'histoire de France réimprimé dès 1493 sous le titre *Croniques de France abrégées* ; la liste de sources qu'il donne nous impressionnerait si elle n'était pas reprise du prologue des *Gesta Francorum* compilés à la fin du règne de Philippe Auguste et traduits par le Ménestrel d'Alphonse de Poitiers, à peine simplifiée de quelques noms décidément trop obscurs, à peine enrichie de quelques grands noms plus récents, comme Vincent de Beauvais, alourdie, aussi, de quelques bourdes[290]. De même, dans la péninsule ibérique, au début du XIIIe siècle, Rodrigo Ximenes de Rada avait-il ouvert son *De rebus Hispaniae* par une liste de sources que de nombreux historiens espagnols, après lui, se crurent obligés de reproduire[291]. Une référence médiévale est souvent illusoire. Et elle est forcément imprécise lorsqu'elle est indirecte. La Bible, Etienne de Bourbon avertit dans son prologue qu'il la citera en précisant chapitres et parties de chapitres ; mais pour ce qui est des vies de saints, il ne donnera aucune précision car, souvent, il ne les a pas lues lui-même[292].

Lorsqu'un historien du XIIe siècle, et même encore du XIIIe siècle, a lu la source qu'il allègue, sa référence reste pourtant imprécise parce que les œuvres qu'il cite, n'étant point des classiques commentés en université, ne sont pas en général divisées en chapitres et ne se prêtent à aucune autre précision que le titre. Pourquoi même s'acharnerait-il à donner le titre de l'œuvre qu'il cite ? Elle n'a pas une telle autorité. Elle n'est pas si répandue qu'un lecteur pourrait prétendre s'y reporter. L'œuvre érudite qu'un moine destine à ses frères peut sans doute utilement préciser de quel volume du monastère tel renseignement a été tiré, mais l'ouvrage qui entend s'adresser à un plus vaste public n'a que faire de précisions inutiles. Mathieu Paris commence à écrire pour ses frères une *Historia Anglorum* ; il y donne des références aussi précises que possible : « *in majoribus cronicis S. Albani* », « *in libro additamentorum* ». Puis il continue à écrire pour un lecteur vivant hors du monastère, peut-être le roi ; il ne donne plus alors que de vagues références : « *in libris plurimorum* », « *in libris religiosorum* », « *in ori-*

ginali » ; mieux même, il remplace, dans le début de son texte, les références précises par des références vagues [293]. Si l'on ne retrouve pas, dans les œuvres historiques médiévales, ces références précises qui étaient en usage à l'université, c'est que leurs sources ne s'y prêtaient pas, et que leurs lecteurs ne l'encourageaient pas.

La nature de leurs sources et le souci de leurs lecteurs incitèrent par contre les historiens à parfois donner une précision qu'un théologien ou un juriste n'attendaient pas. Ils indiquèrent le lieu où se trouvaient le livre ou le document qu'ils invoquaient. Comme le document était unique et que le livre était rare, c'était en effet, pour le lecteur, le renseignement le plus utile. Déjà Orderic Vital avait précisé qu'il avait lu Jean de Worcester à Worcester et Sigebert de Gembloux à Cambrai [294]. Au début du XIIIe siècle, l'auteur de ce que l'érudition moderne appelle traditionnellement les *Gesta Francorum usque ad annum 1214* se référait à « un livre qui parole des gestes des rois de France qui est à Saint Germain des Prez [295] ». Au début du XIVe siècle, Etienne Maleu, citant la chronique de Geoffroy de Vigeois, qu'il avait lue à Saint-Martial de Limoges, se référait simplement « aux chroniques du monastère Saint-Martial ». Il renvoyait plus loin « aux livres de l'église de Périgueux [296] ». Dans la seconde moitié du XIVe siècle, le chanoine de l'abbaye de Leicester Henri Knighton n'avait que deux mots pour préciser ses sources : « *Cistrensis* », par quoi il désignait le *Polychronicon* du moine de Chester Ranulf Higden, assez connu et assez répandu pour être particulièrement cité ; et « *Leycestrencis* », par quoi il désignait toutes les autres œuvres qu'il avait utilisées, et lues dans la bibliothèque de Leicester [297]. Le lieu fut donné avec d'autant plus d'insistance qu'il était plus prestigieux et plus propre à impressionner le lecteur, et c'est pourquoi la référence à Saint-Denis courut tout au long des XIIIe, XIVe et XVe siècles. « Sera ceste hystoire descrite, dit le moine Primat, selon la lettre et l'ordenance des croniques de l'abaïe de Saint Denis en France, où les hystoires et li fait de touz les rois sont escrit, car là doit on prendre et puisier l'origenal de l'estoire. Et se il puet trover es croniques d'autres eglises chose qui vaille à la besoigne, il i pourra bien ajouster selonc la pure verité de la lettre [298] ». Et Guillaume Guiart, quelques années plus tard :

> « Sont ordenées mes repliques
> Selonc les certaines croniques,
> C'est-à-dire paroles voires,
> Dont j'ai transcrites les memoires
> A Saint Denys, soir et matin [299] ».

Et David Aubert, au XVe siècle, renvoyait constamment aux livres de la bibliothèque de Saint-Denis [300] et déclarait même explicitement qu'il jugeait inutile de préciser davantage, et de donner le titre de l'œuvre ou le nom de l'auteur : « Et dist l'un d'iceulx liures, lequel est abregie en beau langage de prose, extrait es librairies a Saint Denis par ung nomme au commencement d'iceulx liures, et n'est ia besoing de le nommer deux fois, car la le pourrez trouuer... [301] ». Pendant longtemps, les historiens ont pu utiliser un mode de références qui était différent du système universitaire mais s'adaptait mieux à leur documentation.

Une lente évolution, toutefois, tendit à rapprocher la référence historique de la référence universitaire. C'est que les livres en général et les livres d'histoire en particulier furent de plus en plus souvent divisés en livres et en chapitres. Sous le règne de Philippe Auguste, les *Gesta Francorum* étaient simplement divisés en trois livres correspondant aux trois dynasties françaises ; mais sous le règne de saint Louis le Ménestrel d'Alphonse de Poitiers, traduisant et adaptant cette œuvre, crut bon de la diviser « en moult de parties et en moult de chapistres [302] ». Au même moment, Vincent de Beauvais divisait son immense *Miroir* en quatre-vingt livres et 9.885 chapitres [303]. La division des livres d'histoire en livres et chapitres devint, par la suite, plus courante [304]. Il devint donc plus courant aussi, au XVe siècle, de vouloir donner des références précises et de faire des « quotacions des livres, des chapitres et lieux » qui permissent à ceux qui voudraient « veoir les matieres plus au long » de trouver effectivement « lesdictes matieres traitees plus au long [305] ». D'un autre côté, dès le XIVe siècle, exceptionnellement, des auteurs avaient pu aller jusqu'à citer non seulement l'autorité sur laquelle ils s'appuyaient, mais encore l'intermédiaire par lequel ils l'avaient connue [306]. Si bien que, après ces lentes évolutions, lorsque les sources s'y prêtent, la référence en arrive, dans la seconde moitié du XVe siècle, à un point extrême de précision. Henri Romain [307], Pierre Le Baud [308], Alain Bouchart indiquent très souvent le livre et le chapitre du *Miroir* de Vincent qu'ils suivent. Pierre Le Baud et Alain Bouchart, tout en donnant les sources de Vincent, poussent le soin jusqu'à renvoyer aussi à Vincent lui-même [309]. Cette précision dans les références à l'œuvre de Vincent de Beauvais était rendue possible par la division du gros *Miroir* en petits chapitres. Elle prouve aussi l'autorité dont jouissait cette encyclopédie. Il reste que des références aussi précises, en 1500 encore, sont exceptionnelles. Beaucoup de sources ne les permettent point. Beaucoup d'auteurs ne s'en soucient point. Les historiens du Moyen Age ont mis une grande ardeur à rassembler leur documentation. Pour le malheur des érudits modernes, qui peinent à retrouver leurs sources, ils n'ont pas pu pousser très loin et n'ont pas cru devoir pousser très loin le souci des références.

1. « Difficilis namque est tam certa rerum singularum indagatio », Giraud le Cambrien (515), VI, 163.
2. Lacroix (682), 63-69.
3. « Prout uel ex litteris antiquorum uel ex traditione maiorum uel ex mea ipse cognitione scire potui », Bède, *Histoire ecclésiastique,* V, 24 ; (446), p. 566.
4. « Hanc inquam vitam Hincmarus descripsit inserens tam ea que in hystoriis maiorum de ortu, vita vel morte sancti Remigii invenit, quam ea, que in diversis scedulis dispersa collegit, et secundum legem hystoriae nec illa pretermisit, que vulgata relatione didicit, nec testamentum eius preteriit », Sigebert de Gembloux, *Catalogus,* § 100 ; (726), p. 81.

« Quaedam autem ab annalibus libris, vel ex quibusdam schedulis vel etiam a viris veridicis auditu vel intellectu assumpsi, quam pure discere quivi, vel a memet ipso retinere valui », Lambert de Waterlos (643), 523.

« Quae sparsim in libris scripta repperimus, vel in cartulis, aut certe probatissimorum virorum, qui adhuc supersunt, relatione didicimus, vel quae nos ipsi vidimus et audivimus », *Miracula sanctae Rictrudis* (808), 449.

5. Hardy (816), III, 272.
6. Eginhard (469), 4. Guillaume de Tyr, *Historia,* prologue ; (549), p. 5.
7. Jean, 19, 35. Guenée (5), 999, 1001, 1002, 1005.
8. Labande (530), 624.

« Jo ne cunt mie fable cume cil qui ad oï,
Mès cum celui qui i fud, et jo meïsmes le vi »,

Jordan Fantosme (637), v. 1774-1775 ; p. 351-352.

« Mais nos meimes qui i fuimes,
Qui ce veimes... »,

Ambroise (435), v. 12231-12232 ; col. 328.

9. Benoît de Sainte-Maure (450), v. 105-110 ; t. I, p. 7.
10. Guibert de Nogent (526), VIII, 14 ; col. 832-834.
11. Rigault (402), 96.
12. Lacroix (41), 78.
13. Réginon de Prüm (704), 73.
14. Jean, 3, 32. Guibert de Nogent (526), IV, 1 ; col. 729.
15. Roger (308), 120.
16. Gauvard et Labory, dans Guenée (31), 186-187.
17. Agnellus de Ravenne (422), chap. 32 ; p. 297.
18. Etienne de Bourbon (476), n° 342 ; p. 290-293.
19. Alain Bouchart (428), cclxxxi r°.
20. Salmon (826), 257-291.
21. Halphen et Poupardin (815), 232-238.
22. Eginhard (469), 16. Werner (310), 123.
23. Jean de la Gogue (611), 397.
24. Bède, *Histoire ecclésiastique,* II, 16 ; (446), p. 192. Gransden (89), 26-27.
25. Guenée (8), 31.
26. Duby (271), 270.

27. Guillaume de Newburgh (544), I, xxi-xxii et 22. Guenée (8), 33-34.

28. E. Hubert, *Cartulaire des seigneurs de Châteauroux, 917-1789...*, Châteauroux, 1931, p. 148.

29. Jean de la Gogue (611), 391.

30. Gauvard et Labory, dans Guenée (31), 186.

31. Freund (304), 74 et *passim.*

32. Giraud le Cambrien (515), V, 207.

33. Réginon de Prüm (704), 73.

34. « Hucusque tam ex Orosii quam Eusebii et eorum, qui post ipsos usque ad nos scripserunt, libris lecta posuimus. Ceterum quae secuntur, quia recentis memoriae sunt, a probabilibus viris tradita vel a nobis ipsis visa et audita ponemus », Otton de Freising, *Chronica,* VII, 11 ; (676), p. 518. « Compilavi vero opusculum ex quodam libro quem vocant Brutum de gestis Britonum, et ex libro venerabilis Bedae presbyteri de gente Anglorum, et ex chronicis magistri Petri Pictaviensis, cancellarii Parisiensis, et ex chronicis fratris Martini, domini Papae penetentiarii et capellani, et ex chronicis Johannis de Porta : nonnulla etiam interserui quae diebus in his novissimis acciderunt, sicut ex relatu virorum fidedignorum accepi, necnon et oculis propriis contemplatus fui », Hardy (816), III, 272.

35. Gautier Map (500), 59.

36. « Item regnum Sardinie est totaliter in manibus Sarracenorum. Jam sunt centum anni elapsi et est verum quod in dicto regno erant octodecim civitates tam archiepiscoporum quam episcoporum... Item sciendum quod antiquitus erant in Grecia et ultra mare in spirituali quatuor patriarcharum de quibus habetur in jure canonico plura alia regna que solebant tenere reges christiani, que regna sunt hodiernis temporibus totaliter in manibus Sarracenorum », Etienne de Conty ; Bibl. nat., Lat. 11730, fol. L. Cf. Contamine (477), 382.

37. Giraud le Cambrien (515), I, 425-426.

38. Lambert d'Ardres (639), 570.

39. Sayers (117), 243-245.

40. Lasch (293), 11-14.

41. « Vulgo canitur a ioculatoribus de illo cantilena, sed iure preferenda est relatio autentica, quae a religiosis doctoribus sollerter est edita », Orderic Vital, *Histoire ecclésiastique,* VI, 3 ; Chibnall (671), III, 218. « Et aussy poeut on bien veoir que fole gent et jangleurs parlent asseureement maintesfois de che qu'il ne scevent riens », Jean de Montreuil (624), II, 93.

42.

> « Cunter l'ai oï a plusurs,
> qui (1) le oïrent des ancesurs ;
> mais mainte foiz par nunchaleir,
> par parece e par nunsaveir,
> remaint maint bel fait a escrire
> ki bon sereit et bel a dire »,

Wace (762), III, v. 341-346 ; I, 174.

> « ne fu ceo pas mis en escrit,
> mais li pere le unt as filz dit »,

ibid., III, v. 559-560 ; I, 182. Cf. Sayers (117), 247.

43. Giraud le Cambrien (515), I, 425-426.

44. Lejeune (146), 197-212.

45. Halphen et Poupardin (815), 38-44. Lot (396).

46. Malyusz (174), 52.

47. Primera Crónica General (431), xlii.

48. Staines (827), 602.

49. Vaughan (659), 193.

50. Frappier (138), 4.

51. Lot (147). Louis (148). Lejeune (146). Chalon (135).
52. Chalon (135), 563-564.
53. Guiette (464), 432.
54. Short (747), 9.
55. Ernst (303).
56. Ranulf Higden (699), II, 74-80.
57. Uiblein (265), 99.
58. Tate (620), 156.
59. « Dum agricolando excolimus », *Historiae Tornacenses* (800), 347. Lambert d'Ardres (639), 609.
60. Wright (267). Adhémar (247), 71-72.
61. Adhémar (247), 71-73. Boutemy et Vercauteren (491). Ross (261).
62. F. Gregorovius, *Geschichte der Stadt Rom im Mittelalter...*, 6e éd., t. IV, Stuttgart et Berlin, 1922, p. 648.
63. Erlande-Brandenburg (273), 106.
64. Sot, dans Guenée (31), 31-36. Gransden (89), 119, 131.
65. Ross (261), 312-321. Vielliard (829).
66. Wattenbach (555), 101-104.
67. Weiss (266), 51.
68. Meijer (593), 421.
69. Gransden (89), 10.
70. Hans Ebran (605), lxxiii-lxxiv.
71. Nauerth (423), 96-97.
72. Ross (261), 316.
73. Gransden (89), 51, 174, 245, 256, 285, 372. Kendrick (253), 18.
74. Hunter (741), 215, 219.
75. Bède, *Ecclesiastical History,* I, 11 ; (446), p. 40.
76. Adhémar (247), 67.
77. Guibert de Nogent, *Histoire,* II, 1 ; (527), p. 99.
78. *Historiae Tornacenses* (800), 347.
79. Guenée (10), 261-262.
80. Ranulf Higden (699), II, 78.
81. Weiss (266), 203. P. Burke, *The Renaissance Sense of the Past...*, Londres, 1969. Cf. Guenée (10), 261.
82. « De vero illorum effigie si forte cogitatio fuerit inter vos, quomodo scire potui : sciatis, me pictura docuit, quia semper fiebant imagines suis temporibus ad illorum similitudinem », Agnellus de Ravenne, *Liber Pontificalis,* chap. 32 ; (422), p. 297.
83. Etienne Maleu (478), 9.
84. Petit (703), 294.
85. *Chronica Abbatiae Altaecombae* (775), 673-676.
86. Jean de la Gogue (611), 388.
87. Lhotsky (740), 25 .
88. William Worcestre (553), 224.
89. Cette statistique et celles qui suivent ont été établies à partir de Labande (817), I.
90. Jean de la Gogue (611), 388.
91. Erlande-Brandenburg (273), 53.
92. Etienne Maleu (478), 27-28. J. Maury, M.-M. Gauthier et J. Porcher, *Limousin roman,* 2e éd., La Pierre-qui-vire, 1974 (Coll. Zodiaque), p. 183-184.
93. Rushforth (519), 16.
94. Weiss (266), 19.
95. Rushforth (519), 58.
96. Piur (462), 35.
97. *Corpus Inscriptionum Latinorum,* t. III, Berlin, 1873, p. 688, n° 5671. *MGH, SS,* XXV, 652. Lhotsky (98), 29.
98. Uiblein (265).
99. Piur (462), 35.

100. Weiss (266), 52, 56, 145-166.
101. Weiss (266), 204-205.
102. Hay (484), 111-112.
103. Fueter (29), 128-132.
104. Weiss (266), 170.
105. Eisenstein (27). Guenée (10), 274.
106. Joachimsen (92), 118.
107. Uiblein (265), 104-105.
108. Kendrick (253), 45 et suiv. McKisak (101), 1 et suiv.
109. « Quae in tomis vel chartis vetustissimis armarii Parisiacae ecclesiae... in corpus unum redigas », vers 835 ; Giry (289), 225. « In cartis sub eius tempore factis ac perantiquis membranorum peciolis, quae continentur in ecclesiae nostrae archivis », Folcuin (490), 57. « In kartis quoque quae adhuc in archivo ipsius ecclesiae sunt », *Gesta episcoporum Cameracensium* (788), 402 ; cf. Bautier (73), 814. « De his, quae scribo, aliqua per scedulas dispersa collegi, multa vero mutuavi de hystoriis et privilegiis », Adam de Brême cité par Simon (353), 91. « Ea quae in diversis scedulis dispersa collegit », Sigebert de Gembloux (726), § 100 ; p. 81. « In vetustissimis scedulis cartarum seu cyrographorum formam praetendentibus », *Chronicon abbatiae Rameseiensis* (779), 65. « Sicut in cartis nostris super his confectis plenius continetur », Bertin (776), p. 60, § 15. « Et privilegia, que transcripta olim fuerunt de ipsis instrumentis, antequam vetustate corrumperetur vel certe priusquam per rapinas dissipancium sufferrentur, et que in nostra ecclesia poterant aut alibi reperiri », vers 1300 ; *MGH, SS,* XXV, 629. « Ea quae in membranis et codicibus monasteriorum S. Martialis, S. Martini et S. Augustini Lemovicensium vidi », Etienne Maleu (478), 8-9. « Nec in chartis nec in libris ecclesiae S. Juniani, nec in codicibus nec in membranis ecclesiarum Stirpensis vel Dauratensis ejus nomen proprium potui invenire », *ibid.,* 64. « Nonnullas cedulas antiquas et membranas neglectas post longum scrutinium in unum collegi », Thomas Burton (738), I, 71. Et cf. *supra,* n. 4.
110. Gransden (89), 15.
111. Devisse (572), 940-950.
112. Chibnall (284), 9.
113. Poupardin (824), 71.
114. Cf. *supra,* n. 1.
115. Bautier (73), 818.
116. Bautier (73), 821. Toubert (126), 77.
117. Chibnall (284), 7.
118. Bautier (73), 809, 819. Gransden (89), 139-140, 147.
119. Salmon (826), 274.
120. Simon (353), 91. Chibnall (284), 1.
121. « De quo huiusmodi ad ipsum scribit epistolam », Flodoard (487), 505, etc. « Prout in quadam littera, ipsius domini episcopi sigillo sigillata, vidi contineri, cujus tenor sequitur, sub iis verbis », Etienne Maleu (478), 48, etc.
122. Gransden (89), 147.
123. Vaughan (659), 5.
124. Cf. *supra,* n. 109.
125. Odorannus de Sens (670), 78-79.
126. Poupardin (824), xliv, 89, 101.
127. Cf. *supra,* n. 109.
128. Halphen (32), 161.
129. Hariulf (556), 97.
130. « Haec... in archivis ecclesiae Domini Salvatoris reperta futurorum memoriae non absurdum aestimavimus commendare », Eadmer (468), 276.
131. Chibnall (284), 9.

132. « Il ne faut pas que nos successeurs nous reprochent, comme nous le faisons pour nos prédécesseurs, de ne leur avoir pas transmis les donations qu'ont faites à l'abbaye les rois, les pontifes et les grands, et l'état de nos possessions », vers 1052 ; Bougaud et Garnier (772), cité par Bautier (73), 820.
133. Genet (288), 106-107.
134. Gransden (89), 320.
135. Guenée (11), 450.
136. Toubert (126), p. 84, n. 3.
137. Bertin (776).
138. Bautier (73), 816-817.
139. Salmon (826), 273-274.
140. Hugh the Chantor (582), xii et suiv.
141. Gransden (89), 77.
142. Bautier (73), 822. Gransden (89), 270-272.
143. Eadmer (468), 175.
144. Guillaume de Tyr (549), 532.
145. Poupardin (824).
146. Bautier (73), 817, 818. Hanquet (769), 140. Hariulf (556), xxxvii.
147. « Aliquibus eorum nimia vetustate obliteratis, aliquibus in cartis ex biblo compositis, et peregrinis characteribus inscriptis, et ipsis quoque majori ex parte detritis », Eadmer (468), 276. « Antiquissima vetustate consumpta et a vermibus perspeximus corrosa atque ad capiendum difficillima », Gregorio di Catino cité par Zielinski (520), 31. « Ex quibus alias imbribus expositas, alias igni deputatas inveni », Thomas Burton (738), I, 71.
148. A propos de Gregorio di Catino, Zielinski (520), 111. Cf. aussi Toubert (126), 86.
149. Genet (288), 96.
150. « Universa fere anglice scripta invenimus, inventa in latinum idioma transferri curavimus », *Chronicon abbatiae Rameseiensis* (779), 65. Cf. aussi Gransden (89), 274.
151. Lesort (782), xlii, 52. Genet (288), 115-117.
152. Zielinski (520), 58-60.
153. Zielinski (520), 112.
154. Hanquet (769), 145.
155. Bautier (488), 3.
156. Lesort (782), 82-84.
157. Hariulf (556), xxxix, 103-106.
158. Hanquet (769), 145.
159. McKisak (101), 34-36.
160. Rigord (709), I, 50. *Les Grandes Chroniques de France* (794), VI, 133.
161. Giry (289), 226-227.
162. Jean de la Gogue (611), 388.
163. « Nonnullas cedulas antiquas et membranas neglectas post longum scrutinium in unum collegi... ; registra transcurri, atque omissa ex registris et aliis scriptis authenticis excerpens adjunxi », Thomas Burton (738), I, 71 ; et lxx et suiv.
164. Guenée (6), 576.
165. Gérard de Montaigu cité par Bordier (812), 141.
166. Bordier (812), 134-139.
167. Jean de Montreuil (624), II, 106.
168. Gransden (89), 145.
169. Etienne Maleu (478), 3, 8-9, 64. Cf. *supra,* n. 109.
170. Courteault (660), 280, 285. Pasquier et Courteault (440), v, xxvi.
171. David (81), 245-246.

172. Arch. dép. Ille-et-Vilaine, 1 F 1003. Chauvois (695), 28, 38, 165 et suiv. *Chronicon Briocense* (780), I, 8.
173. Lhotsky (98), 50, 68.
174. *Anonimalle Chronicle* (768), xxxiv-xxxvi.
175. Lhotsky (98), 56.
176. Cf. *supra,* n. 109.
177. « Compilavi vero opusculum ex quodam libro quem vocant Brutum de Gestis Britonum et ex libris venerabilis Bedae presbyteri de Gente Anglorum et ex chronicis fratris Martini domini Papae penetentiarii et capellani et ex chronicis Johannis de Porta : nonnulla etiam interserui quae diebus in his novissimis acciderunt, sicut ex relatu virorum fide dignorum accepi, necnon et oculis propriis contemplatus fui », 1305 ; Hardy (816), III, 272.

« Cum his quae in chronicis Anglicanis vidimus, adjectis nonnullis quae vel propria notitia collegimus vel fide dignorum relatu didicimus, ut omissa seu neglecta aliqualiter suppleri valeant », Nicolas Trivet (665), 2.
178. Robert de Torigni aurait écrit lui-même l'histoire de Geoffroi, duc de Normandie, avec un abrégé de l'histoire des comtes d'Anjou et des comtes du Maine « si otium, facultas, copia chronicorum ad illos duos comitatus pertinentium, aeque mihi ut tibi suppeditarent », Robert de Torigni (716), II, 339.
179. Riché (237), 96, 100.
180. *Historia pontificum* (798), 37.
181. Devisse (572), 955.
182. Thompson (241), 461.
183. Masson (229), 104.
184. La Borderie (225), 41.
185. Samaran (240), 104.
186. Thompson (241), 139, 263, 264, 435.
187. Lesne (227), 769.
188. Beddie (188), 2.
189. Thompson (241), 262.
190. M. Prou et A. Vidier, *Recueil des chartes de l'abbaye de Saint-Benoît-sur-Loire,* t. I, Paris, 1907, n° CLI, p. 343-347.
191. Wilmart (245).
192. Omont (233), 2, 3.
193. Beddie (188), 3.
194. Wilmart (245).
195. Guenée (10), 269-270.
196. Orderic Vital, *Histoire ecclésiastique,* Le Prévost éd. (671), II, 161.
197. Guenée (10), 270-271.
198. 1343, Constance, 192 vol. ; Thompson (241), 458. 1357, Carpentras, 61 vol. ; Dubled (204). 1372, Strasbourg, 91 vol. ; Thompson, *op. cit.,* 461. 1402, Cracovie, 40 vol. ; Zathey (246). 1413, Châlons-sur-Marne, 211 vol. ; Pélicier (234). 1436, Bayeux, 192 vol. ; Masson (228). 1450, Gniezno, 35 vol. ; Thompson, *op. cit.,* 461. XVe s., Beauvais, 186 vol. ; Omont (233), 4.
199. Thompson (241), 130, 455.
200. Castan (193).
201. Thompson (241), 308.
202. Rouse (239).
203. Autrand (185), 1221, 1225.
204. Fournier (209).
205. Humphreys (218). Cenci (194). Auger (184).
206. Thompson (241), 471.
207. Delisle (199), I, 544-546.
208. Chaucer, *Les contes de Canterbury,* Fl. Delattre éd., Paris, Aubier,

1942 (Collection bilingue des classiques étrangers), Prologue, v. 291-300, p. 127.

209. Autrand (185). Bresc (191), 85.
210. Thompson (241), 414.
211. Bec (156), 407-415. Bergier (189).
212. Recherches en cours de C. Bozzolo et E. Ornato dans le cadre du séminaire de G. Ouy.
213. Hlavaček (215), 131.
214. Autrand (185), 1226.
215. Carolus-Barré (192). Coyecque (197).
216. Pélicier (234), 184.
217. Thompson (241), 655.
218. 1372 ; James (219).
219. Entre 1493 et 1502 ; James (220).
220. Humphreys (218), 85.
221. Rouse (239).
222. Clark (196), 91, 96.
223. Humphreys (218), 29, 86. Thompson (241), 390.
224. Thompson (241), 394, 397.
225. Omont (233), 5.
226. Masson (228).
227. Auger (184).
228. Clark (196), 144. Humphreys (218), 108.
229. Clark (196), 166-167. Auger (184).
230. Ullman et Stadter (242), 9.
231. Falk, (207).
232. Falk (206), 299.
233. Bignami-Odier et Vernet (190).
234. Doucet (202), 12-13, 83-89.
235. Guenée (10), 274.
236. Lhotsky (47), III, 179-227.
237. Mályusz (630).
238. Duchesne (802), II, liv.
239. Leclercq (226).
240. Jean de Beke (590), 3.
241. Devisse (572), 924-926. Werner (427), 86.
242. Au xve siècle encore, Jean Długosz : Zarebski (604).
243. Orderic Vital, *Histoire ecclésiastique,* IX, 1 ; Chibnall (671), V, 6-7. Schneider (757), p. 182, n. 28.
244. Smyser (748), 8 et 110.
245. Schneider (757), 184.
246. *Primera Crónica General* (431), I, xx-xxi.
247. Guenée (6).
248. Lehmann (46), I, 253-280.
249. Robert de Torigni (716), I, 97-98.
250. Orderic Vital, *Histoire ecclésiastique,* Le Prévost éd. (671), II, 161.
251. Cf. *supra,* p. 103.
252. Thomson (542), *passim* et surtout 392-394. Gransden (89), 174. 185.
253. Etienne Maleu (478), 3, 8-9, 64.
254. Loehr (675).
255. Arch. dép. Ille-et-Vilaine, 1 F 1003. Chauvois (695), 28, 37-38.
256. Joachimsen (92), 74-79.
257. Devisse (572), 928-929. Suger (733), 381-382.
258. Leclercq (170), 73.
259. Delisle (563).
260. Gransden (89), 175.
261. Werner (427), 83.

262. Werner (438), 450.
263. Meredith-Jones (746), 344-347.
264. David (81), 87-89.
265. Garand (211).
266. Huygens (576).
267. Gransden (89), 148-150.
268. Bibl. nat., Lat. 17656.
269. Wiesiolowski (244).
270. Flutre (786), 62.
271. Wiesiolowski (244). McCormick (346), 41.
272. Bède (446), 2. Lacroix (41), 81.
273. Wailly (789), 405, 407.
274. Marrou (442). Devisse (572), 963.
275. Nicolas Trivet (665), 216.
276. Raoul *de Diceto* (697), I, 19-23. Wailly (789), 405. Ranulf Higden (699), I, 20-26.
277. Bède ; Gransden (89), 25. Hélinand de Froidmont.
278. Vincent de Beauvais ; Parkes (349), 133.
279. « In chronica quae dicitur Gregorii et putatur esse Turonensis episcopi, refertur... », « Julius Caesar, in historia belli Gallici », Aimoin ; Werner (427), 85. « Ut refert sanctus Gregorius Turonensis », « et quia prefatus Gregorius Turonorum in libro de inlustribus viris... » ; Bougaud et Garnier (772), 11.
280. « Sicuti Romana narrant annalia », « ut Romana canit historia », renvoyant à la chronique de Martin le Polonais ; « ut Ecclesiastica narrat historia », renvoyant à l'Histoire ecclésiastique de Bède ; « que in antiquis libris scripta », renvoyant à la *Vita Willibrordi ;* « sicut Longobardorum narrat hystoria », renvoyant à Liutprand ; « ut fertur », renvoyant au *Dialogus miraculorum* de Césaire d'Heisterbach ; Jean de Beke (590), chap. 2, 3, 7, 13, 35a, 65b.
281. Schnerb-Lièvre (810).
282. Le « très vieux livre écrit en breton » auquel Geoffroy de Monmouth se réfère dans son introduction n'a pas fini de poser problème aux érudits ; Geoffrey of Monmouth (503), 14 et suiv. L'auteur de l'abrégé de Theséus de Cologne explique qu'il l'a extrait d'une histoire « rédigée et mise en escript es croniques des roys de Coulongne en bel et aorné latin », R. Bossuat doute qu'une chronique latine ait jamais existé, puisque toute la matière du récit est tirée du roman de Theséus de Cologne, plus probablement de sa mise en prose ; Bossuat (811), 563.
283. Mettant hâtivement au point son *De Illustribus Henricis,* John Capgrave donne titres et incipits des œuvres qu'il a utilisées. Une fois, il ne donne pas l'incipit : « Jam non recordor quoniam ad manus non est » ; Lucas (592), 12-16.
284. Fueter (29), 40.
285. Schneider (757), 181.
286. Remarque de H. Silvestre dans *MA,* 64 (1958), 153.
287. M. Bloch, *La société féodale,* t. I, Paris, 1939, p. 8.
288. Delisle (563), 144.
289. Lecourt (439), 207.
290. « A libro Guertini qui se alumpnum Karoli Magni fatetur (il s'agit évidemment d'Eginhard), a quadam historia quae nomine Turpini intitulatur, a quodam libello qui de gestis regum Francorum loquitur qui ad Sanctum Germanum de Pratis juxta Parisius reperitur », *Gesta Francorum ;* Wailly (789), 404.

« El livre Guetin qui dit que il norri Karllemagne, et en une estoire que l'en apele Turpin, et en 1 livre qui parole des gestes des rois de France qui est à Saint Germain des Prez », Le Ménestrel d'Alphonse de Poitiers ; *ibid.,* 407.

L'abrégé du XVe siècle ne parle plus d'Eginhard mais affirme avoir tiré parti « de l'archeveque Turpin de Rains, ou livre qu'il a fait des croniques de France qui est à Sainct Germain des Prés de Paris » ; cité par P. Lewis, Conférence prononcée à l'Université de Paris I en mars 1977.

291. *Primera Crónica General* (431), xxii-xxiv.
292. Etienne de Bourbon (476), 9.
293. Vaughan (659), 71-73.
294. Orderic Vital, *Histoire ecclésiastique,* Le Prévost éd. (671), II, 161.
295. Cf. *supra.,* n. 290.
296. Etienne Maleu (478), 43.
297. Galbraith (566), 144-145.
298. *Les Grandes Chroniques de France* (794), I, 2.
299. Guillaume Guiart (535), v. 39-43, p. 173.
300. Guiette (464), 426. Schobben (465), 11.
301. Schobben (465), 11.
302. Wailly (789), 405, 407.
303. Parkes (349), 129.
304. Taylor (700), 103. Henri Knighton. Etc.
305. Dupré La Tour (569), 168.
306. Smalley (264), 55.
307. Dupré La Tour (569), 142-143.
308. Chauvois (695), 124.
309. « Comme récitent Helmandus, Sigebert et après eulx Vincent ou .XXIIIIe. livre, .LXXIIIe. chapitre de ses histoires où il parle des faiz de Charles le Grant » ; « Voyez Sigibert, Guillaume et Vincent ou .XXVIe. livre, LXXXIXe. chapitre de ses histoires » ; Alain Bouchart (428), fol. lxxxi v°, cxix v°-cxx.

CHAPITRE IV

LE TRAVAIL DE L'HISTORIEN : L'ELABORATION

I. La critique des témoignages

§ 1. *Le poids des autorités*

Il est courant de dire, du moins les historiens des temps modernes disent-ils couramment, que les hommes, au Moyen Age, manquaient d'esprit critique [1]. Nuançons ces généralisations intempestives et, nous en tenant au domaine déjà suffisamment complexe de la culture, disons d'abord que dans chaque genre littéraire l'exigence de vérité est autre. Le poète ne tisse que des fables où rien n'est vrai. L'hagiographe se soucie beaucoup plus de vérité. Un Letaldus de Micy proclame même que ce souci doit être absolu [2]. Mais, pour l'hagiographe ordinaire, une fois consciencieusement rassemblée la documentation disponible, il n'a pas scrupule à combler ses lacunes de traits flatteurs empruntés ailleurs qui seront, de toutes façons, à la louange du saint et instruiront lecteurs et auditeurs [3]. De même, dans un texte liturgique ou un sermon, le souci de vérité est-il subordonné au souci d'édification. Pour l'histoire au contraire la vérité est l'essentiel.

Sans doute tous les historiens ne mettent-ils pas, à chercher la vérité, la même ardeur. Il y a des historiens naïfs. Il y a des historiens crédules. Et même, des meilleurs, l'esprit critique n'est pas toujours en éveil. Hincmar s'inquiète peu de savoir quels furent, aux temps païens, les premiers habitants de Reims « puisqu'ils n'ont rien fait pour notre salut éternel [4] ». Et Guibert de Nogent estime qu' « il est vain de se demander si sont vrais ou faux » les récits qui courent sur Mahomet, « car on peut en toute sécurité mal parler d'un homme dont la méchanceté dépasse de loin tout ce qu'on en dira de mauvais [5] ». Inversement, l'histoire des peuples chrétiens stimule tous ces croyants. Les rivalités religieuses aiguillonnent le sens critique de tous ces clercs [6]. De même les passions politiques et nationales éperonnent-elles nombre d'historiens. Les unes et les autres, mais aussi, après tout, le seul souci de la vérité, ont par exemple fait du roi Arthur et de l'histoire bretonne, depuis Geoffroy de Monmouth, le champ clos d'un long combat critique [7]. Plus souvent qu'il n'y paraît, les historiens se sont ainsi mis en quête de la vérité.

Ce qui masque d'abord leur volonté ou même leur capacité critique, c'est que, pour étaler leur science, pour ne pas être taxé de mensonge ou pour le simple plaisir de leurs lecteurs [8], ils se font une règle de toujours répéter tous les récits qu'ils ont lus ou entendus, fussent-ils à leurs yeux des plus improbables. Après quoi, peut-être touchés par quelque lointain écho de la rhétorique antique, qui voulait déjà que la décision fût abandonnée au lecteur [9], plus sûrement paralysés par leur modestie, leur conviction de n'être que « de pauvres petits hommes de nulle autorité [10] », ils ne se prononcent jamais et laissent à leurs lecteurs le soin de choisir et de juger [11].

Une attitude, une démarche moins modestes et plus critiques ne sont cependant pas rares. Mais elles restent remarquablement discrètes. Lorsqu'il était en présence de deux témoignages contradictoires, Hélinand de Froidmont les donnait très normalement tous les deux ; l'audacieuse démarche critique de Vincent de Beauvais se trahit par le seul fait que, recopiant Hélinand, il ne donne à son lecteur que la version qui lui paraît digne d'être retenue. Le cas de Vincent reste exceptionnel. Le plus souvent, un discret « à ce qu'on dit » ou « à ce qu'on pense [12] » montre au lecteur attentif le peu de cas que l'historien fait d'un récit qu'il s'interdit d'éliminer. Plus rarement enfin, et guère avant le XIIe siècle, des esprits assurément pétris d'orgueil et d'agressivité osent dire en un passage plus ou moins bref pourquoi tel témoignage leur paraît suspect et rejetable. Encore n'énoncent-ils jamais nettement les principes que leur raisonnement a suivis. Et lorsque, en 1498, Giovanni Nanni dit Annio de Viterbe, dans deux pages des commentaires qu'il consacrait à l'historien Metasthenes, donnait trois règles qui permissent de savoir quels historiens suivre et quels rejeter [13], il écrivait un bref discours de la méthode historique dont notre érudition contemporaine croit bien pouvoir dire que c'était le premier [14]. D'une critique historique réelle mais discrète, c'est donc à nous qu'il revient d'expliciter les principes.

Un historien doit toujours s'appuyer sur un livre, un témoignage, un monument, bref sur une « autorité » *(auctoritas)* quelconque [15]. Certes, d'une histoire qui lui est dite et qu'il lui faut redire, il peut bien aller jusqu'à penser que c'est un récit singulier *(mirabilis),* étonnant *(mirandus),* inouï *(inauditus),* à peine croyable *(vix credibile, pene fidem excedens)* [16], une fable ridicule (*ridicula fabula*) [17], bref, une chose bien peu vraisemblable. Mais il faut d'abord prendre garde que l'aune de sa vraisemblance n'est pas forcément la nôtre. L'historien peut se situer sur le plan moral et refuser de croire qu'a pu être ce qui, moralement, n'aurait pas dû être. Puisqu'*augustus* vient d'*augere,* accroître, l'empereur doit accroître et non diminuer l'Empire ; voilà une des raisons pour lesquelles les partisans de l'Empire rejettent la donation de Constantin [18]. Le critère moral de la vraisemblance a été, pendant un temps, primordial. Il a perdu de sa force au cours des siècles. Mais lorsque Laurent Valla dépeint le roi Martin s'endormant au cours d'une audience, Bartolommeo Facio, au XVe siècle encore, lui reproche de dire une chose invraisemblable car il est contraire à la dignité d'un roi qu'il s'endorme pendant une audience [19]. Laurent Valla ne manque pas de lui répondre qu'il n'est peut-être pas digne d'un roi de s'endormir pendant une audience mais qu'il n'y avait rien d'invraisemblable à ce qu'un individu, fût-il roi, s'endormît pendant une audience.

L'ordre naturel des choses était peu à peu devenu la pierre de touche de la vraisemblance. Mais, si singulier, si étonnant, si peu croyable que lui parût un récit, si contraire qu'il lui semblât à l'ordre naturel des choses, un esprit médiéval ne pouvait, pour cela seul, le rejeter, car il savait quels pouvaient être « les résultats prodigieux des jeux de la nature » *(prodigiosa naturae ludentis... opera),* il était, après Jérôme, convaincu que « la nature ne peut s'imposer au Dieu de la nature [20] ». Si donc il y a des choses si étonnantes qu'un historien peut bien avouer, surtout quand la foi n'est pas en cause, qu'elles lui paraissent incroyables [21], beaucoup d'autres, incroyables et invraisemblables, sont pourtant vraies. Tout ce qui est singulier n'est pas à rejeter [22]. Le problème n'est pas de savoir si un fait est vraisemblable, mais s'il a réellement été, et il faut bien le tenir pour vrai s'il est suffisamment prouvé [23].

Dans les premiers siècles du Moyen Age, l'historien ne demandait parfois pas d'autre preuve que le juge. L'eau bouillante ou le feu emportèrent parfois sa conviction [24]. Dès ce moment-là cependant l'ordalie n'était déjà qu'une preuve qu'il était bon de renforcer de témoignages. Et au XIIe siècle ces témoignages, écrits ou oraux, étaient désormais les seules preuves auxquelles les historiens entendissent se plier et auxquelles, quoi qu'ils en eussent, ils ne pouvaient se soustraire :

« J'ai longtemps hésité, nous dit Guillaume de Newburgh, à rapporter un prodige inouï qu'on disait advenu en Angleterre sous le règne d'Etienne, bien qu'il fût proclamé par beaucoup ; il me semblait ridicule d'accepter de croire quelque chose que rien ne semblait expliquer ; jusqu'à ce que, comme écrasé par le poids de témoins si nombreux et si notables, je fusse contraint de croire et d'admirer ce que toutes les forces de mon esprit ne pouvaient atteindre ou sonder [25] ». L'historien ne peut échapper à ses autorités.

Si elles concordent, il doit les suivre. Une démarche critique ne peut s'amorcer que par le constat d'un désaccord *(varietas, diversitas, repugnantia, dissonantia)* entre les sources [26]. En ce cas, l'historien n'a pas à examiner les faits en eux-mêmes. Il n'a pas à peser des témoignages, mais des témoins. Sa tâche est d'établir ou d'accepter une hiérarchie des sources d'où il pourra déduire quel récit il doit suivre et quel rejeter avant même d'avoir considéré le contenu de ce récit. Ce dont un historien est le plus sûr, c'est évidemment ce dont il a été lui-même témoin. Mais le nombre de choses qu'un homme peut voir par lui-même est fort limité et il est donc normal que l'historien, suivant la parole de saint Jean, rende témoignage de ce qu'il a vu et entendu [27], tout en sachant combien ce qu'il a entendu est moins sûr que ce qu'il a vu [28]. Après quoi, faute de mieux, il se résigne à redire ce qu'il a lu [29]. Cette hiérarchie, *visa, audita, lecta,* paraît dans les premiers siècles du Moyen Age, où la parole compte tant et l'écrit si peu, tellement naturelle qu'Ekkehard de Saint-Gall, au XIe siècle, ne se donne même pas la peine de contrôler dans les archives de son monastère les dires des vieillards qu'il a interrogés [30]. Mais déjà certains historiens avaient appris à distinguer, parmi ce qu'ils entendaient, du plus et du moins sûr. Restait certain ce qu'ils tenaient de témoins oculaires. Pour tout le Moyen Age Darès le Phrygien fut d'autant plus sûr qu'il se disait témoin oculaire [31]. De même est-ce de leur qualité de témoin oculaire que César [32] et Widukind de Corvey [33] tiraient leur autorité. Sans être témoins oculaires, des hommes dignes de foi pouvaient encore faire des récits dont il n'y avait pas lieu de douter. Quant aux on-dit, à ce que rapportaient la *fama,* la *publica fama,* la *vulgata opinio,* la *vulgi opinio,* à ce que chantaient les jongleurs [34], les historiens, pour la plupart, le suivaient encore en confiance dans les premiers siècles du Moyen Age [35]. Par la suite, ils ne renoncèrent certes pas à tirer parti des traditions orales, mais ils les distinguèrent mieux des témoignages plus sûrs, furent en face d'elles plus prudents, ne les utilisèrent qu'à défaut d'autres sources et leur préférèrent, là où c'était possible, les écrits. Le prestige de l'écrit fut bientôt tel qu'il en vint parfois à contre-balancer les témoignages les plus sûrs [36], voire à les précéder [37]. Ainsi transparaissait une première hiérarchie des sources selon leur nature dont il faut bien admettre qu'elle fut, évoluant d'un temps à l'autre, variant d'un historien à l'autre, indécise et instable. Et elle le resta d'autant plus qu'elle ne fut jamais primordiale.

§ 2. *L'authentique et l'apocryphe*

Le critère fondamental à partir duquel les historiens du Moyen Age établissent la hiérarchie de leurs sources, écrites ou orales, est bien marqué par le mot qui revient constamment sous leur plume lorsqu'ils veulent convaincre leurs lecteurs de l'excellence de leur documentation, le mot « authentique [38] ». Des récits sont authentiques, des livres et des chroniques sont authentiques, des auteurs sont authentiques, des hommes et des personnes sont authentiques. Dès le IXe siècle Remi d'Auxerre disait sans ambiguïté ce qu'authentique signifie : « *Libris authenticis, id est auctoritate plenis* ». Au début du XIIIe siècle, Uguccio de Pise, dans son *Liber derivationum,* donnait le même sens : « *Homo autenticus vel autorizabilis, id est autoritatis cui debet credi* », un homme authentique est un homme d'une autorité à laquelle il faut croire. Avant la fin du même siècle, Giovanni Balbi de Gênes reprenait mot pour mot dans son *Catholicon* la définition d'authentique qu'Uguccio avait donnée. Et comme le *Catholicon* fut souvent copié aux XIVe et XVe siècles, qu'il avait déjà été, en 1500, imprimé plus de dix fois, à la fin comme au début du Moyen Age le sens d'authentique n'est pas douteux. Il qualifie d'abord, très généralement, un écrit ou une personne pleins d'autorité, à l'autorité desquels il faut croire.

Une œuvre pouvait inspirer confiance et être considérée comme authentique pour la simple raison que le nom de son auteur était connu ou pour l'unique raison qu'elle était généralement reçue, qu'elle était, comme dit Robert de Melun, « approuvée par l'autorité commune ». Tel était le cas de nombreux écrits accueillis par les chrétiens depuis les temps anciens des grands conciles et des grands docteurs de l'Eglise. Mais des œuvres plus récentes exigeaient, pour être authentiques, une autorité plus précise. Pour être « pleines d'autorité », il leur fallait être cautionnées par *une* autorité, que les progrès, au XIIe siècle, de la théologie et du droit permirent de préciser. Ce pouvait être le pape ou l'empereur ; ce pouvait être un évêque, un chapitre, un prince séculier ; ce pouvait être un quelconque homme fameux. Et comme, de ces autorités, certaines avaient plus de poids que d'autres, certains textes aussi étaient plus authentiques que d'autres. De même certains témoins, parce qu'ils avaient plus d'autorité, étaient-ils plus authentiques que d'autres. Mais bientôt les progrès de l'Etat simplifièrent cette complexe hiérarchie d'autorités. Il y eut ce qui était garanti par l'autorité publique et ce qui ne l'était pas. On appela authentiques les instruments publics, les écrits, les actes rédigés par une main publique et *approuvés* par une autorité publique.

S'il est vrai que l'approbation d'une autorité est le fondement même de l'authenticité, il n'est pas étonnant que, dans les derniers siècles du Moyen Age, « *approbatus* », « approuvé », apparaisse de plus en plus souvent, qualifiant personnes et écrits, en parfait synonyme d' « authentique » et dans son sens large de « digne de foi » et dans son sens précis de « approuvé par une autorité ». La synonymie entre « authentique » et « approuvé » est si parfaite que l'expression « authentiques et approuvés » s'appliquant à des livres, ou à des chroniques, ou à des histoires, devient un tic d'écriture, revient cent fois sous la plume des auteurs des XIVe et XVe siècles.

« Apocryphe » est le contraire d' « authentique » ou d' « approuvé ». Il apparaît moins souvent qu' « authentique » ou « approuvé » sous la plume des historiens du Moyen Age. C'est le plus souvent un mot de théologien. Il ne qualifie jamais des personnes, uniquement des écrits. Mais, qualifiant des écrits, il est l'exact contraire d' « authentique » ou d' « approuvé » et dans leur sens large, et dans leur sens étroit. Un écrit « apocryphe » est un récit qui manque d'autorité, qui n'a pas reçu la caution d'une autorité.

Au temps où la science historique n'avait pas encore conquis son autonomie, il n'est pas étonnant qu'elle n'eût pas encore construit un système critique qui lui fût propre. Elle s'était contentée d'adopter celui qu'avaient mis au point, au XIIe siècle, la théologie et le droit triomphants. Elle s'appuyait sur des autorités. Les historiens du Moyen Age ne critiquaient pas des témoignages, ils pesaient des témoins. Leur démarche critique partait tout naturellement de la distinction fondamentale entre les sources qui avaient de l'autorité et celles qui en manquaient, se construisait sur l'opposition fondamentale entre les sources authentiques et les sources apocryphes.

Pour ce qui est des œuvres anciennes, une longue tradition permet aisément de distinguer les unes des autres. Au début de son *Speculum,* dans son *Libellus apologeticus,* il suffit à Vincent de Beauvais de reprendre le *Decretum de libris recipiendis et non recipiendis* qu'il attribuait au pape Gélase pour opposer aux *libri auctentici* qu'il énumère dans son chapitre 14 les *apocrifi* qu'il donne dans son chapitre 15. Il est également aisé d'établir une hiérarchie de ces sources authentiques, de déterminer quelles le sont plus et qu'elles le sont moins, et de suivre les récits qui ont la plus grande autorité, qui sont les plus authentiques. En 1121, alors que les moines de Saint-Denis croyaient pouvoir se vanter depuis le IXe siècle, sur la foi de leur abbé Hilduin, que leur patron Denis n'était autre que Denis l'Aréopagite, Abélard tombait sur un texte de Bède qui rendait la chose impossible et, pressé par les moines, Abélard avouait qu'il préférait s'en tenir à l'opinion de Bède parce que « *Bede auctoritatem, cujus scripta universe Latinorum frequentant Ecclesie, gratiorem mihi videri* », ou, comme dit Jean de Meun dans sa traduction française, parce que « l'auctorité Bede me sembloit plus aggreable, puisque toutes les Esglises des Latins hantent l'escripture de lui ». Mais Abélard trouvait bientôt deux passages, l'un d'Eusèbe de Césarée et l'autre de Jérôme, qui contredisaient Bède, et il préférait alors les suivre « *praesertim cum et illorum longe gravior auctoritas est* », « surtout parce que leur autorité est beaucoup plus forte ».

Pour les œuvres plus récentes, tout le problème est précisément de savoir si elles sont authentiques, si elles ont été approuvées par une autorité, et quelle autorité. Car l'approbation pontificale fait d'un récit quelconque un récit authentique, et d'un récit que l'autorité d'un évêque ou d'un abbé avait déjà rendu digne de foi, un récit plus authentique encore. En 1291, le roi d'Angleterre Edouard Ier, pour prouver les droits qu'il prétendait avoir sur l'Ecosse, demanda à différentes abbayes de son royaume de fouiller dans leurs bibliothèques et de lui envoyer les extraits qui pourraient lui être utiles. L'abbaye de Newburgh lui envoya un passage important tiré de la vie et des miracles de saint Jean de Beverley. Dans le document final où ils regroupèrent leurs preuves, les clercs du roi copièrent intégralement le passage mais, pour lui donner plus de poids, l'annoncèrent par cette note : « *Haec quae sequuntur fuerunt inventa in quodam libro de* " *Vita et miraculis beati Johannis de Beverlaco* " *que sunt per Romanam curiam approbata* ». En 1410, Etienne de Conty, official de Corbie, recopiait la Chronique martinienne, à la suite de laquelle il ajoutait une continuation de sa composition. Passant de la chronique à la continuation, il en avertissait son lecteur : « Ici prend fin la Chronique martinienne que (le pape) Clément (IV) fit compiler par frère Martin, maître en théologie, son confesseur, et qui est, à cause de cela, dite Chronique martinienne, et ce qui est dit des saints pères dans la suite de l'œuvre fut extrait d'autres chroniques moins authentiques et moins approuvées » (« *extractum fuit de aliis cronicis non tantum autenticis nec approbatis* »).

A côté de cette hiérarchie des autorités ecclésiastiques, les progrès de l'Etat et, dans l'Etat, les progrès de la juridiction gracieuse qui superposèrent aux sceaux de simples seigneurs les sceaux des ducs et comtes et à ceux-ci le sceau du roi établirent une nouvelle hiérarchie, d'autorités civiles. Or, si l'ambition des historiens était de suivre des sources dignes de foi, elle était aussi d'écrire des histoires dignes de foi. Ils eurent donc le souci de plus en plus vif de s'abriter sous l'autorité des jeunes Etats pour que leur œuvre, incapable à elle seule d'entraîner la conviction du lecteur, devînt, par le secours même de ces autorités, authentique, c'est-à-dire digne de foi. Il sembla tout naturel que les historiens fussent de plus en plus souvent, comme disent deux avocats au Parlement de Paris en 1535 encore, des « personnes publiques *quibus fides adhiberi debeat* » et écrivissent ainsi des œuvres auxquelles on pût accorder « entière confiance et qui valussent autant qu'un instrument public » (« *faciunt plenissimam fidem et tantum valent quantum instrumentum publicum* »). En exigeant des histoires authentiques et approuvées, la critique médiévale incitait villes et princes à faire écrire et à couvrir de leur autorité une histoire où sujets et citoyens pussent lire en toute confiance la vérité. De nombreuses histoires que nous appelons officielles et qu'on disait alors authentiques et approuvées sont nées dans les derniers siècles du Moyen Age. Elles furent la conséquence naturelle des principes de la critique historique médiévale.

De sa propre initiative, Caffaro avait écrit l'histoire de Gênes depuis 1100. En 1152, il la présentait aux consuls de Gênes qui, ordonnant qu'elle fût transcrite par un écrivain public et déposée aux archives publiques, en faisaient un document authentique. Entre 1260 et 1262, Rolandino de Padoue, notaire, maître de grammaire et de rhétorique au *Studium* de Padoue, à partir de notes laissées par son père et de ses propres notes, écrivait sa chronique. Puis, le 13 avril 1262, lecture fut faite de son œuvre, dans le cloître de Saint-Urbain de Padoue, c'est-à-dire en ville et non pas à l'Université, devant les vénérables maîtres, les bacheliers et les élèves de l'Université de Padoue et, nous dit un texte dense où tous les mots comptent : « *Qui ad hoc specialiter congregati predictum librum et opus sive cronicam sua magistrali auctoritate laudaverunt, approbaverunt et autenticaverunt* ». L'approbation de l'autorité magistrale faisait de la chronique de Rolandino la chronique authentique où les citoyens de Padoue pouvaient être assurés de trouver l'histoire vraie de leur cité. De même, aux alentours de 1200, ne suffisait-il plus à Rigord d'écrire l'histoire de Philippe Auguste à la demande de l'abbé de Saint-Denis. Celui qui s'intitulait « *regis Francorum cronographus* » soumettait humblement son œuvre au roi très chrétien « *ut sic demum per manum ipsius regis in publica veniret monumenta* », « pour qu'elle devînt, alors seulement, par l'autorité du roi, un monument public ».

Les *Gesta Philippi Augusti* de Rigord furent incorporés dans ces *Grandes Chroniques de France* qui furent, aux yeux des Français, du XIIIe au XVe siècle, la plus authentique des histoires. Or, en 1410, un remarquable procès où les *Grandes Chroniques* jouent un rôle essentiel, le procès dit « du chef de saint Denis [39] », met bien en valeur les règles critiques que, à partir de l'exigence fondamentale d'authenticité et sous le poids des évolutions politiques, les historiens avaient peu à peu construites et qu'ils pouvaient, au XVe siècle, clairement expliciter. Les moines de Saint-Denis étaient convaincus de posséder le squelette entier de saint Denis, tête comprise. Mais depuis le règne de Philippe Auguste où ils avaient commencé, selon l'énergique expression de leurs adversaires, « à mouvoir ce brouet » (p. 403), les chanoines de Notre-Dame prétendaient en détenir le chef, ou du moins partie du chef. Moines et chanoines s'opposèrent en un long conflit qui déboucha en 1410 sur un procès où les deux parties, entre autres preuves, invoquèrent les textes latin et français des *Grandes Chroniques de France,* dont ils produisirent de nombreux exemplaires. Les avocats des moines et des chanoines échangèrent des arguments contradictoires d'où se dégagent quelques grands principes critiques sur lesquels ils sont évidemment d'accord.

D'abord, un chroniqueur n'est jamais une personne tout à fait ordinaire. Comme dit l'avocat de Notre-Dame, « un chroniqueur est et doit estre plus abstraint à dire et escripre vérité que une simple personne » (p. 381).

Mais il y a des degrés dans la vérité des chroniqueurs, selon la nature de l'institution qui les couvre. Pour être vraiment digne de foi, une œuvre historique doit être authentique et approuvée par une autorité publique. L'avocat des chanoines oppose aux moines que le livre sur lequel ils s'appuient « n'est mie auctentique ne approuvé ; mais est ung livre de leur abbaye, fait et compillé par les religieux de ladite abbaye ou leurs familliers... et n'est ledit livre *nisi privata scriptura seu privata attestacio per eos quorum interest facta* » (p. 376).

L'important est donc de savoir l'autorité qui cautionne le chroniqueur. L'avocat des moines de Saint-Denis affirme qu'il faut croire Rigord, puisqu'il porte le titre de « *regum Franco-*

rum cronographus » (p. 387). L'avocat de Notre-Dame conteste ce point essentiel : « n'avoit ledit Rignotus ou Rigordus aucun tiltre fors qu'il estoit croniqueur de Saint-Denis et maistre ou licencié en médecine, ne ne s'appelloit point croniqueur des roys de France ne ne devoit faire » (p. 377). Si le livre que les moines produisent donne à Rigord le titre de chroniqueur des rois de France, c'est qu'ils l'ont falsifié et « que en ladite intitulacion où il avoit *ecclesie Sancti Dyonisii cronographus,* ilz ont mis *regum Francie cronographus* » (p. 377).

Les moines de Saint-Denis s'en tiennent à leur thèse que l'auteur du passage en question est Rigord et que Rigord est chroniqueur des rois de France. Mais ils auraient, si nécessaire, un autre argument pour faire confiance au texte des *Grandes Chroniques.* S'appuyant, à n'en pas douter, sur la phrase où Rigord déclare avoir soumis son œuvre au roi Philippe pour en faire un monument public, un conseiller de Saint-Denis fait remarquer : « *Etiam quanquam non esset scripta a Rigordo, tamen propter formam et publicacionem coram principibus... esset historia approbata et auctorizata* » (p. 386, n. 2), même si Rigord n'était pas l'auteur, le texte, du fait qu'il a été solennellement lu devant les princes, en a été approuvé, autorisé, et en a tiré son authenticité.

La phrase complète du conseiller de Saint-Denis est même : « *propter formam et publicacionem coram principibus et locum custodie, quare in archivo publico servatur, esset historia approbata et auctorizata* ». C'est que le texte d'une histoire dont la vérité a été garantie par une puissance publique, ne reste digne de foi que s'il a été transmis et conservé dans des conditions qui n'offrent pas prise à la contestation. Les moines de Saint-Denis estiment qu'il faut faire confiance aux *Grandes Chroniques* « et par espécial en celles qui sont gardées en lieu commun ou par le prince » (p. 405). Mais si l'on peut se fier « aux vrays et anciens volumes », il faut se méfier des « nouveaux volumes et domestiques » (p. 405), car si « aux livres anciens estans *in custodia publica adhibetur fides, ergo contrario sensu non.* Autrement ce seroit trop grant péril, car on pourroit escripre ce qui seroit pour luy et en faire tiltre pour son entencion » (p. 402).

Telles étaient, au XVe siècle, les règles fondamentales de la critique historique, qui découlaient tout naturellement de ce que, s'appuyant sur des autorités, les historiens entendaient d'abord distinguer livres authentiques et livres apocryphes, s'efforçaient à ne suivre que des sources authentiques et approuvées. On aurait tort de croire que ces règles ont été d'un coup balayées par l' « esprit de la Renaissance ». Giovanni Nanni, dit aussi Annio de Viterbe, s'est rendu fameux en révélant au monde savant dans ses *Commentaria super opera diversorum auctorum de antiquitatibus loquentium* publiés à Rome en 1498 les œuvres de plusieurs auteurs de l'Antiquité que l'on croyait perdues. Ces impressionnantes découvertes étaient en réalité le fruit de son érudition et de son imagination. Mais, introduisant ses commentaires sur l'œuvre de l'historien perse Metasthenes, Giovanni Nanni croit bon de donner, prétendant suivre celui-ci, les règles qui permettent de savoir quels auteurs un historien doit suivre, et quels rejeter. Cette brève dissertation de Giovanni Nanni est saluée de nos jours comme le premier discours de la méthode historique. Or, quelles sont ces règles qu'il donne ? Elles sont au nombre de trois. « *Prima regula est ista : suscipiendi sunt absque repugnantia omnes qui publica et probata fide scripserunt* ». Oserai-je traduire : « il faut suivre sans réserve ceux dont la fonction même était d'écrire des récits authentiques et approuvés ». Et Giovanni Nanni ajoute que les prêtres d'alors étaient les notaires publics de l'histoire (« *publici notarii rerum gestarum et temporum* ») dont ils dressaient, comme les notaires d'aujourd'hui, un « *instrumentum publicum et probatum* ». « La seconde règle est la suivante : personne ne peut rejeter les histoires et les annales dont la rédaction officielle était conservée dans les bibliothèques et les archives publiques... Et la troisième règle : les historiens ne doivent pas suivre les personnes privées qui n'enregistrent que des ouï-dire et des opinions, à moins qu'elles ne soient pas en désaccord avec l'histoire officielle ». Bien après 1500, les principes énoncés par Giovanni Nanni eurent au XVIe siècle, en Allemagne par exemple, un retentissement considérable. Et l'on pourrait suivre en France les avatars de l'histoire officielle jusqu'à ce que les philosophes du XVIIIe siècle accablent de leur mépris les titres d'historiographes du roi ou de France, que la Révolution les supprime, et que Napoléon Ier, en 1807, refuse de rétablir, comme on le lui proposait, deux charges d'historiographes de l'Empire auxquelles ne s'attacherait décidément plus aucune autorité [40].

Le respect des autorités avait donc abouti, à la fin du Moyen Age, à des règles critiques trop précises. Mais la division en sources authentiques et en sources apocryphes et la distinction de sources plus ou moins authentiques dont les historiens, au XIIe siècle, avaient appris à jouer, n'avait pas encore, trois siècles plus tard, perdu toute efficacité. C'est en opposant à des écrits apocryphes des chroniques et des histoires dignes de foi, c'est en préférant à des écrits apocryphes les dires d'auteurs approuvés que Guillaume d'Ockham, au XIVe siècle, et Nicolas de Cues, en 1433, avaient jeté les premiers doutes sur la donation de Constantin[41]. Le recours aux textes authentiques était d'ailleurs bien adapté à une époque où les connaissances historiques étaient faibles. Il était d'autant plus utile et d'autant plus inévitable que les historiens en savaient moins sur les temps qu'ils disaient et les historiens qu'ils suivaient. Darès le Phrygien racontait la guerre de Troie et s'en disait témoin oculaire. Pourquoi en aurait-on douté ? Dans l'*Historia Karoli Magni,* Geoffroy de Vigeois relevait sans doute des affirmations qui lui posaient problème. Mais comment aurait-il osé, sur une période si obscure, « reprendre l'illustre Turpin qui déclare avoir écrit ce récit », comment pouvait-il s'opposer à « un si grand pontife[42] » ? Et les historiens devenaient de plus en plus conscients que c'était le manque de connaissances historiques qui les paralysait. Ou plutôt paralysait leurs confrères. Seul, déclare Guillaume de Newburgh, un lecteur qui ignorerait tout de l'histoire ancienne pourrait être ébranlé par le livre de Geoffroy de Monmouth. Car qui n'a pas appris l'histoire vraie admet sans discussion des fables trompeuses[43]. Seule une foule naïve peut croire qu'Hugues Capet, qui a usurpé le royaume, était un homme du peuple. Car un érudit comme Jean Lelong d'Ypres sait, lui, qu'il n'en est rien[44]. C'est, dit un autre un peu plus tard, par ignorance du passé que certains historiens se sont écartés du sentier de la vérité[45]. Et plus tard encore Robert Gaguin relève aigrement l'erreur d'un malheureux confrère « *rerum et temporum non satis gnarus* » où, comme dit son traducteur, « non saichant assez le temps et les choses[46] ».

§ 3. *L'original et le faux*

Dans le temps même où se précisait et triomphait la critique fondée sur le respect des sources authentiques, les lents progrès de la culture historique permettaient aux historiens de s'initier à une nouvelle critique qui, rejetant à l'arrière-plan les notions d'authentique et d'apocryphe, cherchant la vérité par d'autres voies plus complexes et plus subtiles, était moins liée aux démarches des sciences alors majeures et mieux adaptée à la nature et aux besoins propres de l'histoire. « Il ne faut pas nécessairement croire, en arrivait à dire Aeneas Sylvius Piccolomini en 1453, tout ce qui a été écrit, et seules les Ecritures ont une autorité dont il n'y a pas lieu de douter. Dans les autres cas, il faut trouver qui est l'auteur, quelle vie il a menée, quelle est sa religion et quelle est sa valeur personnelle. Il faut aussi considérer avec quels autres récits il concorde, desquels il diffère, si ce qu'il dit est probable et en accord avec le temps et le lieu dont il traite[47] ». Il fallait donc finir par s'attacher plus aux témoignages qu'aux témoins et, s'aidant d'un filtre de connaissances moins lâche, mieux déceler l'erreur contenue dans un écrit authentique, mieux retrouver la vérité enfouie dans un texte apocryphe. Pesant le témoin, il fallait tenir compte non plus du poids que lui donnait l'autorité qui le couvrait, mais de son propre poids scientifique.

Le plus important à considérer était sans doute le temps où ce témoin avait vécu. Plus une source est ancienne, se disait-on, et mieux elle doit appréhender un fait ancien. Et on peut accorder la plus grande confiance aux textes contemporains des faits qu'ils rapportent. Le silence des sources les plus anciennes était alors déterminant. « J'ai lieu de croire, disait Guibert de Nogent parlant de Mahomet, que cet homme profane ne remonte pas à une haute antiquité, par la seule raison que je n'ai pu découvrir qu'aucun docteur de l'Eglise ait écrit contre ses infamies [48] ». Pour Guillaume de Newburgh, dès la fin du XIIe siècle, tout ce que Geoffroy de Monmouth avait pu dire d'Arthur était un tissu de mensonges puisque les vieux historiens, qui avaient à cœur de ne rien omettre de mémorable, n'en avaient rien dit [49]. Au XIVe siècle, Ranulf Higden était tenté de faire, à propos du même Arthur, le même raisonnement. Mais, se demandait-il, leurs passions ne pouvaient-elles pas pousser les contemporains à taire des faits pourtant réels ? Et les historiens romains si fiers de leur Auguste, les anglais si fiers de leur Richard, les français si fiers de leur Charles n'ont-ils pas tout fait pour ravir aux Bretons la gloire de leur Arthur ? D'ailleurs, renchérissait John Trevisa traduisant le *Polychronicon* en anglais, saint Jean a dit dans son Evangile bien des choses dont Marc, Luc et Mathieu ne parlent pas [50]. A la fin du XIVe siècle encore, le principe même n'allait donc pas de soi.

Mais il était, au XVe siècle, plus clairement senti et plus généralement admis. En 1410, au cours du procès du chef de saint Denis, les avocats de Notre-Dame et de Saint-Denis bataillaient sur la question de savoir ce qui avait pu être trouvé lorsque la tombe de saint Denis, sous le règne d'Henri Ier, avait été ouverte ; l'avocat de Saint-Denis s'appuyait sur un texte de ce contemporain de Philippe Auguste qu'était Rigord ; l'avocat de Notre-Dame contestait ses conclusions ; ce texte, disait-il, « ne porte tesmoignage de verité en tant qu'il en dit oultre et par dessus ce qui est trouvé ès anciennes croniques et par especial en celles qui furent faictes pour le temps de ladicte detection [51] ». Il n'est donc pas étonnant que Laurent Valla, quelques décennies plus tard, ait claironné la même chose : « Quiconque écrit l'histoire des temps passés ou bien parle sous la dictée du saint Esprit ou bien suit l'autorité des vieux auteurs et d'abord de ceux qui ont dit leur temps [52] ». Et Valla d'appliquer le principe avec une audace qui lui était propre mais que son temps, en le pourvoyant de connaissances historiques plus solides, rendait possible : alors que, en 1433, Nicolas de Cues, avant de mettre en question la donation de Constantin, avait rassemblé toute la documentation possible pour distinguer sources authentiques et sources apocryphes, Laurent Valla, en 1440, rejetait la même donation pour la seule raison qu'elle ne concordait pas avec le texte d'Eutrope [53].

Il fallait donc considérer les sources les plus anciennes, mais aussi les textes les plus anciens des sources les plus anciennes. Les historiens avaient longtemps utilisé, sans trop se poser de problème, de l'œuvre qu'ils prétendaient suivre, le texte qu'ils avaient sous les yeux. C'était assurément faute de mieux car les meilleurs d'entre eux furent très tôt conscients que la négligence ou la malignité des scribes avaient pu corrompre le manuscrit dont ils disposaient [54]. L'idée était devenue, à la fin du Moyen Age, un lieu commun [55]. Aussi, lorsque la circulation des manuscrits et les déplacements des érudits devinrent plus faciles, beaucoup de ceux-ci acquirent l'habitude de comparer le plus grand nombre possible de manuscrits du texte qu'ils étudiaient, afin d'en établir la version la plus sûre [56]. De ces scrupules érudits, l'évocation par les historiens français, au XVe siècle, du 59e titre de la loi salique, *de allodis,* est un précieux exemple. Dans la seconde moitié du XIVe siècle, les Français en étaient arrivés à justifier l'exclusion des femmes de la succession à la couronne de France par le 59e titre de la loi salique et un manuscrit récent conservé à Saint-Denis en précisait ainsi le texte : « *Mulier vero nullam in regno habeat portionem* », « une femme n'aura nulle part du royaume ». Jean de Montreuil ne savait rien de ce texte même de la loi salique lorsqu'il écrivait, en 1408, son traité latin *Regali ex progenie.* Il n'en savait rien encore lorsqu'il en rédigeait, entre 1409 et 1413, la version française *A toute la chevalerie.* Mais en 1413, grâce « au chantre et croniqueur de Saint Denis » Michel Pintoin [57], il lut lui-même « en un ancien livre » et reproduisit en une addition à son traité ce prétendu texte de la loi salique, si explicite et si favorable aux thèses françaises : « *Mulier vero nullam in regno habeat portionem* ». Mais le vrai texte n'était pas celui-là. Jean de Montreuil le chercha sans doute. Il le trouva en tout cas très vite, probablement à Saint-Denis même qui en possédait une copie dans sa bibliothèque. Et dans les trois versions de son *Traité contre les Anglais* il donnait le texte rigoureusement exact du 59e titre de la loi salique : « *Nulla portio hereditatis mulieri veniat, sed ad virilem sexum tota terre hereditas perveniat* », « nulle part de l'héritage ne reviendra à la femme, tout l'héritage de la terre reviendra aux mâles [58] ». La version erronée de la loi salique n'avait pourtant pas fini d'être lue. Jean Juvénal des Ursins, dans ses premiers ouvrages, la citait encore : « *Mulier vero in regno nullam habeat portionem* ». Ce n'est qu'en 1444 qu'un doute se fit dans son esprit et ce n'est qu'à l'extrême fin du règne de Charles VII qu'une enquête systématique suscitée par Noël de Fribois permit au texte original de la loi salique de s'imposer définitivement [59].

Attisé par les querelles d'intérêt, par les passions politiques et religieuses, le souci de détecter les faux avait, comme la quête de l'original, commencé très tôt. Mon intention n'est nullement d'aborder ici l'ensemble des multiples et immenses questions que pose le faux au Moyen Age. Seuls m'intéresseront les rapports du faux et de l'érudition historique. Le problème fondamental est que l'élite cultivée dont les historiens font partie a toujours distingué, en principe, le mensonge de la vérité, le vrai du faux, et a toujours condamné, en principe, le mensonge et le faux [60]. Or, si de nombreux faux sont l'œuvre de médiocres clercs sans scrupules[61], il est évident aussi que d'innombrables documents que nous disons faux ont été forgés dans d'excellents ateliers historiques. Aldric, confesseur de Louis le Pieux, fut évêque du Mans de 832 à 857. Il anima un groupe de quelques clercs qui donna deux œuvres historiques de fort bonne facture, les *Gesta Aldrici* d'une part, les *Actus pontificum Cenomanis in urbe degentium* de l'autre. Les deux œuvres citent le texte de nombreux actes qui furent composés, à n'en pas douter, par les érudits manceaux eux-mêmes et que nous savons depuis longtemps faux. D'ailleurs, dès 863, la cour du roi déclara faux des documents qu'Aldric avait produits au cours d'un procès [62]. Adam de Brême a été, dans la seconde moitié du XIe siècle, un très grand historien dont on vante l'exacte érudition. Mais Brême a été de son temps une grande usine à faux et la critique textuelle peut démontrer qu'Adam en a eu l'initiative et a pris à leur réalisation une part active [63]. Christ Church de Canterbury a produit au début du XIIe siècle de nombreux faux dont on sait maintenant qu'ils ont dû être préparés sous la direction du grand historien Eadmer [64]. On sait l'admirable historien que fut, un peu plus tard, Guillaume de Malmesbury. Mais, au cinquième livre de ses *Gesta Pontificum Anglorum,* il donne le mot à mot de chartes dont aurait bénéficié l'abbaye de Malmesbury et dont l'érudition moderne a dû reconnaître qu'elles étaient fausses, du moins dans la forme que nous connaissons [65]. Passons à l'extrême fin de notre période. Giovanni Nanni est célèbre pour avoir énoncé, en 1498, les quelques règles critiques dont j'ai parlé plus haut. Mais on lui doit aussi de nombreux textes et de nombreuses inscriptions qu'il avait lui-même forgés [66]. Au tout début du XVIe siècle enfin Jean Trithème invoquait l'œuvre de l'historien Meginfrid pour prouver quel important foyer culturel Hirsau avait été dans le haut Moyen Age, et celle d'Hunibald pour prouver à l'empereur Maximilien les origines troyennes de sa famille. Mais les noms mêmes de Meginfrid et d'Hunibald étaient sortis de l'imagination de Jean Trithème [67]. Bref, il faut bien admettre que souvent, tout au long du Moyen Age, ce que nous appelons un faux fut le produit normal de l'érudition.

C'est peut-être d'abord que les savants du Moyen Age travaillaient les textes par des voies qui étaient celles de l'érudition la plus saine mais aboutissaient à des résultats condamnables aux yeux des savants modernes. Voici une charte de l'époque anglo-saxonne en faveur de Saint-Augustin de Canterbury, dont le texte nous a été conservé par une transcription de Thomas Elmham. Ce texte a longtemps paru suspect à l'érudition moderne entre autres raisons parce que, en plus de l'indiction, ce qui est normal pour une charte du VIIe siècle, il donne l'année de l'incarnation, 676, ce qui est exceptionnel. Le doute des érudits se renforça lorsqu'ils trouvèrent une autre transcription de la même charte, également avec l'année de l'incarnation, mais c'était cette fois 691. Or aujourd'hui les spécialistes estiment que rien ne permet de mettre en doute le texte même de la charte, et si nous en avons deux transcriptions avec deux années différentes de l'incarnation, c'est que les savants de Canterbury, éditant la charte, jugèrent bon d'en préciser la date. Calculant l'année de l'incarnation à partir de l'indiction qui leur était donnée, leur hésitation entre 676 et 691 était d'autant plus pardonnable que l'érudition moderne a longtemps hésité entre ces deux mêmes dates. La seule différence est que les historiens médiévaux ont mis dans le texte une précision qui, aujourd'hui, devrait évidemment être en note [68]. De la même façon, tout texte mutilé ou corrompu devait donner lieu, en particulier avant d'être soumis à la chancellerie dont on désirait un *inspeximus* ou un *vidimus* à une reconstitution qui n'était point, dans sa nature, différente de celles qu'est parfois obligé de risquer un moderne éditeur [69]. Plus généralement encore, d'un texte cité, un trop long passage jugé inutile pouvait être supprimé, un détail obscur pouvait être précisé. Au Moyen Age, l'éditeur de textes n'était pas armé de notre lourd et rigoureux appareil de notes, de parenthèses et de points de suspension. Les textes ne reproduisaient donc pas exactement l'original qu'ils copiaient. Mais ce n'étaient pas des faux. Pas plus que des historiens qui, de nos jours, dans des ouvrages de bonne vulgarisation, donnent des citations allégées et modernisées ne sont des faussaires.

A quoi s'ajoute que, au XIIe siècle encore, les historiens ne mettaient pas de différence de nature entre textes narratifs et documents diplomatiques. Ils traitaient donc les uns et les autres de la même façon, en les suivant au mieux mais sans s'interdire suppressions et interpolations. Or, pour la science moderne, un texte narratif et un document diplomatique se ressemblent si peu et réclament des traitements si opposés que les malheureux érudits médiévaux, pour suivre de trop près leur source narrative, sont traités de plagiaires, et pour ne pas suivre d'assez près leur source diplomatique, sont traités de faussaires. Ne soyons pas les Procustes des historiens médiévaux. Ne les torturons pas avec nos anachroniques notions de faux et de plagiat. Et suivons-les plus loin encore. En un temps où il n'y avait pas de différence de nature entre un texte narratif et un document diplomatique, puisque la rhétorique autorisait et même recommandait, pour animer un récit ou préciser un état d'âme, descriptions de batailles ou longs discours, en quoi la composition d'une lettre ou d'une bulle pontificale, pour atteindre au même but, était-elle condamnable [70] ?

A quoi s'ajoute que si la critique moderne a pour premier souci de distinguer les documents et les faits vrais des documents et des faits faux, la critique médiévale avait pour premier souci de distinguer les auteurs et les textes authentiques des auteurs et des textes apocryphes. Le problème du vrai et du faux n'a pas au Moyen Age la même importance qu'aujourd'hui. Ou plutôt il n'intervient pas au même moment de la démarche critique. L'opposition fondamentale est entre l'authentique et l'apocryphe. Or, si un acte faux ne peut devenir vrai, un texte apocryphe peut devenir authentique et digne de foi : il lui suffit d'être approuvé par une autorité. Le « faussaire » médiéval n'est parfois, peut-être, après tout, qu'un érudit qui met toute sa science à composer un acte ou un récit qu'il sait apocryphe mais dont il espère qu'une autorité le rendra, un jour, authentique.

Au début du XIIIe siècle, le monastère d'Evesham prétendait être exempt de l'évêque de Worcester. Il s'ensuivit, en 1205, un procès en curie où les intérêts du monastère furent défendus par un de ses moines, Thomas de Marlborough, qui, plus tard, raconta lui-même l'affaire dans le *Chronicon Eveshamense* [71]. Le monastère avait produit à Rome deux soi-disant privilèges du pape Constantin, datés de 709 et de 713. Nous savons, nous, que ces documents étaient des faux grossiers. Et d'ailleurs Me Robert, l'avocat de l'évêque de Worcester, avança plusieurs raisons qui lui permettaient de penser que les documents étaient faux. Mais le pape et les cardinaux, après un examen diplomatique des plus sommaires, conclurent qu'ils étaient vrais : « *Istae verae sunt* », dit Innocent III. Or, sur le problème de savoir si les lettres de Constantin étaient vraies ou fausses, Thomas de Marlborough n'avait pas d'opinion. Il avait seulement des doutes, car s'il ignorait tout de la diplomatique des lettres de Constantin, il savait du moins, comme Me Robert, que ces deux-ci avaient été apportées en Angleterre par un faussaire notoire. Aussi ne nous dissimule-t-il pas les craintes qu'il eut pendant l'examen auquel se livrèrent le pape et les cardinaux. Mais dès que le pape eut parlé, « *quum approbata fuerunt, inaestimabili gaudio repletus sum* », il fut rempli d'une joie incommensurable parce que les privilèges avaient été approuvés. Le problème de savoir s'ils étaient vrais ou faux était secondaire, car ils étaient en tout cas approuvés, et par quelle autorité !, et donc authentiques, et donc dignes de foi.

Nous avons fait la part belle aux modalités et aux perspectives propres à la critique médiévale. Mais la grossière bévue d'Innocent III et le succès même du monastère d'Evesham ne permettent pas d'échapper à la conclusion que si un clerc sans conscience voulait sciemment tromper, il n'en était certes pas détourné par la crainte d'être aisément démasqué. Car si, dès le XIIe siècle, le principe était bien clair qu'il suffisait, pour savoir si un acte était vrai ou faux, de le comparer à d'autres actes contemporains sortis de la même chancellerie [72], bien rares furent ceux qui eurent les moyens d'appliquer le principe avec succès. Les savants le savaient. L'insondable ignorance qui les entourait ne les encourageait pas peu à jouer de leur savoir au profit de leurs intérêts.

Lentement, les choses évoluent. Les historiens apprennent à distinguer sources narratives et sources diplomatiques. Les sources diplomatiques leur paraissent plus sûres [73]. Les progrès de la bureaucratie, un plus grand nombre de fonds d'archives plus riches leur permettent de mieux observer et de mieux comparer le support, le sceau et le style de leurs documents [74]. Et des connaissances plus étendues leur font reculer toujours plus loin le domaine du faux, du douteux et de l'invraisemblable. Au début du IXe siècle, des historiens forgèrent une généalogie qui liait par le sang les souverains carolingiens à leurs prédécesseurs mérovingiens. Cette généalogie eut un grand et durable succès [75]. Au début du XIIe siècle, le *Liber Floridus* de Lambert de Saint-Omer notait un essai de faire d'Hugues Capet le neveu du dernier roi carolingien, Louis V. Mais la culture historique des contemporains de Louis VI n'était pas si médiocre. Ils savaient à tout le moins qu'Hugues Capet était le fils d'Hugues le Grand. Et l'essai n'eut aucun écho [76]. Au début du XVIe siècle, Jean Trithème inventait Hunibald et son œuvre pour prouver à l'empereur Maximilien les origines troyennes de sa famille. Maximilien ne demandait pas mieux que d'y croire. Mais il voulait des preuves. Et ses demandes répétées de preuves firent des dernières années de la vie du malheureux abbé un cauchemar [77]. Au XIIe siècle, les faux actes carolingiens pouvaient fleurir à l'aise. Au XIVe siècle, pour qu'un acte faux puisse duper la chancellerie royale française et espérer s'y faire authentifier, il lui fallait se situer dans l'obscurité des temps mérovingiens [78]. Bientôt les faux documents diplomatiques perdirent tout crédit. A la fin du XVe siècle, Giovanni Nanni forgeait des inscriptions qu'il pouvait espérer imposer à une épigraphie encore adolescente, et les historiens dont il osait inventer le texte avaient vécu, disait-on, aux temps lointains de la Perse et de la Babylonie.

Les historiens du Moyen Age ont voulu, comme nous, trouver la vérité. Mais leur modestie, qui les mettait à la remorque de la théologie et du droit, la faiblesse de leurs connaissances avaient en quelque sorte imposé que les notions d'authentique et d'apocryphe fussent pour eux les pierres de touche de la vérité, que leur système critique se fondât sur une hiérarchie d'autorités. Au XVe siècle, les conséquences tirées de ces principes critiques se précisaient encore. Mais depuis longtemps déjà la place de plus en plus assurée de l'histoire, une information historique de plus en plus vaste, en leur permettant de mieux apprécier le poids scientifique des auteurs, de critiquer les témoignages et non plus simplement les témoins, de mieux distinguer les différents textes d'une œuvre, d'atteindre les originaux et de dépister les faux, leur avaient lentement donné les moyens d'une nouvelle critique infiniment plus complexe mais mieux adaptée à l'objet de l'histoire et à la nature de la documentation historique. Et les érudits de la Renaissance, dans leur ignorance satisfaite, crurent l'avoir tout entière inventée.

II. La maitrise du temps

Pour critiquer les témoignages, la meilleure arme dont disposèrent les historiens du Moyen Age fut la chronologie. Car si l'historien de l'Antiquité classique avait mis tout son soin à donner un récit bien écrit et bien construit où apparût l'enchaînement des causes, celui du Moyen Age eut pour premier souci de situer les événements dans le temps. L'historiographie médiévale est d'abord marquée par l'obsession de la date. Son plus grand mérite est assurément la conquête du temps, et, tout en disant les murs auxquels celle-ci s'est heurtée, il convient de ne pas sous-estimer les succès auxquels elle a abouti et dont notre moderne érudition est souvent l'heureuse héritière.

§ 1. « *Distinctio temporum*[79] » : *les âges du monde*

La conviction des Chrétiens que tout ce qui était arrivé, tout ce qui arrivait, tout ce qui allait arriver était le seul résultat de la volonté divine les avait forcés à considérer d'un seul regard l'histoire du monde entier de sa création à sa fin. La foi chrétienne appelait l'histoire universelle. Mais il apparut vite que le discours de Dieu, bien que continu, serait mieux saisi s'il était scandé. Les historiens chrétiens eurent très tôt le souci de la périodisation.

L'idée que l'histoire du monde pouvait se résumer à la succession de quatre grands royaumes est probablement d'origine perse. Le prophète Daniel s'en faisait le reflet dans le songe où il voyait apparaître un lion, puis un ours, puis un léopard, puis une quatrième bête effrayante et terrible, et dans l'interprétation qu'il en donnait : ces quatre bêtes représentaient quatre rois ou quatre royaumes, la dernière étant le quatrième royaume qui mangerait toute la terre et serait le dernier [80]. Indépendamment de Daniel, le thème des quatre royaumes était repris par les historiens romains. C'est chez Daniel mais aussi dans l'histoire universelle où Justin résumait Trogue-Pompée que les historiens chrétiens se familiarisèrent avec une périodisation à laquelle Jérôme donnait sa forme définitive : l'histoire du monde pouvait se résumer à la succession des empires babylonien, perse, macédonien et romain.

A vrai dire, cette première périodisation n'eut qu'un écho limité. Malgré la caution de Daniel son arrière-plan était plus politique que théologique. Liée à l'existence de l'empire romain, elle disparut, en Occident, avec l'effondrement de l'Empire d'Occident. Elle n'y réapparut que cinq cents ans plus tard, en terre d'Empire, au moment où, au XIIe siècle, la mystique impériale était à son zénith, et après que se fût imposée l'idée que, par la *translatio imperii,* l'Empire romain s'était continué sans solution dans l'empire de Charlemagne puis dans l'empire d'Otton. L'idée des quatre royaumes affleura donc un moment. L'*Annolied* et la *Kaiserchronik* l'exposèrent en allemand, Otton de Freising en latin [81]. Puis, sauf à être évoquée, ici ou là, d'une phrase [82], elle s'effaça de nouveau jusqu'à ce que, au XVIe siècle, après 1530, la gloire de Charles-Quint et la menace turque ravivent dans l'Empire l'idée de l'Empire et y donne au songe de Daniel une vigueur nouvelle. Mais la vision des quatre royaumes était décidément trop liée à des réalités politiques trop limitées dans le temps et dans l'espace. Elle a pu s'intégrer à une idéologie politique. Elle n'a jamais pu structurer une histoire universelle [83].

La naissance, ou le baptême, ou la passion du Christ, tel est le fait qui devait s'imposer et s'est imposé en effet à tout esprit chrétien comme articulation fondamentale de l'histoire du monde. La périodisation la plus simple distingue donc deux états *(status)*, l'ancien, avant le Christ, et le nouveau, après le Christ [84]. Mais dès les premiers temps chrétiens les Pères de l'Eglise tirèrent des Ecritures et de vieilles traditions juives des périodisations plus complexes où l'apparition du Christ marquait toujours le début du dernier âge mais où le long espace de temps qui courait d'Adam au Christ pouvait être diversement scandé. Saint Paul avait appris à distinguer le temps de la loi naturelle puis, après Moïse, le temps de la loi écrite, avant que la venue du Christ n'instaurât le temps de grâce [85]. Commentant Mathieu 20, 1-16, Origène fut le premier à mettre en parallèle l'histoire du monde et les douze heures du jour et à distinguer, avant la venue du Christ, quatre temps, Noé marquant la troisième heure et la fin du premier temps, Abraham la sixième heure et la fin du second temps, Moïse la neuvième heure et la fin du troisième temps, et le Christ apparaissant à la onzième heure [86]. La chronique d'Eusèbe de Césarée traduite par Jérôme ne parle pas expressément d'âges mais elle dit bien quels sont, selon elle, les temps forts de l'histoire du monde : ce sont Noé et le déluge, Abraham, Moïse, Salomon et la construction du Temple, le dernier moment essentiel avant la venue du Christ étant l'exil de Babylone ou la restauration du Temple sous Darius [87] ; six âges antérieurs au Christ étaient ainsi définis, et sept, au total, pour toute l'histoire du monde. Ces diverses périodisations avaient contre elles qu'elles heurtaient de front une conviction issue d'une vieille tradition juive et largement répandue selon laquelle le monde, qui avait été créé en six jours, devait aussi durer six jours et finir au matin du septième jour. Toute l'histoire du monde devait donc tenir en six jours, dont cinq devaient mener d'Adam au Christ. Quelques essais de périodisation en six âges avaient ainsi été tentés avant saint Augustin [88], et saint Augustin, prenant son bien ici et là, et laissant tomber, ce qui ne va pas sans nous étonner profondément, un Moïse dont toutes les autres périodisations avaient fait un moment essentiel, distinguait le premier âge jusqu'à Noé, le second âge jusqu'à Abraham, le troisième âge jusqu'à David, le quatrième âge jusqu'à la captivité de Babylone, et le cinquième âge jusqu'au Christ, dont la venue marquait le début du sixième et dernier âge [89].

De ces divisions du temps que lui léguaient les Pères, le Moyen Age n'oublia aucune. Toutes ressurgirent, ici ou là, d'un siècle à l'autre [90]. Mais les six âges s'imposèrent très généralement, appuyés qu'ils étaient sur le prestige de saint Augustin et sur toutes sortes d'images. Saint Augustin lui-même avait bien marqué que ces six âges correspondaient aux six jours de la création, aux six âges de l'homme. D'autres notèrent qu'ils correspondaient aussi aux douze heures d'un jour. D'autres encore, persuadés que la statue dont parle Daniel en son chapitre II les annonçait, y virent les âges d'or, d'argent, d'airain, de bronze, de fer et d'argile [91]. Constamment répétés et justifiés, les six âges du monde étaient vite devenus, au Moyen Age, une évidence.

Habités par l'espoir de déterminer la date de la fin du monde, les premiers chrétiens s'étaient appuyés sur la vieille croyance juive qui donnait à chacun des six âges une durée de mille ans et à chacune des douze heures une durée de cinq cents ans. Le Christ, pensaient-ils, était apparu à la onzième heure et le monde n'avait donc plus, après sa mort, que cinq cents ans à vivre [92]. Saint Augustin, au début du ve siècle, voulut calmer les angoisses de ses contemporains et laisser à Dieu le mystère des temps futurs. D'ailleurs, selon lui, le Christ était né au début du sixième âge et non pas simplement à la onzième heure. Il rejeta l'idée que le monde avait six mille ans à vivre et refusa même de calculer la durée des âges déjà écoulés. La chronologie n'était pas l'affaire du théologien.

Par contre, dès avant le IVe siècle, les historiens, fussent-ils païens ou chrétiens, alors que leurs prédécesseurs n'avaient eu que des ambitions rhétoriques, commencèrent d'avoir l'obsédant souci de la chronologie [93]. C'est dans ce climat qu'Eusèbe de Césarée, abandonnant toute arrière-pensée eschatologique et renonçant à toute spéculation sur la date de la fin du monde mais désireux de donner à l'histoire universelle qu'appelait sa foi chrétienne une solide armature chronologique, développa l'immense effort de sa *Chronique* [94] où il donnait, depuis la création du monde, la date de tous les événements marquants de l'histoire du monde calculée à partir des données historiques dont il disposait. Jérôme, avant la fin du quatrième siècle, traduisait sa chronique en latin. Cette chronique d'Eusèbe-Jérôme n'était évidemment pas coulée dans le moule des six âges de saint Augustin ; elle ne parlait même pas d' « âges du monde ». Mais dans ses additions continues d'années elle s'accordait une pause et donnait un total à quelques moments particulièrement importants. Elle devait d'ailleurs constater que certains des totaux auxquels on aboutissait variaient beaucoup selon qu'on suivait le texte hébreu de la Bible ou la traduction grecque des Septante. Et elle donnait les chiffres suivants :

	les Septante	selon	le texte hébreu
d'Adam au déluge	2242		1666
du déluge à la 1re année d'Abraham	942		292
d'Abraham à la sortie d'Egypte		505	
de la sortie d'Egypte à la construction du Temple de Salomon		480	
de la construction du Temple à l'exil de Babylone		432	

Le nombre d'années écoulées de la captivité de Babylone à la passion du Christ n'était pas précisé. Par contre la chronique soulignait un autre événement marquant, la restauration du Temple sous Darius, que 548 années séparaient de la passion du Christ. Au total, d'Adam à la passion du Christ, 5228 années s'étaient écoulées selon les Septante alors que, précisait la chronique de Jérôme, le chiffre qu'on pouvait tirer du texte hébreu était inférieur de 1237 années [95].

Isidore de Séville adopta les six âges augustiniens et, le premier, en calcula la durée. Pour ce faire, il suivit la chronique d'Eusèbe-Jérôme mais en retint seulement les chiffres qu'elle avait déduits de la version des Septante. Et Isidore aboutit ainsi aux résultats suivants :

	a duré	soit un total de
le premier âge, d'Adam au déluge,	2242 ans	
le second âge, du déluge à la naissance d'Abraham	942	3184 ans
le troisième âge, de la naissance d'Abraham au début du règne de David	940	4124
le quatrième âge, du début du règne de David à la captivité de Babylone	555	4679
le cinquième âge, de la captivité de Babylone à la passion du Christ	549	5228 [96]

Bède, lui aussi, s'en tenait aux six âges augustiniens mais pour en calculer la durée il écartait la version des Septante et suivait la vérité hébraïque, à partir de quoi ses calculs lui donnaient les chiffres suivant :

premier âge	1656 ans
second âge	292
troisième âge	942
quatrième âge	473
cinquième âge	589

soit un total de 3952 ans d'Adam à la venue du Christ[97].

Jérôme, Isidore et Bède furent lus et recopiés pendant des siècles. Grégoire de Tours[98], l'*Historia Brittonum* dite de Nennius[99], Adhémar de Chabannes[100] suivaient évidemment Jérôme dont ils répétaient la périodisation. Lambert de Saint-Omer suivait Isidore[101]. D'autres s'en tenaient à cette chronologie longue tirée des Septante sans qu'on puisse savoir s'ils l'avaient trouvée dans Jérôme ou dans Isidore[102]. Mais beaucoup plus nombreux furent ceux qui, jusqu'au XIe siècle, répétèrent Bède et sa chronologie courte[103]. Au reste, les historiens suivaient Jérôme, Isidore ou Bède mais n'en donnaient pas forcément les chiffres. Une première variante vient de ce qu'ils firent souvent commencer le sixième âge non pas à la passion mais à la naissance du Christ, et comme ils croyaient que le Christ était mort à trente ans, ils restaient fidèles à la chronologie longue d'Eusèbe et d'Isidore en le faisant naître en l'an 5198 ou 5199 de l'ère mondiale. Mais à côté de variantes qui restent, comme celle-ci, parfaitement justes, d'innombrables variantes furent dues à des erreurs dans la transcription des chiffres romains, où il était si facile d'oublier ou d'ajouter un *c*, un *l*, un *x* ou un *i*, à des erreurs d'additions, et furent même parfois le résultat de raisonnements dont le seul but était de rétablir une concordance entre des chiffres erronés. Prenons le seul exemple des différents manuscrits de l'*Historia Brittonum*[104]. Le premier âge y dure 2242 ans mais aussi parfois 2042 ans. Le second âge 942 ans mais aussi parfois 842 ans. Le quatrième âge, de David à Nabuchodonosor, auquel Isidore donnait 555 ans, comptait ici, selon les manuscrits, 569, 579 ou 649 ans. Même une date aussi importante que celle de la passion du Christ donnait lieu à variantes : on trouve 5228 mais aussi 5208 et 5220.

La fièvre computistique qui tint les historiens de la fin du Xe au milieu du XIIe siècle rendit plus confuse encore une situation déjà confuse. Le problème majeur auquel ils se heurtaient avait été posé par Bède lui-même[105]. D'une part, c'était une vérité d'Evangile que le Christ avait été crucifié un vendredi et avait ressuscité un dimanche. D'autre part, c'était une vérité couramment admise qu'il était mort un 25 mars et avait ressuscité un 27 mars. Enfin Denys le Petit, en établissant, au VIe siècle, sa table pascale, avait tout simplement, sans se livrer à de savants calculs, adopté pour la mort du Christ l'année que lui livrait la tradition. Or Bède constatait qu'en cette année-là, le 27 mars n'était pas tombé un dimanche. Bède n'alla pas plus loin dans son raisonnement et adopta même, sans plus se poser de problème, pour dater les événements, l'ère de l'incarnation telle qu'elle ressortait des tables de Denys le Petit. Cette ère « dionysienne » se répandit lentement mais dans le temps même où elle commençait à être généralement adoptée la passion du comput faisait ressurgir, obsédant, le problème qu'avait soulevé Bède : le Christ n'était pas mort à l'année traditionnellement admise car cette année-là le 27 mars n'était pas un dimanche. Il fallait donc corriger et la durée des cinq premiers âges du monde et le point de départ du sixième âge, c'est-à-dire de l'ère de l'incarnation. Et chacun d'aboutir, par ses calculs, à une solution différente. Pour Hériger de Lobbes, en 990, Denys avait fixé l'incarnation sept ans trop tôt. Quelques années après, Abbon de Fleury en arrivait au contraire à la conclusion qu'il l'avait fixée vingt ans trop tard. A la fin du XIe siècle Marianus Scotus corrigeait de 241 ans la durée du monde depuis sa création, situait l'incarnation à peu près au même moment qu'Abbon, en avançait la date de vingt-deux ans, et sa conviction fut assez forte pour qu'il décalât de vingt-deux ans toutes les dates de sa chronique. Heimo de Bamberg enfin, en 1135, ajoutait quarante ans à la durée des cinq premiers âges et trente-trois ans à la durée traditionnelle du sixième âge [106].

En dehors de toute considération de comput, le simple examen des textes poussa aussi parfois les grands historiens de la fin du XIe et du début du XIIe siècle à corriger les chiffres d'Isidore ou de Bède. Par exemple, Frutolf de Michelsberg suivit normalement la chronologie de Bède. Mais Bède, se fondant sur la version hébraïque de la Bible, n'avait fait régner Amon que pendant deux ans alors que la version des Septante et Jérôme lui accordaient douze années de règne. Sur ce point particulier Frutolf préféra suivre Jérôme si bien que pour lui le total des cinq premiers âges ne fut pas de 3952 mais 3962 ans [107].

Passé le milieu du XIIe siècle cependant, de toutes ces corrections qu'avaient inspirées la fièvre computistique et l'érudition chronologique, rien ou presque ne devait rester. L'ère dionysienne était désormais d'usage trop courant pour être corrigée. Et pour un historien qui, comme Vincent de

Beauvais, mentionna la correction de Frutolf de Michelsberg[108], cent autres l'ignorèrent. Seules restèrent les chronologies traditionnelles d'Isidore ou de Bède. Quelques-uns, comme Hugues de Saint-Victor[109], Raoul *de Diceto*[110], Vincent de Beauvais[111], d'autres encore[112] suivirent la chronologie courte de Bède. Bien plus nombreux furent ceux qui, adoptant la chronologie longue d'Isidore, écrivirent que le premier âge, d'Adam au déluge, avait duré 2242 ans, et que le Christ était né en l'an 5199 après la création du monde[113]. Chacun était conscient que cette chronologie longue était la plus communément suivie, mais, par un étrange retournement, beaucoup, et non des moindres, du moins en France, crurent, en s'en tenant à la chronologie longue, suivre les calculs de Bède[114]. Les plus savants étaient surtout conscients que le calcul de la durée des âges du monde avait, au long des siècles, donné lieu à des supputations si discordantes, abouti à des chiffres si divers que, comme le dit Vincent de Beauvais, « il n'était guère possible, sur ce point, d'en arriver à quelque certitude[115] ». C'est que, si compétents qu'ils fussent, les érudits du Moyen Age, dans leurs calculs, n'avaient pu s'appuyer que sur la Bible. Ils aboutissaient à des dates qu'ils savaient incertaines et que nous savons fausses. Malgré leur énorme effort, historiens et computistes médiévaux ne purent pas maîtriser le temps de l'histoire du monde.

§ 2. « Supputatio annorum[116] *» : le calcul des dates*

Si donc, pour les cinq premiers âges de la création du monde à la naissance du Christ, la « *supputatio annorum* » ne put aboutir, par contre, dans le cadre plus restreint du sixième âge, c'est-à-dire de l'ère de l'incarnation, l'ardeur érudite que les historiens mirent à calculer les dates fut mieux récompensée. Les problèmes qu'ils avaient à résoudre étaient pourtant d'une complexité redoutable. Les chronographes du Bas Empire avaient usé d'un très simple système : pour situer un événement dans le temps, ils donnaient le nombre d'années écoulées « *ab Urbe condita* », depuis la fondation de Rome. Orose encore, au début du ve siècle, était fidèle à cette ère romaine. Mais l'usage s'en perdit bientôt et l'Occident en fut pour longtemps réduit à d'imparfaits systèmes de datation. Pour dater un événement, les Romains de l'Empire comme les sujets des royaumes barbares donnaient souvent l'année de règne du souverain. Cet usage fut très généralement suivi tout au long du Moyen Age où les auteurs des actes écrits purent préciser, selon leurs convictions et leurs informations, l'année de règne du pape, de l'empereur, du roi, du prince ou de l'évêque. Beaucoup de ces auteurs tinrent aussi à montrer, au risque de se tromper, qu'ils n'ignoraient pas le savant système de l'indiction. L'origine de ce système remonte au fait que l'assiette de l'impôt foncier avait été revisée, en Egypte, depuis Auguste, tous les quinze ans. Au début du IVe siècle, au moment où la polyarchie de Dioclétien rendit singulièrement complexe la datation par l'année du règne de l'empereur, ce cycle de quinze années commença à être utilisé pour dater les événements, le premier cycle indictionnel commençant en notre année 313 [117]. Malheureusement, comme l'usage était de dater par le rang de l'année dans une période indictionnelle sans jamais préciser de quelle période indictionnelle il s'agissait, l'indiction permettait aux contemporains de situer un fait dans un passé récent, mais plus le temps s'écoulait et plus son indication devenait ambiguë. De même l'indication de l'année d'un règne jalonnait-elle de façon suffisamment claire le proche passé mais devenait à la longue de plus en plus incertaine.

Les historiens eurent très tôt le souci de pallier ces insuffisances et de jalonner la longue durée par quelques événements qu'ils jugeaient les plus importants. Il y a, suppute Grégoire de Tours, « de la passion du Seigneur jusqu'au décès de saint Martin 412 années ; du décès de saint Martin jusqu'au décès du roi Clovis 112 années ; du décès du roi Clovis jusqu'au décès de Théodebert 37 années ; du décès de Théodebert jusqu'à la fin de la vie de Sigebert 29 années [118] ». Longtemps après Grégoire les historiens s'armaient encore de ces petits résumés chronologiques [119] et situaient les faits dans le temps en calculant la durée écoulée depuis ces événements-repères. Ainsi Henri de Huntingdon, pour préciser le moment où il écrivait, donnait-il le nombre d'années passées depuis l'avènement du roi Henri Ier, depuis l'arrivée des Normands en Angleterre, depuis l'arrivée des Bretons dans la même île [120].

Les événements-repères variaient évidemment d'un temps à l'autre et d'un pays à l'autre. Mais tous ces esprits chrétiens finirent du moins par user en commun d'un repère fondamental, qui marquait précisément le début du sixième âge, celui de la naissance du Christ. Au reste, l'adoption de cette ère de l'incarnation fut des plus lentes. Au VIe siècle, au moment où la grande affaire des clercs était de calculer la date de Pâques et de construire une table pascale, Denys le Petit, pour ne pas lier ses cycles à la mémoire d'un impie et d'un persécuteur, refusa de compter les années à partir du règne de Dioclétien comme beaucoup de computistes le faisaient alors et choisit de les donner depuis l'incarnation du Christ [121]. Vers la fin du VIIe siècle, sous l'impulsion de l'évêque d'York Wilfrid, l'Angleterre adopta les tables de Denys. La conséquence en fut qu'à partir de 675 quelques chartes furent datées non plus simplement de l'indiction mais aussi de l'année de l'incarnation [122]. En 731, écrivant son « Histoire ecclésiastique du peuple anglais », pour sortir des incertitudes de l'ère mondiale et des complexités des années des différents rois des différents royaumes, Bède adopta l'ère dionysienne de l'incarnation. L'initiative de Bède fut décisive. Pour la première fois, en 742, l'année de l'incarnation du Christ fut donnée, sur le continent, dans un document officiel. Au IXe siècle, aux beaux temps de l'unité carolingienne, l'ère de l'incarnation fut souvent utilisée. Mais les incertitudes politiques de la fin du IXe siècle paralysèrent son emploi qui, décidément, ne se généralisa qu'au cours du XIe siècle [123].

Sauf exception, l'ère dionysienne était désormais en Occident la commune mesure du temps et toutes les chroniques s'employèrent à dater par l'année de l'incarnation. Mais les érudits disposaient de sources écrites qui leur donnaient très rarement une année de l'incarnation et le plus souvent une indiction, une année de règne, voire le temps passé depuis tel événement important. Et la mémoire des hommes ne conservait guère que le nombre des années qui s'étaient écoulées depuis le fait considéré jusqu'au jour présent, de façon d'abord précise, puis plus approximativement, jusqu'à ce que disparaisse tout espoir d'indication chiffrée [124]. Les historiens se trouvaient donc devant le difficile problème de correctement donner l'année de l'incarnation dans laquelle avaient eu lieu des événements proches ou lointains alors qu'une documentation hétéroclite ne leur fournissait que durées approximatives et dates ambiguës.

Pour ce faire, il leur fallait surtout des catalogues de tous ces puissants dont les années de règne servaient à dater les documents écrits. Une bonne bibliothèque historique devait être riche de la liste des papes, de celle des empereurs, de celle des rois de son royaume, de celles des évêques de son diocèse et des diocèses voisins, de celle des abbés de son monastère [125]. L'historien qui n'en disposait pas devait copier ou faire copier ailleurs ces catalogues, ou les construire lui-même.

Les catalogues les plus simples ne comportaient qu'une suite de noms. Il n'était d'ailleurs pas aisé d'avoir une suite de noms exacte. Les partis pris politiques, les difficultés historiques et les fautes de transcription multipliaient les erreurs. Dressant la liste des rois mérovingiens, par exemple, les historiens se perdaient dans les rois homonymes et les rois simultanés, les règnes trop courts et les règnes obscurs, et les choses empiraient encore lorsque, au VIIIe siècle, aux problèmes purement techniques s'ajoutait la volonté de substituer sans solution de continuité, aux derniers Mérovingiens, les Carolingiens. Après l'heureux temps de la grandeur carolingienne le xe siècle était une nouvelle période difficile. Si bien qu'au total c'était une entreprise ardue, pour un historien, que celle de dresser la suite correcte des noms des rois de France. Mais c'était en même temps une entreprise inéluctable, l'inévitable aboutissement d'une vie d'érudition puisque l'histoire de France pouvait se résumer à l'histoire des rois de France, et l'histoire des rois de France à la suite de leurs noms [126].

Au reste, si la simple liste de noms était pour l'historien un important document, elle était pour le chronographe, qui voulait situer les faits dans le temps et donner des dates, un instrument inutile. Par bonheur, dès les premiers temps, les clercs des cathédrales et des cours laïques avaient pris l'habitude, consignant les noms des évêques et des princes, de noter aussi la durée de leur pontificat et de leur règne. Le *Liber Pontificalis* donnait ainsi exactement le nombre d'années, de mois et de jours que chaque pape avait régné. De nombreux catalogues suivirent le modèle du *Liber Pontificalis*. D'autres furent plus rudimentaires et ne donnèrent que le nombre d'années. Ils purent aussi être lacunaires, ou erronés. Mais, parfaits ou imparfaits, ces catalogues donnant des noms et des durées furent pour les historiens du Moyen Age l'indispensable instrument de leur conquête du temps. Ils en étaient conscients. Lorsque, vers 1152, Robert de Torigni exhortait Gervais, prieur de Saint-Céneri, à écrire un abrégé de l'histoire d'Anjou, il lui demandait de donner d'abord « les noms, les généalogies, la succession » des comtes, et « combien d'années chacun d'eux a régné [127] ».

A partir du moment où l'ère de l'incarnation était devenue la commune mesure du temps, le travail des chronographes consista à calculer les années de l'incarnation où avaient commencé et où s'étaient achevés des pontificats et des règnes dont seule la durée leur était donnée. Mais cette reconstruction se heurtait à d'énormes difficultés qu'un exemple précis fera mieux saisir. En 1226 et 1227, un chanoine de Saint-Martin de Tours a rédigé une chronique que nous appelons aujourd'hui la Grande Chronique de Tours *(Chronicon Turonense Magnum)* [128]. Son travail a consisté à intercaler dans la chronique de Robert d'Auxerre, à la date convenable, tout ce qui s'était passé en Touraine dont il avait connaissance. Et son principal souci fut sans doute d'insérer à l'année voulue la mention du début du pontificat et de la mort de chacun des archevêques de Tours. Pour ce faire, l'auteur s'appuyait sur un catalogue des archevêques de Tours qui figure dans les deux manuscrits de la Grande Chronique qui nous sont parvenus et dont nous pouvons bien supposer que l'auteur lui-même l'avait copié ou adapté de catalogues antérieurs. Ce catalogue précisait le nom de chaque archevêque et le nombre d'années, de mois et de jours que son pontificat avait duré [129]. Comme l'historien lui-même le précise et le regrette, il n'avait trouvé nulle part l'indication des années (de l'incarnation) où ces archevêques avaient inauguré et achevé leur pontificat [130]. Ou plus exactement, pour nous en tenir à la période du IXe siècle à 1225 qui va nous occuper désormais, l'auteur ne savait que deux années : celle de la mort d'Herardus, que quelque écrit ou quelque inscription, comme cela fut souvent le cas au IXe siècle, situait sans ambiguïté en l'an 871 de l'incarnation ; et celle de 1208 où l'on savait bien encore en 1225 que Geoffroy était mort et que son successeur Jean avait été élu et consacré. Tout le problème était donc d'ajuster l'échelle de durées tirée du catalogue à ces deux dates de 871 et 1208.

La première difficulté venait de ce qu'un pontificat n'avait évidemment jamais duré un nombre exact d'années mais qu'il s'y était toujours ajouté un certain nombre de mois et de jours. Ranulf Higden déplore les erreurs qui viennent du fait que « les documents omettent souvent de donner, outre les années entières, les mois et les jours où les rois ont régné [131] ». Il aurait bien pu ajouter que, même si le catalogue, comme c'est le cas ici, précise les mois et les jours, la transcription en années de l'incarnation n'en est pourtant pas plus facile ; une erreur d'un an est toujours possible. Soit le pontificat d'Hugues, dont on sait qu'il a commencé en 1133 et qu'il a duré quatorze ans et deux mois ; il est correct de dire qu'il s'est achevé en 1147 parce qu'il a en effet commencé dans les premiers mois de 1133 ; mais s'il avait débuté en décembre 1133, il aurait fallu le faire finir en 1148. Par le simple jeu de ces inévitables erreurs cumulées, il est normal qu'un érudit qui a entrepris de retrouver, à partir de durées, des années de l'incarnation, aboutisse à des erreurs d'une ou deux années.

Ranulf Higden dénonce ensuite une seconde source d'erreurs, bien plus importante encore : « Les documents, dit-il, négligent de donner les intervalles de temps entre les fins de règnes et les débuts des règnes suivants. » Et de fait, le catalogue du chanoine de Saint-Martin ne donne pas les intervalles entre deux pontificats. Des mois et des années finissaient ainsi par manquer. Il n'y a donc rien d'étonnant à ce que le total de la durée de tous les pontificats, d'Actardus qui a commencé à régner en 871 à Geoffroy qui est mort en 1208, soit de 332 ans 3 mois et quelques jours alors que 337 années ont en réalité passé de 871 à 1208. Il n'y aurait donc pas lieu de s'étonner non plus si une date reconstruite par le chanoine était erronée de cinq ans.

A la vérité, il existait un catalogue des archevêques de Tours qui avait été composé au XIIe siècle et qui avait pris soin de noter la durée de quelques-unes au moins des vacances [132], et il n'est pas impossible que notre chroniqueur l'ait connu et utilisé. Theotolo est mort, selon notre auteur, en 953. Son successeur, Joseph, a régné 11 ans, 2 mois et 18 jours. Il serait donc mort en 964 ou, à la rigueur, 965. Si l'historien de Tours situe sa mort en 966, n'est-ce pas qu'il a tenu compte de la vacance de onze mois que signale, entre Theotolo et Joseph, le catalogue du XIIe siècle ? Certains ajustements ont donc peut-être été possibles, et peut-être bien que les intervalles sont responsables de discordances moins importantes qu'on n'aurait d'abord pu penser.

Les erreurs de copie ont de bien plus lourdes conséquences. Dans le catalogue du chanoine de Saint-Martin, il y en a beaucoup. Bornons-nous à deux d'entre elles. Le pontificat de Froterius aurait duré cinq ans. Mais d'autres catalogues disent trois ans. Comme nous savons, nous, que Froterius n'était pas encore archevêque au début de 957 et ne l'était déjà plus en 959 [133], le chiffre V est certainement une erreur. C'est pourtant lui qui entre dans les calculs du chanoine et accroît donc de deux ou trois ans la différence entre année réelle et année reconstruite. Il y a plus grave. Dans le catalogue du chanoine, le pontificat de l'archevêque Robert, qu'il faut situer dans la première moitié du Xe siècle, aurait duré vingt-trois ans. Mais d'autres catalogues, du XIIe siècle, donnent treize ans [134]. Comme le prédécesseur de Robert est mort en 916 et que Robert lui-même a été selon Flodoard assassiné par des voleurs dans les Alpes, alors qu'il revenait de Rome, en 929 [135], le chiffre de XIII est le bon ; XXIII est évidemment une erreur. Mais c'est le chiffre de XXIII qu'utilise le chanoine dans ses calculs ; il fait alors mourir Robert en 940 au lieu de 929 et ainsi se glisse dans sa chronologie une différence de onze ans qui va, pour longtemps, vicier sa reconstruction.

Heureusement que toutes ces erreurs se compensent plus ou moins. Deux fautes de copie donnent au chanoine quatorze à quinze ans de trop, mais le fait de ne pas généralement tenir compte des vacances le prive d'au moins autant d'années, si bien qu'au total l'échelle des durées peut être cahincaha ajustée entre 871 et 1208. La compensation est si providentielle qu'un soupçon nous pénètre. Voici notre chanoine au travail. Il part de 1208 et remonte le temps avec les durées de son catalogue. Pour le XIIe siècle tout va bien.

Il connaît peut-être par ailleurs la durée de certaines vacances. Il dispose certainement, dans les archives de Saint-Martin, de documents qui lui donnent sans ambiguïté des années de l'incarnation sinon pour les débuts et les fins des pontificats du moins pour des documents où les archevêques sont intervenus. Il peut ainsi corriger des durées qui seraient, dans le catalogue, erronées. Il évite les grosses erreurs et arrive à ne pas dépasser le décalage d'un ou deux ans que nous savons, pour une date reconstruite, inévitable. Raoul II est mort en 1118 ; la Grande Chronique de Tours donne 1119 [136]. Mais au-delà, les documents étant de plus en plus rares et les recoupements de plus en plus difficiles, le chanoine reste seul avec son catalogue, ses imprécisions, ses erreurs, et (faisons abstraction de bien d'autres à-coups) l'écart entre date réelle et date reconstruite s'accroît insensiblement. Archembaldus est sûrement déjà mort en 1007 mais, selon la chronique, il ne serait mort qu'en 1011 ; l'écart est d'au moins quatre ans. Hardoinus est mort en 980 mais, selon la chronique, il ne serait mort qu'en 987 ; l'écart est de sept ans. Froterius est mort en 959 mais, selon la chronique, il ne serait mort qu'en 970 ; l'écart est de onze ans. Et nous nous rapprochons ainsi de 871, année où l'auteur sait bien qu'est mort Herardus. Faut-il donc croire que la Providence est venue au secours d'un historien en difficultés avec ces deux erreurs de copie sur les pontificats de Robert et de Froterius ? Faut-il croire qu'entre plusieurs versions le chanoine a choisi les versions longues qui répondaient à ses besoins ? Ou ne faut-il pas plutôt croire que, pour venir à bout d'un fâcheux décalage, alors que les catalogues dont il pouvait disposer lui donnaient clairement treize ans pour le pontificat de Robert et trois ans pour celui de Froterius [137], notre chanoine a osé deux petits coups de pouce qui lui permissent de retomber sur ses pieds ? Même s'il a osé, ne l'accablons pas, et songeons qu'après tout, si nous pouvons corriger nombre de ses erreurs, c'est uniquement que notre érudition dispose d'une documentation plus riche que la sienne. Pour les archevêques de la fin du IXe et du début du Xe siècle par contre, où le vide documentaire reste aussi total pour nous que pour le chanoine de Saint-Martin, il est assez piquant de voir la *Gallia Christiana* suivre tout simplement les calculs de la Grande Chronique de Tours.

Il est donc difficile à un historien du XIIe ou du XIIIe siècle d'établir un catalogue complet, avec des années de l'incarnation exactes. Et pourtant, sans un tel catalogue, il lui est impossible de correctement situer dans le temps une charte ou un événement donné. Le catalogue serait-il parfait que les homonymes font courir aux érudits des dangers dont ils sont bien conscients. Le règne sous lequel les événements rapportés ci-dessus ont eu lieu, tient à dire Widukind de Corvey, n'a pu être établi avec certitude parce que, dans certaines passions de saints, les noms des empereurs prêtent à confusion, et lorsqu'on nous dit que telle chose s'est passée sous Antoninus, on ignore si elle a eu lieu sous Pius, sous Verus ou sous Commodus [138].

Des homonymies et un catalogue défectueux ont ainsi fourvoyé l'érudit de Saint-Mihiel qui, dans la première moitié du XIe siècle, avait entrepris d'écrire l'histoire de son abbaye. Cet érudit avait trouvé dans les archives de l'abbaye trois documents que leur antiquité aurait d'ailleurs rendus illisibles s'ils n'avaient été opportunément récrits [139]. Ces trois documents donnaient le nom du fondateur de l'abbaye, qui était le comte Goufaud, *Vulfoaldus*. Ils précisaient même en quelle année du règne de quel roi le comte Goufaud avait fait ses donations et fournissaient donc à l'érudition les moyens de bien dater la fondation du monastère de Saint-Mihiel. L'érudition moderne a pu établir que cette fondation a eu lieu sous Childebert III et Thierry IV, au début du VIIIe siècle. L'érudition du XIe siècle était moins bien armée : « Pour ce qui est de la date, raisonne le moine de Saint-Mihiel, voilà ce qu'on lit dans le premier document : « en la quatorzième année du règne de mon seigneur Childebert » ; dans le second : « en la quinzième année du règne de mon seigneur Childebert » ; et dans le dernier : « en la seconde année du règne de mon seigneur Thierry ». Comme le seul Childebert et le seul Thierry dont nous trouvons dans les chroniques que les règnes se soient suivis de près sont Childebert, fils de Brunehaut et de Sigebert, et Thierry, fils de ce Childebert, c'est donc en leur temps que, à notre avis, le comte Goufaud a vécu [140] ». Il se trompait ainsi d'un siècle.

Consciente de ces difficultés, l'érudition médiévale a tendu à construire des catalogues de mieux en mieux débarrassés de toute ambiguïté. Sa première solution fut de donner aux rois homonymes des surnoms différents. Non pas aux rois mérovingiens dont les historiens du Moyen Age n'ont jamais pu dominer le foisonnement mais, très tôt, aux rois de la seconde dynastie. Les historiens carolingiens ont dès le début senti le besoin de ne pas se perdre entre tous ces Charles et tout bon catalogue distingue *Karolus Martellus, Karolus Magnus, Karolus Calvus, Karolus Simplex.* Aux Pépins et aux Louis par contre l'attribution de surnoms a été moins générale et moins systématique, et de nombreuses confusions sont ici restées possibles. Pour les premiers rois capétiens qui, de 987 à 1137, ne portèrent pas deux fois le même nom, il ne fut pas urgent de leur donner un surnom. C'est simplement lorsque, en 1137, Louis succéda à son père Louis que la nécessité en reparut. Le fils fut très vite dit *Junior* ou *Minor*[141]. Il resta parfois Louis le Jeune. Mais avec le temps ce qualificatif perdait de sa pertinence. Il fut donc aussi, à partir du XIIIe siècle, *Ludovicus Pius* tandis que son père avait gagné dès la fin du XIIe siècle le surnom de *Grossus,* qui devait lui rester[142]. Utile, le système des surnoms restait trop peu systématique et donnait lieu à trop de variantes pour être vraiment satisfaisant.

Dès le XIe siècle, des esprits plus rationnels commencèrent à ajouter aux noms des souverains homonymes un nombre indiquant leur ordre de succession. Adémar de Chabannes disait qu'à Otton, le deuxième, avait succédé son fils Otton, le troisième du nom[143]. Lambert de Saint-Omer parlait de *Dagobertus Secundus*[144], Rigord de *Dagobertus Primus*[145]. Mais ce moyen de clarification rationnelle ne fut pendant longtemps qu'épisodiquement employé. En France c'est semble-t-il Primat, dans les *Grandes Chroniques de France,* qui en fit le premier, en 1275, un usage plus systématique[146]. Et à quelques années près c'est, dans la péninsule ibérique, exactement au même moment que la *Primera Crónica General de España* commença de donner un numéro d'ordre aux rois homonymes[147]. La numérotation des rois homonymes pose des problèmes d'érudition et reflète des partis pris politiques. Il n'est donc pas étonnant qu'on trouve parfois, d'un auteur à l'autre, des différences. En France le fils aîné de Louis VI, Philippe, a été associé à la royauté en 1129 mais il est mort avant d'avoir régné seul ; certains auteurs ne le comptent pas mais d'autres le comptent, pour lesquels Philippe Auguste est Philippe III et Philippe de Valois Philippe VII. Pour certains auteurs qui ne comptent pas Louis et Carloman, les fils de Louis le Bègue, saint Louis n'est encore que Louis VIII. De même, pour qui ne tient pas compte du fils posthume de Louis X, le petit Jean, Jean le Bon n'est-il que Jean Ier[148]. A la fin du Moyen Age encore tout n'était donc pas figé ; quelques ambiguïtés subsistaient. La numérotation des homonymes fut pourtant le moyen le plus efficace que les historiens médiévaux inventèrent pour clarifier leurs catalogues.

Outre qu'elle clarifiait les choses, la numérotation à la suite des rois homonymes mérovingiens, carolingiens et capétiens fut, au XIIIe siècle, un moyen simple et efficace de faire sentir la continuité royale française. La numérotation à la suite de tous les rois, depuis le premier Mérovingien jusqu'au souverain actuellement régnant, marquait mieux encore la même continuité. Vincent de Beauvais fut sans doute le premier à la donner[149]. D'autres le suivirent, et surtout Bernard Gui.

Mais la liste des rois mérovingiens et celle des rois de la fin du IXe et du Xe siècle variaient tellement d'un auteur à l'autre qu'une numérotation d'ensemble uniforme ne put s'imposer et que des numérotations par trop différentes, loin de clarifier les choses, les embrouillaient plutôt. Les historiens, après Bernard Gui, renoncèrent vite à ce dangereux atout.

Mais arrêtons-nous un moment à ce début du XIVe siècle. Des siècles d'érudition n'ont pas encore abouti à des résultats sûrs. Les historiens ne sont pas toujours d'accord entre eux sur les années de l'incarnation où se sont passés les événement les plus importants des temps mérovingiens et carolingiens et sont loin d'avoir déjà calculé la date exacte que retiendra l'érudition moderne. Par exemple, dans l'*Historia ecclesiastica nova* que Barthélemy de Lucques achève d'écrire entre 1313 et 1317 il donne les dates suivantes :

élévation d'Etienne II au pontificat :	778
élévation d'Adrien Ier :	795
élévation de Léon III :	819.

Mais Landolfo Colonna, dans le *De statu et mutatione Romani Imperii* qu'il écrit entre 1317 et 1324, situe pour sa part

l'élévation d'Etienne II en	750
celle d'Adrien Ier en	771
celle de Léon III en	800,

alors que l'érudition moderne a fixé

l'élévation d'Etienne II à	mars 752
celle d'Adrien Ier à	janvier-février 772
et celle de Léon III	au 26 décembre 795 [150].

De même, dans le catalogue des rois de France dont il donne la première version en 1314, Bernard Gui ne connaît-il exactement les dates des règnes qu'à partir de 1223. Du milieu du VIIIe au début du XIIIe siècle, mise à part la difficile première moitié du Xe siècle, où ses erreurs sont plus importantes, il se trompe toujours d'un an. Il faudrait mieux dire qu'il ne se trompe que d'un an. Mais en reconstruisant les dates des règnes des rois mérovingiens ses erreurs sont de quatre à sept ans. L'érudition de Bernard Gui est encore à nos yeux imparfaite.

Il n'empêche que son catalogue des rois de France, avec les noms des rois, la durée de leur règne, leur surnom, leur numéro d'ordre parmi leurs homonymes, leur numéro d'ordre dans l'entière succession royale, l'année de l'incarnation où ils sont morts, le dessin des arbres généalogiques où ils se situent, représente un des achèvements les plus élaborés de l'érudition médiévale. L'historiographie de 1300 n'est pas naïve. Elle est moins armée que la nôtre, mais elle n'est pas moins avertie. Les dates d'une chronique peuvent être erronées, mais elles sont le fruit des savants calculs d'une érudition exigeante jouant au mieux de la documentation disponible. Après des siècles nos dates sont, Dieu merci, plus exactes. Notre effort a plus de succès, mais c'est le même effort. Nous sommes bien les fils d'Eusèbe de Césarée, de Bède et de Bernard Gui. Nous sommes les heureux et lointains héritiers de tous ces savants qui ont pris tant de peine à maîtriser le temps.

§ 3. « *Ratio temporum* » : *temps et critique*

Des historiens si attentifs à la chronologie furent tout naturellement portés, cherchant la vérité, à « discuter la suite des temps [151] ». Et les meilleurs achèvements de la critique historique médiévale furent sans doute ceux où elle s'appliquait ainsi à considérer les temps, où elle invoquait la « *ratio temporum* [152] ». Au témoignage de Grégoire de Tours, raisonnait au xe siècle Letaldus de Micy, sept évêques étaient venus ensemble en Gaule sous l'empereur Décius, dont Denis ; or la vie de Julien nous apprend que Julien et Denis sont venus en même temps ; donc le premier évêque du Mans n'a pu être un disciple des apôtres ; et Letaldus de conclure que la considération des temps (« *ratio temporum* ») interdisait de croire à la fondation apostolique du Mans [153]. Selon le récit apocryphe qui était, au début du XIIIe siècle, lu dans toutes les églises d'Occident, la sainte croix avait été retrouvée, sous le règne de l'empereur Constantin, par sa mère Hélène, grâce aux indications du juif Cyriaque qui, converti, était devenu évêque de Jérusalem. Robert d'Auxerre trouve ce récit incroyable pour de nombreuses raisons et surtout parce que le catalogue des patriarches de Jérusalem ne donne pas le nom de Cyriaque. Il précise au contraire que Macharius était évêque de Jérusalem sous Constantin et c'est pendant son pontificat qu'Hélène vint à Jérusalem et découvrit la croix. « Quant à ce Cyriaque, il n'en est nulle part fait mention. Il n'a jamais existé ou, s'il a existé, ce n'est en tout cas pas à ce moment-là. Et il est absurde de croire que, alors que les autres patriarches de Jérusalem sont bien donnés dans l'ordre, ce Cyriaque seul aurait pu être omis par oubli ou négligence ». Et après avoir ainsi « discuté la suite des temps », Robert repousse « ce que rejettent et les autorités et le raisonnement [154] ». Plus tard, dans le même XIIIe siècle, Jacques de Voragine évoque le martyre des onze mille vierges, et il ajoute : « La tradition veut que ce martyre ait eu lieu en l'an du Seigneur 238. Mais l'examen des dates (« *ratio temporum* ») contredit cette affirmation. Car en 238 ni la Sicile ni Constantinople n'avaient de rois, tandis que l'on cite parmi les martyrs de Cologne la reine de Sicile et la fille du roi de Constantinople. Plus vraisemblablement le martyre des onze mille vierges aura eu lieu à l'époque des invasions des Huns et des Goths et, par exemple, sous le règne de l'empereur Marcien qui régnait, comme on lit dans une chronique, en l'an 452 [155] ».

Presque deux siècles plus tard, en 1454, c'est à partir des noms et des dates que lui donne un catalogue des empereurs romains que Thomas Rudborne met en doute, par un long raisonnement, l'existence d'Arthur. Geoffroy de Monmouth, explique-t-il, dit qu'Arthur a battu l'empereur Lucius. Mais Arthur, selon Geoffroy lui-même, est devenu roi en 515, à quinze ans, et a régné jusqu'à sa mort, en 542. C'est Justin et Justinien qui furent empereurs pendant cette période. Il n'y eut donc aucun empereur du nom de Lucius au temps d'Arthur. Geoffroy dit d'autre part qu'un empereur Léon avait confié la Gaule à un certain Frollon, qu'Arthur vainquit et tua. Mais on sait par la chronique *de Romanorum Imperatoribus* (que Thomas croit être d'Yves de Chartres) que Léon le Grand est devenu empereur en 450, à un moment où Arthur n'était même pas de ce monde. Léon II était empereur en 468, alors qu'Arthur n'était toujours pas né. Quant à Léon III, il ne devint empereur qu'en 708, alors que, au dire même de Geoffroy, Arthur était mort depuis longtemps [156]. Sous Charles VIII, un historien avait fixé la fondation de Lutèce par les Français à 395 av. J.-C. C'est encore l'examen des dates qui permet à Robert Gaguin, comme aurait pu le faire tout bon historien « *temporum supputationem non ignoranti* » ou, comme dit son traducteur, « qui le nombre du temps scait et congnoist », de prouver que son malheureux prédécesseur « non saichant assez le temps et les choses » (« *rerum et temporum non satis gnarus* ») « a doublement erré [157] ».

Et lorsque, simplement armés de dates, Thomas Rudborne ébranlait ainsi le mythe d'Arthur et Robert Gaguin celui des Troyens, ils n'étaient pas les bons élèves des Italiens de la Renaissance car ceux-ci, se détournant de la tradition médiévale et prenant pour modèle les classiques latins, se souciaient plus de beaux discours que de dates précises [158]. Ils étaient tout simplement dans le droit fil de l'érudition médiévale dont la grande affaire a été, à n'en pas douter, la conquête du temps.

III. Le sens de l'espace

§ 1. *La routine des livres*

En 1482, une traduction italienne de Ptolémée était intitulée « Géographie ». Et l'édition latine du même Ptolémée parue en 1490 adoptait elle aussi le titre de « *Geographia*[159] ». Telles furent, du moins dans le titre d'une œuvre, les deux premières apparitions du mot « géographie ». Il manqua donc au Moyen Age. Mais l'Antiquité entendait par « topographie » exactement ce que nous entendons par « géographie ». Quelques auteurs du Moyen Age, comme Giraud le Cambrien par exemple, l'utilisèrent. Et surtout « cosmographie » fut d'usage courant tout au long du Moyen Age. Or le mot englobait alors non seulement ce que nous entendons par cosmographie, mais aussi les disciplines que nous appelons géographie physique, géographie humaine, géographie descriptive, et si la première traduction latine de Ptolémée, en 1406, fut intitulée « Cosmographie », ce ne fut pas l'effet d'une nouveauté, ce fut par la force d'une longue tradition. Certes, l'absence d'un mot propre couramment employé indique assez que la géographie était loin d'avoir déjà gagné son autonomie. Il n'en est pas moins vrai que les hommes du Moyen Age en général et les historiens du Moyen Age en particulier eurent, les uns plus les autres moins, le sens de l'espace et le goût de l'étudier.

Ils y étaient poussés par l'exemple des Anciens. La rhétorique latine conseillait aux auteurs d'oser des digressions, la description d'un lieu, au moment où ce lieu était évoqué dans le récit, constituant la meilleure des digressions. Une telle digression que les Anciens appelaient topographique et que nous disons géographique reposait le lecteur ou l'auditeur, lui était une occasion de délectation. Elle lui était en même temps utile car, comme dit Cicéron, « la nature des choses requiert l'ordre des temps et la description des pays ». Comme la rhétorique antique, la rhétorique médiévale permit les digressions consacrées à décrire des lieux, mais c'est moins en s'autorisant des maîtres de rhétorique contemporains qu'en suivant les exemples de leurs prédécesseurs historiens que tant d'auteurs, pendant dix siècles, s'appliquèrent à décrire les lieux dont ils parlaient[160], pour distraire leur public et surtout « pour la plus grande intelligence des choses », comme dit Jacques de Vitry au début du XIIIe siècle[161], « affin de donner intelligence aux choses qui ensuivent après », comme répète Pierre Le Baud à la fin du XVe[162]. Sans doute, chaque historien réagit-il avec son tempérament. Dans l'*Histoire des archevêques de Hambourg* qu'il écrit dans la seconde moitié du XIe siècle, Adam de Brême consacre tout un livre, le quatrième et dernier, à décrire les contrées nordiques. Le moine français qui compose au début du XIIe siècle l'*Histoire des ducs ou princes de Pologne* esquisse un tableau de ce pays mais n'ose pas « une digression trop longue [163] ». Un peu plus tard, Otton de Freising expédie en quelques lignes, au début de sa *Chronique,* une description du monde plus que succincte. Otton est trop théologien. Rien ne le porte à une vision concrète de l'espace. Mais le coup de chapeau qu'il donne, si réticent qu'il soit, marque bien avec quelle force s'impose à l'historien l'obligation d'un exposé géographique.

Conçue pour être utile et plaire, une digression géographique antique qui voulait être complète devait traiter du pays, des hommes qui l'habitaient, puis dire ce qu'on y trouvait de singulier *(mirabilia).* Du pays comme des hommes, l'auteur devait à la fois donner une description objective *(descriptio)* et faire l'éloge *(laus, laudatio).* La description d'un lieu entendait surtout en donner la position et les limites alors que son éloge voulait en brosser un tableau flatteur qui fît ressortir tout son charme [164]. Dans les quelques paragraphes de leur digression géographique, les historiens du Moyen Age se bornent à quelques points de ce riche programme. Richer écrit un premier paragraphe sur les trois parties du monde, un second sur les trois parties de la Gaule, un troisième sur les mœurs des Gaulois, avant de passer au récit des événements de l'histoire de France. Au début de son *Histoire de France* Aimoin de Fleury décrit les différentes parties de la Gaule, en donne les limites, les villes et les fleuves, mais parle aussi de la langue, de la religion et des lois des Gaulois [165]. Primat, traduisant Aimoin, renonce à parler des hommes et s'en tient à une description abrégée du pays [166]. Le moine de Marmoutier qui, au début du XIIe siècle, traite de la Touraine, en fait d'abord une sèche description où il énumère ses limites, ses places fortes et ses fleuves, avant d'en écrire un long éloge [167]. Le moine qui, au début du XIVe siècle, compose l'histoire du monastère de Kremsmünster situe d'abord celui-ci dans la région de Germanie, puis la province de Bavière, puis le *pagus* de Traungau, avant de filer le *topos* du lieu agréable, du *locus amenus,* et de vanter l'*amenitas* du lieu *litteraliter,* puis *spiritualiter* [168]. Un peu plus tard, Jean de Marignola s'attarde peu à l'éloge ou la description des lieux, et à l'observation des mœurs, mais il porte un intérêt passionné aux *mirabilia mundi.* Chacun aborde donc la géographie à sa façon, mais chacun sait aussi que, pour être complet, il lui faudrait à la fois décrire les pays, les peuples et les choses étonnantes. C'est bien tout cela que le Moyen Age chercha dans l'œuvre de Solin, si l'on en croit les différents titres qu'il lui a parfois donnés [169]. C'est bien tout cela que Giraud le Cambrien entendait traiter dans sa *Topographia Hibernica* où il annonçait lui-même une première partie décrivant la position de l'Irlande *(de situ Hiberniae),* une seconde partie décrivant les résultats prodigieux des jeux de la nature *(prodigiosa naturae ludentis opera),* une troisième partie décrivant les mœurs du peuple irlandais *(de gentis Hibernicae... naturis et moribus)* [170]. C'est encore tout cela que l'auteur de l'*Eulogium,* à la fin du XIVe siècle, entendait traiter lorsqu'il annonçait qu'on trouverait dans son troisième livre « *quasdam narrationes monstruosas* », « *aliqua mirabilia vel inaudita monstra* », et que son quatrième livre montrerait « la division du monde, quelle partie en est habitable et quelle non », et dirait « les régions, les provinces, les îles, et les coutumes de leurs habitants [171] ».

Au premier siècle de notre ère, dans son *Histoire naturelle,* Pline l'Ancien avait décrit le monde ; il avait longuement parlé des pays et des hommes. Au IIIe siècle, dans son *Recueil de curiosités,* Solin avait dépeint les pays, les hommes et les animaux avec un goût prononcé de l'étrange et de l'étonnant. Au Ve siècle, au début de ses *Histoires contre les païens,* Orose avait donné une description du monde qui disait d'abord les trois parties de ce monde, puis ne faisait guère autre chose que longuement énumérer les régions et les peuples de chacune de ces parties. Au VIIe siècle enfin, Isidore de Séville avait, comme toujours, condensé ses prédécesseurs. D'autre part, les historiens romains avaient souvent joint à leur récit historique une description géographique. Dans sa *Guerre des Gaules* César avait longuement décrit la Gaule. Dans sa *Guerre de Jugurtha* Salluste avait campé la terre africaine. Enfin, à Alexandrie, entre le IIIe et le VIe siècle, une ample histoire placée sous l'autorité de Callisthène et traditionnellement appelée pour cela le *Pseudo-Callisthène,* répondant au goût populaire pour les récits étonnants et extraordinaires et au goût érudit pour les choses étranges et lointaines, avait assimilé tout ce qui avait pu être dit ou écrit sur Alexandre, sa vie, les pays qu'il avait traversés, et avait en particulier incorporé une lettre qu'on disait écrite par Alexandre à son maître Aristote [172]. Ces récits plus ou moins merveilleux, ces descriptions plus ou moins précises, ces énumérations plus ou moins sèches eurent tout au long du Moyen Age un constant et large succès, et lorsqu'un historien voulait dire les pays et les peuples, c'est de ces auteurs, directement ou indirectement, qu'il s'aidait.

Au début de son *Histoire ecclésiastique du peuple anglais,* Bède décrivait la Bretagne ; Pline, Solin et Orose étaient ses principales sources. Au début de son *Histoire de France,* Richer décrivait le monde et la Gaule ; tout en venait d'Orose, Isidore et César. Aimoin de Fleury, décrivant lui aussi la Gaule, prenait tout chez Pline, Orose et César. Le monde d'Hugues de Saint-Victor était celui de Salluste, d'Orose et d'Isidore [173]. Otton de Freising, quant à lui, se contentait du seul Orose auquel il renvoyait son lecteur [174]. Au XIIIe siècle, le *Livre du Trésor* de Brunet Latin répétait Solin et Isidore. Au XIVe siècle encore, quoiqu'il utilisât, pour l'Angleterre, l'Irlande, la France et Rome, des sources plus récentes, un historien aussi remarquable et documenté que Ranulf Higden décrivait le reste du monde à l'aide de Pline et d'Isidore ; son Inde était peuplée d'êtres étranges, son Espagne « avait l'air d'une province romaine [175] ». L'*Imago Mundi,* enfin, que Pierre d'Ailly composait en 1410, était presque tout entière le reflet direct, peut-être parfois indirect, de Pline, de Solin, d'Orose et d'Isidore. L'appétit géographique de nombreux historiens du Moyen Age se nourrissait d'abord des mêmes textes cent fois répétés.

C'était, pour beaucoup, trop encore. Orose avait pratiquement réduit sa description du monde à des énumérations. Suivant son exemple, des savants pour lesquels l'histoire pouvait se ramener à des catalogues de papes, d'empereurs, de rois ou d'évêques condensèrent leur géographie dans des listes de noms de pays, de fleuves et de villes. Ainsi Lambert de Saint-Omer [176] ; ainsi Hugues de Saint-Victor [177] ; ainsi beaucoup d'autres par la routine desquels se perpétuèrent tout ou fragments de vieilles nomenclatures [178].

Par ces listes, les auteurs et leurs lecteurs espéraient mieux appréhender l'espace. La Gaule, explique Primat, « contient mainte noble cité » ; pour la décrire, il se bornait pratiquement à donner leurs noms « car par les noms des citez sera plus legierement la descrition entendue [179] ». Une *mapa* ou *mappa,* c'est précisément la description que donnent ces listes de noms. La *Mappa mundi* de Gervais de Canterbury n'est rien d'autre qu'une suite de noms [180]. Sans une *mapa mundi* affirme Paulin de Venise qui est ainsi en parfait accord avec Primat, « je dirais qu'il est difficile, je dirais même qu'il est tout à fait impossible de se représenter » les choses. Mais ces choses sont pour lui plus claires encore lorsque les noms sont situés sur une carte, car il ajoute aussitôt qu'une carte doit être double et comporter à la fois un dessin et de l'écriture ; l'un ne peut suffire sans l'autre ; le dessin sans l'écriture ne donne des provinces qu'une représentation confuse ; l'écriture sans le dessin est impuissante à montrer les limites de ces provinces [181]. Paulin ne fut ni le premier ni le seul à sentir la nécessité de cartes figurées. De nombreuses bibliothèques ecclésiastiques et princières eurent au Moyen Age des cartes, au moins une carte du monde. Ces pièces isolées sont maintenant presque toutes perdues. Mais plusieurs œuvres de grande diffusion étaient traditionnellement illustrées d'une carte du monde. On en trouve une, encore aujourd'hui, dans 650 manuscrits [182].

Aristote se représentait déjà la terre sous la forme d'un globe. Les savants grecs suivirent et précisèrent sa pensée et, au IIe siècle avant Jésus-Christ, Cratès de Mallos voyait le globe terrestre divisé en cinq zones climatiques parallèles : une zone septentrionale froide, une zone septentrionale tempérée, une zone torride, une zone australe tempérée et enfin une zone australe froide. Seules étaient habitables les deux zones tempérées. D'autre part, un immense océan ceinturait par deux fois le globe terrestre, une première fois d'est en ouest à la hauteur de l'équateur et une seconde fois, perpendiculairement à la première, suivant une direction nord-sud. Cet océan délimitait donc sur le globe quatre parties dont chacune contenait une zone habitable. C'était une question de savoir ce qu'il y avait réellement dans trois de ces zones habitables mais inaccessibles et inconnues. La quatrième en tout cas était celle que les hommes peuplaient et connaissaient, où ils distinguaient l'Europe, l'Asie et l'Afrique [183]. A cette vision du monde, les Pères de l'Eglise furent tout à fait opposés. Comment des gens étaient-ils assez stupides pour croire que des hommes pussent vivre la tête en bas, et la pluie tomber de bas en haut [184] ? Et surtout, si des hommes vivaient effectivement dans trois parties du monde à nous inaccessibles, les Ecritures auraient donc menti, qui disaient qu'Adam était l'ancêtre de tous les hommes, et que l'Evangile avait été prêché aux quatre coins de la terre ? Et les Pères de l'Eglise en revinrent à la vision du monde qui est implicite dans la Bible : un disque plat sur l'eau. La Chrétienté les suivit. Mais comme Macrobe, commentant le *Songe de Scipion* de Cicéron, et Martianus Capella, écrivant ce qui est en somme, sous sa forme romanesque, une encyclopédie des arts libéraux, suivirent les théories grecques et firent de la terre une sphère, comme le commentaire de Macrobe était illustré d'un globe terrestre [185], comme les œuvres de Macrobe et de Martianus Capella furent lues et copiées, carte comprise, tout au long du Moyen Age, l'image du globe terrestre, malgré la condamnation des théologiens, ne disparut jamais tout à fait de la conscience chrétienne. Lambert de Saint-Omer en dessinait un, et disait explicitement s'inspirer de Martianus Capella.

Mais la plupart des auteurs renoncèrent prudemment à porter leur regard au-delà du monde habité et presque toutes les cartes médiévales du monde dérivèrent de celle qui avait été dessinée pour illustrer la brève description du monde connu que Salluste avait donnée dans sa *Guerre de Jugurtha* [186]. Ces cartes du monde purent être minuscules ou couvrir plusieurs mètres carrés. Elles purent ne comporter que quelques noms ou être riches d'une nomenclature abondante. Elles se contentèrent parfois de situer approximativement les noms qu'elles donnaient les uns par rapport aux autres ; mais elles furent de plus en plus nombreuses à dessiner le contour des terres et le tracé des fleuves. Pour marquer le relief et les villes, beaucoup s'en tinrent à de simples petits symboles, d'autres osèrent des dessins sinon plus exacts du moins plus complexes [187]. Ces cartes offrirent donc une grande diversité. Elles eurent en commun de représenter le monde comme un disque plat, un cercle qu'un T inscrit divisait en trois parties : la moitié supérieure était l'Asie, le pays de Sem ; le quart inférieur gauche était l'Europe, le pays de Jafet ; le quart inférieur droit l'Afrique, le pays de Cham. Toutes aussi baignaient dans une atmosphère théologique. Elles situaient le Paradis à l'est, tout en haut de la carte. Mieux encore. Sur les cartes antiques, la grande île de Naxos, proche du célèbre centre religieux qu'était la petite île de Délos, marquait le centre du monde [188] ; elle le marqua encore pendant des siècles ; elle était encore au centre du monde pour Lambert de Saint-Omer. Cependant, quelques années après la première croisade, en 1110, Jérusalem apparut pour la première fois sur une carte au centre du monde ; elle y était au temps d'Hugues de Saint-Victor et s'y maintint tant que dura l'enthousiasme pour la croisade [189]. Théologiques, toutes ces cartes étaient aussi historiques en ce sens qu'elles devaient d'abord permettre aux lecteurs des histoires sainte et profane de repérer les lieux dont on leur parlait. Si telle carte du XIIIe siècle représentait encore Troie ou le Phare d'Alexandrie, ce n'est pas que l'auteur ignorât leur disparition, c'est que, pour aider son lecteur, il dessinait d'une même plume villes ou monuments passés et présents [190]. Une telle perspective ne pouvait que renforcer encore, dans toutes ces cartes, le poids de la tradition livresque. A quelques détails près, les cartes que Lambert de Saint-Omer dessinait en 1120 auraient pu avoir été produites à la fin du VIIe siècle. Et la carte du monde que Ranulf Higden, au XIVe siècle, joignait à son *Polychronicon* représentait, pour l'essentiel, le monde de l'Antiquité tardive [191].

Les historiens du Moyen Age avaient l'ambition de situer les événements dans l'espace, mais sur leurs descriptions, sur leur nomenclature et sur leur cartographie, le savoir livresque et la routine scolaire pesaient de tout leur poids.

§ 2. *Les fruits de l'expérience*

Des écoles ne pouvait sortir aucune vision nouvelle de l'espace. L'administration obligea à poser sur le monde un regard plus précis. Si, au début du XIIe siècle, un moine de Marmoutier pouvait faire de la Touraine un si riche portrait, disant ses limites, ses places fortes, ses fleuves, ses ressources et ses paysages, n'est-ce pas que, administrateur du monastère, il avait su en exploiter les archives et que, obligé de parcourir le pays en des tournées régulières, il avait pu en acquérir une connaissance précise et concrète [192] ? Au reste, tout bon administrateur n'était pas doué pour voir concret, mais tout bon administrateur devait avoir une connaissance exacte de sa circonscription, c'est-à-dire s'aider d'une liste exacte des localités de sa circonscription. Une administration efficace va de pair avec des listes constamment tenues à jour et l'on mesure, par exemple, les progrès de l'administration royale française à la qualité des listes dont elle dispose. Mais bientôt des listes ne suffirent plus. En 1423, pour permettre aux administrateurs de Charles VII de se rendre un compte exact des châteaux, des villages et des terres que comportait un héritage récemment échu au roi, un guide, un notaire et un peintre parcoururent pendant douze jours les comtés de Diois et de Valentinois. Après quoi, quatre jours de travail permirent d'en dessiner « *unam figuram ad modum mappemondi* ». Cette carte, aujourd'hui perdue, est la première carte administrative française dont la trace ait été conservée [193]. D'autres la suivirent, qui témoignent combien les besoins de l'administration furent essentiels dans la progressive appréhension de l'espace.

Dans le même temps, les voyages que devaient entreprendre les clercs, les marchands et les diplomates, les pèlerinages, les croisades et les missions à quoi étaient poussés tant de chrétiens donnaient à des Occidentaux plus nombreux une vision plus précise d'un monde plus vaste. Déjà vers l'an mille, dans son *Histoire des évêques de Liège,* au passage où il indiquait que Remacle venait d'Aquitaine Hériger de Lobbes accrochait une description de ce pays dont une partie répétait Orose et Grégoire de Tours mais dont l'essentiel était sa composition personnelle. Or quelques-uns des traits qu'il disait venaient certainement de l'étude attentive de chartes mérovingiennes qu'il avait pu voir au monastère de Stavelot-Malmédy, mais il mettait surtout en œuvre une riche information orale dont tout permet de croire qu'il la tenait de Gerbert, l'ami intime de l'évêque de Liège Notger avec lequel Hériger travailla longtemps en étroite collaboration. Plus tard, au XIIe siècle, les pèlerins décrivirent Rome, les étudiants décrivirent Paris. L'Occident fut peu à peu mieux vu en son centre [194]. Et ses horizons, peu à peu, s'élargirent. Dès 1075, les récits de ses contemporains et surtout ceux du roi de Danemark Svend permettaient à Adam de Brême de donner une longue description des pays scandinaves [195]. *Gallus Anonymus* brossait au début du XIIe siècle un bref portrait de la Pologne où il vivait. A la fin du XIIe siècle, Giraud le Cambrien visitait l'Irlande avec le roi Jean puis le pays de Galles avec l'archevêque de Canterbury ; ce lui était l'occasion d'écrire sa *Topographia Hibernica,* puis son *Iitinerarium Cambriae.* Les Occidentaux portaient leurs regards plus loin vers le nord et vers l'ouest, mais surtout vers l'est. Les croisades, d'abord, leur ouvrirent un monde nouveau que seuls quelques pèlerins avaient jusqu'alors connu [196]. Puis les missions dominicaines et franciscaines qu'Innocent IV envoya en 1245 au khan des Mongols leur firent connaître des pays plus lointains encore [197], que les plus hardis d'entre eux parcoururent jusqu'à ce que, vers le milieu du XIVe siècle, l'accès leur en fût interdit. Le franciscain Jean de Marignola était envoyé en ambassade auprès du grand khan en 1338 ; il atteignait Pékin en 1343 ; il était de retour en Italie en 1353 ; il fut le dernier Occidental qui ait pu connaître et décrire l'Extrême-Orient. Les grandes découvertes maritimes prirent, au XVe siècle, le relais ; elles ne furent qu'un moment particulier de cette dilatation continue qui portait les Occidentaux, depuis les temps carolingiens, toujours plus loin.

Cet enrichissement progressif donna aux savants d'Occident le sens toujours plus vif de la diversité des rites, des mœurs, des coutumes et des traditions [198]. Certains acceptèrent mal cette variété. D'autres y trouvèrent une nouvelle raison d'accueillir les histoires les plus inouïes : « On ajoute rarement foi, dit l'auteur de l'*Eulogium,* aux choses étonnantes et aux faits prodigieux ; c'est que les gens qui ne quittent pas leur pays natal verront rarement de ces choses étonnantes qu'ils pourraient voir s'ils voyageaient un peu hors de chez eux [199] ». Mais ces différences en encouragèrent aussi beaucoup à multiplier les observations précises qui en firent, avant la lettre, de vrais géographes et de vrais ethnologues [200]. Les fruits de l'expérience mirent toutefois longtemps à mûrir car, outre que la langue fut un obstacle souvent infranchissable, ou un miroir par trop déformant, les observations des voyageurs s'empêtraient dans tout ce que leur avaient appris les livres. Quoiqu'il eût passé une grande partie de sa vie en Orient, Jacques de Vitry a surtout accumulé, dans son *Histoire,* les renseignements livresques [201]. De ceux qui, un peu plus tard, parlèrent des Mongols, les uns, comme Simon de Saint-Quentin, donnèrent des récits remarquablement dépouillés de tout merveilleux, mais d'autres, comme Jean de Plancarpin, y mêlaient encore les habituels *mirabilia.* Les écrits alexandrins, les textes bibliques, la conviction que les Mongols étaient des barbares dont Dieu avait fait son fléau empêchèrent trop souvent de les observer tels qu'ils furent [202]. Au cours de son long voyage, Jean de Marignola avait multiplié les observations précises, dont il s'armait pour reviser, sur de nombreux points, la tradition. Par exemple, il avait traversé le désert de Gobi, où « les vents ont formé des montagnes de sable », et « au-delà duquel, avant les Tartares, personne ne pensait qu'il y eût quelque terre habitable, ni même simplement quelque terre » ; eh bien, ajoute-t-il, « cette zone que les savants disent torride et intraversable, les Tartares l'ont pourtant traversée, et moi, même, deux fois ». Parfois, Jean de Marignola ne redresse pas simplement les erreurs de la tradition, il en tente une explication rationnelle. Depuis des siècles, le Moyen Age croyait à l'existence de ces petits personnages qui pouvaient, grâce à leur grand pied, se mettre à l'abri du soleil. Une telle race, nous dit Jean, n'existe pas, « mais il est vrai que les Indiens vont généralement nus et tiennent toujours à la main une petite ombrelle de roseau, comme j'en ai une à Florence, qu'ils appellent *cyatyr* et qu'ils déploient quand ils veulent se protéger du soleil et de la pluie ; voilà ce dont les poètes ont fait un pied [203] ». L'expérience, chez Jean de Marignola, peut donc remettre en cause certains points de la tradition. Mais elle ne peut en ébranler l'ensemble. Car la tradition ne se fonde pas simplement sur des textes antiques en définitive revisables, elle s'appuie aussi sur la Bible. Or il ne faut même pas dire que la Bible a toujours, contre l'expérience, le dernier mot. Bien plutôt les observations de Jean de Marignola n'ont-elles pour seul but que d'illustrer le texte sacré. Le franciscain ne doute pas qu'au cours de son voyage il a frôlé le Paradis [204].

Ce que les historiens voient autour d'eux ne triomphe certes pas de ce qu'ils ont lu. Ils en retirent du moins la conviction de la mutabilité des choses humaines. « De même, dit Gervais de Canterbury au début de la *Mappa mundi* qu'il dresse vers 1200, que de nombreuses réalités, glorieuses en ces temps-là, sont maintenant si changées qu'elles nous semblent ridicules ou insignifiantes, de même se trouvera-t-il peut-être que nos gloires d'aujourd'hui seront, par la mutation des choses et des temps, réduites à rien [205] ». Deux siècles plus tard, un esprit aussi livresque que Pierre d'Ailly, après avoir redit la Gaule d'Isidore et d'Orose, ne pouvait empêcher de se révolter son orgueil de Français, d'universitaire parisien, et d'évêque de Cambrai : « Orose, Isidore et les autres cosmographes antiques, éclate-t-il à la fin de son exposé, ne disent presque rien du royaume de France, établi dans les Gaules. C'est pourtant aujourd'hui le plus puissant de tous les royaumes d'Europe. Rien non plus de sa capitale, Paris, où l'étude des sciences divines et humaines éclaire puissamment le monde. Rien encore des autres villes de ce royaume, ni des terres qui l'entourent comme la Lorraine, Liège, le Hainaut, Cambrai, le Brabant et la Flandre, où sont tant de villes et de places riches et peuplées [206] ». Ainsi disaient Gervais de Canterbury et Pierre d'Ailly. Mais depuis le début du Moyen Age savants cosmographes, historiens érudits et simples encyclopédistes, conscients que le monde changeait, avaient osé, l'un après l'autre, ajouter à une mer de routine quelques gouttes de nouveauté [207].

« *Mutatis temporibus gentes quoque, situs et nomina mutant* », « les temps changent, les peuples, les pays et les noms changent avec eux [208] ». En faisant du changement des noms de peuples et de pays la marque la plus évidente du changement, Pie II disait simplement en 1458 ce dont les savants étaient, depuis des siècles, conscients. « La ville de Frioul [209] que ceux qui se croient savants (« *qui sibi scioli videntur* ») appellent *Forum Juliense* », disait Notker le Bègue [210] ; « *Gennabus,* où est aujourd'hui Orléans », « *Arvernus,* qu'on appelle aujourd'hui Clermont », disait Aimoin de Fleury [211]. « La Neustrie, qu'on appelle aujourd'hui Normandie », disait Geoffroy de Monmouth [212]. « Normendie / Ki dunc aveit nun Neüstrie », répétait Wace [213]. Pour de nombreuses villes et de nombreux pays, un auteur disposait ainsi d'un nom ancien et d'un nom nouveau, d'une forme savante et d'une forme populaire. Laquelle allait-il couramment employer ? Certains, pour se prouver à eux-mêmes leur science, usaient du mot savant. Mais leur science n'était souvent qu'une demi-science ; ils n'étaient souvent que des demi-savants, « *scioli* », comme ironisait Notker le Bègue, et leur affectation érudite pouvait aboutir à de fâcheuses identifications. Eginhard savait fort bien que les Danois *(Dani)* et les Suédois *(Sueones)* étaient des hommes du nord, que ses compatriotes appelaient des Normands [214]. Mais en ce XIe siècle où l'érudition renaissait les historiens normands appelèrent Daces *(Daci)* ceux que le peuple appelait Danois *(Dani),* Noriques *(Norici)* ceux qu'il appelait Norvégiens *(Norwagenses),* Souabes *(Suavi)* ceux qu'il appelait Suédois

(Sveci), et drapèrent ainsi les hommes venus du nord dans l'histoire de ces peuples antiques [215]. Même employés à bon escient, les noms anciens pouvaient égarer les lecteurs, et puisqu'on disait de son temps Turcs et non plus Parthes, comme on disait Normandie et non plus Neustrie, Lorraine et non plus Austrasie, Guibert de Nogent, racontant la croisade, préférait, pour ne pas être obscur, parler comme tout le monde [216]. Les autres historiens des croisades, assaillis de tant de nouveautés, firent de même [217]. Leur exemple fut suivi au point que Primat, traduisant Aimoin et décrivant pourtant la Gaule des premiers Mérovingiens, ne donnait même plus les noms anciens d'Orléans et de Clermont [218].

Primat ne se contenta pas d'opter pour les noms nouveaux des vieilles cités. Ses listes s'enrichirent parfois de cités nouvelles. Si, pour la Gaule celtique et la Gaule aquitaine, qu'il connaissait mal, il lui suffit de reprendre la liste des villes donnée par Aimoin, pour la Gaule belgique où il vivait il ajouta à Cologne, Tongres, Trêves, Metz, Reims, Laon, Soissons, Amiens, Vermand, Beauvais et Arras que citait Aimoin les noms de Toul, Verdun, Châlons, Noyon, Tournai et Cambrai [219], qui lui étaient familiers ou, plus précisément, qu'il trouvait sur les listes d'évêchés qui lui étaient familières. Car la démarche de Primat transparaît, évidente. Il a considéré que la Gaule belgique d'autrefois couvrait, de son temps, la partie méridionale de la province de Cologne et surtout coïncidait avec les provinces de Trêves et de Reims. Il a donc mis à jour la liste des villes de la Gaule belgique donnée par Aimoin en y ajoutant toutes les villes épiscopales qui n'y figuraient pas et qui apparaissaient sur les listes de diocèses dont il disposait : Toul, Verdun et Châlons pour la province de Trêves ; Noyon, Tournai et Cambrai pour la province de Reims. Il n'a laissé tomber, dans la province de Reims, que Senlis et Thérouanne, décidément, peut-être, trop petites villes à ses yeux. Voici d'ailleurs une preuve supplémentaire que Primat avait bien décidé de superposer à la géographie de la Gaule celle des provinces ecclésiastiques : dans sa liste des villes de Gaule belgique, Aimoin citait Langres ; Primat ne le fait pas. Cette omission n'est pas une étourderie de l'auteur ou du copiste ; c'est que Langres était dans la province ecclésiastique de Lyon et Primat, jusqu'au bout fidèle à sa démarche, la cite parmi les villes de la Gaule celtique [220]. Ainsi les historiens du Moyen Age adaptaient-ils, plus ou moins lentement, plus ou moins maladroitement, les listes qui résumaient leur géographie.

Parallèlement, les cartes du monde qu'ils joignaient à leurs chroniques universelles enrichissaient peu à peu de noms nouveaux les contrées familières. Sur la carte de Lambert de Saint-Omer par exemple, au milieu d'une foisonnante nomenclature héritée de l'Antiquité se faisaient place, ici ou là, quelques noms surgis au ve siècle *(Germania, Alemania),* aux vi^e-viiie siècles *(Burgundia, Neustria)* [221], ou si récemment encore au début du xiie siècle qu'ils apparaissaient ici pour la première fois sur une carte *(Flandria, Baioaria)* [222]. De même les cartes du monde, ajoutant des noms, esquissant des contours, reflétaient-elles l'espace insensiblement conquis. Dès le xie siècle l'Europe de l'est et la Scandinavie sortaient quelque peu de l'obscurité ; la Norvège et la Suède étaient précisées au début du xiie siècle dans la carte de Lambert de Saint-Omer ; la Hongrie un peu plus tard ; en 1235, la carte d'Ebstorf précisait la Bohême, la Pologne et la Prusse [223]. Mais bientôt les cartes du monde, si détaillées fussent-elles, ne suffirent plus aux plus exigeants. Giraud le Cambrien avait joint à sa description du pays de Galles une carte qui ne nous est pas parvenue [224]. Mais nous avons la carte de l'Angleterre et de l'Ecosse dont Mathieu Paris avait pris soin de doter chaque exemplaire de sa *Chronica majora.* Cette carte n'est d'ailleurs qu'un des achèvements cartographiques du scriptorium de Saint-Albans sous l'impulsion de Mathieu Paris [225]. Au moment où, sur le continent, les historiens devaient se contenter encore de cartes sommaires ou même, comme les historiens dominicains, fût-ce un Vincent de Beauvais, n'éprouvaient pas du tout le besoin de cartes, ce fructueux labeur était exceptionnellement précoce. Il marquait du moins avec éclat l'apparition d'une nouvelle manière de saisir l'espace.

Toutefois, les progrès furent lents. Géographie et cartographie baignaient encore, au xve siècle, dans la routine. Solin, Orose et Isidore régnaient toujours. Pour écrire sa *Cosmographie* l'humaniste Pier Candido Decembrio suivait le seul Orose, sans le citer d'ailleurs [226]. Les premiers livres imprimés accrurent même le poids de la routine, en diffusant les grands textes classiques qu'avait produits l'Antiquité, ou des œuvres récentes presque tout entières tirées d'eux comme l'*Imago mundi* de Pierre d'Ailly, ou des manuels qui reflétaient, au mieux, les connaissances d'un clerc instruit du xiie siècle [227]. La vieille mappemonde traditionnelle au T inscrit dans un O entamait une carrière nouvelle. C'est elle encore qui ornait le *Rudimentum novitiorum* imprimé à Lubeck en 1475 [228].

Sans doute ce vieux fonds de routine était-il enrichi par ce que les uns ou les autres avaient pu lire de plus précis, ou voir par eux-mêmes. Mais beaucoup avaient au total des horizons fort limités. Enguerran de Monstrelet n'était certes pas un savant de cabinet. Nous n'attendions pas de lui des connaissances géographiques approfondies. Ses ignorances nous étonnent cependant. Suivant une chronique latine, il est incapable de donner l'équivalent français correct des noms de lieux qu'il y trouve. Il dit évêque de Flory où il aurait dû dire évêque de Saint-Flour, comte d'Augi où il aurait dû dire comte d'Eu. D'*urbs Sacricesaris* il tire Sainte-Césaire au lieu de Sancerre ; d'*Oxoniensis* Axoine au lieu d'Oxford ; de *Tullensis diocesis* Tulle au lieu de Toul [229]. Ce noble homme, cet homme d'action, cet historien amateur voyait la France et l'Angleterre dans un brouillard.

Et le retour aux sources des savants humanistes ne fut pas, pour la géographie, tout profit. La redécouverte des géographes grecs, de Ptolémée et de Strabon, leur fit sans doute mieux voir le monde antique. Mais en refusant l'héritage médiéval, d'Isidore à Vincent de Beauvais et au-delà, ils se privèrent de toutes les nouveautés que leurs prédécesseurs avaient insensiblement assimilées [230].

Du moins une familiarité croissante avec les auteurs anciens donna-t-elle à leurs yeux une importance plus grande encore aux formes rhétoriques de la *descriptio* et de la *laudatio* que le Moyen Age n'avait pourtant jamais cessé de cultiver. Ils en furent incités à mieux observer et plus longuement décrire ce qu'ils voyaient [231]. La géographie descriptive y gagna plus d'autonomie.

La cartographie enfin était entrée dans une phase de progrès décisifs. Depuis la fin du XIIIe siècle (car si les premières cartes marines qui subsistent datent de 1300, leur maturité prouve qu'il dut y en avoir avant), les observations des voyageurs avaient permis à des dessinateurs professionnels de réaliser des portulans de plus en plus précis. Au XVe siècle, la mise en œuvre des connaissances nouvelles par l'érudition et la maîtrise cartographique monastiques aboutissait, en Italie et dans l'Empire, à Venise, à Constance et surtout à Vienne, à de spectaculaires achèvements [232]. Dans le même temps, les historiens apprenaient à mieux tirer parti de cartes plus utiles. Chez Pie II [233] comme chez Joan Margarit [234] les cartes devenaient ce que les listes avaient été pour leurs prédécesseurs : un instrument de travail usuel et fondamental. Les progrès de la cartographie avaient donné à l'érudition un sens nouveau de l'espace dont l'imprimerie, en permettant la diffusion plus vaste de cartes plus exactement reproduites [235], assura l'épanouissement.

IV. Le souci du nombre

La lecture de la Bible devait encourager les historiens à donner des précisions chiffrées, et, de fait, celles-ci ne manquent pas sous leur plume. Ici peut être évaluée la population d'une ville, là peuvent être dénombrés les participants à une assemblée. Mais à la vérité le souci du nombre apparaît surtout en deux occasions particulières. D'une part pour dire, avant le combat, l'importance des deux armées en présence et évaluer, après le combat, leurs pertes. D'autre part pour donner une grossière idée d'un certain espace. En l'absence de cartes en effet, pour rendre l'image d'un pays, un auteur consciencieux s'impose de dresser la liste des provinces qui le composent, des peuples qui y vivent, ou des villes qui s'y trouvent ; mais un auteur pressé se contente de dire le nombre de ces provinces, de ces peuples et de ces villes. A qui traite d'histoire ou de géographie, les chiffres sont nécessaires.

En les employant, un auteur a bien pu n'avoir, dès le début du Moyen Âge, que l'ambition d'un compte exact. Lorsque cette continuation des Annales royales carolingiennes que l'on appelle les Annales de Saint-Bertin dit que le comte Robert, en 862, a pris douze navires normands sur la Loire, ou que Hugues l'Abbé, en 869, a tué en une rencontre soixante Normands environ [236], rien ne permet de supposer qu'elle ne dit pas le nombre réel des pertes normandes tel qu'elle a pu l'apprendre, tout juste, peut-être, arrondi à la douzaine. Il y a certainement dans l'historiographie médiévale des nombres sans arrière-pensées.

Mais ils voisinent d'abord avec des nombres énormes, des milliers, voire même des centaines de milliers, qui ne sont que des moyens rhétoriques de dire : beaucoup. A preuve les variations que se permettent les auteurs les plus sérieux. Le nombre de réfugiés qu'entraîne, au début du ve siècle, l'avance des colonnes ostrogothiques est de 100 000 selon saint Augustin, 200 000 selon Orose, 400 000 selon Zosime [237]. Ainsi les récits médiévaux peuvent-ils bruire du combat de centaines de milliers de combattants. L'armée de Godefroy de Bouillon aurait été forte, selon Raymond d'Aguilers, de 300 000 hommes [238]. Le désastre infligé par les Turcs aux Chrétiens en septembre 1101 se serait soldé pour ces derniers, selon l'auteur de la *Geste des seigneurs d'Amboise,* par « près de 100 000 morts ou prisonniers [239] ». Les lecteurs et les auditeurs du xiie siècle prenaient-ils ces nombres au pied de la lettre, comme l'ont fait les historiens, au xixe et au xxe siècle, jusqu'à Ferdinand Lot ? Certains, peut-être.

Mais d'autres ont dû ne pas être dupes de ces effets littéraires qu'on surprend parfois les narrateurs à consciemment chercher. Le continuateur d'André de Marchiennes dit que le comte de Flandre était venu à Bouvines « avec 1 500 chevaliers bien armés et une masse innombrable de fantassins [240] ». Ce chiffre de 1 500 chevaliers, que J.F. Verbruggen trouve vraisemblable [241], était aussi celui que l'auteur de la chronique de Saint-Martin de Tours avait dans l'oreille lorsque, vers 1225, il rédigeait son œuvre. Mais pour mieux faire saisir à son lecteur la « masse innombrable des fantassins », il écrit qu'il y avait à Bouvines « 1 500 chevaliers et 150 000 autres combattants bien armés [242] ». Plus d'une fois, dans l'historiographie médiévale, la rhétorique a perturbé la statistique.

En outre, une longue tradition païenne, puis chrétienne, admettait un mystérieux rapport entre les idées, les choses et les nombres. Si bien que pour comprendre l'univers il fallait percer le secret du sens caché des nombres. Un nombre n'était pas simplement lui-même ; il était aussi un symbole qu'il s'agissait d'interpréter. Cette interprétation pouvait s'appuyer sur les seules propriétés mathématiques des nombres. 6, par exemple, est un nombre parfait parce qu'il a la rare propriété que, étant divisible par 1, 2 et 3, la somme de ces diviseurs est également de 6. Mais l'interprétation d'un nombre peut aussi s'appuyer sur les Ecritures. 6 est un nombre parfait parce que Dieu a choisi de créer le monde en 6 jours. Dans le cas présent, interprétation mathématique et interprétation scripturaire se conjuguent pour faire du chiffre 6 un symbole de la perfection [243].

La valeur symbolique des nombres est si évidente à l'esprit chrétien, si familière à l'esprit médiéval qu'il serait bien dangereux de vouloir expliquer un texte théologique, liturgique, ou même littéraire [244] sans en tenir compte. Et comment croire que des historiens médiévaux pénétrés de pensée chrétienne n'aient pas été parfois sensibles à la symbolique des nombres ? Gildas nous dit qu'il y avait autrefois en Bretagne 28 cités. Bède reprend le nombre [245], et tous les historiens après lui. Or, 28, après 6, est un nombre parfait puisque la somme de ses diviseurs (1 + 2 + 4 + 7 + 14) est égale à 28. 28 est d'autre part le résultat de la multiplication de 4 par 7 ; 7, puisque Dieu, après avoir créé le monde, s'est reposé le septième jour, est le symbole du repos éternel ; tandis que 4 (4 Evangiles, 4 vertus cardinales) est le symbole d'une vie terrestre réussie ; 28, 4 × 7, exprime donc la fusion parfaite de la vie terrestre dans la vie éternelle. En précisant que le tabernacle est fait de dix tapis ayant chacun une longueur de 28 coudées (Exode, 26, 2), la Bible achève de convaincre les plus réticents que le nombre 28 est bien marqué d'une exceptionnelle perfection [246]. Tous le savaient, Bède mieux que quiconque, et ce n'est sans doute pas un hasard que les historiens, faisant l'éloge de la Bretagne, y aient compté 28 très nobles cités. Lors de la pêche miraculeuse, le filet de Pierre, nous dit saint Jean, 21, 11, fut plein de 153 gros poissons. Ce texte, les propriétés mathématiques du nombre 153, la valeur symbolique des nombres qui, par multiplication (17 × 3 × 3) ou addition (100 + 50 + 3), le composent, tout contribue à faire de 153 un nombre exceptionnellement parfait et lourd de sens chrétiens [247]. Est-ce vraiment un hasard que *Petrus Tudebodus* décrivant, dans son histoire de la première croisade, Antioche, y compte 1 200 églises, 360 monastères, et précise que son patriarche commande à 153 évêques [248] ? Il n'est pas exclu que, dès le Haut Moyen Age, des historiens aient utilisé les nombres, comme nous, simplement pour compter et donner à leurs lecteurs une idée quantitative du réel. Mais il est évident que très souvent, pendant des siècles, les valeurs rhétorique et symbolique des nombres ont faussé leur poids statistique.

Peu à peu, cependant, l'atmosphère changea. Les progrès du calcul, la lente conquête par les mathématiques de leur autonomie poussèrent sur un autre plan la fascination que les nombres exerçaient toujours sur les hommes [249]. Les progrès de la bureaucratie et de la fiscalité habituèrent les administrateurs à mieux compter les feux, les villages, les combattants. Les progrès du commerce poussèrent les marchands à plus de précision, ouvrirent tous les domaines à leur volonté statistique. Et dans cette nouvelle ambiance, chez les historiens, nombres symboliques et nombres rhétoriques reculèrent peu à peu devant les nombres exacts.

Des nombres évidemment symboliques furent encore avancés, parfois, au XIIIe siècle [250] ; après quoi, il n'en parut plus guère. Les nombres rhétoriques eurent la vie plus dure. Au début du XIVe siècle, l'auteur de la *Chronique artésienne,* racontant les guerres de Flandre, eut le constant souci de compter les combattants, les morts, les prisonniers. Ses nombres paraissent le plus souvent exacts. Il n'y a pas lieu de douter qu'il donne le nombre précis de ceux qui, de son côté, combattirent, furent tués ou capturés : « et de nos gens en y eut bien l mors de chiaus de Saint-Omer » ; « et si y fu pris Jakes d'Orchies et xvi bourgois, dont li nom seront chi après nommé ». Mais pour évaluer les forces de l'adversaire, qu'il connaissait évidemment mal, l'auteur était parfois saisi de bien naturelles bouffées rhétoriques : « et les prisoit-on à iiiixx mil homme de piet » ; « et issirent bien à

XVI^c^ armures de fer » ; « ils furent bien assanlé v. c. mil homme de piet, tout du pais de Flandres, et bien xvi. c. armures de fer, à cheval[251] ». A la fin du XIVe siècle la plupart des sources narratives sont, la plupart du temps, relativement sûres, mais plus d'une exception confirme encore la règle. Jean Froissart baignait dans une atmosphère décidément trop littéraire. Ses exagérations sont manifestes ; ses variations, d'une rédaction de ses *Chroniques* à l'autre, sont intempestives[252]. Le désastre de Nicopolis (1396) marqua profondément les esprits. Alors que Jean Schiltberger, qui avait pris part à la bataille, donnait pour l'armée chrétienne un effectif de 16 000 combattants, par la suite, presque tous les historiens, sensibles au drame épique qu'ils rapportaient, parlèrent de 100 ou 200 000 combattants chrétiens écrasés par 200, 300 ou 400 000 combattants turcs[253]. Au début du XVe siècle encore, Jean de Montreuil, dans son traité *A toute la chevalerie,* donnait pour les batailles du XIVe siècle des nombres vraisemblables. C'est que ses sources lui donnaient alors des nombres vraisemblables. Mais son sens critique n'alla pas jusqu'à mettre en question les énormes nombres donnés par ses sources pour les temps antérieurs. Si bien que, plus les temps s'éloignaient, plus les nombres s'enflaient : il faisait combattre à Furnes, en 1297, 500 cavaliers et 16 000 fantassins flamands ; à Muret, en 1213, plus de 100 000 aragonais ; et à Poitiers, en 732, 385 000 mécréants[254]. Au milieu du XVe siècle toutefois, lorsque s'achevait la longue guerre franco-anglaise, le nombre exact avait gagné la partie. Quatre jours après Formigny (1450), Prigent de Coëtivy, qui avait pris part à la bataille, estimait que les combattants anglais avaient été de 5 à 6 000. Dans tous les récits que les historiens donnèrent par la suite de la victoire française, l'estimation la plus faible fut de 3 000, la plus forte de 7 000[255]. Chez les historiens comme chez les combattants, les nombres avaient désormais perdu leur halo épique et rhétorique. Ils n'étaient pas toujours forcément exacts. Mais ils étaient toujours platement vraisemblables.

Dès le XIVe siècle cependant, les progrès de l'Etat et de l'économie avaient élargi les perspectives des historiens. Certains d'entre eux ne limitaient plus leur ambition à évaluer l'importance des armées. D'archives administratives de plus en plus fournies ils surent tirer des nombres de plus en plus exacts dans des domaines de plus en plus variés. Dès avant 1348, Giovanni Villani avait ainsi appuyé sur quantité de nombres son éloge de Florence. Certes, quelques-uns de ceux-ci sont douteux, d'autres arrondis. Mais sur la population de Florence, ses finances et son activité économique, là où Villani a pu tirer parti des archives de la cité et de son expérience professionnelle, ses évaluations sont sinon toujours très exactes du moins toujours très vraisemblables [256]. Et lorsque, à la fin du XVe siècle, Marin Sanudo recomposait le grand discours prononcé par le doge Mocenigo en avril 1423 il y introduisait un tableau statistique de l'économie vénitienne qui est resté justement célèbre parce que, appuyé sur une documentation abondante judicieusement utilisée, il est, autant qu'on sache, fidèle [257].

Au-delà des Alpes, l'ambition des historiens français ou anglais n'allait pas si loin. Leur curiosité n'était pas encore éveillée pour les problèmes financiers ou économiques. Ils se seraient contentés de bonnes statistiques donnant une idée précise de la grandeur de leur pays et de l'importance de sa population. Mais c'était encore trop demander, car les royaumes de France ou d'Angleterre étaient tellement plus vastes que les Etats florentin ou vénitien, les administrations centrales y dominaient si mal encore la masse de leurs archives qu'il n'était pas impossible d'évaluer le nombre des diocèces, des bailliages ou des comtés du royaume, que le hasard d'un document pouvait permettre de savoir le nombre des feux d'une châtellenie, le nombre des habitants d'une ville, mais qu'aucune synthèse ne permettait encore de fixer, fût-ce approximativement, le nombre des habitants du royaume, ni même le nombre de ses feux, ni même le nombre de ses villages ou de ses paroisses. Et, privée de tout garde-fou, l'imagination divaguait. Sous Edouard II, le terrier de Fleet, compilé pour Thomas de Multon, estimait à 63 000 le nombre des villages anglais [258] ; au parlement de 1371, il fut dit que l'Angleterre comptait 40 000 paroisses [259] ; elle n'en avait pas, en réalité, 10 000. Tout le monde savait la France plus grande que l'Angleterre. Au début du XVe siècle, certains gouvernants français estimaient qu'il y avait dans le royaume 1 700 000 villes et villages. Michel Pintoin s'en fit l'écho. Et, pendant deux siècles, nombreux furent ceux qui répétèrent ce chiffre énorme sans le trouver invraisemblable [260].

Ce chiffre énorme et invraisemblable marque bien, à la fin du XVe siècle encore, les limites de la statistique médiévale. Mais on aurait tort de croire qu'il prouve que, depuis que les historiens faisaient s'affronter, en des batailles épiques, des centaines de milliers de combattants, rien n'avait changé. En réalité, tout avait changé. Les nombres étaient sortis de leur cocon symbolique et rhétorique. Ils bornaient désormais leur ambition à mesurer le réel. Et, aidés d'archives plus précises, ils y réussissaient, du moins dans un cadre étroit. Le nombre des combattants, dans une armée, des villages, dans une châtellenie, des habitants, dans une ville, était, sinon exact, du moins vraisemblable. Au-delà, cependant, de ce cadre étroit, les estimations, privées de tout secours documentaire, battaient à nouveau la campagne. Mais les nombres énormes qu'elles disaient alors n'étaient plus d'une nature différente des nôtres. Ils ne marquaient plus qu'une défaillance des archives sur lesquelles ils pouvaient se fonder.

V. La passion de l'étymologie

Pour saisir le sens d'un mot, rien n'est plus utile que d'en connaître d'abord l'origine. La recherche des étymologies, c'est-à-dire de l'origine des mots, *verborum origo,* dit Quintilien, *origo vocabulorum,* dit Isidore de Séville, fut une discipline que pratiquèrent, dans l'Antiquité, au Moyen Age comme à la Renaissance, tous les auteurs, qu'ils fussent grammairiens, rhéteurs, poètes, philosophes, juristes ou théologiens. Et pour les historiens aussi l'étymologie, qui recherche les étymologies, fut, mieux qu'une précieuse science auxiliaire, une vraie passion.

Mais, laissant à d'autres le soin de scruter les mots communs, les historiens ne portèrent attention qu'aux noms propres de personnes et de lieux. Déjà, les Juifs et les Grecs avaient pensé qu'il existait une mystérieuse correspondance entre les noms et les choses, et qu'il suffisait donc d'étudier le nom d'une personne, ou d'un lieu, pour percer le secret de sa nature, et de son destin. Le Christ lui-même (« Tu es Pierre et sur cette pierre... ») léguait à ses disciples cette conviction, et saint Jérôme, en écrivant son *Liber interpretationis hebraicorum nominum* (Livre de l'interprétation des noms juifs), transmettait aux chrétiens tout l'acquis de l'onomastique sacrée [261]. Forts de cet exemple et de ce savoir, hagiographes et historiens du Moyen Age ne rencontrèrent pas un nom propre qu'ils ne tentassent de l'expliquer. En particulier, au début de la vie d'un saint, l'étude de ce que son nom présageait, le *praesagium nominis,* l'*argumentum a nomine,* fut un moment toujours attendu ; il est encore traditionnel, à la fin du XIIIe siècle, dans la *Légende dorée* de Jacques de Voragine. Et de nombreux historiens présentant, au début de leur œuvre, le lieu dont ils vont écrire l'histoire, croient devoir ajouter à sa description l'étude de l'origine de son nom. Cosmas de Prague, au début de son histoire de Bohême, veut « brièvement décrire cette terre de Bohême, et dire d'où elle tire son nom [262] ». A l'auteur du *Livre d'Ely,* il semble convenable de commencer son récit par l'étude du nom du lieu [263]. L'auteur de l'*Histoire de Ramsey* décrit, dans son premier chapitre, le site de Ramsey et traite dans son second chapitre *de etymologia nominis, de nominis ratione* [264]. Et c'est aussi de ce pourquoi des noms *(ratio nominum)* que Giraud le Cambrien entend d'abord rendre compte lorsqu'il commence sa *Description du pays de Galles* [265]. Pour l'historien du Moyen Age, il n'est pas d'histoire sans étymologie.

L'Egypte devait son nom à Aegyptos ; l'Asie à une femme nommée *Asia.* Egée, désespéré, s'était précipité dans la mer qui, depuis, portait son nom. Romulus avait fondé une ville qui tira de lui son nom de Rome et dont les habitants furent les Romains. Ainsi, pour expliquer les noms de lieux et de peuples, l'Antiquité avait-elle multiplié les héros éponymes. Lisant les Anciens, et Isidore de Séville, les historiens du Moyen Age répétèrent ces étymologies et, justifiés par elles, ne se lassèrent pas d'en forger de semblables [266]. Tous les Francs et tous les Français savaient depuis Frédégaire qu'ils devaient leur nom à ce prince qu'ils eurent qui s'appelait Francion [267]. C'était, selon Cosmas de Prague, le vieux Boemus qui avait donné son nom à la Bohême et à ses habitants [268]. Guillaume de Malmesbury, Geoffroy de Monmouth et Ranulf Higden sont d'accord que le Westmorland devait son nom à un nommé Marius [269]. Selon Nennius, Gloucester tirait son nom de Glovus, un ancêtre de Vortigern [270] ; à moins que ce ne fût, comme le disait bien plus tard Ranulf Higden, de Glora, qui avait autrefois régné là [271]. Il n'est pas un peuple, pas un pays, pas une ville dont un ou plusieurs éponymes n'aient pu expliquer le nom. La chose va si bien de soi que l'hypothèse d'un prince éponyme est toujours présente à l'esprit de l'historien. « L'île d'Avallon, dit Giraud le Cambrien, tire son nom d'*aval,* qui veut dire pomme en breton, parce que pommiers et pommes abondaient en ce lieu, ou d'un certain Vallon, jadis maître de ce territoire [272] ». Et l'hypothèse d'un prince éponyme vient d'autant plus aisément à l'esprit de l'historien qu'il vit dans une période où une renaissance lui rend l'Antiquité plus proche. Constantes tout au long du Moyen Age, les étymologies par éponymes ne sont jamais plus nombreuses qu'au XIIe, ou au XVe siècle.

Expliquer un nom de lieu par un nom de personnage n'a rien en soi de condamnable. Au Moyen Age, certains pensaient qu'Orléans, *Aurelianis,* devait son nom à un *Aurelius* ou un *Aurelianus* ; Henri d'Arbois de Jubainville et Auguste Longnon, à la fin du XIXe siècle, ne pensaient pas autrement [273]. Le tort des érudits médiévaux fut de multiplier les étymologies de ce genre, avec une imagination que ne pouvaient freiner ni leur savoir historique trop limité ni leur connaissance encore plus réduite des lois du langage. La linguistique en passionnait pourtant beaucoup. Sans doute Giraud le Cambrien était-il une exception, qui savait un peu, très peu, de grec, mais qui parlait couramment le gallois, l'anglais, le français et le latin, qui avait entendu, à Paris, bien d'autres langues, qui avait de l'oreille, qui avait lu son Priscien, et qui était capable de saisir la parenté entre le grec « *hal* » (en réalité ἅλς), le latin *sal* « car, comme dit Priscien, dans certains mots l'aspiration grecque est remplacée en latin par un *s* », le français *sel* « par changement de la voyelle *a* en *e* », et, « par addition de la lettre *t* », l'anglais *salt* et l'allemand *sout* [274]. Giraud le Cambrien fut un virtuose de l'étymologie. Mais beaucoup d'autres historiens surent au Moyen Age au moins trois langues, furent conscients de la parenté de ces langues [275], n'ignorèrent pas qu'elles évoluaient et se « corrompaient [276] », conçurent qu'une lettre pouvait en donner une autre [277] », situèrent leurs recherches étymologiques sur le même plan que notre science moderne, et trouvèrent même des étymologies confirmées par nos modernes savants.

Les Lombards *(Longobardi),* explique, au VIIIe siècle, Paul Diacre, furent d'abord appelés Winniles. Puis ils prirent le nom de Lombards à cause de la longueur de leur barbe, que le fer ne touchait pas. Car dans leur langue « *lang* » veut dire longue et « *bart* » barbe. Notre érudition moderne ne sait rien dire de mieux et, pour elle aussi, « le nom des Lombards, *Langobardi,* paraît signifier « longues barbes [278] ». Ely *(Elge),* explique Bède, au VIIIe siècle également, tire son nom de la multitude des anguilles qu'on prend dans les marais qui l'entourent. Et l'on explique aujourd'hui ce nom de lieu par les deux mots de vieil anglais *ēl, eel,* c'est-à-dire anguille, et *gē*, pays. Ely est bien le pays des anguilles [279]. Le nom du Berrocscire (Berkshire), explique Asser vers 900, vient de la forêt de Berroc, où le buis pousse en abondance ; l'île de Sceapieg (Sheppey), c'est l'*insula ovium,* l'île des moutons *(sheep).* Et l'on ne dit pas autrement aujourd'hui [280]. De même qu'on ne peut aujourd'hui qu'approuver l'explication que l'auteur des *Gesta Stephani* donne, au XIIe siècle, de Bath : « Cette ville est appelée Bath *(Batta),* nom qui lui vient d'un mot anglais qui veut dire *bain (balneum)* [281] ». Au début du XIIIe siècle, « Gervais de Tilbury... a expliqué très correctement au monde savant le mot *Polonia : sic dicta in eorum idiomate quasi Campania* » (Pologne veut dire en polonais *champagne*), puisqu'en effet le mot *pole* veut dire *champ, campagne,* et témoigne d'un temps où des clairières avaient partiellement conquis la forêt [282]. Certes, on pourrait citer de nombreuses étymologies proposées par la science médiévale et que la science moderne, avec plus ou moins de mépris, n'a pas ratifiées. Il n'empêche que ces recherches étymologiques se situent sur le même plan que les nôtres, et que toutes ne sont pas fausses.

Après 1200, des historiens continuèrent à donner des étymologies de ce type. Lichfield, explique Mathieu Paris au XIIIe siècle, « signifie le champ des cadavres *(campus cadaverum),* car *lich* signifie en anglais *cadavre, corps d'un mort* [283] ». La ville de *Salopia,* explique Ranulf Higden au XIVe siècle, « sise au sommet d'une colline aux confins du pays de Galles et de l'Angleterre, est appelée en anglais Shrewsbury, à cause des buissons *(shrub)* et des arbrisseaux qui poussaient autrefois sur cette colline [284] ». Il faut toutefois bien dire que des étymologies de ce genre, qu'on peut appeler des dérivations, furent désormais plus rares. Les historiens préférèrent souvent invoquer des éponymes. Si, par exemple, l'auteur des *Gesta Stephani,* au XIIe siècle, expliquait très bien le nom de la ville de Bath par le mot anglais *bath, bain,* deux siècles plus tard, Ranulf Higden, s'appuyant sur l'autorité de Geoffroy de Monmouth qui avait en effet multiplié les étymologies tirées d'éponymes, refusait expressément cette dérivation et préférait admettre que la ville, *Bathonia* ou *Bado,* avait été construite par le roi breton Bladud, qui l'avait appelée, pour rappeler son nom, Caerbadun, d'où plus tard le latin *Bathonia* [285]. Mais les dérivations le cédèrent surtout à ce qu'on peut appeler des « expositions » ou des « compositions ».

Soit un mot comme *cadaver,* le cadavre. Renonçons, pour l'expliquer, à chercher le mot d'où il dérive. Situons-nous sur un tout autre plan, et développons les syllabes dont il est formé. Ce pourrait être ca*ro* da*ta* ver*mibus* (chair donnée aux vers). De même *vulpes* (les renards) pourrait très bien être développé en vul*nerantes* pes*sime* (blessant cruellement [286]). Des jeux de mots, diront les savants d'aujourd'hui. Mais, au Moyen Age, de telles expositions, qui ne prétendent d'ailleurs nullement donner l'origine des mots et ne sont donc pas des étymologies ridicules qui mériteraient les lazzi de nos modernes grammairiens, sont des recherches grâce auxquelles les savants espèrent mieux expliquer les mots, en mieux saisir le sens profond que ne pourraient faire des dérivations. Rien n'empêche de développer les lettres comme les syllabes. On pourra trouver derrière *Deus* : d*ans* e*ternam* v*itam* *suis* (donnant aux siens la vie éternelle) ; derrière *homo :* h*abens* o*mnia* m*anu* o*mnipotentis* (ayant tout reçu de la main du tout puissant) ; derrière *cor* : c*amera* o*mnipotentis* r*egis* (séjour du roi tout puissant) [287]. En somme, comme dit Giovanni Balbi dans son *Catholicon,* l'exposition « retrouve le sens du mot en partant des lettres ou des syllabes qui le composent [288] ». Et il va de soi que si un mot dérive d'un seul autre mot, il peut être l'objet de plusieurs expositions.

Or, l'Antiquité dans son ensemble considère que l' « étymologie » permet de donner des mots une interprétation vraie, et que le meilleur moyen de saisir le sens des mots est d'en chercher l'origine, d'en donner la dérivation ; l'étymologie d'un mot est donc généralement pour elle sa dérivation. Mais Cassiodore déjà, pour interpréter un mot et l'éclairer, ne recourt plus toujours à sa dérivation, et joue souvent sur ses syllabes [289]. La définition qu'Isidore de Séville donne de l'étymologie se ressent de cette récente évolution. Selon lui, l'étymologie permet bien d'interpréter un mot ; c'est bien l'origine d'un mot qui permet au mieux de le comprendre ; mais ce que dit Isidore de l'étymologie est déjà assez ambigu pour y faire leur place à de tout autres types d'explication [290]. La Renaissance carolingienne cultive passionnément l'exposition [291]. Par la suite, tandis que les îles britanniques, fidèles à l'exemple de Bède, expliquent en général les mots par leur dérivation, le continent, marqué par la littérature carolingienne, préfère les éclairer par des expositions. Les noms de personnes, et surtout les noms de saints, sont « exposés » par les hagiographes [292]. Les noms de lieux sont « exposés » par les historiens. Lorsqu'Orderic Vital explique que les Romains, au temps de César, fondèrent une ville qu'ils appelèrent *Rodomus* (Rouen) « c'est-à-dire, en quelque sorte, la maison des Romains » (« *quasi* Ro*manorum* domus ») [293], il ne prétend nullement donner de ce nom la dérivation, car il aurait alors introduit son explication par un verbe *(dictum, vocatum, appellatum)* suivi de *quod, quia, propter* ; il préfère en donner une exposition très normalement annoncée par *quasi* [294].

Dès le IXe siècle, à l'explication d'un mot par exposition, le mot « étymologie » est parfois appliqué [295]. Et au XIIe siècle, lorsque les expositions submergent les dérivations et envahissent même les îles, le grammairien Pierre Hélie marque l'aboutissement d'une évolution séculaire en définissant l'étymologie par « l'exposition d'un mot par un ou plusieurs autres mots en tenant compte de la nature de la chose et de la ressemblance des lettres », et Pierre Hélie donne l'exemple de *fenestra* (trou, ouverture, fenêtre) « *quasi ferens nos extra* » (nous permettant de sortir) [296]. Après Pierre Hélie et pendant des siècles, une dérivation peut encore parfois être appelée « étymologie », mais une étymologie, c'est très généralement une exposition ; les auteurs distinguent l'étymologie, c'est-à-dire l'exposition, de la dérivation. En attendant d'eux une dérivation lorsqu'ils annoncent explicitement une étymologie, nous marquerions notre ignorance du sens qu'ils donnaient aux mots.

Mais pourquoi donc, voulant retrouver le sens vrai, l'étymologie d'un mot, le Moyen Age a-t-il finalement préféré l'exposition à la recherche du mot premier ? Peut-être est-ce d'abord que l'ignorance des langues anciennes (hébreu, grec) et la médiocre connaissance de nombreuses langues vernaculaires laissaient les chercheurs singulièrement désarmés. C'est peut-être bien aussi que des auteurs chrétiens étaient gênés de faire remonter leurs mots chrétiens à des racines païennes. Mais l'essentiel n'est pas là. L'essentiel est que la dérivation s'en tient au niveau de la grammaire, de la lettre. Tout l'effort médiéval consistant à dépasser le niveau de la lettre pour atteindre celui de l'esprit, à trouver, par-delà le sens littéral d'un mot, son sens spirituel et mystique, il était tout naturel que le Moyen Age préférât à de superficielles dérivations des expositions qui lui permissent, pensait-il, d'atteindre au plus profond des choses [297]. Au XIe siècle, Raoul Glaber savait bien que certains expliquaient le nom de la ville d'Orléans par celui de l'empereur Aurélien, qui l'aurait fondée. Mais lui-même préfère une autre explication : « *Dicitur Aureliana, quasi Ore Ligeriana, eo videlicet quod in ore ejusdem fluminis ripae sit constituta* », « On l'appelle *Aureliana,* c'est-à-dire *Ore Ligeriana,* parce qu'elle est située au bord *(in ore ; sic* pour *ora)* des rives de la Loire *(Liger)* ». Et il préfère cette explication parce qu'elle s'adapte à cette ville avec plus de justesse et de vérité *(rectius veriusque)* [298]. L'auteur de l'histoire de Ramsey, au XIIe siècle, propose trois étymologies du mot Ramsey. Ramsey pourrait d'abord venir « de deux mots anglais, *ram,* qui veut dire bélier, et *eie,* qui veut dire île » ; Ramsey serait ainsi l'île du bélier. Notre auteur reconnaît que cette étymologie n'aurait rien d'invraisemblable, mais il ne s'y attarde pas. Il se demande ensuite si Ramsey ne viendrait pas du mot latin *ramus,* et si le lieu n'aurait pas été appelé « l'île des rameaux ou des branches » à cause de l'abondance des arbres qu'on y trouvait autrefois. Et certes, ce nom aurait été donné à ce lieu par la divine Providence ; il annonçait que de saints hommes viendraient y habiter, et seraient comme de bons rameaux dont les verts feuillages seraient les fruits de leurs vertus. Mais la prédilection de l'auteur va à sa troisième explication. *Ramesses* (Ramsès) est, selon Isidore, le nom de la ville égyptienne où séjournèrent les fils d'Israël ; *Ramesses* veut aussi dire « commotion » ou « tonnerre », et Ramsey est justement dite « commotion » ou « tonnerre » puisque les pécheurs, frappés par la contrition comme par la foudre, y sont convertis de l'amour du monde au service de Dieu. La prédilection de l'auteur va à cette dernière explication, à cette dernière « étymologie », non pas certes que la dérivation de *Ramesses* à Ramsey lui paraisse la plus convaincante, mais parce que, selon ses propres termes, cette « interprétation du nom est plus apte à nous amener au sens mystique » du lieu [299].

Il y a peut-être plus encore. Une étymologie médiévale n'est jamais innocente. Les liens du mot et de la chose sont si étroits qu'expliquer le nom d'un homme ou d'un lieu, c'est déjà dévoiler la nature de cet homme ou de ce lieu, annoncer le destin de cet homme ou de ce lieu. L'étymologie est un redoutable révélateur, d'où peut naître la fierté, ou la honte. Or, une simple dérivation (que notre science moderne la reconnaisse exacte ou non, le problème n'est pas là) peut justifier la fierté d'un peuple : les Francs sont dits Francs parce qu'ils sont fiers et hardis ; les Saxons sont dits Saxons parce qu'ils sont aussi durs et opiniâtres que la pierre *(quasi saxum)* [300] ; les habitants de la Bohême tirent leur nom du mot « *Boh,* qui en slave veut dire Dieu » ; ils sont le peuple de Dieu [301]. Mais il faut bien reconnaître, à côté de ces heureux exemples, que nombre de dérivations sont neutres et n'inspirent aucun commentaire. Il y en a même de bien fâcheuses. Guy de Bazoches voudrait être aimable pour le « fameux comte et l'éminent prince » de Hainaut. Mais le nom de Hainaut lui pose problème. Car « qu'on y ajoute la quatrième voyelle *o* ou la diphtongue *au,* ce nom semble venir du mot français haine ». Et Guy doit s'efforcer de repousser ce rapprochement, ou du moins d'en atténuer les conséquences : dans ce territoire, « il n'y a rien, objectivement *(ex re),* qui justifie ce nom. Simplement qu'il est traversé par un petit ruisseau qui porte déjà ce nom de Haine, sans voyelle ou diphtongue finale, et qui doit son nom au fait qu'il est odieux d'y nager *(pro eo quod natantibus appareat odiosus)* [302] ». La dérivation est une arme dangereuse. L'éponymie présente moins de risques. Nombre de pays et de villes étaient fiers du héros romain ou troyen qui les avaient fondés et leur avaient donné leur nom. L'inconvénient est que l'ombre du fondateur, une fois étendue sur le pays, risquait de le couvrir longtemps. Tout le monde était d'accord que le Westmorland devait son nom à Marius. Pour Guillaume de Malmesbury, c'était le consul romain Marius. Mais ce fut pour Geoffroy de Monmouth le roi breton Marius. L'enjeu était, pour les historiens anglais, d'importance. Ranulf Higden, au XIVe siècle, peinait encore à rejeter l'éponyme romain [303]. Bien plus souples étaient les expositions, auxquelles, sans se soucier les unes des autres, il suffisait de jouer sur les syllabes et les lettres pour trouver la vérité profonde d'un nom. L' « etymologie » dévoilait aisément la mauvaise nature de Rome : « *Roma, radix omnium malorum avaricia* » (avarice, source de tous les maux)[304]. Philippe de Mézières n'avait pas de peine, grâce à elle, à donner espoir aux sujets du jeune Charles VI : « Beau Filz, fait-il dire à la Reine dans le *Songe du Vieil Pélerin,* ... je treuve par droit nom de baptesme que tu es appellé Lumiere : car Charles en latin, qui est *Kalolus,* selon son interpretacion vault autant à dire comme *clara lux,* cliere lumiere. He, quelle belle interpretacion ! Tu doys estre doncques non tant seulement lumiere mais tres cliere lumiere, voyre à ton peuple, qui jusques cy est alé en tenebres par deffaulte de lumiere[305] ».

En somme, chez les auteurs du Moyen Age en général et chez les historiens du Moyen Age en particulier, non seulement est vive la passion de l'étymologie, mais encore la recherche étymologique joue sur plusieurs claviers. Pour percer les noms à jour, elle évoque des éponymes, trouve des dérivations et surtout construit des expositions par lesquelles elle a le sentiment de s'élever bien au-dessus du plan de la grammaire. La protestation de Laurent Valla consista à réduire l'explication étymologique au seul niveau de la grammaire, à la limiter aux dérivations, et à refuser les expositions. *Testamentum,* disaient les juristes, c'est la *testatio mentis* (le témoignage d'une disposition d'esprit) ; et Laurent Valla de protester que cette étymologie était condamnable *(explosa),* risible *(derisa),* inepte *(inepta)*[306]. Valla préparait l'avenir et donnait à la recherche moderne la direction qu'elle put suivre lorsque la connaissance des langues eût fait les progrès nécessaires. Il n'empêche que bien après 1500 les poètes continuèrent à « étymologiser » les noms en construisant sur chacune de leurs lettres des vers acrostiches[307]. Il n'empêche qu'un juriste aussi sérieux qu'Alciat justifiait encore l'étymologie comme le Moyen Age l'avait comprise. *Testatio mentis,* disait-il, n'est peut-être pas la vraie étymologie de *testamentum,* mais c'est un bon moyen d'arriver à comprendre le mot[308].

⁂

L'historien, au Moyen Age, n'était décidément pas le naïf que certains, naguère encore, voulaient dire. Non seulement il eut le souci d'accumuler toute la documentation possible, mais encore il prit grand'peine à la travailler pour reconstruire, à partir d'elle, la vérité du passé. Certes les limites de cet effort érudit sont évidentes à nos yeux. Parce que l'érudition médiévale servait des perspectives qui ne sont pas les nôtres, et surtout parce qu'elle était, faute de moyens et de connaissances, désarmée. Les soucis qui la guidaient sont pourtant nos soucis. C'est dès le Moyen Age que les techniques dont nous sommes si fiers ont commencé de se développer. A trop laisser notre suffisance et notre ignorance marquer les faux pas de l'érudition médiévale, nous serions bien ingrats. Les historiens d'aujourd'hui sont peut-être des géants. Les historiens du Moyen Age étaient peut-être des nains. Mais ces géants-ci sont assis sur les épaules de ces nains-là.

1. Guenée (10), 261.
2. *PL* 137, col. 782-784. Cf. Schreiner (295), 28-29.
3. Agnellus de Ravenne, *Liber Pontificalis,* c. 32 ; (422), p. 297. Van der Essen (573), 551. Delehaye (137), 113-119. Schreiner (295), 4.
4. Lacroix (41), 83.
5. Guibert, *Gesta,* I, 3 ; (526), col. 689.
6. Linder (395), 1058.
7. Chambers (376). Keeler (506), 74-75. Kendrick (253), 12.
8. Ekkehard d'Aura (470), 62.
9. Goez (290), 26-27.
10. « Veluti nullius auctoritatis homuncio », Ekkehard d'Aura, *MGH, SS,* VI, 6.
11. Au XIIe s. : « ut sapiens attendat et quid eligat videat », Ekkehard d'Aura cité par Lasch (293), 32. Au XIIIe s. : « utrum autem haec vera sint, lectoris judicio relinquatur », Jacques de Voragine (587), 304, cité par Schreiner (295), 2-3. Au XIVe s. : « ubi autem aliud et aliud tanquam contraria concreparent, utcumque sub disjunctione ponerem, lectoris electioni et judicio relinquendo », Bernard Gui, *Flores chronicarum,* prologue ; *RHF*, XXI, 692. Au XVIe s. : Goez (290), 42.
12. « Ut dicitur », « ut putatur », Schreiner (295), 25-26.
13. Giovanni Nanni (626), fol. 41-41 v°.
14. Goez (290), 35 et suiv.
15. Agnellus de Ravenne, *Liber Pontificalis,* c. 32 ; (422), p. 297.
16. Otton de Freising (676), I, 26 ; p. 94.
17. Lasch (293), 14-18. Lacroix (41), 73-77.
18. Fuhrmann (287), 531, 545.
19. Janik (646), 402-403.
20. Giraud le Cambrien (515), V, 7-8, 210. Ranulf Higden (699), I, 16.
21. « Multa quae tam mirabilia sunt ut etiam incredibilia videantur », Otton de Freising (676), II, 25 ; p. 152.
22. « Nam divina miracula, secundum Augustinum, *De civitate Dei,* admiranda sunt et veneranda, non disputatione discutienda : mirabilia vero non sunt omnino discredenda ; cum dicat Hieronymus « Multa incredibilia reperies et non verisimilia, quae nihilominus vera sunt. Nihil enim contra naturae Dominum praevalet ipsa natura », Ranulf Higden (699), I, 16-18.
23. « Hoc non refellimus ; id plane uberrimis testimoniis approbatur », Guibert de Nogent, *Gesta,* VIII, 9 ; (526), col. 824.
24. Schreiner (295), 9. Guibert de Nogent, *Gesta,* VIII, 9 ; (526), col. 823.
25. « Nec praetereundum videtur inauditum a seculis prodigium, quod sub rege Stephano in Anglia noscitur evenisse. Et quidem diu super hoc, cum tamen a multis praedicaretur, haesitavi ; remque vel nul-

lius vel abditissimae rationis in fidem recipere ridiculum mihi videbatur : donec tantorum et talium pondere testium ita sum obrutus, ut cogerer credere et mirari, quod nullis animi viribus possum attingere vel rimari », Guillaume de Newburgh (544), I, 28 ; t. I, p. 82.

26. « De hac pugna alii aliter sentiunt, sic scribentes... Haec autem diversitas etiam in epistolis quae ipsius Alexandri dicuntur ad magistrum suum Aristotelem reperitur, quae si ipsius sunt diversa sibi sentiunt... Haec de dissonantia non solum hystoriographorum, sed ipsius quoque Alexandri, ut dicunt, litterarum idcirco posui, ne quis me de prima huius pugnae descriptione arguat mendacii ; ceterum prudens lector eligat, quid sibi de hiis maxime placeat », Ekkehard d'Aura, (470), 69. « Unde lector queso, ut et hic et alibi, si qua dissonantia te offenderit de nominibus vel annis vel temporibus paparum, non mihi imputes, qui non visa sed audita vel lecta scribo, Sigebert de Gembloux (725), année 995, p. 353. Guibert de Nogent, *Gesta,* préface ; (526), col. 682. « Inductis itaque, sicut proposuimus, auctoritatibus, earum, sicut promisimus, diversitatem aut repugnatiam consideremus », Abélard, lettre XI ; *PL* 178, col. 342.

27. Jean, 3, 32, cité par Guibert de Nogent, *Gesta,* IV, 1 ; (526), col. 729.

28. Réginon de Prüm cité par Schulz (296), 17. Guillaume de Tyr cité par Schulz (296), 21-22, et Lacroix (41), 78.

29. Cf. *supra,* n. 26.

30. Schulz (296), 25-26.

31. « En grezeis en escrist l'estoire.
Chascun jor ensi l'escriveit
Come il o ses ieuz le veeit »,
Benoît de Sainte-Maure (450), v. 104-106 ; t. I, p. 7.

32. Guibert de Nogent, *Gesta,* VIII, 14 ; (526), col. 832-833.

33. « Y conviennent tous les historiographes et croniqueurs, *maxime idem Paulus Aemilius, qui ingenue hec confitetur, Otto Phriginsensis, Abbas Urspergensis, Sigibertus Geblacensis, et omnium fidelissimus et ocularis testis Wintinchides Saxo,* qui vivoit soubz les trois Otto empereurs », Longueval, avocat au Parlement, en 1535 ; Rigault (402), 96.

34. Hincmar, cité par Lacroix (41), 83-84. Orderic Vital, *Histoire ecclésiastique,* VI, 3 ; Chibnall (671), III, 218.

35. Léon du Mont-Cassin se méfiait des historiens d'autrefois parce que, disait-il, « consuetudinem hanc esse rerum gestarum scriptoribus ut in narrationibus suis vulgi opinionem sequantur », Schulz (296), 40.

36. Sayers (117), 247-248.

37. « Cetera vero quae in libris sequentibus istorialiter scribuntur aut propriis oculis vidi, aut scripta repperi, aut verissima relacione didici, et in eis scripsi », Meredith-Jones (746), 345.

38. Quelques paragraphes sont ici repris de Guenée (13), où l'on trouvera les références qui étayent le texte.

39. Delaborde (285).

40. Fossier (382), Voss (65), 289-290. A. Vallet de Viriville, Notes et documents pour servir à l'histoire de l'Ecole Royale des Chartes, *BEC,* II, 4 (1847-1848), 158-163.

41. Setz (647), 27.

42. Bibl. nat., Lat. 5452, fol. 115.

43. Guillaume de Newburgh (544), I, 13.

44. *RHF,* X, 297.

45. « Ob ignorantiam namque preteriti temporis ac decursus nonnullos scriptores gestorum principum et legendarum sanctorum que etiam quandoque in ecclesia leguntur quas gratia pacis exprimere nolumus deviasse reperimus a tramite veritatis », Delaborde (285), 373.

46. Robert Gaguin (713), fol. 2 ; (712), fol. 2 v°.

47. Cité par Ady (419), 299.
48. Guibert de Nogent, *Gesta,* I, 3 ; (526), col. 689.
49. Guillaume de Newburgh (544), I, 17.
50. Ranulf Higden (699), V, 334, 336-337.
51. Delaborde (285), 382.
52. « Quisquis enim de superiore etate historiam texit aut spiritu sancto dictante loquitur aut veterum scriptorum et eorum quidem qui de sua etate scripserunt sequitur auctoritatem », Setz (647), 37*.
53. Setz, (647), 25-26, 44, 17* .
54. « Quia codex in quo haec digesta invenimus vitio scriptorum erat depravatus ad liquidum investigare nequivimus », Aimoin de Fleury (424), I, 18 ; p. 40. « Ob incuriam et vitium scriptorum » ; « scriptorum negligentia vel imperitia depravata », Ekkehard d'Aura, *MGH, SS,* VI, 6, et Lasch (293), 30-32. « Haec autem iuxta multorum opinionem sic teneantur, et in cronicis eodem modo scribantur, Hebreorum volumina, in quibus et Liber Regum apud nos nescio an viciatus an purus, multum ab his discordare videntur », Ekkehard d'Aura (470), 49. « Desiderans in cunctis et singulis veritatis certitudinem plenius invenire, praecipue propter multam ac nimiam dissonantiam varietatemque temporum quam reperi in diversis chronicis annorum, mensium et dierum, necnon etiam rerum gestarum. Quae, ut reor, plerumque contingit propter vitium scriptorum, interdum quoque propter diversitatem positionum et opinionum eorumdem scribentium tractatorum », Bernard Gui, *Flores Chronicorum,* prologue ; *RHF,* XXI, 692.
55. Delaborde (285), 405.
56. Diener (596), 171. Ullman (649), 322. Schobben (465), 13.
57. Grévy-Pons et Ornato (662), 87.
58. Jean de Montreuil (624), II, 7-12, 19-20, 132, 168, 226-227, 274.
59. Ce dernier point m'est connu grâce aux travaux préparatoires de la thèse de C. Beaune, *Naissance d'une nation, étude sur les composantes idéologiques du sentiment national français dans les derniers siècles du Moyen Age.*
60. Foerster (286), 310. Fuhrmann (287), 537-539.
61. Fuhrmann (287), 573.
62. Molinier (106), n°s 821-822.
63. Wattenbach, Holtzmann, Schmale (130), 563-574.
64. Genet (288), p. 115, n. 84.
65. Gransden (89), 177-178.
66. Weiss (266), 93-94, 154.
67. Arnold (631), 167-169.
68. Harrison (275), 69-70.
69. Genet (288), 117.
70. Chibnall (284), 1.
71. *Chronicon Abbatiae de Evesham* (774), 160-161.
72. Foerster (286), 307-308 et 311-312. Herde (291), 334-337. Genet (288), 116.
73. Giry (289), 53.
74. Bordier (812), 137-142.
75. Oexle (401), 252 et suiv.
76. Guenée (11), 453.
77. Arnold (631), 167-179 .
78. De Boüard (282), I, 20.
79. Ranulf Higden (699), I, 30.
80. Daniel, chap. 7.
81. Otton de Freising (676), II, 12-13 ; p. 126-128.
82. Ranulf Higden (699), I, 30.
83. Lammers (43), 424-425. Brincken (21), 47-48. Marsch (307), 24 et suiv., 125 et suiv.

84. Hugues de Saint-Victor, *De scripturis et scriptoribus sacris,* chap. 17 ; *PL* 175, col. 24. Ranulf Higden (699), I, 30.
85. Schmidt (309), 299.
86. *Ibid.,* 301-302.
87. *Ibid.,* 304-305. Eusèbe et Jérôme, *Chronique,* I, 16, 18 ; 16, 20 ; 16, 33 ; 17, 6 ; 18, 9 ; *PL* 27, col. 69, 71, 79, 83, 90.
88. Schmidt (309), 306-308.
89. De Genesi contra Manichaeos, *PL* 34, col. 190-193 ; Enarrationes in Psalmos, *PL* 37, col. 1182 ; *De Civitate Dei,* XXX, 30.
90. Schmidt (309), 314.
91. Lambert de Saint-Omer (640), 23 v°.
92. Brincken (21), 50 et suiv.
93. Festus (482), 45-46. Momigliano (51). Laistner (42), 20.
94. Sirinelli (480), 34-36.
95. Jérôme, Chronique, *PL* 27, col. 69, 71, 79, 83, 90.
96. Isidore de Séville (585), 426, 428, 429, 432, 439, 445, 454.
97. Bède (447), 303.
98. Grégoire de Tours (522), IV, 51 ; p. 241-242.
99. Nennius (664), 145.
100. Adémar de Chabannes (415), 68-69.
101. Lambert de Saint-Omer (640), *passim.*
102. Jones (221), n° 100. Brincken (21), 164.
103. Brincken (21), 108 et suiv., surtout 162.
104. Nennius (664), 145.
105. Bède (447), 265-268.
106. Cordoliani (412), 469. Brincken (559), 156, 178. Wiesenbach (728).
107. Brincken (559), 158.
108. Vincent de Beauvais, *Speculum historiale,* VI, 88 ; (751), p. 204.
109. Schneider (580), 106.
110. Ralph de Diceto (697), I, 35, 36, 37 et 55. Zinn (698), 48.
111. Vincent de Beauvais, *Speculum historiale,* VI, 88 ; (751), p. 203-204.
112. Delisle (360). *Eulogium* (785), III, 246.
113. Robert de Torigni (716), II, 214-215. William Worcestre (553), 304-306. Jean Miélot ; Bibl. nat., Fr. 17001, fol. 34 v°, 48, 73. Etc.
114. « 5199 et hunc numerum assignat Beda, quem etiam usualiter tenet Ecclesia », Vincent de Beauvais, *Speculum historiale,* VI, 88 ; (751), p. 204. « ... du commencement du monde selon Bède, lequel ensuit le commun, V^MC IIII^XX XIX ans », « Manuel d'histoire de Philippe VI de Valois », Bibl. nat., Fr. 4940, fol. 37 v°. « Secundum communem usum et secundum venerabilis Bede supputationem », Jean Miélot, Bibl. nat., Fr. 17001, fol. 34 v°.
115. « Ita sunt variae et discrepantes de temporibus sententiae ut vix in hac re aliquid certi statui possit », Vincent de Beauvais, *Speculum historiale,* II, 115 ; (751), p. 84.
116. Brincken (559), 171. Ranulf Higden (699), I, 30.
117. De Boüard (282), I, 309-310.
118. Grégoire de Tours (522), IV, 51 ; t. I, p. 242.
119. Lambert de Saint-Omer (640), 257 v°. Marchegay et Mabille (819), 351-352. *Les Grandes Chroniques de France* (794), VI, 141-142.
120. John Capgrave (591), 175.
121. Bède (447), p. 69, n. 2.
122. Harrison (275), 68.
123. De Boüard (282), I, 301-302.
124. Gramain (306), 321-324. Roger (308). Autrand, 298.
125. Leclercq (226), 253.
126. Henri de Huntingdon (564), 247-249. Guenée (11).
127. Robert de Torigni (716), II, 339.

128. Salmon (826), xvi-xxxvii, 64-161.
129. Salmon (826), 212-217. Duchesne (272), II, 279 et 290-292.
130. Salmon (826), xxii.
131. Ranulf Higden (699), I, 40.
132. Duchesne (272), II, 288-290.
133. *Gallia Christiana,* XIV, 52.
134. Duchesne (272), II, 287, 289.
135. *Gallia Christiana,* XIV, 46-47.
136. *Gallia Christiana,* XIV, 76. Salmon (826), 131.
137. Duchesne (272), II, 287, 289.
138. Beumann (764), 64.
139. Lesort (782), 6.
140. *Ibid.,* 3.
141. *MGH, SS,* X, 139. *RHF,* XII, 217.
142. *RHF,* XII, 217. Rigord (709), I, 63.
143. Adémar de Chabannes (415), 152.
144. Delisle (641), 180, 186.
145. Rigord (709), I, 59.
146. *Les Grandes Chroniques de France* (794), VI, 140.
147. Casalduerò (269).
148. Hayez (793), 131-134.
149. Vincent de Beauvais, *Speculum historiale,* XVI, 4 ; (751), p. 619.
150. Guenée (12), 6.
151. « Nam nullatenus stare potest si temporum series discutiatur et veritas inquiratur », Robert d'Auxerre ; *MGH, SS,* XXVI, 222.
152. Letaldus de Micy ; Schreiner (295), 28-29. Anselme de Liège ; Lasch (293), 26. Jacques de Voragine ; Schreiner (295), 27-28.
153. *PL* 137, col. 782-784, résumé par Schreiner (295), 28-29.
154. « Confutandum est igitur quod sic et auctoritas refellit et ratio », *MGH, SS,* XXVI, 222.
155. Jacques de Voragine, *La légende dorée,* les onze mille vierges, 21 octobre ; (588), t. III, p. 696-697.
156. Thomas Rudborne (743), 188.
157. Robert Gaguin (713), fol. 2 ; (712), fol. 2 v°. Schmidt-Chazan (714). 274.
158. Hay (484), 113-114.
159. De Smet (319), 18.
160. Sur tout ceci Witzel (329), 31, 43, 61, 239 et *passim.*
161. Lacroix (41), 99.
162. Pierre Le Baud (694), fol. 1 v°.
163. Gallus Anonymus (496), 425.
164. Witzel (329), 13, 28, 44.
165. Aimoin de Fleury (424), 24-28.
166. *Les Grandes Chroniques de France* (794), I, 22-25.
167. Salmon (826), 292-296. Tricard (327).
168. *MGH, SS,* XXV, 641-642.
169. « Liber Iulii Solini de situ orbis terrarum et de singulis mirabilibus que mundi ambitu continentur » ; « liber ... C. Iulii Solini ... de mirabilibus mundi et ritis gentium » ; Solin (732), xxxi, xliii.
170. Giraud le Cambrien (515), V, 7-8.
171. *Eulogium* (785), I, 3-4.
172. Abel (364). Cary (375).
173. Schneider (580), 90-91.
174. Otton de Freising (676), I, 1 ; p. 60.
175. Taylor (700), 54-55.
176. Delisle (641), n°s 50, 51, 52, 59.
177. Green (579), 493.
178. Guenée (31), 14.
179. *Les Grandes Chroniques de France* (794), I, 23.

180. Gervais de Canterbury (512), II, 414-419.
181. Brincken (313), 127.
182. *Ibid.,* 158-159.
183. Wright (330), 158 et suiv.
184. *Ibid.,* 56.
185. Brincken (315), 85.
186. Wright (330), 68.
187. Miller (324), III, 112.
188. Brincken (314), 298.
189. Schneider (580), 99.
190. Brincken (313), 123-128.
191. Taylor (700), 68.
192. Tricard (327).
193. Dainville (318), 102-105.
194. Gransden (88), 45-47. Kletler (322), 319.
195. Wattenbach et Holtzmann (130), 568-569.
196. Kletler (322). Brincken (372).
197. Guzman (731).
198. Kletler (322), 302. Brincken (372), 3-6, 431. Carozzi (583), 857.
199. *Eulogium* (785), I, 4.
200. Gransden (88), 47-48.
201. Langlois (323), 152.
202. Guzman (731), 157-158. Connell (377), 120, 127, 135.
203. Giese (622), 451, 452.
204. Brincken (621). Giese (622).
205. Gervais de Canterbury (512), II, 414.
206. Buron (688), chap. xxx, p. 334.
207. Staab (326). Bède (446), 14. Le traducteur anglais d'Orose : Bately (680). Barthélemy l'Anglais : Langlois (323). Ranulf Higden : Taylor (700), 60. Etc.
208. Casella (420), 50.
209. Aujourd'hui Cividale del Friuli.
210. Notker le Bègue (669), xix et 85.
211. Aimoin de Fleury (424), 25.
212. Geoffroy de Monmouth (503), IX, 11 ; p. 225.
213. Wace (761), v. 10159-10160 ; p. 533.
214. Eginhard (469), xii ; p. 36.
215. Musset (325).
216. *RHC, HO,* IV, 121.
217. Kletler (322), 295-296.
218. *Les Grandes Chroniques de France* (794), I, 23, 25.
219. Aimoin (424), 25. *Les Grandes Chroniques de France* (794), I, 24.
220. *Les Grandes Chroniques de France* (794), I, 23, n. 1.
221. Staab (326).
222. Miller (324), III, 52.
223. Brincken (313), 168-170.
224. Giraud le Cambrien (515), I, 414-415, 422.
225. Vaughan (659), 235-250.
226. Casella (420), 80.
227. Eisenstein (27), 70.
228. Bagrow (312), 99.
229. Moranvillé (474), 53-55.
230. Dainville (317), 10-11. Tate (620), 151, 154.
231. Voigt (328), 14-15, 21.
232. Bagrow (312), 70, 72-73. Durand (320).
233. Casella (420), 79.
234. Tate (620), 153.
235. Bagrow (312), 89 et suiv.
236. *Annales de Saint-Bertin* (767), 89, 166.

237. P. Courcelle, *Histoire littéraire des grandes invasions germaniques,* Paris, 1948, p. 26, n. 1.
238. F. Chalandon, *Histoire de la première croisade jusqu'à l'élection de Godefroy de Bouillon,* Paris, 1925, p. 182.
239. Halphen et Poupardin (815), 102.
240. *MGH, SS,* XXVI, 213.
241. J.F. Verbruggen, *De Krijgskunst in West-Europa in de Middeleeuwen (IXe tot begin XIVe eeuw)* (avec un résumé français), Bruxelles, 1954, p. 410.
242. *MGH, SS,* XXVI, 465.
243. Meyer (332), 61-63, 129-133.
244. Reiss (333).
245. Bède (446), I, 1 ; p. 14, n. 1, et p. 16.
246. Meyer (332), 155.
247. *Ibid.,* 55, 97, 184-186, 200, 203.
248. Kletler (322), 311.
249. Meyer (332), 9.
250. Le Goff (331), 484-485.
251. *Chronique artésienne* (771), 60, 62, 64-65.
252. Ph. Contamine, *Guerre, Etat et société à la fin du Moyen Age. Etude sur les armées des rois de France, 1337-1494,* Paris, 1972, p. 65.
253. F. Lot, *L'art militaire et les armées au Moyen Age en Europe et dans le Proche-Orient,* t. II, Paris, 1946, p. 455.
254. Jean de Montreuil (624), II, 94, 100, 104.
255. E. Cosneau, *Le connétable de Richemont (Arthur de Bretagne) (1393-1458),* Paris, 1886, p. 407, n. 2.
256. Sapori (334), 21-22. Frugoni (633).
257. Marin Sanudo (652), col. 958-960.
258. Genet (288), 105.
259. Contamine (378), 425.
260. Contamine (378).
261. Fontaine (586), I, 40-44. *Verbum et signum* (338), I, 237-241.
262. Witzel (329), 107.
263. *Liber Eliensis* (801), 2.
264. *Chronicon Abbatiae Rameseiensis* (779), 8-9.
265. Giraud le Cambrien (515), VI, 179.
266. « Locum qui dicitur Wippides Fleot. Illic ruit miles Saxonum Vuipped, et ob id ille locus vocabulum sumpsit, sicut a Theseo Theseum mare, et ab Aegeo Aegeum, qui in eo necatus fuerat » ; *Chronicon Aethelweardi* (421), 11.

« Refert Isidorus quod Asia ex nomine cujusdam mulieris Asiae illam quondam inhabitantis denominata sit » ; Ranulf Higden (699), I, 78.

267. *Les Grandes Chroniques de France* (794), I, 14-15.
268. Witzel (329), 107.
269. Geoffroy de Monmouth (502), IV, 17 ; p. 327. Ranulf Higden (699), IV, 416.
270. Gransden (89), 9.
271. Ranulf Higden (699), II, 60.
272. Giraud le Cambrien (515), IV, 49.
273. J. Soyer, *La légende de la fondation d'Orléans par l'empereur Aurélien,* Orléans, 1911.
274. Giraud le Cambrien (515), VI, 77. Coulter et Magoun (516).
275. « Naturalis ergo lingua Francorum communicat cum Anglis, quod de Germania gentes ambae germinaverint » ; Guillaume de Malmesbury (536), I, 70.
276. César fonda une place forte « quam a Julia, filia sua, Juliam Bonam nuncupavit ; sed barbara locutio Illebonam, corrupto nomine,

vocitavit » ; Orderic Vital, *Histoire ecclésiastique,* XII, 23 ; Le Prevost (671), IV, 396. « Regionem illam quae nunc vel a cornu Brittannie vel per correptionem predicti nominis Cornubia appellatur » ; Geoffroy de Monmouth (502), I, 16 ; p. 249-250.

277. « Hujus autem gentis antiquiores primo dicti sunt Vaccei, a quodam oppido juxta Pyrenaeum sito sic cognominati, sed postea Wascones quasi Vaccones demutata *c* in *s* litteram nuncupati : et ipsorum regio quae antea dicitur Vacceia, appellata est Wasconia » ; Van der Essen (573), 546. « Cracovia... a Gracco, *g* littera mutata in *c,* Cracovia appellata est » ; Jean Dlugosz, cité par Schlauch (507), 260.

278. Paul Diacre (679), I, 9 ; p. 58-59. L. Musset, *Les invasions : les vagues germaniques,* Paris, 1965 (Nouvelle Clio, n° 12), p. 139, n. 1.

279. Bède (446), IV, 19 ; p. 396. Gransden (89), 24.

280. Asser (441), p. 1 et 5. Gransden (89), 51.

281. *Gesta Stephani* (792), 39.

282. Gieysztor (383), 354.

283. Vaughan (659), 196.

284. Ranulf Higden (699), II, 60.

285. *Ibid.,* II, 58.

286. Klinck (336), 20, 43.

287. *Ibid.,* 68. *Verbum et signum* (338), I, 302.

288. « Alludit enim significationi trahendo argumentum per litteras vel per sillabas aliunde » ; Klinck (336), 68.

289. *Ibid.,* 65.

290. Fontaine (586), I, 40-44.

291. *Verbum et signum* (338), I, 252 et suiv.

292. *Ibid.,* 240-241.

293. Orderic Vital, *Histoire ecclésiastique,* V, 6 ; Chibnall (671), III, 36.

294. Klinck (336), 41, 66.

295. *Verbum et signum* (338), I, 248, 251.

296. Klinck (336), 13.

297. Guiette (335). Klinck (336), 69-71, 136-139, 185-187.

298. Raoul Glaber (702), II, 5 ; p. 36.

299. « Ut interpretationem ipsius nominis aptius ad mysticum intellectum reducamus » ; *Chronicon Abbatiae Rameseiensis* (779), 9-11.

300. *MGH, SS,* XXI, 257.

301. Graus (389), 92, 226.

302. Wattenbach (555), 86.

303. Ranulf Higden (699), IV, 416.

304. Klinck (336), 68.

305. Philippe de Mézières, *Le Songe du Vieil Pélerin,* G. W. Coopland éd., t. II, Cambridge, 1969, p. 131.

306. Laurent Valla, *De Linguae Latinae Elegantia Libri Sex,* VI, 36.

307. A.-M. Le Coq cite dans un travail à paraître un poème anonyme du début du XVIe siècle intitulé *Le nom du Roy Françoys éthymologisé* (Bibl. nat., fr. 4967) :

> « Françoys fera fermement flourir France
> Raison regnant riche Roy regnera
> Aymant accordz acquerra allience
> Notre noblesse noblement nourrira »
> Etc.

308. Kelley (145), 272.

CHAPITRE V

LE TRAVAIL DE L'HISTORIEN : LA COMPOSITION

I. La portée du titre

Voici la documentation rassemblée et travaillée. Il restait à l'historien à construire, à partir d'elle, l'œuvre qu'il avait projetée. Construction lente, pénible, aussi peu naïve et aussi pleinement consciente que les phases de documentation et d'élaboration qui l'avaient précédée. Le premier travail de l'auteur consistait d'abord à classer les extraits qu'il avait accumulés. Il pouvait arriver qu'il rédigeât ensuite un brouillon [1]. Puis il faisait copier par un ou plusieurs scribes les notes ou le brouillon. Ou bien il dictait à un ou plusieurs scribes le texte qu'il avait, à partir de ces notes ou de ce brouillon, mis au point. Ou bien encore lui-même copiait ce texte. Ainsi était élaboré le premier jet d'un manuscrit d'auteur qui pouvait donc être autographe [2] ou ne pas l'être [3]. Cette première mise au net était à son tour l'objet d'une révision attentive et souvent même, tant que l'auteur en avait la force, incessante. Il faisait de sa main, ou faisait faire par d'autres, des corrections, des additions, si longues parfois qu'il y fallait des feuillets intercalaires, des suppressions aussi. Ainsi brouillons et manuscrits d'auteur témoignent-ils d'un intense effort de mise en œuvre dont ils permettent de suivre les progrès et les repentirs. Malheureusement ces exemplaires de travail ne subsistent pas si nombreux.

Les titres des œuvres, et les prologues dans lesquels les auteurs expliquent, souvent avec précision, ce qu'ils ont voulu faire, sont d'autres moyens d'apprécier leur effort. Mais il est bien vrai que les œuvres historiques n'ont souvent ni prologue ni titre. Beaucoup d'historiens jugeaient sans doute prétentieux d'écrire un prologue et de donner un titre à leur travail. L'indifférence des scribes et des lecteurs ne pouvaient que les conforter dans leur modestie. Car lorsqu'il y avait titre et prologue ils n'étaient souvent pas recopiés, et le même texte circulait ainsi sans titre, ou sous les titres les plus divers. Par exemple Primat avait écrit en 1274 son *Roman des Rois.* Un siècle plus tard, continué et enrichi, ce « roman », c'est-à-dire cette histoire écrite en langue romane, en français, ne portait le plus souvent pas de titre, mais lorsqu'il en avait un il était intitulé selon les manuscrits *Chronique des Rois de France, Gestes des Rois de France, Généalogie des Rois de France, Chroniques de France,* parfois, exceptionnellement, *Grandes Chroniques de France* [4]. Rendus perplexes par cette absence ou cette diversité, plus indifférents encore que les scribes et les lecteurs du Moyen Age aux intentions des historiens, aux titres qu'ils avaient choisis, aux prologues qu'ils avaient écrits, les éditeurs modernes se sont trop souvent permis de ne point reproduire l'inutile bavardage qu'était à leurs yeux un prologue, et de négliger ou modifier le titre auquel l'auteur s'était arrêté. Comme ma compilation, explique un historien du XIIe siècle, va de la naissance du Christ à notre temps, je l'appelle *Chronicum omnium temporum.* Mais lorsque le P. Ph. Labbe publiait, en 1657, cette *Chronique de tous les temps,* il attachait peu d'importance à tout ce « fatras [5] » et ne voyait d'intérêt que dans les renseignements qui étaient donnés sur l'histoire de Saint-Maixent, où l'auteur avait vécu. Le P. Labbe croyait donc rendre service à ses lecteurs en intitulant l'œuvre qu'il imprimait *Sancti Maxentii in Pictonibus Chronicon quod vulgo dicitur Malleacense* (Chronique de Saint-Maixent en Poitou dite ordinairement de Maillezais [6]). Encore le P. Labbe en publiait-il le prologue. Mais lorsque P. Marchegay et E. Mabille donnait de la même œuvre, en 1869, une nouvelle édition, ils l'annonçaient par le simple titre de *Chronicon Sancti Maxentii Pictavensis* et n'en publiaient même pas le prologue. Ils n'en publièrent pas non plus tout ce qui leur parut « d'un bien faible mérite », corrigèrent les dates qui leur parurent fautives, et allèrent jusqu'à rétablir, dans l'exposé des événements, un ordre qui leur sembla plus judicieux [7]. Dans ce texte déformé, mutilé, décapité, comment un chercheur moderne pourrait-il percer les intentions de l'auteur de la *Chronique de tous les temps,* et rendre justice à ses efforts ? Ainsi, trop souvent, les meilleurs manuscrits médiévaux et les meilleures éditions dont nous disposons encore aujourd'hui n'ont pas accordé aux titres et aux prologues des œuvres historiques du Moyen Age le respect qui leur est dû [8]. La démarche consciente que fut leur construction en est d'autant masquée.

Et pourtant, plus souvent qu'il n'y paraît d'abord, les historiens se sont souciés d'expliquer leur œuvre et, en premier lieu, de lui donner un titre. Parfois, pour être plus sûr qu'il soit retenu, l'auteur donne le titre de son ouvrage d'entrée de jeu, dès les premiers mots de son prologue. « *Historiam gentis Anglorum ecclesiasticam* », commence Bède ; « *Gesta Francorum regis Philippi* », commence Guillaume Le Breton [9]. Ou bien c'est dans le corps même de son prologue, souvent vers sa fin, qu'il prend soin de marquer sa volonté. « Je souhaite que le présent opuscule soit appelé *Histoire ecclésiastique* », déclare Orderic Vital en latin ; « un petit volume / que j'apel... / la *Branche des royaus lingnages* » rime en français Guillaume Guiart ; « et comme la présente chronique contient l'histoire de nombreux temps, je pense qu'il faut l'appeler l'*Histoire Polychronique,* à cause de la pluralité des temps qu'elle contient », explique Ranulf Higden en latin ; « et si bien puissez acomplir cest tretice tu les doys appeller *Scalacronica* », dit à son lecteur, en son français, l'anglais Thomas Gray [10]. L'auteur s'est aussi parfois contenté de donner, avant les premiers mots de son texte, ou sur une première feuille, le titre qu'il a retenu [11]. De toutes façons, il a eu plus souvent qu'il n'y paraît aujourd'hui le souci d'intituler son œuvre. Si tant d'œuvres historiques médiévales nous sont parvenues sans titre, ce n'est pas toujours la faute de leur auteur.

Or, il arrive qu'un historien médiéval donne à son œuvre un titre particulier, qui dévoile une intention ou une thèse précises, comme Liutprand qui intitule son histoire *Antapodosis,* c'est-à-dire en latin *Retributio,* parce qu'il entend y « récompenser » chacun selon ses mérites ; ou comme Otton de Freising, qui intitule son œuvre *De duabus civitatibus* (des deux cités), car il y a en effet deux cités dont il entend parler, l'une temporelle et l'autre éternelle, l'une terrestre et l'autre céleste, l'une du Diable et l'autre du Christ, l'une qui est Babylone et l'autre Jérusalem [12]. Mais un tel souci de singularité est au Moyen Age exceptionnel. Le titre usuel est bien du type *Histoire ecclésiastique du peuple anglais, Chronique de tous les temps, Gestes du roi de France Philippe,* etc., c'est-à-dire qu'il est composé de deux éléments, l'un précisant l'objet de l'œuvre (histoire universelle, histoire d'un peuple, histoire d'un règne), l'autre indiquant la forme que l'auteur entend lui donner, le moule où il la veut couler [13]. Dès le titre même le lecteur sait donc quel genre d'œuvre l'auteur a choisi de composer.

II. Le choix du genre

§ 1. *Annales, chronique, histoire*

Ne prenons pas au pied de la lettre les historiens qui nous parlent dans leur prologue de leur « opuscule », de leur « petit livre », de leur « petit opuscule ». Ces mots sont moins là pour annoncer l'importance de l'œuvre que pour proclamer la modestie de l'auteur. Il est des opuscules de plusieurs volumes [14]. Et d'ailleurs si *opusculum* et *libellus* sont dans le prologue, ils ne sont pas dans le titre. Mais l'auteur ne manque pas de mots pour préciser, dès le titre, qu'il entend offrir un manuel, un abrégé. *Epitome, breviarium* désignaient dans l'Antiquité des œuvres brèves ; ils se retrouvent dans les premiers siècles du Moyen Age [15]. *Opus manuale* [16], *abbreviatio* [17] disent le même parti pris de brièveté ; on les utilise surtout aux XIIe et XIIIe siècles. *Compendium,* qui a le même sens, n'apparaît pas avant le XIIe siècle mais il est par la suite le mot le plus fréquent [18]. Au total, il arrive donc à l'auteur d'avertir qu'il offre un abrégé ou un manuel. Mais ce n'est pas si fréquent. L'abrégé ou le manuel ne sont pas un genre fondamental. Et, de plus, tous ces mots n'annoncent évidemment en rien, à eux seuls, une œuvre historique. Il faut pour cela préciser par exemple *abbreviatio chronicorum, compendium chronicorum* ou *historiarum.* « Annales », « chroniques », « histoires », « gestes », voilà en effet les mots, constamment repris dans les titres, par quoi s'annonce, au Moyen Age, une œuvre historique.

Dans les premiers siècles du Moyen Age, les définitions que les théoriciens donnaient d' « annales », de « chronique » et d' « histoire » étaient loin d'être claires, et beaucoup employaient les trois mots l'un pour l'autre, comme de parfaits synonymes. D'autres, cependant, percevaient nettement les différences qui les séparaient. Pour bien distinguer la chronique et l'histoire, il leur suffisait de reprendre les deux œuvres d'Eusèbe de Césarée, dans leurs traductions latines, qui figuraient dans toute bonne bibliothèque historique, son *Histoire ecclésiastique* et sa *Chronique.* L'*Histoire* privilégiait le récit ; la *Chronique* privilégiait la chronologie. L'*Histoire* était « un récit tout à fait complet » ; la *Chronique* était « un abrégé » qui résumait l'histoire du monde en tableaux chronologiques [19]. Des annales étaient tout à fait autre chose. Les premières annales apparurent vers les VIIe-VIIIe siècles. C'était alors de brèves notes écrites une année après l'autre, dans les marges des tables pascales, grâce auxquelles une communauté entendait garder la mémoire du ou des événements marquants d'une année. Peu à peu, les annales se libérèrent des marges ; elles furent directement écrites sur des feuilles blanches. Autonomes, leur texte put s'amplifier ; les simples notes devinrent parfois bref récit [20]. Mais, de toutes façons, des annales se distinguaient toujours par deux traits fondamentaux : les événements y étaient consignés au fur et à mesure qu'ils avaient été connus ; ils étaient inscrits sous le numéro de l'année dans laquelle ils s'étaient passés, ou du moins sous le numéro de l'année pendant laquelle ils avaient été connus [21]. En somme, ces notations annuelles que sont des annales sont la matière première de l'histoire mais peuvent être le fait de n'importe qui : ce n'est pas un travail d'historien.

Tel n'est pas le cas de la chronique. Une chronique est l'œuvre consciente et élaborée d'un historien qui, suivant et prolongeant l'effort d'Eusèbe de Césarée, tente de reconstruire la chronologie du passé. Le seul point commun entre les annales et la chronique est que, dans la chronique aussi, les événements sont notés à la suite, chacun sous l'année qu'une recherche érudite a calculée pour eux. Deux démarches très différentes aboutissaient ainsi à des formes assez semblables.

Avec le temps, la distinction entre annales et chronique devint de plus en plus ténue. Un historien recopiait en un seul moment toute une série de notes annalistiques ; les recopiant, il pouvait être amené à remonter plus haut dans le passé, à faire quelque recherche pour enrichir son texte : les annales étaient devenues chronique. Ou bien l'historien, après avoir reconstruit le passé plus lointain, s'attachait à conserver la mémoire des temps qui lui étaient plus proches et qu'il vivait, année après année : la chronique se continuait en annales. Si bien que ce grand siècle historique que fut le XIIe siècle ne mettait plus aucune différence entre annales et chronique. « Annales » fut dès lors peu employé mais, lorsqu'il l'était, il ne voulait rien dire d'autre que « chronique ». « Chronique », précisait Gervais de Canterbury vers 1200, « est un autre nom pour désigner des annales » ; après quoi il ne parlait plus que de chroniques et de chroniqueurs [22]. Et un siècle plus tard Nicolas Trevet parlait indifféremment de ses *Annales* ou de sa *Chronique* [23].

Il y avait donc un premier genre historique que représentaient les annales et surtout les chroniques dont les historiens du Moyen Age avaient bien conscience qu'elles se moulaient dans une forme précise. Telle œuvre, déclarait Guillaume de Malmesbury au début du XIIe siècle, avait été écrite « *chronico more* [24] ». A la fin du XIVe siècle, l'*Eulogium Historiarum* avait été écrit, au dire de son auteur, « *modo chronico* [25] ».

A la fin du xve siècle, Jérôme de Borselli déclarait avoir écrit « *per modum cronice* » l'œuvre qu'il avait précisément intitulée *Chronique des événements mémorables survenus en la cité de Bologne* [26]. Et ce genre de la chronique se distinguait par deux traits fondamentaux. D'une part, priorité était donnée au temps ; l'essentiel était de noter la date de chaque événement ; dans la chronique, les années se suivaient donc l'une après l'autre et en face de chaque année étaient inscrits le ou les événements qui s'y étaient passés. D'autre part, pour rappeler chacun de ces événements, il n'était pas besoin de longues phrases ; la brièveté était nécessaire et suffisante [27].

De la chronique ainsi définie se distinguait nettement un second genre, qu'annonçaient les mots « histoire » ou « gestes ». Certes, les sens du mot « histoire » sont multiples, mais lorsqu'un historien déclare qu'il va écrire « *per modum ystorie* », c'est qu'il entend couler son œuvre dans un moule précis, distinct de celui de la chronique, et dont Eusèbe de Césarée avait donné le modèle comme il avait donné celui de la chronique. Dans l' « histoire », priorité était donnée au récit. Certes, l'historien se devait de toujours suivre l'ordre chronologique. Mais les dates précises n'étaient pas ce qu'on attendait de lui. Il n'en donnait pratiquement jamais. Par contre son récit s'enflait et se déroulait selon les meilleures règles de la rhétorique. La *prolixitas* marquait aussi sûrement les histoires que la *brevitas* les chroniques [28]. Ainsi les historiens les plus fidèles à une tradition qui remontait à Eusèbe de Césarée distinguaient-ils nettement les histoires et les chroniques [29], les histoires où les sujets étaient traités à fond, et les chroniques dont le principal souci était de noter les temps et de rappeler succinctement les événements [30].

La distinction entre histoire et chronique permet de mieux comprendre la structure de nombre d'œuvres historiques, les choix que les auteurs ont eu à faire lorsqu'ils ont commencé à composer, et aussi les justifications qu'ils en ont données dans leurs prologues. La distinction entre histoire et chronique est donc au Moyen Age fondamentale. Mais elle est loin d'être généralement reçue et acceptée. Une claire idée de ce qui oppose l'histoire et la chronique n'a sans doute jamais existé qu'à l'intérieur d'un cercle étroit de spécialistes. Même les théologiens ne l'avaient pas. Sans doute le catalogue de la bibliothèque de la Sorbonne distinguait-il, en 1338, des *Historie* et des *Cronice,* mais sur le rayon des *Historie* n'étaient rangés que les nombreux exemplaires de l'*Histoire scolastique* de Pierre Le Mangeur dont la bibliothèque était riche, et derrière le mot *Cronice* se cachait un pêle-mêle d'œuvres historiques et hagiographiques de toutes natures, surtout la *Légende dorée* de Jacques de Voragine [31]. Qui n'était pas historien avait du mal à distinguer les histoires des chroniques.

Et beaucoup d'historiens même, parmi les meilleurs, répugnaient à se laisser enfermer dans la vieille distinction eusébienne. C'est que l'histoire et la chronique, celle-ci donnant des dates, celle-là n'en donnant pas, celle-ci vouée à la brièveté, celle-là ne craignant point la prolixité, avaient un point commun essentiel : elles étaient tenues à respecter l'ordre chronologique. En quoi elles étaient toutes deux, par définition, des genres historiques. Les *vitae* mêmes, ces biographies qui, à l'imitation de leur lointain modèle, la *laudatio funebris,* l'éloge funèbre romain, entendaient dire l'origine, la famille, les vertus du saint ou du laïque qu'elles voulaient célébrer mais ne se souciaient pas d'en suivre la vie dans son déroulement chronologique, pouvaient évidemment être écrites par des historiens, ou des hagiographes, mais ne constituaient pas, à proprement parler, un genre historique [32]. Le récit qu'offraient des *gesta* ou une histoire, par contre, devait suivre l'ordre chronologique, *ordo temporum* [33], le fil des événements, *gestorum series* [34], que les dates de la chronique respectaient évidemment.

A côté de ce point commun essentiel, les différences qu'offraient la chronique et l'histoire étaient mineures, et beaucoup d'historiens les ressentirent bientôt comme une gêne. Dans l'œuvre qu'il intitulait *Des deux cités (De duabus civitatibus),* Otto de Freising entendait suivre le fil des années et ne point priver son lecteur de la précision des dates. Son œuvre était donc d'abord une chronique. Mais en même temps il voulait donner un discours élaboré. Son œuvre devait donc aussi être une histoire. Et il annonçait d'entrée de jeu sa double ambition : son titre complet était *Chronica sive historia de duabus civitatibus* (Chronique ou histoire des deux cités). Godefroy de Viterbe était conscient qu'il y avait dans les chroniques une trop grande brièveté, mais dans les histoires une trop grande prolixité. Il essaya donc d'avancer entre les deux, d'éviter aussi bien une brièveté qui engendrât l'obscurité qu'une prolixité qui suscitât de l'aversion ; et il intitula son œuvre *Mémoire des siècles,* évitant aussi bien le mot « chronique » que le mot « histoire [35] ». Gervais de Canterbury, après avoir distingué histoires d'une part, chroniques ou annales de l'autre, se plaignait que « la plupart des chronographes ou annalistes dépassaient leurs limites ». Jean de Saint-Victor, après avoir distingué les deux genres de l'histoire et de la chronique, finissait par déclarer que, pour sa part, il adopterait « un genre mixte » *(modum mixtum)* [36].

L'ignorance des uns, la réflexion des autres aboutissaient, dans les derniers siècles du Moyen Age, au même résultat. Les deux moules eusébiens de l'histoire et de la chronique n'étaient pas tombés dans l'oubli. Mais les historiens n'y coulaient plus que rarement leur œuvre. Tout leur effort tendait à dépasser les limites qu'ils leur imposaient, à créer une seule forme historique, mixte en quelque sorte, qui combinât l'exactitude de la chronique, en précisant les dates, et la beauté de l'histoire, en soignant le récit. En somme, la rhétorique antique avait créé l'histoire, qui était surtout discours. Puis, aux IIIe et IVe siècles de notre ère, l'érudition antique, soucieuse de préciser les temps, avait créé la chronique. Eusèbe de Césarée avait cultivé les deux genres, et en avait transmis les modèles à ses successeurs. Ceux-ci s'y conformèrent longtemps. Mais par la suite ils refusèrent de choisir entre histoire et chronique. Ils en arrivèrent à couler leur œuvre dans un moule où se réconciliaient rhétorique et chronologie. A cet ample récit ponctué de dates, à cette synthèse de l'histoire et de la chronique, à cette création originale où leur effort avait abouti, les historiens du Moyen Age ne surent quel nom donner. Ils dirent parfois « histoire », souvent « chronique ». Mais le plus souvent « chroniques et histoires », « histoires et chroniques » revinrent comme un cliché [37]. Et ce cliché cent fois repris marquait à la fois la confusion qui régnait dans les esprits les moins avertis, et la synthèse à quoi tendaient les historiens les plus réfléchis.

§ 2. *Les faits et leurs causes*

Entre les annales et l'histoire, Sempronius Asellio, et après lui Cicéron, avaient mis, dans l'Antiquité, une autre différence fondamentale : les annales ne faisaient que noter les événements de chaque année, tandis que le récit de l'histoire devait chercher le pourquoi de ces événements et « en dérouler les causes avec exactitude [38] ». Au Moyen Age, les historiens restèrent convaincus que la brièveté à quoi étaient obligées les chroniques leur interdisait de dire non seulement le pourquoi mais encore le comment des événements [39]. La nouveauté fut que l'histoire elle-même devait, selon eux, renoncer à dire les causes. D'abord parce que l'exposé des raisons aurait inévitablement brisé l'ordre chronologique que le récit historique, si élaboré qu'il fût, devait respecter [40]. Ensuite parce que l'historien, dans sa modestie, entendait se borner à exposer les faits, et laissait au philosophe le soin de les expliquer [41]. Refusant de dérouler les causes, l'historien rendait plus mince encore, du moins en principe, la limite entre histoire et chronique.

Mais il ne faut point se laisser prendre à cette modestie affichée. Le même Réginon de Prüm, qui déclarait ici ne point prétendre « élucider les causes des événements », avait ailleurs laissé échapper qu'il s'était « proposé d'expliquer les actions humaines et les causes des événements [42] ». De même Guibert de Nogent déclarait-il vouloir, avant de raconter les événements de la croisade, exposer les « motifs », les « raisons », les « circonstances qui rendaient urgente cette expédition [43] ». Et beaucoup d'autres, sans l'annoncer expressément, sans en disserter longuement, sans transgresser trop ouvertement les limites du genre historique auquel ils prétendaient se tenir, sans briser la suite chronologique de leur récit, ont avancé en quelques mots des explications. Sans dérouler les causes, le récit de l'histoire médiévale, du moins, les suggère, et s'oppose en fait, par là aussi, à la sèche énumération de la chronique.

Tout au long du Moyen Age, l'historien put parfaitement tirer des structures et des événements des explications qui lui paraissaient aussi naturelles qu'à nous [44]. Mais les écrits des théologiens, les « vies » des hagiographes, les sermons des moralistes, les vers des poètes, et même les formules des notaires [45], tout le poussait à ne point insister sur ces chaînes causales naturelles et à chercher sur d'autres plans d'autres types d'explications. Dieu avait depuis longtemps multiplié ses miracles, et le Diable ses méfaits, dans les récits hagiographiques [46] que l'historien s'en tenait encore à des raisons plus naturelles [47]. Peu à peu cependant, le ciel s'approcha de la terre. Les deux adversaires franchirent aisément la barrière des genres littéraires et envahirent l'histoire. L'homme n'agissait plus seul. Constamment, le Diable le poussait au mal, et Dieu l'aidait au succès, ou le condamnait à l'échec [48]. Et, pour avertir de ses décisions, Dieu multipliait les signes et les présages qu'il revenait aux sages d'interpréter [49].

Mais pourquoi donc ces châtiments et ces faveurs divines ? Une fois admise la toute puissance de Dieu, « sans la volonté duquel aucune feuille ne tombe à terre », il faut bien reconnaître que trop souvent les événements et leurs apparentes injustices mettent à rude épreuve les convictions des chrétiens. Quelques-uns répètent alors saint Paul et disent que « Dieu châtie les fils qu'il aime » [50]. D'autres avouent que les raisons divines nous restent cachées [51]. Et la prudence du théologien s'unit à la modestie de l'historien pour décourager les auteurs de trop s'attarder aux causes. Mais pour la plupart les historiens n'oubliaient pas qu'ils se devaient d'édifier leurs auditeurs et leurs lecteurs, que les exemples qu'ils tiraient du passé devaient les exciter au bien. C'était donc les péchés du prince, les péchés du peuple, les péchés de leurs pères qui avaient suscité la colère de Dieu[52]. Et si chacun des péchés capitaux, l'avarice, la luxure, l'envie, les autres aussi, put être, à l'occasion, invoqué, ce fut, tout au long du Moyen Age, l'orgueil des hommes que Dieu, d'abord, punissait. L'orgueil avait perdu le Diable à l'origine des temps ; c'est déjà ce qu'Eusèbe de Césarée écrivait au IVe siècle en suivant d'ailleurs la Bible[53]. L'orgueil avait perdu les vaincus d'Azincourt en 1415 ; c'est encore ce qu'écrivait Pierre Le Baud, onze siècles plus tard, en répétant d'ailleurs ce que tout le monde disait[54]. Et pendant onze siècles au moins l'histoire nous montre ainsi les princes et les peuples punis de leur orgueil par le Tout-Puissant, oppresseur des superbes, *Omnipotens, superborum oppressor*[55].

Il y avait donc d'une part les raisons théologiques et morales, d'autre part les raisons naturelles. Mais à vrai dire elles ne s'opposaient pas les unes aux autres. Elles se complétaient. Car les raisons théologiques et morales expliquaient en général, et les raisons naturelles en particulier. Il est bien vrai que Pépin, en 745, avait vaincu par la force de son armée ; il est vrai aussi qu'il avait vaincu avec l'aide de Dieu[56]. Orderic Vital pouvait bien dire que, dans le naufrage de la Blanche-Nef, les victimes avaient été punies par Dieu de leurs péchés ; il savait aussi que le navire s'était écrasé sur un rocher parce que l'équipage était ivre[57]. Mathieu Paris, parlant de la querelle qui opposa l'archevêque de Canterbury Edmond à ses moines, dit dans l'*Historia Anglorum* que le Diable en était la cause ; mais dans l'*Abbreviatio Chronicorum,* c'était le légat pontifical. Au début de son histoire de la croisade albigeoise, Guillaume de Puylaurens annonce qu'il va montrer par quels jugements « Dieu décida de fustiger notre pauvre pays pour les péchés du peuple. Je dis les péchés du peuple, mais je n'omets pas la négligence des prélats et des princes...[58] ». Les enchaînements naturels n'échappaient pas aux historiens du Moyen Age. Mais ils n'y insistaient pas, parce que le genre historique ne s'y prêtait pas, et parce que ces enchaînements n'étaient pour eux ni exclusifs ni primordiaux. Quand ils expliquaient, les historiens du Moyen Age expliquaient à deux niveaux, et c'est évidemment au niveau inférieur que se situaient les causes naturelles.

Les meilleurs esprits de la Renaissance attachaient aux signes, aux oracles, aux présages, autant d'importance que les historiens qui les avaient précédés[59]. C'est que, au XVe siècle encore, le ciel ne pesait pas d'un moindre poids sur la terre. Et si beaucoup, surtout en Italie, expliquaient désormais les événements par les positions des astres [60] ou y voyaient l'action d'une Fortune *(Fortuna)* aussi capricieuse ou d'un Destin *(Fatum)* aussi aveugle que la volonté de Dieu était insondable [61], beaucoup d'autres, surtout en France, continuaient à marquer, dans leur histoire, l'intervention divine. Le « voyage » de Charles VIII en Italie, explique Philippe de Commynes, « fut conduict de Dieu tant à l'aller que au tourner [62] ». La mort de Talbot à Castillon, tient à préciser Thomas Basin, ne fut pas « l'effet du destin, mais de la divine providence [63] ». La « fortune », déclare Robert Gaguin, a d'abord exercé sa fureur contre Charles VII, mais elle a fait du roi, par la suite, « avec la bienveillance divine, le restaurateur de la patrie [64] ». L'intervention divine dans l'histoire est, au début du XVIe siècle encore, si évidente, que Jean Lemaire de Belges donne des événements, aussi spontanément que les annales carolingiennes, Orderic Vital ou Mathieu Paris, une explication à double niveau. Traitant des changements de dynastie de 751 et 987, « lesquelles mutations, dit-il, furent faictes premierement par le providence divine, et secondement par l'art, mystere et traffique des prebstres... [65] ».

La marche des événements dépend toujours, en dernière analyse, de Dieu. Mais il est bien vrai que les historiens sont peut-être moins soucieux de souligner les effets quotidiens de sa vigilance. Et cette tendance est perceptible dès la fin du XIIIe siècle. Lorsqu'il écrivit son *Roman des Rois* peu avant 1274, Primat marqua pourtant bien comme la protection divine n'avait jamais manqué aux rois de France. Mais il fut gêné par l'insistance avec laquelle Suger ou Rigord avaient constamment dit l'intervention de Dieu ou du Diable et, les traduisant, il prit bien soin de laisser tomber leurs « *Diabolo ei prosperante* », « *manus Domini erat cum eo* », « *instigante Diabolo* », etc. [66]. Un Dieu plus distant permit aux historiens de mieux démêler les causes naturelles [67]. Une théologie moins pesante, une histoire plus autonome et plus ambitieuse, tout poussait donc les auteurs, étudiant le passé, à mieux approfondir les causes [68].

S'aidant de la traditionnelle distinction entre histoire d'une part, annales ou chronique de l'autre, nombre d'historiens prétendirent alors, puisqu'ils approfondissaient les causes, couler leur œuvre dans le moule de l'histoire et négliger celui des annales ou de la chronique. Froissart protestait qu'il n'écrivait pas une chronique, mais une chronique historiée, c'est-à-dire une histoire [69]. Et les historiens humanistes de la péninsule, rejetant l'idée de composer des annales, s'empressèrent à suivre le modèle des grands historiens de l'Antiquité romaine. La rhétorique y gagna, mais la chronologie en souffrit [70]. Emporté par sa matière et ses souvenirs, Philippe de Commynes avoue aussi ne point s'être soucié de garder « l'ordre d'escripre qui sont les hystoires ny nomme (r) les années ny proprement le temps que les choses sont advenues [71] ». L'ordre chronologique et l'enchaînement causal étaient si incompatibles que beaucoup d'historiens d'alors, ayant redonné à l'enchaînement causal la priorité qu'il avait eue dans l'Antiquité, en vinrent à négliger ces dates et cette précision chronologique qui avaient été la grande conquête de l'histoire médiévale. Il fallait décidément que la vieille opposition de l'histoire et de la chronique fût dépassée. En cultivant un genre mixte, à la fois histoire et chronique, qui retint de l'histoire son art du récit et de la chronique sa rigueur chronologique, la pratique médiévale créa la forme où le déroulement des faits et l'enchaînement des causes purent cohabiter. Elle avait donné à l'histoire moderne son berceau.

III. La mise en œuvre

§ 1. *L'érudition du compilateur*

Souvent, à partir du XIIe siècle, au lieu de simplement dire « histoires » ou « chroniques », un auteur intitule son œuvre « Fleurs des histoires » *(Flores historiarum),* « Fleurs des chroniques » *(Flores chronicorum)* ou « Fleurs des temps » *(Flores temporum).* C'est dire que, dans le pré d'autres livres, il a cueilli les fleurs de son propre bouquet, que son livre est composé d'extraits qu'il a choisis *(excerpere)* et réunis *(contexere, colligere). Flores historiarum, chronicorum* ou *temporum* annoncent par une image une compilation historique [72]. Comme *Flores, Speculum,* qui veut dire « Miroir », se fait plus fréquent, dans les titres, à partir du XIIe siècle. Que le mot ait une portée morale, et qu'en intitulant son œuvre *Speculum* un auteur marque qu'il tend à son lecteur un miroir où se reflètent les règles d'une bonne conduite, cela n'est pas douteux [73]. Mais saint Augustin, qui a composé le premier miroir, dit bien qu'il a extrait des livres canoniques des passages qu'il a réunis *(colligere)* pour en faire comme un miroir [74]. Cassiodore est bien conscient que le « Miroir » de saint Augustin est une collection *(colligere)* d'extraits faite pour corriger les mœurs [75]. Au XIIIe siècle, Vincent de Beauvais, retrouvant le mot même de saint Augustin et Cassiodore, avertit que son « Miroir » contient tout ce qu'il a jugé digne d'être admiré ou imité, et qu'il a pu rassembler *(colligere)* de livres presque innombrables [76]. L'idée de compilation est peut-être moins explicite, mais elle est aussi évidente dans un « Miroir » que dans des « Fleurs ». *Speculum historiale,* « Miroir historial » annoncent aussi une compilation historique. Quant à l'image de la mer, *mare,* elle est certes plus rare. Mais en intitulant parfois son œuvre *Mare historiarum,* « Mer des histoires [77] », un historien voulait évidemment, là encore, annoncer une compilation historique.

Ainsi, à partir du XIIe siècle, apparurent plusieurs mots qui marquaient, dans les titres, le goût croissant de la métaphore, mais qui avouaient aussi, d'entrée de jeu, le caractère de compilation de l'œuvre offerte au lecteur. La compilation n'est pourtant pas, au XIIe siècle, une méthode de composition nouvelle. Les savants en usaient depuis longtemps. Mais c'est au XIIe siècle qu'elle devint plus consciente et plus réfléchie. Le rêve de tout érudit fut alors d'apparaître comme un parfait compilateur. Car la compilation était la construction par quoi l'érudition se réalisait pleinement. Pour être irréprochable, la mise en œuvre de la documentation devait obéir aux strictes règles de la compilation [78].

Un bon compilateur devait se garder de tout apport personnel, et ajouter à ses sources le minimum. Pour que sa compilation jouît d'autant d'autorité que ses sources, l'idéal était même qu'il n'y ajoutât rien [79]. Mais une compilation n'eût-elle en définitive offert aucun mot propre au compilateur que sa construction eût encore tout entière dépendu de la personnalité de celui-ci, de la valeur et des initiatives de son érudition. Il revenait d'abord au compilateur de choisir les textes dont il allait composer son œuvre. Puis, les ayant choisis, il devait les citer exactement, en respecter la lettre même [80]. Enfin et surtout il devait organiser la présentation de ces extraits, les mettre en ordre, une compilation tirant son autorité des sources qu'elle présentait et sa nouveauté, son originalité, son utilité, de l'agencement de ses parties [81].

Or, ce travail de marqueterie pouvait être conçu et réalisé de bien des façons différentes. La compilation la plus rudimentaire se contentait de juxtaposer quelques grands textes complémentaires exactement copiés. Par exemple, un contemporain de saint Louis, voulant compiler une histoire de France, se contentait de copier à la suite, entre autres, Aimoin pour les origines, Eginhard pour le règne de Charlemagne, Suger pour le règne de Louis VI, Rigord et Guillaume le Breton pour celui de Philippe Auguste [82]. Les plus simples de ces compilations n'étaient que des dossiers à l'état brut, où les textes avaient été copiés à la suite, sans souci de fignoler des raccords, d'éviter de possibles répétitions, d'harmoniser les systèmes chronologiques. Mais si le compilateur en avait le temps et le goût, il pouvait, reproduisant sa chaîne d'auteurs principaux, y ôter quelques phrases inutiles ou contradictoires. Il pouvait aussi aller beaucoup plus loin et sauter des passages entiers de sa source, ou n'en retenir que quelques mots. Il y avait à cela une première raison. Comme il ne voulait point fatiguer son lecteur par sa prolixité, son constant souci était d'abréger, de condenser, de résumer [83]. Mais aussi, lorsqu'un passage de sa source soulevait en lui des objections, l'usage n'était pas qu'il en tirât quelque dissertation critique ; il se contentait de l'éliminer discrètement. Vincent de Beauvais, lorsqu'il suit Hélinand de Froidmont, ne recopie pas ce qu'il n'approuve pas. A qui sait les entendre, les silences du compilateur peuvent révéler un esprit critique acéré.

Mais le compilateur ne se contentait pas de retrancher. Il pouvait rappeler à leur date « aucunes incidences », c'est-à-dire des faits importants, contemporains du récit principal mais extérieurs à lui, qui permissent au lecteur de mieux situer celui-ci. Il pouvait ajouter à sa source première, tirée d'autres sources, « chose qui vaille à la besogne [84] ». Il pouvait surtout ne pas se contenter d'une source principale et, pour une période donnée, mettre plusieurs sources en parallèle, prenant à celle-ci un premier extrait, à celle-là un autre passage jugé préférable. Il pouvait même aller plus loin encore et ajuster non pas simplement dans un chapitre des paragraphes d'origines différentes, mais dans un paragraphe des phrases et dans une phrase des mots d'origines différentes. Voici, à la fin du XIVe siècle, Henri Knighton qui en est à raconter dans sa chronique la mort d'Henri III. Il dispose de l' « Histoire polychronique » de Ranulf Higden, qu'il ne fait pas mystère de suivre, mais il a aussi sur sa table les *Flores historiarum* de Mathieu Paris continuées à Westminster qu'il appelle la « Chronique de Westminster ». Il est étonnant de voir avec quel soin le passage de la « Chronique de Westminster », allégé de quelques mots jugés inopportuns, est serti dans le passage où Ranulf Higden traite de la mort d'Henri III. Le seul apport personnel d'Henri Knighton introduit ce qu'il tire de la « Chronique de Westminster », et dit en quelques mots sa référence et sa préférence : « *Chronica Westmonasterii verius se habet sic...* » (La « Chronique de Westminster » dit plus justement ceci...) [85]. Henri Knighton donne en quelques mots sa référence et sa préférence. D'autres ne s'autorisent même pas ces quelques mots propres. Mais leur travail d'orfèvrerie obéit aux mêmes principes. Ils éliminent les phrases et les mots qui leur paraissent contestables. Ils retiennent et insèrent dans un récit continu les phrases et les mots qui leur paraissent plus justes.

Beaucoup, après avoir reconnu le caractère de compilation d'une œuvre historique médiévale, s'autorisent de ce diagnostic pour la négliger. En réalité, toute compilation est une construction qui mérite d'être étudiée pour elle-même, et précisément comparée aux sources qu'elle a utilisée. Chaque mot omis, chaque mot ajouté est révélateur d'une conviction religieuse, d'une attitude politique, d'un choix critique. Il y a des compilations naïves. Mais d'autres sont de parfaits chefs-d'œuvre d'érudition. Et il est piquant de voir les érudits des XIXe et XXe siècles, dont les travaux et les thèses obéissent dans leur construction, Dieu sait, à des règles précises, à la réflexion moins différentes des règles de l'érudition médiévale qu'il n'y paraît d'abord, stigmatiser ces compilateurs, dont ils ne veulent pas s'avouer qu'ils sont leurs prédécesseurs directs, et les lointains et modestes modèles de leur orgueilleux savoir.

§ 2. *La langue de l'auteur*

Les compilateurs n'avaient pas, par définition, de style propre. Ils ne se heurtaient pas, dans la mise en œuvre de leur documentation, à des problèmes de forme. Mais, parmi les historiens, il n'y eut pas que des compilateurs ; il y eut aussi des auteurs, de nécessité ou de vocation. Lorsqu'un historien entendait raconter des événements trop récents pour déjà disposer d'une source écrite, il ne pouvait mettre ses phrases dans les phrases de personne. Il était contraint d'être auteur. Même disposant de sources écrites, l'envie de faire une œuvre plus personnelle en tarauda, très tôt, certains [86]. Au XIIe siècle, un historien comme Guillaume de Newburgh rassemblait et suivait ses sources avec la conscience d'un bon érudit, mais il répugnait à en reproduire les mots mêmes. Il récrivait les passages qu'il empruntait, avec le résultat pour nous fâcheux que ses sources transparaissent moins aisément [87]. Avec le temps, le nombre augmenta des historiens qui voulaient ainsi « redire l'histoire », « suivre les traces de maints auteurs fameux et raconter les mêmes événements qu'eux sans toutefois reproduire leurs mots [88] ». A tous ces historiens qui se voulaient auteurs et entendaient habiller leur érudition d'un discours qui leur fût propre se posaient tout naturellement des problèmes de langue, de style, et de mots.

Tout au long du Moyen Age, de quelque langue qu'ils usassent, les historiens n'eurent apparemment qu'une ambition : écrire en un style simple, *simplici sermone, simplici narratione* [89]. Tout, disaient-ils, les y poussait. Et d'abord l'impossibilité de mieux faire. Grégoire de Tours, le premier, avait été conscient de l'insuffisance de sa formation grammaticale et rhétorique, mais, si balourd et ignorant qu'on fût (« *O rustice et idiota !* »), « pour que le souvenir du passé se conservât », il valait encore mieux l'écrire « sous une forme grossière ». Ainsi fut dès l'abord justifié le *sermo rusticus, le sermo incultus* [90]. Mais le fait de parler comme tout le monde ne fut pas seulement, chez Grégoire de Tours, le fruit de l'impuissance ; il fut aussi le résultat d'un choix. Les Pères de l'Eglise, et d'abord saint Augustin, avaient recommandé aux pasteurs une langue simple, *sermo simplex,* pour qu'ils fussent compris des savants et des ignorants. Les hagiographes avaient adopté cette même langue pour en édifier davantage [91]. Pasteur et hagiographe avant d'être historien, Grégoire savait bien qu' « un rhéteur qui philosophe n'est compris que d'un petit nombre, tandis que qui parle un latin sans art se fait entendre de beaucoup [92] ». Et tous les historiens après lui, pendant des siècles, pour ne pas effaroucher leurs auditeurs ou leurs lecteurs, pour se mettre à la portée de toutes sortes de gens, clercs et laïques, savants et simples, grands et petits, riches et pauvres, hommes et femmes, annoncèrent d'entrée de jeu qu'ils avaient renoncé aux fleurs de la rhétorique et utilisé une langue simple, *sermo simplex,* une langue « à ras de terre », *sermo humilis,* de *humus,* le sol, la terre [93]. Une langue simple a un autre avantage : elle permet de mieux dire la vérité, elle est « amie de la vérité », *amica veritatis* [94]. Aussi les règles de la rhétorique imposent-elles à l'histoire, qui doit dire la vérité, d'avoir un style simple. « Les meilleurs orateurs, dit Guillaume de Poitiers, usent d'un style simple *(humili sermone)* dès qu'ils écrivent des récits historiques [95] ». « J'ai pensé, dit Etienne Maleu au début de sa chronique, que cette œuvre devait être écrite en une langue simple, sans ornement rhétorique *(rudi stilo et dictamine, omisso ornatu rhetorico),* de telle sorte qu'un lecteur ou un chercheur puisse y retrouver plus aisément la vérité des faits [96] ». Et Jean de Viktring jugeait peu convenable d'offrir son travail érudit « juché sur des cothurnes » ; il s'était contenté de le « teinter d'une langue simple » *(sermone simplici coloratum)* [97]. Ainsi les limites de l'auteur et de son public mais aussi les meilleures règles de la rhétorique exigeaient du style historique qu'il fût simple. Pour les historiens, à les en croire, la forme n'était pas un gros problème.

Il est bien vrai que, dans les annales et les chroniques, les phrases sont le plus souvent d'une extrême simplicité [98]. Mais il n'en va pas de même, en fait, dans les histoires. Plus ou moins consciemment, un historien qui choisit d'être l'auteur d'une histoire ne peut faire abstraction ni de sa culture ni des besoins et des goûts du public pour lequel il écrit. Orderic Vital, travaillant pour ses frères une prose qui pût être l'objet d'une lecture quasi-liturgique, ne pouvait se satisfaire du texte que Guillaume de Poitiers, écrivant pour un public de cour, prétendait avoir voulu simple [99]. Et d'ailleurs Guillaume de Poitiers, formé aux écoles, nourri de l'enseignement des arts libéraux, habile à composer des « vers élégants et subtils faits pour être lus en public [100] », n'avait lui-même pas du tout composé son *Histoire de Guillaume le Conquérant* dans le style simple et sobre qu'il prétendait. Après lui, les auteurs antiques furent de plus en plus lus, la rhétorique envahit de plus en plus les écoles et les monastères, les chancelleries pratiquèrent un *ars dictaminis* de plus en plus élaboré. Et les historiens avaient beau annoncer une simple langue ; marqués de ces exemples, de ces principes et de ces pratiques, ils offraient souvent en fait à leurs lecteurs un discours des plus construits. Pour beaucoup, la simplicité du style ne fut plus qu'un *topos,* un lieu commun dans leur prologue [101]. Certains poussèrent plus loin encore leur audace d'auteur. Ils se dirent convaincus qu'être utile aux simples ne les obligeait pas à déplaire aux lettrés [102]. Ils osèrent rappeler qu' « auteur », *auctor,* venait *d'augere,* augmenter, développer, et qu'un auteur devait rehausser, *adaugere,* les faits par son style [103]. Cicéron les entretenait dans l'idée que si les annalistes n'avaient qu'à raconter les faits et n'étaient que des *narratores rerum,* les historiens devaient les orner, être des *exornatores rerum* [104]. Reprenant un grand principe de la rhétorique cicéronienne, beaucoup d'auteurs pensaient que le style devait s'adapter à la matière : « si les gens ou les choses dont on traitait étaient importants, il fallait un style grandiloquent ; si humbles, un style humble ; si médiocres, un style médiocre [105] ». Or l'historien, précisément, se donnait pour tâche d'écrire les gestes des grands, les faits dignes de mémoire. Quelques-uns, dès l'époque carolingienne, en vinrent à dire « que les faits dignes de mémoire devaient être écrits en une langue digne [106] ». Plus nombreux furent, au XIIe siècle, les historiens qui osèrent avouer qu'ils soignaient le style. L'atmosphère de Saint-Denis était particulièrement favorable au luxe et à la beauté ; Suger avait voulu que l'abbatiale fût splendide, pour mieux honorer Dieu ; et ce n'est certes pas un hasard si un moine de Saint-Denis, louant l'abbé récemment disparu, rappelait qu'il avait écrit la vie du roi Louis VI *splendido sermone,* dans un style éclatant [107]. Le plus souvent masqué par une feinte modestie, parfois ouvertement avoué, le souci du style était toujours, chez l'historien qui voulait composer une histoire, majeur.

Pour écrire une belle prose latine, rien ne parut plus sûr que de prendre pour modèle un auteur ancien. Réginon de Prüm mit ses pas dans ceux de Justin [108]. Aimoin de Fleury moula ses phrases sur celles du traducteur latin de Flavius Josèphe qu'on dit Hégésippe [109]. Plus nombreux, surtout, apparemment, en Angleterre, furent ceux qui suivirent Suétone [110]. Plus nombreux encore, dans toute l'Europe et pendant des siècles, furent ceux qui prirent Salluste pour modèle [111]. A leur exemple, discours et récits de bataille continuèrent d'être composés, et les fleurs de la rhétorique antique continuèrent d'être cultivées [112].

Ce recours à des modèles anciens aida les historiens à former leurs phrases latines mais leur posa de redoutables problèmes de mots. Car, depuis l'Antiquité, les noms de pays, les noms de peuples, les institutions, tout avait changé. Spontanément, les mots vulgaires désignant des réalités nouvelles avaient d'abord été latinisés, et la langue latine s'était enrichie d'innombrables mots nouveaux. Par exemple, le germanique *schar,* qui voulait dire « troupe », « détachement d'une armée », avait donné en latin *scara,* et les *Annales regni Francorum* (741-829), dans leur première version, employèrent normalement le mot. Mais que pouvait faire, rencontrant *scara,* un disciple de Suétone ou de Salluste ? Le mot fut victime de la renaissance carolingienne, il disparut de la seconde rédaction des *Annales* et les bons auteurs, par la suite, ne l'employèrent guère. Ils jetèrent sur le lit de Procuste quelques mots classiques comme *acies, ala, cuneus, legio, turma,* dont ils firent les équivalents grossiers de *scara.* Leur langue perdit en précision ce qu'elle gagnait en élégance. De nombreux mots latins classiques, adaptés aux réalités nouvelles, devinrent source d'ambiguïté. Encore l'emploi de ces mots-là était-il assez courant pour que les gloses enregistrent leur sens et nous aident à les comprendre. Mais la passion archaïsante pouvait pousser un auteur à un emploi purement individuel et artificiel de mots classiques et, dès lors, comment par exemple reconnaître les serviteurs du roi qui ont été cachés par *quaestores* ou *satrapae* [113] ? Heureusement, ces excès restèrent rares. Dans l'ensemble, les historiens du Moyen Age donnèrent à des mots classiques des sens qu'ils n'avaient pas eus dans l'Antiquité mais qui furent traditionnels au Moyen Age. Ou bien même ils suivirent le principe cicéronien, *nova rebus novis nomina,* et osèrent donner à des réalités nouvelles des noms nouveaux. Pour ne pas être obscur, Guibert de Nogent décidait d'appeler Turcs, et non pas Parthes, ceux que ses contemporains appelaient quotidiennement des Turcs [114]. Pour rester clairs, les historiens acceptèrent que le vocabulaire latin vive et s'adapte.

Et même leurs phrases sortirent du moule rhétorique dans lequel les historiens de l'Antiquité avaient coulé leurs œuvres. Après l'an mille, l'histoire se glissa peu à peu dans des formes nouvelles. Dans l'Antiquité déjà, certains auteurs avaient de-ci de-là mêlé à leur prose quelques vers. Mais cette forme du *prosimetrum* n'arriva que tardivement à maturité, avec le *De nuptiis Philologiae et Mercurii* de Martianus Capella, et la *Consolatio Philosophiae* de Boèce. Ces deux œuvres eurent au Moyen Age un succès considérable. Toutefois, jamais encore, en l'an mille, des vers n'avaient entrecoupé une prose historique. Ce fut chose faite, pour la première fois, au début du XIe siècle, dans l'œuvre de Dudon de Saint-Quentin [115]. Et par la suite, tout au long des XIe et XIIe siècles, quand l'importance du sujet le réclamait, quand l'auteur voulait tirer d'un événement quelque enseignement moral, ou simplement lorsqu'il jugeait bon de reposer son lecteur d'une trop lourde érudition, il lui arrivait d'insérer dans sa prose des vers [116].

Quelques historiens du XIe et du XIIe siècles rimèrent ainsi des vers. Mais presque tous s'attachèrent à écrire une belle prose richement rimée. La prose rimée avait été rare dans l'Antiquité. Elle n'apparut guère, non plus, sous les Carolingiens. Widukind de Corvey, au Xe siècle, l'employa, mais il était encore trop proche de ses modèles antiques pour l'employer souvent. Il est par contre très rare qu'une prose historique du XIe ou du XIIe siècle ne soit pas rimée [117]. L'enseignement, dans les écoles, et les contraintes, dans les monastères, de la lecture liturgique poussaient les auteurs à scander leurs phrases par le retour constant des mêmes sonorités *(prodidit... transfudit... patravit ; ad tempus mutationem... voluntatis expletionem ;* etc.). Guibert de Nogent, Orderic Vital, Gallus Anonymus ne furent que trois maîtres, parmi d'autres, de cette prose rimée si caractéristique de ce temps [118].

Rimée, cette prose fut aussi, à partir du XIIe siècle, rythmée. Ses phrases suivaient ce qu'on appelait au Moyen Age un *cursus,* c'est-à-dire qu'elles reproduisaient une certaine cadence, fondée d'ailleurs non plus sur la quantité des syllabes, comme dans l'Antiquité, mais sur l'accent. Certains timides essais de *cursus* avaient été faits auparavant. Puis ils avaient été oubliés. Et ce n'est qu'au début du XIIe siècle, sous le pontificat de Gélase II (1118-1119), que les règles d'un *cursus* furent fixées et appliquées à la chancellerie pontificale. Ces règles déterminaient la cadence que devaient avoir le début et la fin des phrases. Mais à la vérité seul le rythme des fins de phrases fut strictement observé. Un auteur avait le choix entre trois clausules finales. Si, utilisant et adaptant les mots de la prosodie antique, on appelle « dactyle » une syllabe accentuée suivie de deux syllabes non accentuées, et « spondée » une syllabe accentuée suivie d'une seule syllabe non accentuée, un auteur pouvait finir sa phrase soit par un *cursus velox* composé d'un dactyle et de deux spondées *(spíritus sáncti Déi),* soit par un *cursus planus* composé d'un dactyle suivi d'un seul spondée (*pátientia nóstra*), ou bien encore par un *cursus tardus* composé de deux dactyles *(vérba prolâta sunt).* Le *cursus* de la chancellerie pontificale fut bientôt accueilli par maints *dictatores* qui, à leur tour, l'enseignèrent et le répandirent par leurs ouvrages [119]. Et c'est ainsi qu'il est facile de repérer les cadences du *cursus velox,* du *cursus planus* ou du *cursus tardus* dans maintes fins de phrases de maints historiens du XII *siècle* [120].

Rythmé, rimé, fleuri de rhétorique, parfois entrecoupé de vers, un récit historique était devenu, au XIIe siècle, dans sa forme, un chef-d'œuvre de complexité. Cette langue élégante célébrait dignement les hauts faits des grands princes. Elle ravissait assurément les lettrés. Mais elle n'était certes pas la langue simple qui pût ouvrir l'histoire à un large public. Aussi, après 1200, les historiens bénédictins et cisterciens, qui n'aspiraient pas aux massifs succès littéraires, maintinrent-ils plus longtemps la tradition de ce que les Allemands appellent la *Kunstprosa,* mais d'autres, qui voulaient être entendus de plus de gens, s'en détournèrent [121]. Dès 1187, désirant que son *Expugnatio Hibernica* fût lue par des laïques et des princes peu lettrés, Giraud le Cambrien prit bien soin de ne pas employer le latin élaboré mais difficile de sa jeunesse, et d'écrire le latin plus facile dont on usait alors [122]. Les Franciscains suivirent évidemment cette voie. Salimbene écrivit sa chronique *simplici et intelligibili stilo,* de telle sorte que sa nièce elle-même pût la lire et la comprendre [123]. Si bien que peu à peu le beau style s'effaça. Le souci du *cursus* disparut, même à la chancellerie pontificale, à la fin du XIIIe siècle. Jean de Beke écrivait bien encore sa *Chronographia,* au milieu du XIVe siècle, dans la belle prose rimée dont on usait toujours au monastère d'Egmond [124] ; c'était une exception, en un siècle où la prose rimée avait disparu. Thomas Ebendorfer osait bien encore quelques vers dans son histoire d'Autriche au milieu du XVe siècle [125] ; mais, cette exception mise à part, aucune œuvre historique n'accueillit plus de vers après la fin du XIVe siècle.

Ainsi les historiens avaient-ils affiché, tout au long du Moyen Age, l'ambition d'écrire un simple latin. Mais, aux XIe et XIIe siècles, la joie d'être lettrés et le souci de plaire à une élite cultivée les avaient poussés à écrire un latin élaboré qui en était aux antipodes. Peu à peu cependant, pour mieux respecter la vérité de leur érudition et toucher un plus large public, ils osèrent écrire en fait la simple langue à quoi l'histoire prétendait en vain depuis longtemps. L'orgueil de l'auteur avait cédé devant les exigences de l'érudition et les progrès de la culture.

⁂

En 1187, pour avoir un large succès, Giraud le Cambrien croyait nécessaire et suffisant d'écrire un latin plus facile. En 1209, force lui était de constater la faible diffusion de ses œuvres : leur latin n'avait été compris que d'un petit nombre. Et Giraud de souhaiter qu'un homme, à la fois bon linguiste et fin lettré, s'attache à traduire son ouvrage pour qu'il obtienne enfin le succès qu'il méritait [126]. Son vœu ne fut pas exaucé, mais il marque bien le moment où les savants commencèrent à penser que la langue vulgaire pouvait être, après tout, un véhicule digne de leur savoir.

La rencontre de l'histoire et de la langue vulgaire avait pourtant été bien antérieure. Sur le continent, Charlemagne avait fait transcrire, « pour que le souvenir ne s'en perdît pas, les très antiques poèmes barbares où étaient chantées l'histoire et les guerres des vieux rois [127] ». Dans les îles, où les missionnaires n'avaient point prétendu étouffer les langues du pays mais au contraire s'appuyer sur elles, une longue tradition culturelle avait préparé l'épanouissement que la langue anglaise connut sous Alfred le Grand et en grande partie grâce à lui. Alfred lui-même traduisit Orose en anglais. L'*Histoire ecclésiastique* de Bède fut traduite sous son règne. C'est sous son règne encore, et probablement sous son impulsion, que fut composée la *Chronique anglo-saxonne* [128]. Mais ce premier départ fut un faux départ. Rien ne nous est resté des transcriptions ordonnées par Charlemagne. L'ambition des Ottoniens de renouveler le monde romain brisa l'essor de la littérature allemande [129]. Aux Xe et XIe siècles, sur le continent, quelle que fût la vitalité de la culture orale vernaculaire, la culture écrite était exclusivement latine. Et dans les îles le choc de la conquête normande fut plus brutal encore. Les vainqueurs effacèrent la culture anglo-saxonne. La *Chronique anglo-saxonne,* qui avait été continuée depuis le Xe siècle, ne se survécut plus qu'en traduction latine. Partout, en Europe, à l'aube du XIIe siècle, il n'y avait de culture écrite que la culture latine.

Mais au XIIe siècle, les nobles et les chevaliers qui fréquentaient les cours seigneuriales prirent assez confiance en eux pour oser ne point renier, face à la culture écrite et latine des monastères, leur culture orale et vernaculaire. Des clercs s'efforcèrent de répondre aux goûts de ce nouveau public et confièrent au parchemin les œuvres qu'il aimait entendre. Ou bien ils transcrivirent la littérature orale vernaculaire, et écrivirent des « chansons de geste ». Ou bien, comme Geoffroi Gaimar, Wace ou l'auteur de la *Kaiserchronik* [130], leur français ou leur allemand s'inspira de savantes œuvres latines. Ou bien encore ils composèrent eux-mêmes, pour raconter les événements récents, des œuvres nouvelles. Ainsi se développa une littérature abondante et variée qui était bel et bien, pour ceux qui l'écoutaient, une littérature historique. Toutes ces œuvres avaient d'abord en commun d'être écrites en vers, car les vers sont la forme naturelle d'une littérature orale : leur rythme s'impose mieux à la mémoire des jongleurs, et à l'attention de leur public. En outre, la joie de raconter animait ces vers, que marquaient par contre une fâcheuse négligence de la chronologie et un recours sans retenue à la tradition orale. Les historiens du XXe siècle négligent ces poèmes historiques dont ils stigmatisent les fictions poétiques et les inventions romanesques. Mais déjà les érudits du XIIe siècle, dans leurs monastères, se méfiaient de leurs douteux récits. Et le temps vint où ceux-là mêmes qui ne maîtrisaient pas le latin se firent plus exigeants pour l'histoire et commencèrent à soupçonner que le vers n'était pas le véhicule idéal de la vérité. Le premier, semble-t-il, vers 1180, l'auteur de *La Mort Aimeri de Narbonne* constatait que

> « Nus hom ne puet chançon de jeste dire
> que il ne mente là où li vers define,
> as mos drecier et à tailler la rime. »

Quelques années plus tard, en 1202, Nicolas de Senlis voyait bien que l'usage de la rime et le recours exclusif à la tradition orale interdisaient de croire à ce que les jongleurs chantaient : « Nus contes rimés n'est verais ; tot ert mençongie ço qu'il en dient ; car il n'en sievent riens fors quant par oïr dire [131] ». Ainsi Nicolas de Senlis justifiait-il son audace de traduire en prose vulgaire l'*Histoire de Charlemagne* dite du Pseudo-Turpin. Ainsi la prose vulgaire devint-elle au début du XIIIe siècle un outil par quoi le savant put espérer, sans trahir sa science, toucher un plus vaste public. A un esprit aussi avide de succès que Giraud le Cambrien, la chose n'avait pas échappé.

Le vers historique fut pourtant encore longtemps utilisé. En allemand, la prose de la *Chronique universelle saxonne,* au milieu du XIIIe siècle, fut une exception ; cette exception mise à part, le vers resta, jusqu'au milieu du XIVe siècle, la forme exclusive de la littérature historique [132]. Lorsque l'anglais redevint, au XIVe siècle, une langue écrite, lorsque Robert Manning osa, en 1338, composer une histoire d'Angleterre en anglais, c'est en vers qu'il le fit. Quant au français, il y eut, après 1200, de plus en plus de « romans » historiques en prose (c'est-à-dire, tout simplement, d'œuvres historiques écrites en prose romane, française) [133], mais, tout au long des XIIIe et XIVe siècles, le vers resta une forme bien vivante où furent coulés maints récits historiques. C'est en vers que Guillaume Guiart, en 1306, compilait « le roumanz qui est apelez la Branche des royaus lignages [134] ». La bataille de Crécy fut racontée en vers, de même que les guerres de Bretagne. C'est en écrivant une chronique en vers que Jean Froissart commençait, en 1353, sa carrière littéraire [135]. Jean Cuvelier rimait sa *Vie de Bertrand du Guesclin.* Et même encore au début du XVe siècle Jean Creton choisissait de raconter en vers la mort de Richard II.

C'est que le vers restait toujours, pour les jongleurs et leurs auditeurs, la forme la plus naturelle. Et tant que puissants et humbles prirent plaisir à être assis dans les cours ou sur les places et à écouter chanter des récits historiques, il y eut des poèmes historiques. Mais aux esprits soucieux de vérité ces poèmes devenaient de plus en plus intolérables. Jean Le Bel avait « veu et leu » le récit des guerres franco-anglaises en « ung grand livre rimé » ; il l'avait trouvé si plein de « grandes faintes et bourdes controuvées », si « faulx et plain de menchongnes », avec si « grand plenté de parolles controuvées et de redictes pour embelir la rime » qu'il avait jugé que « telle hystoire ainsy rimée par telz controuveurs pourroit sembler mal plaisant et mal aggreable à gens de raison et d'entendement » ; il avait alors décidé de mettre en prose « la vraye hystoire du proeu et gentil roy Edowart [136] ». Jean Froissart, convaincu par Jean Le Bel que rimes et chansons ne disent pas « le juste et vraie histoire », « n'ataindent en rien la vraie matère », abandonna, en 1369, le vers pour la prose [137]. Il le fit à la vérité d'autant plus aisément que, la lecture plus intime se substituant à la récitation publique, la prose rapprochait de la vérité sans être un obstacle au succès. Le vers perdait sa raison d'être. Le poème qui avait tant irrité Jean Le Bel n'a même pas été conservé. Pas plus que la chronique rimée de Jean Froissart.

Et le poème de Jean Creton ne connut le succès qu'une fois remanié en prose. Ainsi ne fallut-il pas moins de deux cents ans pour que s'imposât exclusivement, en histoire, la prose vulgaire.

Cette prose vulgaire n'eut pas pour seul avantage de mettre l'histoire sérieuse à la portée de « pluseurs gens... qui sont de grant entendement et de excelleent enging et qui n'entendent pas souffisanment latin [138] ». C'est aussi que, la langue vulgaire s'imposant peu à peu dans les chancelleries, les cours de justice et les études de notaires [139], administrateurs et juristes pensaient de plus en plus naturellement les institutions et le droit de leur temps en termes vulgaires. La prose vulgaire était donc l'instrument le plus apte à rendre les réalités contemporaines. Elle appelait un baron un baron, et un bailli un bailli. Par contre, dès que la prose vulgaire voulut faire « sçavoir et congnoistre et aussi entendre les fais vertueux des anciens [140] », elle se heurta à la redoutable nécessité de traduire par des mots vulgaires des institutions et des réalités naturellement ajustées à un vocabulaire latin. Pour prendre l'exemple du français, la tâche des traducteurs était facile lorsque, à un mot latin, correspondait assez exactement un mot français : *exercitus,* ost ; *acies,* bataille [141]. Dans d'autres cas, les institutions avaient évolué de telle sorte que le mot français traditionnellement employé par les traducteurs n'était, comme chevalier pour *miles* ou évêque pour *pontifex,* qu'un équivalent très approximatif, plus propre à masquer qu'à exprimer la réalité antique. Souvent aussi, la langue française n'offrait aucun équivalent, même approximatif, du mot latin. Les traducteurs osèrent alors tout simplement franciser ces mots intraduisibles. Ainsi fit, dès le début du XIIIe siècle, l'auteur des *Faits des Romains* pour toute une série de mots comme *tribunus,* tribun ; *dictator,* dictateur ; *seditio,* sédition ; etc. Ainsi faisait encore, cent cinquante ans plus tard, Pierre Bersuire, pour traduire Tite-Live. Il forgeait « triaires » pour traduire *triarii,* « quadrireme » pour *quadriremis,* « plebeyen » pour *plebeius,* « concion » pour *contio,* etc. De tous ces mots inventés par les traducteurs médiévaux, les uns moururent sitôt que nés, beaucoup d'autres s'acclimatèrent et nous sont aujourd'hui familiers. Mais le lecteur du XIIIe ou du XIVe siècle risquait de mal comprendre ou de ne pas comprendre du tout ces équivalents approximatifs et ces mots nouveaux. Aussi, les traducteurs, pour aider leurs lecteurs, multiplièrent-ils les synonymes. Bersuire, par exemple, rendit *contio* par « concion et parlement », « concion et assemblee ». Ils donnèrent aussi des commentaires plus ou moins longs. Le temps vint où ces gloses risquèrent d'alourdir le texte. Pierre

Bersuire, le premier, traduisant Tite-Live en 1355, eut l'idée de faire « au commencement du livre, après le prologue,... un chapitre ou tout par ordre de l'A. B. C. (seraient déclarés) les significas des mos dessus dis afin que, leu celi chappitre, chascuns puisse savoir en lisant tout le livre quelz significas ont les mos qu'il trouvera [142] ».

Au début du XIIIe siècle, les premières « traductions » ne furent en réalité que des adaptations assez lâches. Le français du traducteur suivait sans effort son propre mouvement. Dans la seconde moitié du XIIIe siècle, une traduction se voulut déjà plus fidèle mais resta pour l'essentiel une adaptation. Primat, écrivant son *Roman des rois,* n'avait aucun scrupule à supprimer des phrases et en ajouter d'autres, et il ne cherchait pas à rendre le latin qu'il suivait avec une exactitude scrupuleuse. Par contre, lorsque, au XIVe siècle, dans la France de Philippe VI, de Jean le Bon et surtout de Charles V [143], dans l'Empire de Charles IV, dans l'Autriche de Rodolphe IV et surtout d'Albert III [144], ailleurs encore comme en Aragon, sous l'impulsion de Jean Fernandez de Heredia, les traductions se multiplièrent, elles n'entendirent plus être des adaptations plus ou moins lâches mais visèrent à être de vraies et fidèles traductions suivant pas à pas et rendant avec précision le texte original. Pour ce faire, la phrase vulgaire dut s'alourdir à devenir plus complexe [145]. Mais au total, à la fin du XIVe siècle, l'effort des traducteurs avait forgé des proses dont le vocabulaire et les structures plus riches permettaient de mieux traduire les sources latines et de mieux rendre la vérité historique.

***

En 1405, Laurent de Premierfait traduisait en français le *De senectute* et, peu après 1414, le *De amicitia* de Cicéron. Mais il entendait que la traduction restât liée au texte latin, de telle sorte que le lecteur pût lire en même temps l'une et l'autre [146]. En 1412, un étudiant viennois donnait une traduction allemande du *De regimine principum* de Gilles de Rome, mais il voulait que son lecteur eût à la fois sous les yeux le texte et sa traduction [147]. Ces textes bilingues marquaient bien quel degré avait atteint le souci des traducteurs de rendre avec précision le texte original. Ils marquaient aussi avec quelle vigueur, au XVe siècle, le latin, loin de s'effacer, reprenait vie.

C'est que les langues vulgaires avaient l'avantage d'atteindre, dans chaque pays, un plus vaste public. Mais elles interdisaient à une œuvre une audience internationale. Les conciles de Constance et de Bâle firent mieux prendre conscience à l'Occident que le latin était une irremplaçable langue commune. Les ambitions européennes des Habsbourgs les détournèrent donc de l'allemand ; Frédéric III fit traduire en latin des histoires que leurs auteurs avaient écrites en allemand à la fin du XIVe siècle [148]. En France aussi, en 1476, Robert Gaguin déplorait que l'habitude d'écrire l'histoire de France en français limitât au public francophone la connaissance de cette histoire. Et c'est pour que les étrangers sachent les hauts faits des Français qu'il entreprit d'écrire en latin une histoire de France [149].

La politique recommandait le retour de l'historien au latin. La Renaissance le lui imposait d'autant plus qu'elle l'incita souvent à se soucier moins du fond que de la forme [150], qu'elle lui donna pour but d'être un « orateur », de cultiver la rhétorique et de restaurer l'éloquence. Or, comme le soulignait bien Pierre Le Baud, « en langaige vulgal ne puet estre plainnement gardé art rethoricque », et l'historien qui se résignait à écrire en français ne pouvait avoir qu'un « simple stille et impoli », où le lecteur ne pouvait espérer « trouver les fleurs tulliennes ne les delittables concathenacions des dicions [151] ». Les « orateurs » du XVe siècle renoncèrent donc aux langues vulgaires. Bien mieux. Ils renoncèrent au simple latin auquel leurs prédécesseurs avaient longtemps prétendu et étaient enfin parvenus. Ils renoncèrent même aux élégances du latin médiéval et se détournèrent par exemple avec horreur des clausules si chères à l'*ars dictaminis* [152]. Ils rêvaient d'un « style élégant » et d'un « discours éclatant [153] » qui fût aussi proche que possible du discours antique. Chacun voulait être, pour ses lecteurs, « un nouveau Salluste [154] ».

Pour qui voulait parler de l'Antiquité, le latin de la Renaissance était évidemment un outil fidèle. Pour le passé plus récent et l'histoire contemporaine, il posait aux auteurs des problèmes de vocabulaire du même type que ceux auxquels s'était heurté, pendant des siècles, le latin médiéval, simplement rendus plus aigus par l'apparition de mille nouveautés, l'emploi désormais exclusif, dans la vie politique, administrative, judiciaire et quotidienne, des langues vernaculaires, et la volonté, chez les lettrés, d'un latin plus classique. Pour ne prendre qu'un exemple, l'artillerie était à l'origine de tout un vocabulaire technique. Or, le récit des guerres était une des tâches essentielles de l'historien. Comment parler, dans un discours latin, de bombardes, de canons, de serpentines, de crapaudines et de couleuvrines ? A ces pièces d'artillerie, Jean Chartier décida tout simplement de conserver dans sa chronique latine leurs noms français [155].

Mais Jean Chartier était justement, pour un « orateur », un de ces historiens dépassés qui osaient encore, en plein XVe siècle, écrire une simple langue sans apprêt. Sa solution était, pour un historien humaniste, inconcevable. Celui-ci n'avait que deux possibilités : ou bien, s'autorisant de Cicéron et suivant par là même la trace des historiens qui l'avaient précédé, et qu'il méprisait pourtant, il forgeait de nouveaux mots pour désigner des choses nouvelles ; ou bien, pour garder sa langue pure, il se l'interdisait.

Vers 1443, au début de sa troisième *Décade,* Flavio Biondo expose bien dans quel dilemme il était alors enfermé : « Si j'emploie, explique-t-il, des mots anciens pour parler de choses nouvelles, je ne me comprends pas lorsque je me relis. Mais si j'écris avec nos mots à nous, ils gâchent toute ma phrase et me donnent la nausée. » Pour sa part, et malgré son souci d'une forme parfaite, Flavio Biondo se résigne à ne pas s'empêtrer dans les à peu près et les périphrases et à accueillir, lorsque c'est nécessaire, des mots nouveaux. Il a par exemple attaché une grande importance aux bombardes, dont il montre que les Vénitiens ont été les premiers à les introduire en Italie, pendant leur guerre contre les Gênois où ils avaient pour elles des servants allemands. Pour désigner cette importante arme nouvelle, il a usé dans ses *Décades* du mot *bombarda,* qui est choquant, mais si utile [156] ! Au même moment, dans son *Histoire du règne de Ferdinand d'Aragon* (1445), Laurent Valla accueillait ces mêmes mots nouveaux avec beaucoup moins de réticences encore : « Il n'est pas bon de s'en tenir à un vocabulaire général et impropre, et de se résigner à cette disette de mots. De même que nous donnons aux hommes, à leur naissance, un nom, de même faut-il en donner un aux choses nouvelles, et ne pas frustrer une brillante invention de l'honneur d'avoir un nom propre [157] ». Chez Laurent Valla comme chez Flavio Biondo, le souci d'exactitude avait triomphé du désir de pureté.

Mais Laurent Valla fut sauvagement attaqué par un confrère pour avoir employé des mots comme *bombarda, Mahometani, parlamentum* [158]. Tout un courant humaniste opta pour la pureté de la forme au détriment de la précision du fond. Enveloppant son temps, sinon toujours du moins trop souvent, dans une pure langue classique, Leonardo Bruni était parfois tombé dans l'obscurité que dénonçait Flavio Biondo [159]. D'autres qualités, du moins, firent de Bruni un grand historien. Mais, à vouloir être Salluste, nombre d'historiens humanistes sombrèrent dans la médiocrité et l'oubli. Ils furent punis d'avoir trop méprisé les langues, latine ou vulgaires, peut-être pas très élégantes mais du moins efficaces, que leurs prédécesseurs avaient forgées.

IV. L'aide au lecteur

§ 1. *Livres, chapitres et tables des matières*

Si passionnant que fût un texte, le besoin se fit sentir dès l'Antiquité, pour permettre au lecteur de reprendre son souffle et de s'y retrouver, d'y ménager des pauses. Tite-Live, par exemple, avait divisé son *Histoire* en livres assez étendus [160]. Mais des livres étaient encore de trop longs fragments. Ils furent bientôt, à leur tour, parfois divisés en chapitres. Saint Augustin, par exemple, divisa lui-même sa *Cité de Dieu* en livres et en chapitres [161]. Puis l'idée vint de donner en tête de chaque livre une table de ses chapitres avec un très bref aperçu de ce que chacun disait. Les grandes œuvres historiques du début du Moyen Age jouèrent de tous ces perfectionnements techniques. Les *Histoires* de Grégoire de Tours comme l'*Histoire ecclésiastique du peuple anglais* de Bède furent divisés en livres et en chapitres et, au début de chaque livre, une table des matières fut offerte au lecteur. Dans le corps même du livre, le début de chaque chapitre n'était encore annoncé que par son numéro. Hincmar fut-il le premier à en avoir l'idée ? Toujours est-il qu'il imposa aux scribes du *scriptorium* de Reims d'écrire dans le texte, à la suite du numéro de chaque chapitre, son titre, et, pour mieux ressortir, ce titre fut même écrit en rouge, c'est-à-dire qu'il fut rubriqué [162]. Avec livres, chapitres, tables des matières et titres rubriqués, les meilleurs *scriptoria* du IXe siècle avaient tous les moyens d'offrir aux lecteurs des textes assimilables. Par la suite, quelques grands *scriptoria* monastiques au moins continuèrent pour l'essentiel la tradition carolingienne et les livres d'histoire, comme les autres, en profitèrent. Par exemple, vers 1070, était copié à Cluny un dossier historique constitué de l'*Histoire ecclésiastique* d'Eusèbe de Césarée traduite en latin par Rufin, de l'*Histoire de la persécution vandale* de Victor de Vita et de l'*Histoire des Lombards* de Paul Diacre. Chacune de ces œuvres était divisée en livres. L'*Histoire ecclésiastique* était même divisée en chapitres, et précédée d'une « capitulation » générale des onze livres [163]. A partir du XIIe siècle, le développement des écoles et des universités, les exigences du travail intellectuel, en particulier la nécessité de lire vite et celle de donner des références précises, généralisèrent l'emploi de ces techniques de présentation des livres. Etienne Langton, par exemple, coupa le texte de la Bible en chapitres dont se servait encore le XIVe siècle : c'était, pour Nicolas Trevet, son plus beau titre de gloire [164]. Ainsi théologiens et juristes divisèrent-ils en livres et en chapitres les œuvres anciennes qui ne l'étaient pas et dont ils voulaient user, et les œuvres qu'eux-mêmes écrivirent. Ils allèrent plus loin encore. Ils divisèrent leurs chapitres en paragraphes grâce à des « pieds de mouche », c'est-à-dire à des sortes de C peints en rouge ou en bleu, barrés de deux traits obliques ou verticaux. Ces pieds de mouche, apparus dès 1230, se généralisèrent à partir de 1270. Ils constituent une de ces importantes innovations par lesquelles les universitaires parisiens, au XIIIe siècle, rendirent leurs textes plus utilisables et plus assimilables [164 bis].

Les historiens, à la vérité, suivirent mal l'exemple des théologiens et des juristes. C'est d'abord que, si le raisonnement de ceux-ci s'articule en parties dont il est tout naturel de faire des livres et des chapitres, de telles divisions s'imposent moins dans une histoire qui prétend simplement suivre le fil du temps. Elles n'ont que faire dans une chronique où chaque année succède à la précédente. S'il veut être clair, un chroniqueur établira plusieurs colonnes d'événements concomitants, et non point des livres et des chapitres. La nature d'une œuvre historique ne lui impose donc pas de chapitres. Un récit historique, d'autre part, est rarement conçu pour le travail universitaire ; il n'est pas destiné à des lecteurs pressés d'y trouver ou d'y retrouver tel renseignement dont ils ont besoin ; il s'adresse à un public qui prend le temps comme il vient, et son plaisir où il le trouve. Il n'est donc pas étonnant que, même à la fin du Moyen Age, pour peu que le tempérament de l'historien l'y pousse, son œuvre entière puisse souvent encore se présenter comme un long récit suivi [165].

Nombre d'historiens, toutefois, étaient au fait des traditions des *scriptoria* monastiques et des innovations que le travail universitaire imposait à la présentation des livres. Ils usèrent donc souvent, à tout le moins, de pieds de mouche, dès que ceux-ci se furent généralisés. Ils prévirent parfois, de-ci, de-là, dans le texte ou dans les marges, des titres rubriqués [166]. Certains même prirent soin très tôt, pour que les choses fussent plus claires à leurs lecteurs, de diviser leurs œuvres en livres et en chapitres [167]. Cette « capitulation » était parfois si importante aux yeux de l'auteur qu'il en rédigeait les rubriques avant même d'écrire son œuvre [168] ou que, s'il s'aidait de copistes pour recopier son texte, il se réservait d'écrire personnellement, en tête de chaque livre, la table de ses chapitres [169].

Pour décider du nombre de livres et de chapitres de son œuvre, un historien, comme tout autre auteur du Moyen Age, se laissa souvent guider par des considérations étrangères à la matière qu'il traitait. La valeur symbolique traditionnellement attachée aux nombres l'influença souvent [170]. Il était par exemple naturel qu'à qui travaillait sur le temps, le chiffre 7, rappelant les sept jours de la création du monde et les sept jours de la semaine, apparût comme fondamental. De nombreuses œuvres historiques furent donc organisées en sept livres. Ainsi le *Chronicon Vulturnense* [171]. Ainsi la *Chronique ou histoire des deux cités* d'Otton de Freising, qui raconte l'histoire du monde en sept livres, suivis d'un huitième livre où sont décrits la venue de l'Antéchrist, la résurrection des morts et la fin des deux cités [172]. Ainsi, au XIVe siècle encore, l'*Histoire polychronique* que Ranulf Higden a divisée en sept livres « à l'exemple du premier auteur qui a créé toutes choses en six jours et s'est reposé le septième [173] ». La division en sept livres est la plus courante. Elle n'est pas la seule. A la fin du XIVe siècle, Léopold Steinreuter divisait sa *Chronique des 95 seigneuries* en cinq livres parce que l'homme avait cinq sens, mais peut-être aussi parce que le jeu sur le chiffre 5 était alors très courant en Autriche [174]. Au même moment, en Angleterre, Henri Knighton divisait sa chronique en cinq livres sans préciser pourquoi, mais il dit bien quel souci très personnel l'avait incité à diviser chacune des trois premières parties en seize chapitres. C'est qu'on comptait seize lettres dans son prénom et son nom, que l'addition de chacune des premières lettres de ces seize chapitres permettait de reconstituer : *HENRICUS CNITTHON* [175].

Henri Knighton dut pourtant renoncer à diviser chacun de ses deux derniers livres en seize chapitres : leur texte était trop long [176]. De même, bien longtemps auparavant, l'auteur du *Chronicon Vulturnense* avait abandonné en cours de route son beau projet de regrouper en sept livres son récit, dont les abbatiats formèrent, en définitive, le cadre réel [177]. La matière historique était décidément trop contraignante pour permettre aux auteurs de jouer en toute liberté sur les nombres. Les historiens les plus rigoureux laissèrent là symboles et allégories, et se contentèrent de suivre les impératifs de leur matière. Quelques-uns conçurent des plans très élaborés qui faisaient leur part à l'histoire et à la géographie [178]. Mais ils ne furent à la vérité que quelques-uns. La plupart prirent comme unité fondamentale de leur récit la donnée qui s'imposait, évidente. L'abbatiat fut l'unité fondamentale qui s'imposa à toute histoire de monastère, comme, à toute histoire de peuple, le règne. Une histoire compta donc souvent autant de chapitres que d'abbatiats ou de règnes, à ceci près que de longs règnes pouvaient donner lieu à plusieurs chapitres. Et les historiens attendaient des seuls événements qu'ils imposassent d'eux-mêmes le regroupement des chapitres en livres. Ainsi Etienne Maleu divisait-il son histoire de l'église de Saint-Junien en deux parties ; dans la première, il traitait des temps où l'église avait eu à sa tête un abbé, dans la seconde, de ceux où elle n'eut plus qu'un prévôt [179]. Quant à l'histoire de France, André de Marchiennes fut le premier, à la fin du XIIe siècle, à la diviser en trois livres correspondant aux trois dynasties [180]. C'est cette même division que reprit Primat : « Et pour ce que III generacions ont esté des rois de France puis que il commencierent à estre, sera toute ceste hystoire devisée en III livres principaus : ou premier parlera de la genealogie Merovée, ou secont de la generation Pepin, et ou tierz de la generation Hue Chapet. Si sera chascuns livres souzdevisez en divers livres, selonc les vies et les faiz des divers rois ; ordené seront par chapitres, por plus pleinement entendre la matiere et sanz confusion [181] ».

Tite-Live avait divisé son *Histoire* en livres assez longs. Il n'avait pas fait davantage. Mais le Moyen Age éprouva de bonne heure le besoin d'introduire des subdivisions, dont le nombre et l'étendue varièrent d'ailleurs, jusqu'au XVIe siècle, d'un manuscrit à l'autre [182]. Geoffroy de Monmouth n'avait pas divisé en livres son *Histoire des rois de Bretagne*. Mais, dès le XIIe siècle, les copistes d'un tiers de cette œuvre à succès jugeaient bon de la couper en un nombre de livres d'ailleurs variable [183]. Ranulf Higden avait d'abord divisé son *Polychronicon* en sept livres. Sans plus. C'est plus tard seulement qu'il divisa chaque livre en chapitres [184]. Ces exemples montrent bien que la division des œuvres historiques en livres et en chapitres n'a pas ce caractère de nécessité qu'elle a dans les œuvres scolaires. Elle est moins imposée par le souci des références. Elle reste plus ornementale. Elle progresse, toutefois, au cours des temps, sous la pression d'un public de plus en plus habitué à la lecture universitaire.

De même voit-on ce public réclamer des tables des matières, et les composer lorsque le manuscrit n'en comptait pas. A la fin du XIVe siècle, Guillaume Saignet achevait à Avignon ses études de décret lorsqu'il eut l'occasion de lire le manuel d'histoire composé à l'intention de Philippe de Valois. Il en fit pour son propre usage un petit résumé qui n'est en somme qu'une table un peu développée [185]. En 1406, Jean de Rochefort, chevalier, avait entre les mains les *Flores historiarum* qui lui disaient l'histoire du monde de sa création à 1307. Son premier mouvement était d'en dresser une table qui en donnait les rubriques feuillet après feuillet [186]. Quelques années plus tard, un auteur aussi peu marqué de culture universitaire que le « chevalier normant » Jean de Courcy, complétant sa *Boucquechardière,* prenait bien soin d'annoncer dans son prologue que sa compilation aurait six livres, et « si aura aprés en chascun de ces six livres pluseurs histoires de differentes manieres et chascune histoire sera partie par chapitres ordinairement comme cy aprés l'en pourra trouver par la table de chascun livre [187] ». Dans les œuvres historiques, à la fin du Moyen Age, livres, chapitres et tables des matières n'étaient pas encore d'un constant usage. Ils étaient pourtant largement répandus.

§ 2. *Notes marginales et tables alphabétiques*

Un lecteur s'intéressait-il, par exemple, aux famines, il lui fallait d'abord lire la table des chapitres, pour repérer ceux où il était question de famines ; ayant noté les numéros des chapitres, il lui fallait ensuite feuilleter tout le volume pour les y retrouver ; il lui fallait enfin lire tous les chapitres pour y retrouver les passages qui l'intéressaient — le lecteur était aidé, mais sa recherche n'allait pas sans perte de temps. On pouvait en gagner un peu en jouant de la foliotation du volume. Lorsque, par exemple, en 1318, Thomas de Maubeuge recopia l'œuvre de Primat et ses continuations sous le titre de *Croniques des Roys de France,* il respecta si bien la division en trois livres qu'avait voulue Primat qu'il ordonna toute l'œuvre « selonc les trois generacions par nombre », c'est-à-dire qu'il porta en haut et à droite du recto de chaque feuillet qui traitait des Mérovingiens un grand I romain, un grand II sur chaque feuillet traitant des Carolingiens, un grand III sur chaque feuillet traitant des Capétiens. Puis, dans chaque livre, il numérota les feuillets, en haut et au milieu de chaque recto, à la suite. Sa table enfin renvoya au folio où commençait, dans chaque livre, chaque chapitre [188]. Et comme le lecteur pouvait retrouver ce folio en quelques secondes, sa recherche en était d'autant soulagée. Mais l'inconvénient de se référer, dans un manuscrit, au folio, était que ces références ne valaient que pour ce volume. Et rien n'évitait encore au lecteur de parcourir toute la table des chapitres, et de lire tout le chapitre où devait se cacher le renseignement qu'il recherchait.

Pour trouver ou retrouver rapidement les passages importants, certains eurent très tôt l'idée d'utiliser l'espace des marges. Dès l'époque carolingienne, Hincmar et ses collaborateurs jouèrent des notations marginales [189]. Au XIIe siècle, avec les progrès du travail scolaire et du travail administratif [190], avec la multiplication des écoles et des bureaux, les notations marginales devinrent une technique de plus en plus familière aux auteurs, aux copistes et aux lecteurs. John

Capgrave, au XVe siècle, attirait l'attention de ses lecteurs en dessinant dans les marges de petits trèfles [191]. Hincmar, dès le IXe siècle, et beaucoup d'autres après lui, écrivirent ou abrégèrent *notandum, notanda, nota.* Mais le signe le plus courant dans toute l'Europe, aussi bien utilisé par les historiens anglais au XIIe siècle que par les polonais au XVe [192], fut une main à l'index tendu. Ces rapides repères avaient l'inconvénient de ne pas préciser de quoi il s'agissait. Quelques auteurs imaginèrent des signes plus élaborés. Raoul *de Diceto* en retint douze (une crosse pour les élections des archevêques de Canterbury, une couronne pour les sacres royaux, une épée pour les ducs de Normandie, une lance pour les comtes d'Anjou, etc.) dont il prit soin de dresser la table dans la préface de ses *Abbreviationes chronicorum* [193]. A l'imitation de Raoul *de Diceto,* Mathieu Paris multiplia dans ses marges les petits dessins utiles et amusants [194]. Mais bien peu eurent le talent d'un Mathieu Paris, si bien que l'usage le plus général fut de préciser en un ou quelques mots ce qui faisait l'intérêt du passage sur lequel l'attention était attirée : « *Nota traditorem* » (note le traître) ; « *Nota prudenciam Pipini et stulticiam Theoderici* » (note la sagesse de Pepin et la sottise de Thierry) ; ainsi l'attention des lecteurs d'André de Marchiennes était-elle attirée sur l'essentiel [195]. Bernard Gui, qui mit un soin si particulier à bien présenter ses œuvres, multiplia dans leurs marges les noms de personnes ou de lieux, les mentions d'événements qui permissent à ses lecteurs de retrouver aisément ce qu'ils cherchaient [196].

L'idée vint enfin que le lecteur gagnerait encore du temps si les mots qui étaient ou au moins auraient pu être des notations marginales étaient regroupés, au début ou à la fin de l'œuvre, en un ordre commode, et renvoyaient au texte. C'est précisément en cette première moitié du XIVe siècle où vivait Bernard Gui que commencèrent à se multiplier, dans les œuvres historiques, les tables alphabétiques. Dès l'origine, chez les Grecs, puis chez les Latins, les lettres de l'alphabet avaient été rangées dans un certain ordre. Mais l'idée s'imposa lentement que cet ordre alphabétique pouvait servir à classer les mots. C'est simplement au IIIe siècle avant Jésus-Christ que l'érudition alexandrine composa et utilisa des listes alphabétiques. L'administration suivit l'érudition. Les papyrus égyptiens ont des listes alphabétiques. Entendons-nous, d'ailleurs. Il n'y a pratiquement pas de listes alphabétiques à tenir compte de toutes les lettres de chaque mot. Seules la première, la seconde, parfois la troisième lettre des mots servent à les classer. Tous les mots qui ont les deux premières lettres, parfois les trois premières lettres, communes, sont donnés pêle-mêle. Quoi qu'il en soit, l'idée d'utiliser l'ordre alphabétique passa bien d'Alexandrie à Rome, mais son emploi réel dans la culture et l'administration romaines fut des plus minces. Lorsque l'empire disparut, l'usage de l'ordre alphabétique se perdit tout à fait, ou plutôt, pour être très exact, n'apparut plus que dans quelques rares ouvrages érudits [197].

Ce sont les nécessités du travail intellectuel dans les monastères, dans les écoles, puis dans les universités, à Paris, à Oxford et à Cambridge, qui imposèrent et généralisèrent l'usage de l'ordre alphabétique. Au début du XIIe siècle, plusieurs catalogues de bibliothèques classaient leurs livres par ordre alphabétique d'auteurs, en ne tenant compte, d'ailleurs, que de la première lettre du nom de chaque auteur. Bientôt, encyclopédies, glossaires et dictionnaires commençaient à présenter les connaissances non plus dans un ordre logique mais dans un ordre alphabétique [198]. A la vérité, les progrès de cet ordre alphabétique furent d'abord lents. Son emploi se heurtait à une première difficulté technique : il était subordonné à une uniformisation de l'orthographe qui, même pour les mots latins, posa des problèmes. Et surtout il se heurtait aux réticences d'un public attaché à l'ordre logique et peu habitué au maniement de l'alphabet. C'est donc simplement dans la seconde moitié du XIIIe siècle que l'ordre alphabétique triompha, comme le prouve la multiplication, à partir de 1275, des compilations alphabétiques, où le lecteur retrouvait aisément les matières qui l'intéressaient [199].

Mais l'emploi de l'ordre alphabétique trouvait vite ses limites. Il n'était concevable que pour des dictionnaires, des encyclopédies, des répertoires. Autrement, l'ordre logique et l'ordre chronologique conservaient d'irremplaçables vertus. Il fallait donc trouver une solution qui ne privât pas le lecteur d'une présentation logique et chronologique mais lui permît toutefois, en cas de besoin, un repérage rapide des matières. Cette solution fut trouvée dans le milieu parisien et dominicain, à la fin de la première moitié du XIIIe siècle. Vincent de Beauvais, le premier, ne renonça pas à organiser son immense somme selon la logique et la chronologie, mais, pour aider son lecteur à s'y retrouver, il ajouta à chacune des quatre parties de son *Speculum historiale* une table alphabétique. Chacune de ces tables reprenait dans l'ordre alphabétique les seules matières annoncées dans les titres des chapitres et ne donnait pas plus de 250 à 450 mots. Ces tables alphabétiques étaient donc fragmentées et succinctes. Elles furent pourtant des innovations si audacieuses qu'aucune autre, pendant longtemps, ne les suivit [200]. Et c'est simplement dans la première moitié du XIVe siècle, lorsque les lecteurs furent enfin habitués à manier sans effort l'ordre alphabétique, lorsque les auteurs eurent bien maîtrisé les problèmes techniques que posaient l'orthographe et les références, que des tables alphabétiques commencèrent à être de plus en plus souvent ajoutées aux œuvres [201].

Jean de Haut-Funey était, vers 1320-1323 [202], procureur du roi de France à la curie pontificale lorsqu'il réalisa, pour le *Speculum historiale* de Vincent de Beauvais, une « *tabula secundum litterarum ordinem alphabeti* », une « table selon l'ordre des lettres de l'alphabet », qui est un des tout premiers index ajoutés à une œuvre quelconque, et en tout cas le premier véritable index ajouté à une œuvre historique. Ce premier index avait cet autre caractère d'être techniquement parfait. Il était complet et offrait quelque 13 000 rubriques. Chaque rubrique comportait un mot-clé suivi de ce que Jean de Haut-Funey appelle « *epilogus seu clausula* », c'est-à-dire qu'une courte analyse précisait au chercheur le contexte du mot-clé. Les mots-clés étaient classés dans l'ordre alphabétique le plus rigoureux, qui tenait compte de toutes les lettres du mot jusqu'à la dernière. Alors qu'au même moment d'autres auteurs d'index prenaient le parti de renvoyer au folio et rendaient ainsi leur œuvre inutile à tout autre manuscrit [203], Jean de Haut-Funey faisait œuvre durable en renvoyant aux livres et aux chapitres. Il rendait même ses références plus précises encore en divisant approximativement chaque chapitre en six parties et en ajoutant aux numéros du livre et du chapitre l'une des lettres *a, b, c, d, e* ou *f* selon qu'il désirait renvoyer le lecteur à la première ou l'une des autres parties du chapitre. Enfin, conscient des correspondances qui existaient entre différents mots, il prenait soin, à la fin de la série d'analyses consacrées à un mot, d'ajouter des renvois. Ainsi, *labor* renvoyait-il à *fatigatio* et *otium, status* à *dignitas* et *potentia, mulier* à *concupiscentia, ornatus superfluus, temptacio,* etc. La table alphabétique de Jean de Haut-Funey, qui n'a pu être réalisée que par un système très lourd et très élaboré de fiches, chaque rubrique donnant lieu à une fiche, marque bien à quel point de perfection étaient alors arrivées les techniques dont s'aidaient les intellectuels d'Occident [204].

D'autres tables alphabétiques furent bientôt ajoutées à d'autres livres d'histoire. Entre 1324 et 1331, un manuscrit des *Faits des Romains* fut écrit à la cour angevine de Naples ; on y ajouta un gros index latin des matières [205]. Les manuscrits de la *Satyrica historia* de Paulin le Minorite écrits eux aussi à Naples entre 1334 et 1339 comportaient également une table ou plutôt des tables. Il y en avait quinze au total, regroupant l'une les saints, une autre les docteurs et auteurs, une autre les royaumes, une autre les noms de lieux, etc. Chacune de ces tables suivait ou bien l'ordre alphabétique, comme celle des lieux, ou bien l'ordre chronologique, comme celle des royaumes. En combinant les classements logique, chronologique et alphabétique, ces tables avaient assurément demandé à leur auteur beaucoup de subtilité ; elles étaient loin d'offrir aux lecteurs la consultation facile et rapide que permettait, dans sa rigueur alphabétique, la table de Jean de Haut-Funey [206].

En 1326-1328, une histoire universelle avait été composée pour l'instruction de Philippe de Valois. Aucun index n'avait alors été prévu. Mais la seconde édition de ce « manuel », en 1330, offrait une table alphabétique. Le petit mode d'emploi que l'auteur jugea nécessaire de joindre à celle-ci (« Qui conques voudra trouver prestement aucune chose en ce livre, il le poura trouver par ceste table en tele maniere »), montre bien comme les lecteurs laïques qui n'avaient pas fréquenté les universités étaient encore peu familiarisés avec de telles tables. La table du manuel d'histoire de Philippe VI de Valois était d'ailleurs beaucoup moins développée que celle de Jean de Haut-Funey ; elle ne couvrait qu'une vingtaine de feuillets et ne comptait guère plus de 1 500 rubriques. Elle était surtout beaucoup moins parfaite. Elle ne tenait compte que de la première lettre de chaque mot et offrait pêle-mêle Alexandre, Aristote et Antigone dans l'ordre où ils se présentaient dans le texte, c'est-à-dire qu'au lieu de milliers de fiches la réalisation de cette table-ci ne demanda que le secours d'une feuille par lettre. D'autre part, dans une œuvre qui n'avait ni livres ni chapitres, la référence fut donnée au folio. L'auteur de la table prévit même d'être plus précis encore. Comme chaque folio avait deux colonnes au recto et deux colonnes au verso, il y avait ainsi quatre colonnes par folio et l'auteur explique à son lecteur : après l'indication du folio, « c'il y a i point, ce que tu demandes est en la premiere colombe, c'il en y a ii en la seconde, c'il en y a iii en la tierce, c'il en y a iiii en la quarte ». Cette référence à folio et colonne ne pouvait malheureusement s'appliquer qu'au seul manuscrit sur lequel la table avait été préparée. Il aurait fallu, pour chaque nouveau manuscrit, refaire toutes les références. Un copiste n'en avait pas le temps. Il ne lui restait alors que deux solutions : ou bien recopier des références qu'il savait devoir être fausses, et même de plus en plus fausses [207] ; ou bien recopier la table, et laisser tomber les inutiles références. C'est le parti que prit le scribe qui copia, peu après 1330, le manuscrit du « manuel » qui fut offert au roi lui-même, et qui était encore conservé à la bibliothèque du Louvre sous Charles V et sous Charles VI : cette table ne donne jamais la référence à la colonne ; elle renonce à renvoyer au folio avant la fin de la lettre A [208]. Ainsi les livres d'histoire commencèrent-ils à être plus souvent dotés de tables alphabétiques dans les années 1320 et 1330, mais l'inexpérience des lecteurs et les difficultés mêmes qu'il y avait à en dresser d'utiles en freinaient encore la réalisation.

Dans la seconde moitié du XIVe siècle une table alphabétique devint le complément moins rare d'un livre d'histoire. Ranulf Higden n'avait pas songé à munir son *Polychronicon* d'un index, mais lorsque, en 1362-1366, l'auteur de l'*Eulogium* composa son œuvre, qui doit tant au *Polychronicon,* il eut soin d'en joindre un. Le *Liber Pontificalis* n'avait évidemment pas d'index, mais lorsque, en 1378-1380, l'évêque Pierre Bohier en prépara une nouvelle édition pour Charles V, il y ajouta des gloses, et aussi trois tables alphabétiques, l'une pour le texte, l'autre pour les gloses, la troisième donnant les noms des papes « selon l'ordre de l'alphabet [209] ».

Les tables alphabétiques de Pierre Bohier ne sont pas simplement, en 1380, plus attendues qu'elles n'auraient été cinquante ans plus tôt ; elles sont aussi d'une autre nature. Dans la table de Jean de Haut-Funey, les noms propres de personnes et de lieux, les articles renvoyant à des institutions ne sont certes pas absents, mais les rubriques les plus courantes (vertu, âme, péché, vice, etc.) montrent bien que l'auteur a moins travaillé pour donner des matériaux à l'érudit que des exemples au prêcheur. De même, dans la table du manuscrit napolitain des *Faits des Romains,* les noms de personnes, de lieux ou d'institutions représentent-ils peu de chose. La multiplication de rubriques comme guerre, paix, liberté, mort, richesse, pauvreté, avarice, envie, etc., prouve bien que l'index devait fournir des exemples à quelque maître enseignant quelque disciple, probablement l'héritier du trône de Naples. Dans la table du manuel de Philippe de Valois, si je prends l'exemple de la lettre F, les noms de personnes, de lieux ou d'institutions ne représentent que le tiers de quelque cent rubriques ; les autres répondent à un souci de morale (« flatterie fait mains mals », « femmes sont moult dengereuses », « femmes sont espousees se elles sont cha(s)tes ») et au goût du merveilleux (« fontaine merveillieuse », « fantosme merveillieus »). Par contre, cinquante ans plus tard, la table de Pierre Bohier ne retient guère que des noms de personnes, des noms de lieux, et des noms de choses (église, élection, évêque...) comme en retiendrait l'*index rerum* d'un de nos modernes ouvrages érudits.

Loin de moi, d'ailleurs, l'idée de vouloir suggérer à partir de ces quelques exemples une évolution trop précise et trop rapide. Le tempérament de l'historien est aussi important. Dès la première moitié du XIVe siècle les notes marginales de Bernard Gui ne disaient que des faits. Et, même après 1380, l'histoire ouvrit souvent encore des perspectives morales. J'ai voulu surtout montrer comme notes marginales et tables alphabétiques représentent une mine que la recherche moderne aurait tort de négliger. Car l'étude de ces notes et de ces rubriques permettrait non seulement de préciser ce qu'auteurs et lecteurs attendaient de l'histoire, mais encore, d'une façon plus générale, quels étaient leurs soucis et leurs obsessions. L'histoire de la culture historique et l'histoire des mentalités doivent évidemment s'appuyer sur les textes dont l'érudition moderne a mis à leur disposition des éditions aisément accessibles, mais tout autant sur les notes marginales et les tables alphabétiques qu'elle a trop souvent négligées et qui dorment, inutiles, dans les manuscrits.

Après 1380, la table alphabétique devient, pour l'historien ou pour son lecteur, un instrument de plus en plus nécessaire, un auxiliaire de plus en plus naturel. A la fin du XIVe siècle, un index est ajouté à un manuscrit du *Polychronicon* de Ranulf Higden [210]. Au XVe siècle, la chronique de Roger de Hovedene est munie d'excellents index [211]. Trois lecteurs différents éprouvent, dans l'Empire, le besoin d'ajouter au *Speculum historiale* de Vincent de Beauvais un index de leur composition [212]. A Paris, peu après le milieu du XVe siècle, « afin que toute personne qui prendra plaisir a lire en ce livre puisse plus aisieement trouver ce dont il aura mestier, et les matieres et histoires dont il aura besoing et dont il vouldra parler », non seulement Henri Romain prend soin de diviser son *Compendium historial* « en deux livres principaulx », et ces deux livres en chapitres, non seulement il donne une table des matières « avec les rubriches principales de ce present livre », mais encore il « fait autres rubriches qui sont escriptes en la fin de ce livre, lesqueles procedent selon l'ordre de l'a. b. c. sur pluseurs mots, tant de pays que de personnes et autres choses, par lesquelles on pourra veoir en quelz chapitres est faicte mencion desdictes matieres [213] ».

La table alphabétique est ainsi, au XVe siècle, d'usage plus fréquent. Elle est loin d'être d'usage courant. Beaucoup d'œuvres historiques n'ont toujours pas d'index. Et, de celles qui en ont un, tous les manuscrits n'ont pas reproduit l'index. Et c'est une nouvelle preuve que l'histoire est moins faite pour l'étude universitaire que pour le plaisir de la lecture.

§ 3. *Illustrations*

Ce plaisir est multiplié, à la fin du Moyen Age, par les illustrations, dont les livres d'histoire sont aussi riches que les livres universitaires en sont pauvres. A la vérité, les illustrations n'apparurent qu'assez tard dans les livres d'histoire. Les artistes des ateliers monastiques consacraient tout leur temps et tout leur talent à décorer œuvres liturgiques et hagiographiques. On peut alors bien trouver, très rarement, un ou deux dessins dans un livre d'histoire. Ce n'est rien, ou presque rien. Il semble qu'Otton de Freising ait été le premier historien à avoir eu l'idée non seulement d'illustrer une de ses œuvres mais encore de l'enrichir d'un cycle d'illustrations qui en soulignât les principaux thèmes. En 1157 en effet, Otton offrit à l'empereur Frédéric Barberousse un manuscrit de sa *Chronique ou histoire des deux cités* décoré d'une quinzaine de miniatures offrant au total une trentaine de scènes différentes ; quelques manuscrits contemporains reprirent ce cycle d'illustrations [214] ; mais il faut avouer que celui-ci restait, en son temps, bien isolé. A la fin du XIIe siècle, Giraud le Cambrien dessinait ou faisait dessiner dans les marges de sa *Topographia Hibernica* quelques scènes de la vie irlandaise [215] ; le prestige de Charlemagne était assez grand, et sa sainteté assez reconnue, pour inspirer un cycle de miniatures [216] ; mais il faut bien avouer que ces illustrations restaient encore, en leur temps, bien isolées.

C'est au milieu du XIIIe siècle que les choses changèrent. Mathieu Paris était un grand artiste. Sous sa direction, l'atelier de Saint-Albans produisit nombre de livres liturgiques et hagiographiques dont il inonda l'Angleterre. Mais en même temps Mathieu Paris lui-même multiplia dans les marges de sa *Chronica majora* et de son *Liber additamentorum* des dessins qui se voulaient à la fois notes marginales et illustrations [217]. A Saint-Denis aussi, un peu plus tard, l'illustration historiographique se dégageait lentement de l'illustration hagiographique [218]. Les monastères ont donc joué leur rôle dans le développement du livre d'histoire illustré. Mais surtout les ateliers laïques se multiplièrent, à Paris par exemple [219]. Ils durent répondre aux goûts d'une clientèle qui était plus nombreuse à vouloir posséder des livres illustrés parce qu'elle avait plus de moyens financiers, parce qu'elle avait, comme en témoigne le développement contemporain de la cartographie, une nouvelle manière de saisir l'espace, et aussi parce qu'elle voulait désormais moins des textes à se faire lire que des livres à lire, et à regarder. Les pouvoirs politiques et religieux ne furent pas longs à saisir la force de persuasion que pouvaient avoir, dans les livres, les images. Ils encouragèrent les artistes et flattèrent les goûts du public.

Si bien que, dans la seconde moitié du XIIIe siècle, les illustrations commencèrent à se multiplier dans les livres d'histoire. Rodolphe d'Ems était à peine mort que sa chronique universelle était, à partir de 1255, diffusée en des manuscrits illustrés produits dans le sud-ouest de l'Allemagne[220]. Le *Roman de Troie* de Benoît de Sainte-Maure était pour la première fois illustré dans un manuscrit écrit en 1264 en Bourgogne ou en Lorraine[221]. Quelques années plus tard la seconde croisade de Louis IX fut, à n'en pas douter, l'occasion de l'apparition de quatre exemplaires illustrés de l'*Histoire d'Outremer* de Guillaume de Tyr ; ce sont les seuls livres d'histoire illustrés sortis des ateliers parisiens pendant le règne du saint roi[222]. En 1274, l'exemplaire du *Roman des rois* que Primat offrit au roi Philippe III le Hardi était illustré[223]. Dans un manuscrit copié à Rome vers 1280-1290, le texte de la traduction italienne d'une histoire romaine écrite en latin au XIIe siècle, les *Historiae Romanorum,* était rehaussé d'un cycle de 83 illustrations. Partout, en Occident, à la fin du XIIIe siècle, l'illustration s'était imposée dans les livres d'histoire.

Elle devait s'y multiplier aux XIVe et XVe siècles. Certes, tous les auteurs ne prévoient pas une illustration à leur œuvre, tous les publics ne réclament pas des livres illustrés. L'*Histoire* d'Orose est tout au long du Moyen Age une œuvre indispensable à toute bibliothèque monastique ou universitaire. Sur les deux cents manuscrits qui nous restent de ce classique, quatre seulement sont enluminés[224]. L'*Epitome* de Justin subsiste en 207 manuscrits dont 164 ont été écrits en Italie aux XVe et au début du XVIe siècle. Il devait être, en ce temps et en ce pays, dans la bibliothèque de quiconque prétendait à la culture. Mais seuls deux manuscrits de ce *best-seller* ont été décorés[225]. Aux XIVe et XVe siècles, tous les livres d'histoire ne furent donc pas, loin de là, illustrés. Beaucoup, cependant, le furent.

La plupart de ceux qui le furent au XIVe siècle furent commandés ou achetés par des rois, des princes et des nobles qui avaient le goût des belles choses et les moyens de les acquérir. La production du XIVe siècle fut dans l'ensemble une production de luxe, dont les manuscrits richement décorés d'histoires nationales comme les *Grandes Chroniques de France* ou la *Chronica de Gestis Hungarorum* sont de typiques exemples. Il y avait cependant, dès ce moment-là, de prospères ateliers spécialisés dans la production d'exemplaires illustrés mais bon marché d'œuvres populaires en langue vulgaire[226]. Au XVe siècle, les luxueux manuscrits ne disparurent pas tout à fait, mais le marché fut dominé par ces manuscrits illustrés relativement peu coûteux, dont les feuillets de papier étaient décorés d'images dessinés d'une plume rapide et rehaussés de couleurs vives. Les nobles ne dédaignaient pas forcément ce genre d'ouvrages, mais ils s'adressaient surtout à un public de citadins laïques. Nombre d'histoires urbaines furent ainsi écrites et décorées d'illustrations relativement simples et naïves, surtout dans l'espace germanique, et les chroniques illustrées de villes suisses comme Berne ou Lucerne furent aussi typiques du XVe siècle que les manuscrits de l'*Histoire de Hongrie* ou des *Grandes Chroniques de France* l'avaient été du XIVe [227]. Ces simples images préparaient les simples gravures que l'imprimerie permit de multiplier dans les livres en général et dans les livres d'histoire en particulier. Les livres d'histoire illustrés devinrent une réalité quotidienne. Et la chronique universelle d'Hartmann Schedel, parue à Nuremberg en 1493, fut simplement, avec ses 1809 illustrations, le plus réussi et le mieux illustré d'entre eux [228].

Qu'elles fussent du XIIIe ou du XVe siècle, plus riches ou plus simples, toutes ces illustrations eurent en commun d'être liées au texte qu'elles devaient servir. Leur place n'était jamais l'effet du hasard. Elles étaient le plus souvent associées à une rubrique et contribuaient ainsi à mieux faire ressortir les articulations de l'œuvre. Leurs thèmes aussi étaient soigneusement choisis et dépendaient si étroitement du texte qu'elles restaient, sans lui, incompréhensibles. Le texte expliquait l'image. Mais l'image soulignait le texte, et marquait avec insistance ce que l'auteur avait voulu dire, ou ce qu'on voulait lui faire dire. A la vérité, certains thèmes étaient moins lourds de sens que d'autres. Les innombrables scènes de batailles qui décorent tant de livres d'histoire répondaient simplement à l'amour passionné que tous les lecteurs, nobles ou bourgeois, portaient au jeu des armes et de la guerre. Mais lorsqu'une histoire de France offrait la représentation répétée, presque à chaque règne, du sacre du roi, elle prenait une coloration politique précise et ne pouvait que renforcer les convictions monarchiques de ses lecteurs.

Dans ces sacres, dans ces batailles ou, d'une façon plus générale, dans toutes ces illustrations, les rois, les gens de conseil, le gens de guerre portent les costumes en usage au moment de la composition de l'œuvre et se meuvent dans les décors qui étaient familiers à ses lecteurs. Ce n'est pas forcément qu'auteurs et artistes manquent du sens du passé. Lorsque, vers 1410, Jean Lebègue donne ses instructions à l'artiste qui devra illustrer le *Catilina* de Salluste, il lui prescrit, pour représenter, dans la première « histoire », l'historien au travail, que « soyt fait et pourtrait ung homme à grant barbe fourchue qui aura en sa teste une coiffe blanche *comme l'en souloit porter* [229] ». Mais auteurs et artistes avaient-ils la volonté de représenter décors et costumes anciens que leurs connaissances les trahissaient. Jean Lebègue lui-même ne pouvait pousser très loin ses soucis de reconstitution, et lorsqu'il ordonnait la peinture d'une séance au sénat de Rome, c'est une séance au parlement de Paris qu'il faisait représenter[230]. Les historiens du Moyen Age ne manquaient pas du sens du passé. Trop de preuves permettent d'affirmer le contraire. Mais il est vrai que leur manque de connaissances ne leur permettait guère de traduire en images le passé qu'ils voulaient imaginer.

Or, auteurs et artistes n'avaient même pas, le plus souvent, ces soucis d'antiquaires. Pour ancrer dans le passé l'institution monarchique, pour faire comprendre son ancienneté et sa continuité, il n'était pas nécessaire, il était même dangereux de peiner à reconstituer le sacre de Louis VI tel qu'il s'était réellement passé. Il valait mieux reproduire une scène contemporaine que le lecteur pourrait identifier d'emblée comme le sacre d'un roi de France, et qui lui confirmerait que le sacre d'un roi de France avait toujours eu lieu comme cela. Dans un monde toujours tendu à justifier le présent par le passé, le souci de donner un enseignement efficace poussait auteurs et artistes moins à montrer l'originalité du passé qu'à souligner son actualité. Le texte et l'image, si liés qu'ils fussent, se situaient ainsi à deux niveaux différents. Pour mieux convaincre, l'image rattachait au présent ce que le texte éloignait dans le passé. Et les rapports ambigus du texte et de l'image ont nui à la réputation de l'historiographie médiévale. L'image a permis au lecteur du XIVe ou du XVe siècle de mieux tirer les leçons de l'histoire. Mais elle a achevé de convaincre l'érudit du XIXe ou du XXe siècle que ses prédécesseurs n'avaient point le sens du passé.

1. Helgaud de Fleury (560), 39-42.
2. Par exemple : Vaughan (659), 35. *Eulogium* (785), I, xv. Thomas Burton (738), I, xlix-li.
3. Par exemple : Helgaud de Fleury (560), 30. Werner (438), 457.
4. Guenée (14).
5. Le mot est dans Halphen (32), 147.
6. Labbe (818), II, 190.
7. Marchegay et Mabille (819), xxxii-xxxvi, 349-433.
8. Par exemple : Brincken (21), 96. McCormick (346), 43. Werner (438), 403.
9. Rigord (709), 168.
10. Orderic Vital, *Histoire ecclésiastique,* prologue ; Le Prévost (671), I, 3. Guillaume Guiart (535), p. 176, v. 282-284. Ranulf Higden (699), I, 26. Thomas Gray (742), 4.
11. Vaughan (659), 59.
12. Otton de Freising (676), I, prologue, et VIII, prologue ; p. 10 et 582.
13. Lehmann (46), V, 53-54.
14. « Praesens opusculum *Ecclesiasticam Historiam* appellari affecto », Orderic Vital, *Histoire ecclésiastique,* prologue ; Le Prévost (671), I, 3.
15. Lehmann (46), V, 6-8. Helgaud de Fleury, *Epitoma Vitae Regis Rotberti Pii.*

16. Rigord (709), xxi.

17. Les *Abbreviationes chronicorum* de Ralph *Diceto ;* l'*Abbreviatio chronicorum* de Mathieu Paris.

18. *Compendium historiarum, Compendium chronicorum,* Lehmann (46), V, 13, 15.

19. Guenée (5), 1000-1001.

20. McCormick (346), 11-21.

21. *La Chronique de Nantes* (778), 18.

22. Guenée (5), 1003.

23. Nicolas Trivet (665), 1, 279, 414.

24. Guillaume de Malmesbury (536), I, 1.

25. *Eulogium* (785), I, 2.

26. Jérôme de Borselli (636), 3 ; cf. Melville (49), 310-311.

27. « Sunt sane quaedam vetustatis indicia chronico more et patrio sermone per annos domini ordinata », Guillaume de Malmesbury (536), I, 1. « Istam cronicam juxta numerum annorum... pro nimia prolixitate abbreviavi », *Eulogium* (785), III, 245. « In hoc ergo opere non per modum ystorie procedam, ut singula velim prolixe extendere ; sed per modum cronice tantum rei substantiam compendiose singulorumque gestorum tempora annotabo. Et quia multorum temporum facta non inveni ab aliquo auctore conscripta, ideo multos annos vacuos preterire necesse est », Jérôme de Borselli (636), 3.

28. « Et quoniam in cronicis antiquorum pernimia est loquendi brevitas, in ystoriis vero nimia prolixitas, ego inter utrumque processi, ne forte vel brevitas obscuritatem vel prolixitas fastidium lectoribus generaret », Godefroy de Viterbe (508), 105.

29. « Collegi autem de diversis libris historicis... » « Item collegimus hec exempla de cronicis diversis... », Etienne de Bourbon (476), 5, 6.

30. Guenée (5), 1006-1007.

31. Delisle (199), III, 11, 43.

32. Heinzelmann (142). Lacroix (41), 44-45.

33. Cicéron, cité par Schulz (296), 127. Hugues de Saint-Victor (577), 123.

34. Wilmart (575), 297. Rigord (709), I, 169.

35. Cf. *supra,* n. 28.

36. Guenée (5), 1008.

37. *Ibid.,* 1004.

38. *Ibid.,* 999-1000.

39. Gransden (89), 417.

40. Beumann (764), 64-65. Lammers (43), 148.

41. « Res enim gestas... notare statuimus, non rerum gestarum causas certis rationum indiciis enucleare », Réginon de Prüm (704), 147. « Meum est res gestas describere, non rerum gestarum reddere rationem », Otton de Freising répété par Godefroy de Viterbe ; De Ghellinck (26), 113. « Philosophi magis quam ystoriographi modum ymitatus, quia probo per causas quod simpliciter in alia cronica est conscriptum », Galvano Fiamma ; cité par Arnaldi (281), 371.

42. « Qui aliorum actiones et rerum gestarum causas explanare proposui », Réginon de Prüm (147), 139.

43. « Primo causas et necessitates quae hujus occursum expeditionis urgebant, sicut audieram, proposui referendas, et sic, occasionibus praemonstratis, res demum attexere gestas », Guibert de Nogent (526), préface ; *PL* 156, col. 682 ; cf. Monod (531), 275.

44. Schneider (55). Monod (531), 275-280. Toubert (126), 87. Carozzi (583), 854, 857.

45. Ortalli (108), 33.

46. Momigliano (51), 93.

47. Schneider (55).

48. « Diabolo ei prosperante », Suger (734), 174. « Instigante Diabolo », Rigord (709), I, 112. « Spiritu diabolico instigati », Continuation des Annales de Césène, 1357, citée par Ortalli (108), 33. Etc. « Comitante divino auxilio », « divina misericordia succurente », « cum Dei auxilio, intercedentibus beatis apostolis Petro et Paulo », *Annales Mettenses Priores* (766), 15, 29, 61 ; cf. Hoffmann (35), 63. « Justo Dei judicio », Werner (438), 440. Etc.

49. Schneider (55), 7-8. André de Fleury (437), 136-141, 159-167.

50. Epître aux Hébreux, XII, 6 ; « Deus flagellat omnem filium quem diligit », Guibert de Nogent (526), VI, 1 ; *PL* 156, col. 767 ; cf. Monod (531), 287.

51. « Sive divina justitia alias, quas ipsa novit, ob causas nostros plectente », Hermann de Reichenau (571), 260 ; cf. Schneider (55), 49. « Nos vero occultis ac profundis judiciis Dei, sine cujus nutu nec folium in terram cadit, attribuere possumus », Otton de Freising (676), II, 36 ; p. 172. « Ordinat occultas ita res divina facultas/Cunctaque proveniunt que vult Deus et rata fiunt », Swietek (554), 67.

52. « Justo Dei judicio..., ex peccatis ac prevaricatione patrum », Otton de Freising (676), VII, 17 ; p. 528. « Propter peccata populi », Guillaume de Puylaurens (547), 22. Schneider (55), 27, 28, 32. Gransden (89), 93, 96, 128, 130, 137, 192, 196, 326.

53. Sirinelli (480), 306.

54. Chauvois (695), 137.

55. Wriedt (765), 561. Dans la hiérarchie des péchés capitaux, les zélateurs de la pauvreté ont bien pu, aux XIIe-XIIIe siècles, faire passer l'avarice avant l'orgueil. Cette évolution a été brillamment mise en valeur dans l'essai de L. K. Little, Pride Goes Before Avarice : Social Change and the Vices in Latin Christendom, *AHR,* 76 (1971), 16-49. Dans l'ensemble cependant il ne me paraît pas que l'orgueil ait jamais perdu sa primauté.

56. Guenée (10), 263.

57. Orderic Vital, *Histoire ecclésiastique,* XII, 25 ; Le Prévost (671), t. IV, p. 416. Gransden (89), 155.

58. Guillaume de Puylaurens (547), 22-23.

59. Gilmore (163), 46, 52.

60. Rubinstein (403), 221.

61. Green (390), 175-176.

62. Philippe de Commynes (685), III, 3 ; cf. Gilmore (163), 48-50.

63. « Non fato quidem, sed divina ita providencia disponente », Thomas Basin (737), II, 196.

64. Schmidt-Chazan (714), 284.

65. Jean Lemaire de Belges (616), L. III, fol. xlvii.

66. Suger (734), 174 ; Rigord (709), 77, 112. *Les Grandes Chroniques de France* (794), V, 208 ; VI, 97, 205.

67. Rubinstein (403), 221-222.

68. Miglio (105), 52. Leonardo Bruni (648), 3. Thomas Basin (737), I, 30, 88.

69. Guenée (5), 1007.

70. Fueter (29), 21. Hay (484), 98-99.

71. Philippe de Commynes (685), 1. III, chap. IV ; t. I, p. 190. Cf. Mandrot (686), 246.

72. Melville (347). « Libellum istum de diversorum auctorum floribus... contexui... ; quem, quoniam sic ratio postulat, Floridum intitulavi, quia et variorum librorum ornatibus floret », Lambert de Saint-Omer ; Delisle (641), 747. « Sic que, quasi ille qui per agri pleni seu prati floridi latam gratamque planiciem spaciando florum venustate gratissima delectatus, nunc istos nunc illos eligendo, colligit flores, in unum copulans manipulum manus sue, ego quoque conformiter perle-

gendo flores colligerem multis ex libris et cronicis, faciens unum gratum fasciculum ex eisdem, nunc flores rosarum martirum, nunc lilia convallium virginum, nunc doctorum violas aliorumque justorum, necnon regum et principum et virorum illustrium flores varios, memorias scilicet cum laudibus redolentes, in locis sibi competentibus in presenti opere conscribendo... Excerpens ex libris maxime originalibus, quantumcumque eos potui reperire, plurium cronicorum, gestorum quoque sanctorum aliorumque tractatuum diversorum... Quod quidem ex ratione superius jam pretacta potest non inconvenienter intitulari *Flores chronicorum* », Bernard Gui, *Flores chronicorum,* prologue ; Delisle (452), 392-394, et *RHF,* XXI, 692-693. « Hoc opusculum, quod de Biblia et multis libris et cronicis tamquam florem sub compendio compilavi », Marco Battagli, cité par Ortalli (108), 36.

73. Bradley (342). Lehmann (46), V, 73-84. Lacroix (41), 172.
74. Lehmann (46), V, 73.
75. Bradley (342), 109.
76. Brincken (752), 468.
77. Par exemple la « Mer des histoires » de Giovanni Colonna ; Bibl. nat., Lat. 4912, 4914. Aussi cette anonyme « Mer des histoires » à la fin du xve siècle.
78. Guenée (9), 9-13.
79. Parkes (349), 127-128.
80. « Selonc la pure verité de la lettre », « par la lettre », *Les Grandes Chroniques de France* (794), I, 2.
81. « Antiquum certe materia et auctoritate, novum vero compilatione et partium aggregatione... Nam ex meo pauca et quasi nulla addidi. Ipsorum igitur est auctoritate, nostrum autem sola partium ordinatione », Brincken (752), 469-470.
82. *Les Grandes Chroniques de France* (794), VII, i.
83. « Quicquid... ex innumerabilibus fere libris colligere potui, in hoc uno breviter continetur », Brincken (752), 468. « Quasi in quodam manuali libello, separatim sub compendio et epilogo coartavi », Bernard Gui, *Flores chronicorum,* prologue ; Delisle (452), 394. Marco Battagli ; cf. *supra,* n. 72. Melville (347), 71 et suiv.
84. *Les Grandes Chroniques de France* (794), I, 2. « A laquelle je adjousteroy aucunes incidences avenues scelon l'ordre du temps... », Pierre Le Baud (693), prologue ; t. I, p. 5.
85. Henri Knighton (565), I, 267-268. Ranulf Higden (699), VIII, 258. *Flores historiarum* (657), III, 27-28.
86. Parkes (349), 127-128.
87. Guillaume de Newburgh (544), I, xi.
88. Kohl (492), 139.
89. Réginon de Prüm (704), 139. Lacroix (41), 117. Etc.
90. Grégoire de Tours (522), I, 31. Beumann (523), 82, 86, 89.
91. Beumann (523), 80, 93.
92. « Philosophantem rethorem intelligunt pauci, loquentem rusticum multi », Grégoire de Tours (522), I, 31 ; Beumann (523), 71.
93. Lacroix (41), 114 et suiv. Ray (52), 47 et suiv. Guillaume de Poitiers (546), 230. Godefroy de Viterbe (508), 105. Fowler (472), 152. Etienne Maleu (478), 8.
94. Otton de Freising (676), 16. Fowler (472), 152.
95. Guillaume de Poitiers (546), 230.
96. Etienne Maleu (478), 8.
97. Lhotsky (47), III, 142.
98. Laistner (42), 20. McCormick (346), 31. Lacroix (41), 119.
99. Guillaume de Poitiers (546), 230. Ray (672), 1117 et suiv.
100. Guillaume de Poitiers (546), xliii.
101. Swietek (554), 62.

102. André de Marchiennes, cité par Simon (353), 78.
103. Lacroix (41), 38.
104. Guenée (5), 1000.
105. Lacroix (41), 112-113. Ray (52), 49-50. E. Faral, *Les arts poétiques du XIIe et du XIIIe siècles. Recherches et documents sur la technique littéraire du Moyen Age,* nouv. impr., Paris, 1971, p. 87.
106. Schulz (296), 87.
107. Suger (733), 382.
108. Werner (706), 103.
109. Werner (427), 71 et suiv.
110. Gransden (88), 29, 40, 41, 44.
111. Lacroix (41), 121-122. Ray (52), 54-55.
112. Beumann (764), 159-177.
113. Stach (337).
114. Guibert de Nogent (526) ; *PL* 156, col. 683-684.
115. Swietek (554), 59-61.
116. Lhotsky (47), III, 142-145.
117. Beumann (764), 165-168.
118. Carozzi (374), 467. Ray (672), 1117. David (81), 38.
119. De Boüard (282), I, 242-248. Arbusow (339), 79. Murphy (348), 160.
120. David (81), 38. Swietek (554), 62. Etc.
121. Baethgen (154), 328-329. Lhotsky (47), III, 139, 144-145.
122. Giraud le Cambrien (515), V, 207-208.
123. Lacroix (41), 117.
124. Jean de Beke (590), xxxv-xxxix.
125. Lhotsky (47), III, 146-149.
126. Giraud le Cambrien (515), V, 410-411.
127. Eginhard (469), chap. 29 ; p. 82-83.
128. Gransden (89), 33-35.
129. Ponert (350), 21.
130. Wattenbach, Schmale, Schmale-Ott et Berg (131), I, 41-45.
131. Jodogne (165), 95.
132. Ponert (350), 54-55.
133. Keuck (39), 70-75.
134. Guillaume Guiart (535), 172.
135. Cartier (608).
136. Jean Le Bel (614), I, 1-2.
137. Cartier (608), 432, 434.
138. Monfrin (257), 173.
139. Carolus-Barré (344). Ponert (350), 46-50. Lhotsky (47), I, 160-163.
140. Bossuat (811), p. 562.
141. Sur tout ce qui suit, Samaran et Monfrin (689), 116-128.
142. Samaran et Monfrin (689), 102-103, 124 et suiv.
143. Knowles (632). Samaran et Monfrin (689).
144. Lhotsky (47), I, 172 et suiv.
145. *Ibid.,* 165.
146. Monfrin (257), 179-181.
147. Lhotsky (47), I, 176-177.
148. Lhotsky (740), 102.
149. Robert Gaguin (711), I, 253-254.
150. Struever (354), 79.
151. Bibl. nat., fr. 8266, fol. 395.
152. Struever (354), 49.
153. Miglio (105), 28. Robert Gaguin (711), I, 254.
154. Gilbert (384), 212.
155. Samaran (599), 314.

156. Flavio Biondo (483), 393-394. Hay (484), 113.
157. Janik (646), 400.
158. P. Burke, *The Renaissance Sense of the Past. Documents on Modern History,* Londres, 1969, p. 119.
159. Fueter (29), 12-24. Ullman (649), 335.
160. Samaran et Monfrin (689), 142.
161. Marrou (442).
162. Devisse (572), 963.
163. Garand (211), 259.
164. Nicolas Trivet (665), 216.
164 *bis.* J. Vézin, Paléographie et Codicologie, *Annuaire de l'Ecole pratique des Hautes Etudes, IVe Section, Sciences historiques et philologiques, 1977-1978,* Paris, 1979, p. 590.
165. Lhotsky (740), 100.
166. Richer (708), xiv. Gransden (89), 274.
167. « Ut autem hujus operis partes singule lectori facilius elucescant, ipsum totum opus per libros, et libros per capitula distinguere volui », Vincent de Beauvais, *Apologia,* chap. 3 ; Brincken (752), 468. « Quendam parvulum libellum... praemittere vigilavi per xvi. capitula secundum numerum et seriem litterarum vocabuli mei, telam incepti opusculi per capitulares literas ordiendo, ut diligens lector investigare lucide valeat hujus opusculi inquisitorem », Henri Knighton (565), I, 3. « Distinxique in capita ac rubricas, ut facilius singula intelligantur reperianturque », Ankwicz-Kleehoven (602), 293.
168. Spiegel (176), 42.
169. Ker (539).
170. Meyer (332), 97-101. Reiss (333), 164.
171. Arnaldi (281), 358. Toubert (126), 84.
172. Otton de Freising (676), 1. I, prol. ; p. 16.
173. Ranulf Higden (699), I, 26.
174. Lhotsky (98), 41.
175. Henri Knighton (565), I, 3-4 ; cf. *supra,* n. 167. Galbraith (566).
176. Henri Knighton (565), I, 4.
177. Toubert (126), 84.
178. Giraud le Cambrien (515), V, 7-8. Ranulf Higden (699), I, 26-28. *Eulogium* (785), I, 3.
179. Etienne Maleu (478), 9-10.
180. Werner (438), 402.
181. *Les Grandes Chroniques de France* (794), I, 3-4.
182. Samaran et Monfrin (689), 142.
183. Geoffroy de Monmouth (502), 28-30.
184. Taylor (700), 103.
185. Coville (157), 322-323.
186. Oxford, All Souls, ms 37, fol. 157.
187. Monfrin (260), 164.
188. Bibl. nat., fr. 10132.
189. Devisse (572), 924-925.
190. Gransden (89), 234.
191. Lucas (592), 20.
192. Zarebski (604).
193. Ralph de Diceto (697), I, 3-4. Gransden (89), p. 234 et planche VII.
194. Gransden (89), p. 364 et planche IX.
195. Werner (438), 429.
196. A.-M. Lamarrigue, travail en préparation.
197. Daly (345).
198. Brincken (343), 916-919.

199. Parkes (349), 132. Schmitt (352), 12.
200. Brincken (343), 902-907.
201. Smalley (264), 34-35. Parkes (349), 131. Schmitt (352), 14.
202. Diverses dates ont été avancées (Schmitt (352), 17). M. Paulmier donne 1320-1323.
203. Smalley (264), 35.
204. Brincken (343), 907-912. M. Paulmier, qui prépare une édition de la table de Jean de Haut-Funey, m'a fourni une documentation qui m'a été des plus utiles pour écrire ce paragraphe.
205. Avril (186), 293, 299. Guenée (7), 275.
206. Brincken (343), 912-914. Degenhart et Schmitt (684), 123.
207. Smalley (264), 35.
208. Bibl. nat., fr. 19477, fol. 2-21.
209. Bibl. nat., lat. 5142, fol. 86, 213, 218. Duchesne (802), II, xxvii-xxviii.
210. Ranulf Higden (699), I, xlix.
211. De Ghellinck (26), II, 150.
212. Communication de M. Paulmier.
213. Monfrin (260), 168.
214. Otton de Freising (676), lxix-lxx.
215. Gransden (88), 49.
216. Frühmorgen-Voss (362), 8.
217. Vaughan (659), 205-234. Gransden (89), 364.
218. Barroux (356).
219. Branner (358).
220. Frühmorgen-Voss (362), 32.
221. Buchthal (359), 9.
222. Branner (358), 219, 220, 223.
223. Guenée (14).
224. Ross (683).
225. Ross (638).
226. Ross (238).
227. Zemp (363). Baumann (357). Bodmer (75), 39-42. Frühmorgen-Voss (362), 31, 53-54.
228. Rücker (557), 7.
229. Porcher (613), 38.
230. *Ibid.*, 41.

CHAPITRE VI

LE SUCCES DE L'ŒUVRE

Une fois achevée, l'œuvre de l'historien va dès lors vivre sa propre vie. C'est ce destin qu'il nous faut maintenant suivre. Pendant longtemps (et leur point de vue était assurément légitime), nombre d'historiens n'ont accordé d'intérêt à un texte que dans la mesure où celui-ci leur apportait des informations sûres et neuves. A leurs yeux, l'importance d'une œuvre tenait à l'originalité de son contenu, non à sa diffusion. Aussi étudiaient-ils son élaboration sans donner à son succès une attention particulière. Mieux même. Comme ils n'avaient pas été sans remarquer que « le succès était allé jadis aux compilations et aux *compendia* que l'on ne lit plus maintenant », et que les livres que nous considérons aujourd'hui comme les plus importants ne nous ont souvent été transmis que par quelques rares manuscrits, voire même souvent un unique manuscrit [1], ils mettaient toute leur ardeur à la recherche et à l'étude des chefs-d'œuvre rares. Au bout du compte, leur histoire de la littérature historique du Moyen Age, construite en fonction de leurs propres perspectives, ne laissait plus rien transparaître de ce qu'avait pu être la culture historique des gens de ce temps. Si nous voulons finalement cerner cette culture historique, nous devons d'abord ne plus nous soucier de la valeur intrinsèque d'une histoire ou d'une chronique, mais nous attacher par contre à saisir leur diffusion. Après l'effort de l'auteur, il nous faut connaître le succès de l'œuvre.

I. La mesure du succès

§ 1. *Le point de vue quantitatif*

Pour apprécier le succès d'une œuvre, une première tâche s'impose, évidemment insuffisante mais nécessaire. Il faut déterminer le nombre de manuscrits qui en subsistent actuellement de par le monde. Tâche difficile, qui ne peut jamais être dite achevée. On trouve toujours de nouveaux manuscrits. De la *Vie de Louis VI* de Suger, Pithou connaissait un manuscrit en 1596, Du Chesne en connaissait deux en 1641, Lecoy de la Marche cinq en 1867, A. Molinier sept en 1887, et H. Waquet, en 1929, en connaissait huit [2]. Il y avait, à la connaissance de R. Latouche, une trentaine de manuscrits des *Histoires* de Grégoire de Tours [3] ; B. Krusch, en 1951, en inventoriait cinquante. W. M. Green, en 1943, connaissait 24 manuscrits de la *Chronique* de Hugues de Saint-Victor ; R. Goy, en 1976, en connaissait 34 [4] ; encore savons-nous déjà qu'un manuscrit au moins a échappé à sa vigilance [5]. M. L. W. Laistner donnait, en 1948, une liste de 79 manuscrits de l'*Histoire tripartite* de Cassiodore ; en 1954, une enquête plus approfondie permettait à W. Jacob et R. Hanslik d'en inventorier 138 ; et ces deux auteurs affirmaient, avec, cette fois, peut-être, un peu trop d'optimisme, qu'une enquête systématique pourrait facilement doubler ce nombre [6]. En 1896, A. Potthast faisait état d'à peine plus d'une trentaine de manuscrits du *Speculum historiale* de Vincent de Beauvais ; en 1979, l'enquête de l' « Atelier Vincent de Beauvais » en avait repéré 100 ; et l'enquête continue... Tout nombre donné de manuscrits subsistant est un nombre provisoire.

Encore heureux lorsqu'une première enquête, même superficielle, a du moins permis de donner un premier chiffre. Il est sûr que les *Histoires* de Pierre le Mangeur ou que la *Chronique* de Martin le Polonais ont eu, dans tout l'Occident, un succès considérable. Mais l'importance même de ces succès a jusqu'ici découragé les chercheurs d'en recenser les manuscrits. Nombre d'enquêtes restent ainsi à faire, et un tableau qui pourrait enregistrer tous les résultats acquis par toutes les enquêtes aujourd'hui réalisées pour déterminer combien de manuscrits subsistent de telle ou telle œuvre historique médiévale serait encore fort lacunaire. Or je n'ai même pas cherché à dresser le tableau complet des résultats acquis. C'eût été fort long et fort difficile. Et c'eût été bien inutile à mon propos. Je n'ai pas eu l'ambition d'être exhaustif. Il me suffisait de construire une échelle de nombres quelque peu documentée, qui fournisse des points de repère et permette des comparaisons.

Pour construire cette échelle, j'ai naturellement profité des recherches, souvent admirables, menées plus ou moins récemment. Mais il n'est pas toujours facile, à lire le bilan des enquêtes réalisées, d'avancer un nombre précis. Il va de soi, par exemple, que les manuscrits de la seconde moitié du XVIe siècle, du XVIIe ou du XVIIIe siècle, n'ont aucun intérêt pour l'étude de la culture médiévale. Je les ai, quand j'ai pu, décomptés. Il m'a semblé, au contraire, que les manuscrits des premières années du XVIe siècle méritaient d'être retenus. J'en ai, dans la mesure du possible, tenu compte. Mais c'est ce type de problèmes qui peut expliquer, entre les nombres de mon tableau et ceux des enquêtes sur lesquelles je m'appuie, des variations de quelques unités. Il ne faut donc pas attendre de mes nombres plus de rigueur qu'ils n'en prétendent donner.

Quoi qu'il en soit de ces difficultés, pour bien mesurer le succès d'une œuvre, construire une échelle indiquant le nombre, tel qu'il peut être aujourd'hui à peu près fixé, des manuscrits qui subsistent de quelques œuvres historiques connues ou composées au Moyen Age s'est imposé à moi comme une première et indispensable démarche. Et, si provisoire, si incomplet, si approximatif qu'il soit, voici ce tableau :

Valère-Maxime	*Facta et dicta memorabilia*	419 [7]
Paul Orose	*Historiae adversum paganos*	245 [8]
Justin	*Epitome*	207 [9]
Flavius Josèphe	*Antiquitates judaicae*	200 [10]
Geoffroy de Monmouth	*Historia regum Britanniae*	200 environ [11]
« Turpin »	*Historia Karoli Magni*	170 [12]
Bède	*Historia ecclesiastica...*	164 [13]
Cassiodore	*Historia tripartita*	138 [14]
Ranulph Higden	*Polychronicon*	118 [15]
« Grandes Chroniques de France »		106 [16]
Vincent de Beauvais	*Speculum historiale*	100 [17]
Festus	*Breviarium*	83 [18]
Eginhard	*Vita Karoli*	80 environ [19]
Liber Pontificalis		68 [20]
Les « Faits des Romains »		60 [21]
⁂		
Grégoire de Tours	*Historiae*	50 [22]
Bernard Gui	*Reges Francorum*	50 [23]
Jean Froissart	« Chroniques »	49 [24]
Jean Mansel	La « Fleur des histoires »	49 [25]
Bernard Gui	*Flores chronicorum*	48 [26]
Sigebert de Gembloux	*Chronographia*	43 [27]
Otton de Freising	*Chronica*	38 [28]
Guillaume de Malmesbury	*Gesta regum Anglorum*	35 [29]
Hugues de Saint-Victor	*Chronica* ou *Liber de tribus maximis circumstanciis gestorum*	35 [30]
Hugues de Fleury	*Chronicon*	34 [31]

Réginon de Prüm	*Chronicon*	33 [32]
Fréculphe	*Chronica*	32 [33]
	Chronique universelle saxonne (all.)	32 [34]
Guillaume de Jumièges	*Gesta Normannorum ducum*	31 [35]
Vincent Kadłubek	*Chronica Polonorum*	30 environ [36]
Henri de Huntingdon	*Historia Anglorum*	25 [37]
Flavio Biondo	*Decades*	24 [38]
Léopold Stainreuter	« Oesterreichische Chronik... »	24
Bernard Gui	*Chronica comitum Tolosae*	22 [39]
Gilles le Bouvier	Les « Chroniques du roi Charles VII »	21 [40]
Guillaume de Malmesbury	*Gesta pontificum*	20 [41]
	« Primera Crónica General de España »	20 [42]
	⁂	
Notker le Bègue	*Gesta Karoli Magni*	19 [43]
Mathieu Paris	*Flores historiarum*	19 [44]
Robert de Torigni	*Cronica*	18 [45]
Nicolas Trivet	*Annales regum Angliae*	17 [46]
Ekkehard d'Aura	*Chronicon universale*	16 [47]
Pierre de Langtoft	Chronique (fr.)	16 [48]
Barthélemy de Lucques	*Historia ecclesiastica nova*	16 [49]
Aimoin de Fleury	*Historia Francorum*	14 [50]
Otton de Freising	*Gesta Frederici*	14 [51]
Jean de Beke	*Chronographia*	14
	Genealogia comitum Buloniensium	12 [52]
Robert de Gloucester	« The Metrical Chronicle »	12 [53]
Henri Romain	« Compendium historial »	12 [54]
Liutprand de Crémone	*Antapodosis*	11 [55]
Adémar de Chabannes	*Historia*	10 [56]
	⁂	
Sigebert de Gembloux	*Catalogus*	9
Lambert de Saint-Omer	*Liber floridus*	9 [57]
Suger	*Vita Ludovici regis*	7 [58]
Flodoard	*Annales*	6 [59]
Adam de Brême	*Gesta...*	6 [60]
Robert d'Auxerre	*Chronicon*	6 [61]
	Chronicon Turonense magnum	5 [62]
Widukind de Corvey	*Res gestae Saxonicorum*	4
Lampert de Hersfeld	*Annales*	4 [63]
Mathieu Paris	*Chronica majora*	4 [64]
Jean Cavallini	*Polistoria...*	4 [65]

Michel Pintoin	Chronique latine de Charles VI	4 [66]
Gaspard de Vérone	*De gestis Pauli secundi*	4 [67]
Thietmar de Merse-bourg	*Chronicon*	3 [68]
Orderic Vital	*Historia ecclesiastica*	3 [69]
Gallus Anonymus	*Gesta... ducum Polonorum*	3 [70]
Saxo Grammaticus	*Gesta Danorum*	3 [71]
Annales	*Genuenses*	3 [72]

⁂

Les œuvres historiques dont il ne reste que deux ou un seul manuscrit, ou dont, même, aucun manuscrit médiéval ne subsiste, sont innombrables. J'ai simplement, ici, retenu quelques rares exemples.

Heimo de Bamberg	*Chronographia*	2 [73]
Hélinand de Froidmont	*Chronicon*	2 [74]
John Capgrave	« Abbreviacion of Cronicles » (= Chronique d'Angleterre)	2 [75]
Richer	*Historiae*	1 [76]
Helgaud de Fleury	*Epitoma vitae regis Rotberti pii*	1 [77]
Jean de Salisbury	*Historia pontificalis*	1 [78]
« Histoire de Guillaume	le Maréchal »	1 [79]
Jean de Joinville	Histoire de saint Louis	1 [80]
Annales	*Lubicenses*	1 [81]
Thomas Gray	*Scalacronica* (fr.)	1 [82]
Jean Chartier	Chronique latine	1 [83]
Chronicon	*Namnetense*	aucun [84]
Guillaume de Poitiers	*Gesta Guillelmi*	aucun [85]
Etienne Maleu	*Chronicon Comodoliaci*	aucun [86]

L'examen du tableau ainsi dressé appelle quelques observations préliminaires. Il va de soi que, pour qui a l'ambition de suivre le succès des œuvres jusqu'aux premières années du XVIe siècle, la mention des éditions incunables et des éditions immédiatement postérieures à 1500 doit s'ajouter au nombre des manuscrits subsistant.

Ce tableau des nombres de manuscrits subsistant n'a évidemment de sens que dans la mesure où il compare des données à peu près comparables et n'a retenu que des œuvres historiques. Des livres de grammaire utilisés dans les écoles, des livres liturgiques utilisés dans les églises, tous les livres qui ont été à la base de la formation religieuse des clercs d'Occident subsistent assurément par centaines. Il ne servirait à rien de comparer la diffusion de nos livres d'histoire à celle de ces *best-sellers.* Il faut construire, pour chaque type d'œuvre, un tableau propre. Je n'entends comparer que les succès d'œuvres historiques.

On pourrait alors penser qu'il est de mauvaise méthode de confondre en un seul tableau des œuvres historiques de dates fort différentes et que les cinquante manuscrits subsistant des *Histoires* de Grégoire de Tours ne peuvent se comparer aux quarante-neuf manuscrits des *Chroniques* de Froissart puisque, ne serait-ce que cela, les premières ont eu neuf siècles, avant l'imprimerie, pour se reproduire, et les secondes quelques décennies. En fait, le succès des *Histoires* a été plus lent et plus durable, celui des *Chroniques,* venues beaucoup plus tard dans un monde où les manuscrits sont écrits beaucoup plus nombreux, a été plus rapide et plus massif ; les profils des deux succès sont tout différents et il conviendra, le moment venu, en étudiant leur géographie et leur chronologie, de préciser ces profils ; mais pour l'instant, où nous nous en tenons à un point de vue purement quantitatif, ces deux succès ont ceci en commun qu'ils sont tous les deux de grands succès. Si bien que j'avais d'abord regroupé les œuvres en tenant compte de la date de leur composition, mais cela m'a finalement paru, pour une première approche, une complication inutile.

Un tableau des nombres de manuscrits subsistant soulève une autre objection, évidente. Il y a des manuscrits qui subsistent, mais il y en a beaucoup d'autres qui ont disparu. Flavio Biondo dit lui-même en 1463 que plus de cinquante manuscrits de ses *Décades* sont dispersées à travers l'Europe [87]. Le fait est qu'il n'en a été retrouvé, à l'heure actuelle, que vingt-quatre. Or, l'importance des pertes a pu varier d'une œuvre à l'autre. On peut imaginer, par exemple, qu'un ouvrage qui a eu du succès auprès des laïcs, conservé dans les petites bibliothèques plus fragiles des laïcs, aura plus souvent disparu. De même peut-on imaginer que des manuscrits ornés de précieuses miniatures ont été relativement mieux conservés que des manuscrits bon marché. La pensée s'impose donc que notre tableau des manuscrits subsistant n'est qu'un reflet pâle et déformé du tableau des manuscrits produits, qui seul importerait vraiment.

Une enquête, pour être complète, doit donc s'efforcer de retrouver non seulement les manuscrits subsistant mais encore toute trace de manuscrit disparu. Pour ce faire, une première voie est familière aux éditeurs d'un texte : elle consiste à faire l'histoire de celui-ci en partant des manuscrits dont on dispose ; à retrouver les rapports qui lient ces manuscrits entre eux ; à élaborer, comme on dit, le *stemma,* c'est-à-dire l'arbre généalogique, de l'œuvre. La construction d'un *stemma* postule d'ordinaire l'existence de manuscrits perdus, dont le nombre nous permettrait de mieux mesurer le succès réel d'une œuvre. Il subsiste par exemple neuf manuscrits médiévaux de la chronique anglo-normande de Nicolas Trevet, mais le *stemma* de l'œuvre postule trois manuscrits disparus [88]. Il subsiste six manuscrits médiévaux de la chronique de Gautier de Guisborough, mais le *stemma* en implique sept autres. Il subsiste quatre manuscrits de l'histoire de Widukind de Corvey, mais le *stemma* en exige six autres. Si donc chaque œuvre de notre tableau avait eu son *stemma* dressé, notre hiérarchie des succès serait sans doute quelque peu différente. Mais le fait est qu'il n'a pas toujours été construit. Il n'est même pas évident qu'il pourrait toujours l'être. Car s'il est par exemple possible d'en envisager un pour une œuvre de diffusion faible ou limitée, la reconstruction du *stemma* d'une œuvre ayant eu un grand ou très grand succès offre des difficultés dont on comprend bien qu'elles fassent reculer un éditeur. Enfin, il est évident que certains éditeurs cèdent plus que d'autres au vertige du *stemma* et multiplient plus que d'autres les manuscrits disparus. Cette voie se heurte décidément à trop de lacunes et trop d'hypothèses.

Il est plus prudent de s'en tenir à l'inventaire des manuscrits qui ont sûrement existé mais qu'on ne trouve plus aujourd'hui : manuscrits signalés par quelque érudit des temps modernes, mais aujourd'hui introuvables ; manuscrits enregistrés dans les catalogues des bibliothèques d'autrefois, mentionnés au hasard d'un testament, d'un don ou d'un prêt, mais qui ne subsistent apparemment plus. De telles quêtes ne risquent pas de pouvoir être jamais closes, mais il faut les entreprendre. Quelques-unes, exemplaires, ont été poussées fort loin. Or, elles permettent assurément de mieux voir la diffusion géographique d'une œuvre. Mais pour ce qui est de l'importance d'un succès, le nombre des manuscrits disparus peut bien préciser ou nuancer l'impression que donnait le nombre des manuscrits subsistant ; il la confirme presque toujours ; il ne la contredit presque jamais [89]. La recherche des manuscrits disparus est donc nécessaire. Mais nous disposons plus aisément des nombres de manuscrits subsistant. Si la hiérarchie qu'ils permettent d'établir est approximative et relative, elle a le mérite d'exister. Ne renonçons pas à l'utiliser.

Le grand mérite d'un tableau des nombres de manuscrits subsistant de quelques œuvres historiques est de permettre, en offrant des termes de comparaisons, d'éviter les abus de langage et les erreurs de perspectives. Il devrait faire comprendre aux commentateurs que parler, comme ils le font souvent, de « grand » ou d' « immense » succès pour une œuvre dont il ne reste qu'une dizaine de manuscrits est pour le moins abusif. Pour ma part (en espérant que la suite de mon examen viendra confirmer et préciser ces premières impressions), il me semble qu'on ne peut qualifier de « très grand » que le succès d'une œuvre dont il reste soixante manuscrits ou plus ; de « grand », le succès d'une œuvre dont il reste de 59 à 20 manuscrits. Mais pour une œuvre dont il ne subsiste que de 19 à 10 manuscrits, je parlerai d'un succès limité, 9 à 3 manuscrits marquant à mes yeux un faible succès, et deux manuscrits ou moins pas de succès du tout. Bien entendu, je suis conscient qu'il est parfaitement arbitraire et artificiel de prétendre que 20 manuscrits marquent un grand succès, et 19 manuscrits un succès limité. Laissons donc plus de souplesse à nos impressions. Et disons qu'il paraît raisonnable de parler

d'un	succès	très grand	pour	60	manuscrits	ou plus
»	»	grand	»	30	»	environ
»	»	limité	»	15	»	environ
»	»	faible	»	6	»	environ
»	»	nul	»	2	»	ou moins

Ce point de vue quantitatif est nécessaire. Il est évidemment insuffisant. Le nombre de lecteurs qu'un manuscrit a pu avoir est très variable. De nombreux manuscrits sont restés, pendant des siècles, au fond d'un coffre ou d'un placard, couverts de poussière, tout à fait ignorés. D'autres au contraire, bien rangés dans des bibliothèques fréquentées, ont pu avoir des dizaines de lecteurs. Derrière un manuscrit de l'*Histoire scolastique* de Pierre le Mangeur dans la bibliothèque de la Sorbonne, ou derrière une compilation d'histoire de France dans la bibliothèque de Saint-Denis au XIIIe siècle ou plus tard, au XIVe siècle, dans la bibliothèque royale du Louvre, on peut ainsi imaginer de nombreux lecteurs. D'une façon générale, le manuscrit d'une histoire authentique déposé en un lieu public a pu être beaucoup lu et exercer une profonde influence. Les vingt manuscrits de la *Primera Crónica General de España* ont profondément marqué l'historiographie ibérique ; les trois manuscrits des *Annales de Gênes* ont été souvent consultés et ont pesé, sur l'historiographie locale, d'un poids énorme [90]. D'autres manuscrits ont dû leur influence à leurs migrations. Les uns sont passés d'un propriétaire à l'autre. D'autres, sans même changer de propriétaires, sont passés de main en main ; ils ont été prêtés à la ronde, comme ce manuscrit des *Gesta Pontificum* de Guillaume de Malmesbury qui, au cours des XIVe et XVe siècles, a été prêté à l'évêque d'Exeter, au prieur de Pilton, dans le Devon, et à l'abbé de Glastonbury [91]. Pour bien mesurer le succès d'une œuvre, il faudrait pouvoir se représenter le nombre de lecteurs que chacun de ses manuscrits a pu avoir.

Il faudrait aussi pouvoir se représenter le nombre d'auditeurs que chacun a pu marquer. En 1188, Giraud le Cambrien accompagne l'archevêque de Canterbury au pays de Galles ; il en profite pour lui offrir un exemplaire de sa *Topographia Hibernica,* que l'archevêque, nous dit Giraud, se fait lire et relire pendant le voyage [92]. Beau succès, qui flatte l'auteur. Mais il n'est pas nécessaire d'imaginer, derrière ce manuscrit, plus d'un ou deux auditeurs. Orderic Vital écrit son *Histoire ecclésiastique* avec l'ambition qu'elle soit lue au réfectoire de son monastère. Il faut donc voir, derrière le manuscrit autographe, tous les moines qui vivaient alors à Saint-Evroult. Un manuscrit offert à un prince et lu devant sa cour pouvait avoir plus de retentissement encore. Moins cependant qu'une vie de saint conservée dans la bibliothèque d'une église, lue et répétée pendant des décennies, lorsque la liturgie l'exigeait, à la foule des fidèles et des pèlerins. La diffusion orale d'un seul manuscrit a pu être ici énorme, là nulle.

Mais comment imaginer la diffusion orale dont témoigne un quelconque manuscrit ? C'est bien impossible. Heureusement que, pour les œuvres historiques au moins, le support de l'écrit a une telle importance que la diffusion orale atteint vite ses limites. L'*Histoire ecclésiastique* d'Orderic Vital a bien pu être connue, pendant quelques années, dans la première moitié du XIIe siècle, par tous les moines de Saint-Evroult, mais le fait qu'il n'en subsiste, pour tout le Moyen Age, que trois manuscrits dont le manuscrit autographe interdit d'imaginer au total pour cette œuvre autre chose qu'un succès des plus faibles. La diffusion orale est impossible à saisir. La seule chose sûre est que, pour les œuvres historiques au moins, elle ne peut pas aller, sans le manuscrit, bien loin.

Il est un peu plus facile de saisir le nombre de lecteurs qu'un manuscrit a pu avoir. Les ex-libris et les cotes qui y sont parfois écrits nous permettent de suivre leur chemin d'un propriétaire à l'autre. Parfois aussi des notes sur le manuscrit, le hasard d'un acte notarié, une inscription dans un registre de prêts nous donnent des noms d'emprunteurs. Les indices révélateurs ne manquent pas. Soyons cependant sans illusions. La circulation des manuscrits est au fondement même de l'histoire de la culture ; pour la suivre, l'érudition a pu faire des miracles, elle en fera d'autres ; elle ne saisira pourtant jamais qu'une partie de ce grand mouvement.

Elle arrive mieux à mesurer l'intérêt que chacun a pu prendre à sa lecture. Car une lecture attentive a souvent laissé des traces qu'il n'est que de recueillir. Ce sont d'abord, dans les marges, des notes jetées, que les éditeurs modernes négligent trop souvent parce qu'elles ne font pas partie, en effet, du texte qu'ils publient, mais sans l'étude desquelles l'histoire de l'œuvre et de son influence ne saurait être complète. Dans le texte même, s'il a conscience d'être en présence d'une œuvre classique qu'il faut respecter, le lecteur ou le copiste ne changera rien. Mais ceci n'est le cas que de quelques rares histoires, comme, par exemple, l'*Histoire ecclésiastique* de Bède [93]. Le plus souvent, lorsqu'elles intéressent leurs lecteurs, les œuvres historiques, passant de l'un à l'autre, s'enrichissent d'interpolations, d'additions, de continuations. Des extraits en sont tirés. Des emprunts y sont faits qu'on retrouve, longs ou brefs, avoués ou masqués, dans d'autres œuvres. Elles sont adaptées ou abrégées. Elles sont, à partir du XIIIe siècle, l'objet de traductions dont il convient aussi de suivre le destin... et de compter le nombre de manuscrits subsistant. Au Moyen Age, lorsqu'une œuvre se répand, son texte est vivant et mouvant [94]. Il va de soi que pour apprécier le succès d'une œuvre il ne suffit pas d'en compter les manuscrits subsistant. Il faut aussi suivre les enrichissements, les déformations et les avatars de son texte.

Or, on retire de cette quête l'impression réconfortante que, très souvent, les métamorphoses et les prolongements d'un texte sont d'autant plus importants que les manuscrits en subsistent en plus grand nombre. Il reste plus de quatre cents manuscrits de l'œuvre de Valère-Maxime, mais près de deux cent cinquante manuscrits en renferment aussi des extraits, des abrégés, des traductions. Il y a cent manuscrits du *Miroir historial* de Vincent de Beauvais, mais il y a aussi soixante manuscrits qui en offrent des extraits. Le très grand succès de ces deux œuvres est ainsi confirmé. Et très souvent, ainsi, est confirmé la première impression que donne le nombre de manuscrits subsistant.

Mais il est bien vrai que ce n'est pas toujours le cas. Voici par exemple l'*Histoire* de Guillaume de Tyr. Il ne reste du texte latin que neuf manuscrits. Faible succès, apparemment. Mais sa traduction française, l'*Histoire d'Outremer,* subsiste en cinquante-deux manuscrits, à quoi il faut ajouter douze abrégés [95], de nombreuses adaptations et continuations [96]. Voici maintenant l'*Histoire de Louis VI* de Suger. Il ne subsiste du texte latin que sept manuscrits médiévaux. Mais, au XIIIe siècle, Primat le traduisait intégralement dans son *Roman des rois.* Le succès des *Grandes Chroniques de France* faisait plus tard à l'œuvre de Suger un large écho. L'influence d'une œuvre est parfois bien plus large que son succès.

Il ne faut donc pas espérer du nombre de manuscrits subsistant plus qu'il ne peut donner : une première impression, qui demande à être confirmée, précisée, enrichie. Le point de vue quantitatif est nécessaire et important. Il faut commencer par là. Mais il faut aller plus loin. L'histoire du texte, l'examen des manuscrits, l'étude des bibliothèques, d'autres voies encore doivent nous permettre de le corriger parfois, de le confirmer souvent, et en tout cas de le préciser en éclairant où, quand et par qui une œuvre a été reçue.

§ 2. *Le point de vue du lieu*

Observons donc d'abord où l'érudition d'aujourd'hui a pu prouver que l'*Historia tripartita* de Cassiodore était, au Moyen Age, présente (carte n° 1). On peut bien dire qu'elle l'était partout en Occident, de Durham, dans le nord de l'Angleterre, à Vienne, et à Messine[97]. Le *Liber pontificalis,* lui aussi, a été très largement répandu en Occident. Beaucoup moins cependant que l'*Historia tripartita.* Il n'a, semble-t-il, touché ni la péninsule ibérique, ni l'Italie méridionale, ni la région danubienne, ni l'Angleterre. Sa diffusion est en somme restée limitée aux terres qui ont fait partie de l'Empire carolingien (carte n° 2). Il n'empêche que le succès du *Liber pontificalis* comme celui de l'*Historia tripartita* peut être dit très large, couvrant tout l'Occident, ou du moins une grande partie de l'Occident. Il est tout naturel que ces succès géographiquement très larges aient aussi été, quantitativement, de très grands succès. D'une façon générale, tous les succès qui nous apparaissent très grands nous apparaissent aussi très larges.

Il y a des exceptions cependant. Les *Grandes Chroniques de France* ont eu un très grand succès. A quelques exceptions près, elles n'ont pourtant été lues que dans la moitié septentrionale du royaume, au nord de la Loire. Quelques manuscrits seulement se retrouvent en Poitou, en Hainaut, en Brabant et à Londres. La diffusion de cette histoire nationale écrite en langue vernaculaire ne pouvait être que géographiquement limitée, mais le nombre des manuscrits qui en subsistent prouve combien intense elle a été. Inversement, il ne subsiste que trente-cinq manuscrits de la chronique d'Hugues de Saint-Victor, mais, à une ou deux nuances près, sa diffusion a couvert la même zone que celle du *Liber pontificalis.* Elle a, simplement, été moins dense (carte n° 3).

Mais ce type de diffusion très étalée n'est pas le cas ordinaire parmi les œuvres dont il subsiste une trentaine de manuscrits environ. La chronique d'Otton de Freising a connu un succès quantitativement comparable à celui de la chronique d'Hugues de Saint-Victor. C'est, géographiquement, un succès tout différent puisque l'œuvre d'Otton n'est guère sortie de l'espace danubien et n'a guère été connue qu'en terres bavaroises et autrichiennes (carte n° 4). La diffusion de la chronique d'Otton de Freising est restée limitée à une aire cultu-

Carte n° 1. Présence de l'*Historia Tripartita*

• Origine médiévale d'un manuscrit subsistant selon Jacob et Hanslik (457).
+ Mention dans une bibliothèque médiévale selon Laistner (458).

Carte n° 2. Présence du *Liber Pontificalis*

• Aux XIe et XIIe siècles.
+ Aux VIIIe et IXe siècles.
Selon Duchesne (802) ; Buchner (805) ; et Riché (237).

Carte n° 3. Présence de la *Chronica* d'Hugues de Saint-Victor

+ Présence attestée avant 1160.
× Présence attestée au XIIe siècle.
• Présence attestée après 1200.
Selon Goy (578), 36-42, 498 ; et Paris, Bibl. nat., nouv. acq. lat. 583.

Carte n° 4. Présence de la *Chronica* d'Otton de Freising

+ Présence attestée au XIIe siècle.
• Présence attestée après le XIIe siècle.
Selon Otton de Freising, *Chronica...*, G. H. Pertz éd., Hanovre, 1867, p. xxx-xlviii.

Carte n° 5. Présence de la *Chronica* de Robert de Torigni

+ Présence attestée au XIIe siècle.
• Présence attestée après 1200.
Selon Robert de Torigni (716).

Carte n° 6. Présence des *Flores Historiarum* de Mathieu Paris

Selon *Flores Historiarum* (657), t. I, p. xii-xxxiii, et Gransden (658).

Carte n° 7. Présence des *Annales* de Flodoard

Selon Flodoard (486), Jacobsen (489), 84-85 et Halphen (814), 56, 85.

Carte n° 8. Présence du *Chronicon Turonense Magnum*

Selon Salmon (826), xvi-xxxviii, et Delisle (784).

Carte n° 9. Réforme monastique et diffusion de la culture historique

Migration

+ ══════ + ────── + des annales de Fulda

× ── ── ── × des *Annales* de Flodoard

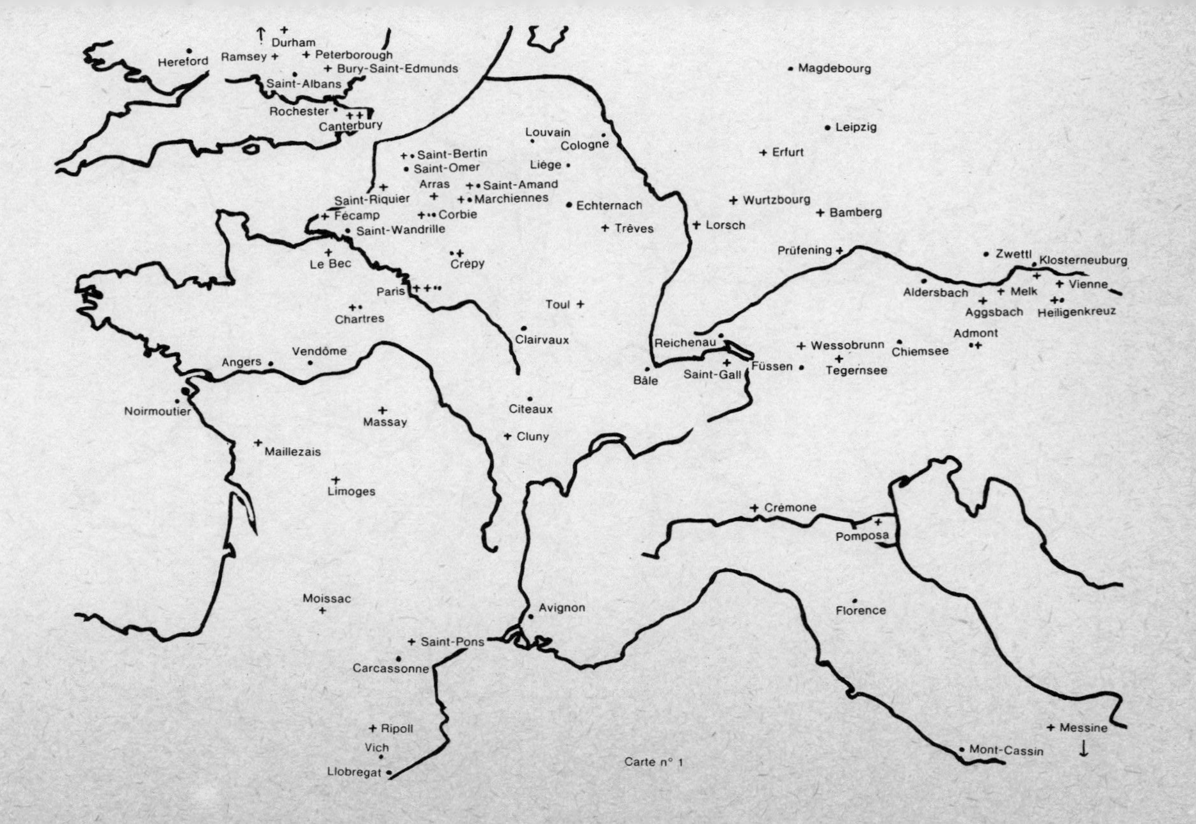
Durham
Hereford
Ramsey
Peterborough
Bury-Saint-Edmunds
Saint-Albans
Rochester
Canterbury
Magdebourg
Leipzig
Erfurt
Louvain
Cologne
Saint-Bertin
Saint-Omer
Liège
Arras
Saint-Amand
Saint-Riquier
Marchiennes
Echternach
Wurtzbourg
Bamberg
Fécamp
Corbie
Saint-Wandrille
Trêves
Lorsch
Prüfening
Zwettl
Klosterneuburg
Le Bec
Crépy
Paris
Melk
Vienne
Aldersbach
Aggsbach
Heiligenkreuz
Toul
Chartres
Clairvaux
Admont
Reichenau
Wessobrunn
Chiemsee
Angers
Vendôme
Füssen
Tegernsee
Bâle
Saint-Gall
Noirmoutier
Citeaux
Massay
Cluny
Maillezais
Limoges
Crémone
Pomposa
Moissac
Avignon
Florence
Saint-Pons
Carcassonne
Ripoll
Vich
Llobregat
Messine
Mont-Cassin

Carte n° 1

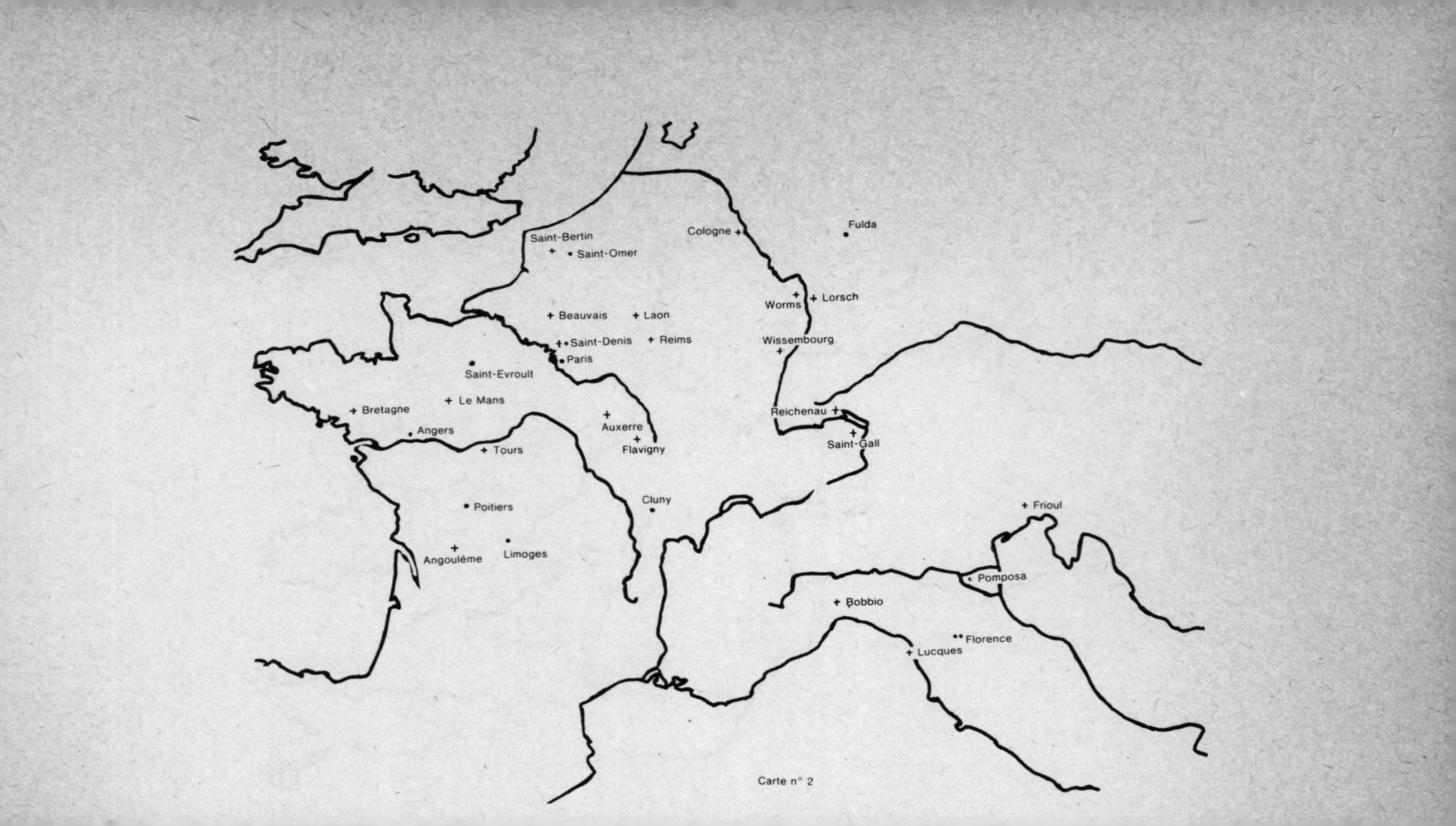
Saint-Bertin
Saint-Omer
Cologne
Fulda
Worms
Lorsch
Beauvais
Laon
Saint-Denis
Reims
Wissembourg
Paris
Saint-Evroult
Bretagne
Le Mans
Reichenau
Angers
Auxerre
Saint-Gall
Tours
Flavigny
Cluny
Poitiers
Frioul
Angoulême
Limoges
Pomposa
Bobbio
Florence
Lucques

Carte n° 2

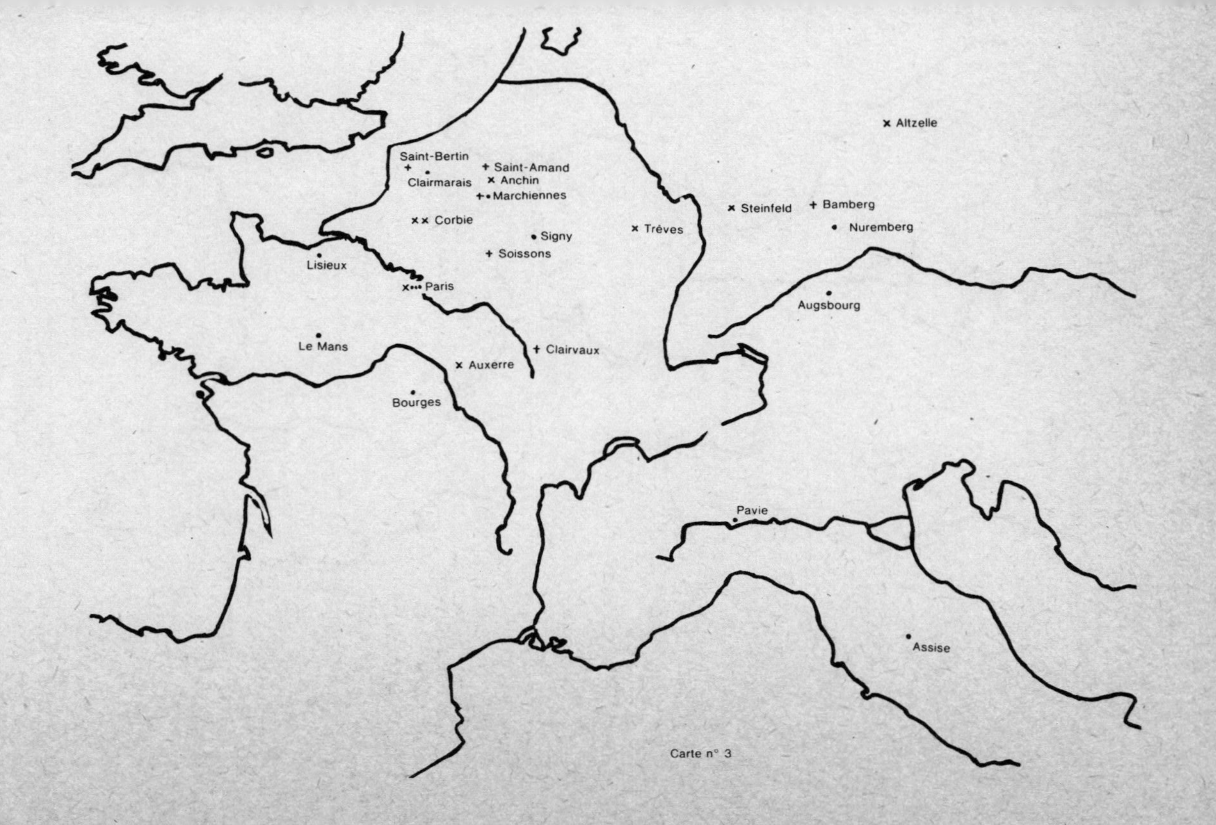
Altzelle
Saint-Bertin
Clairmarais
Saint-Amand
Anchin
Marchiennes
Corbie
Steinfeld
Bamberg
Nuremberg
Signy
Trèves
Soissons
Lisieux
Paris
Augsbourg
Le Mans
Clairvaux
Auxerre
Bourges
Pavie
Assise

Carte n° 3

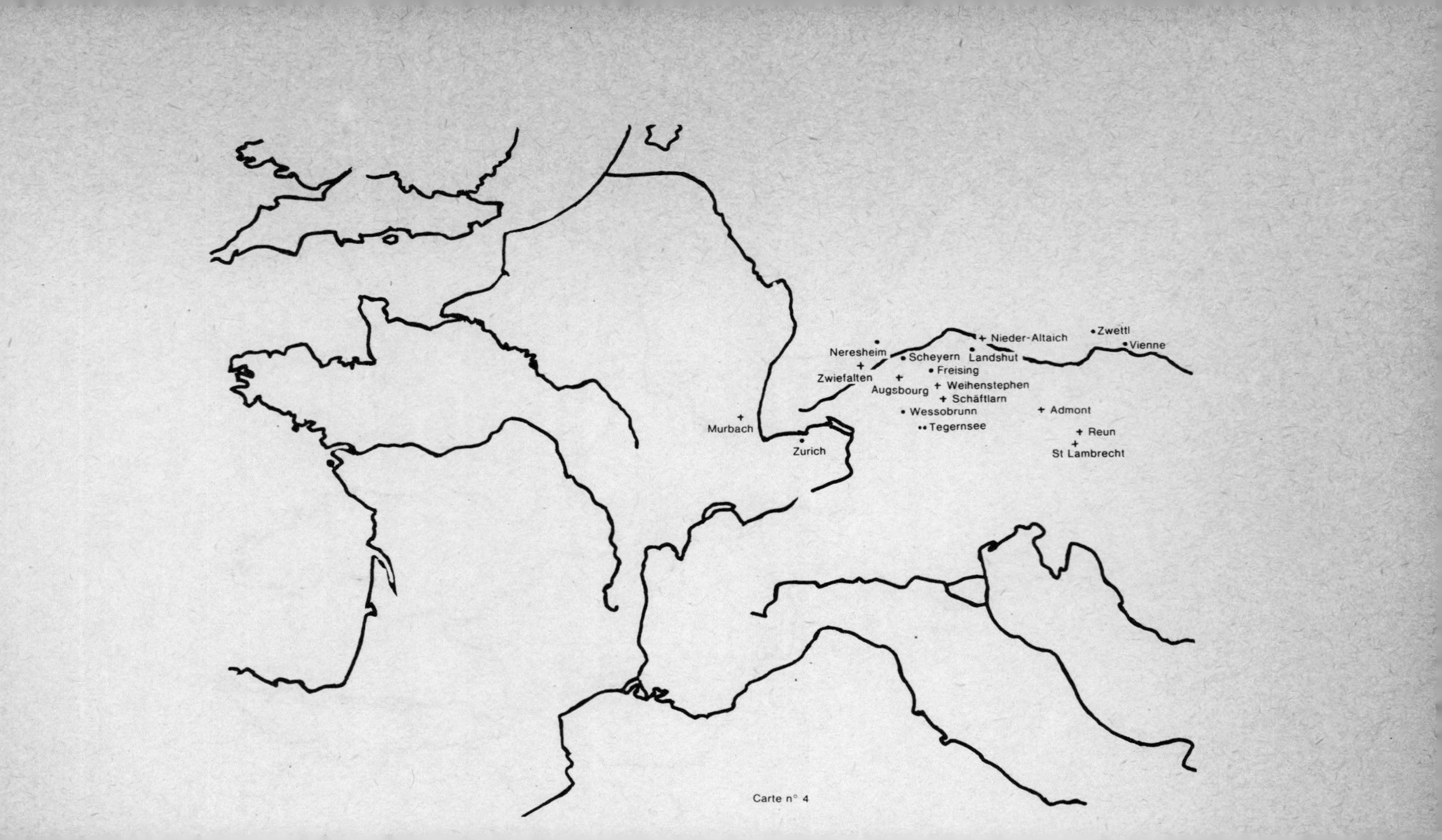
Neresheim
Zwiefalten
Scheyern
Landshut
Nieder-Altaich
Zwettl
Vienne
Freising
Augsbourg
Weihenstephen
Schäftlarn
Wessobrunn
Tegernsee
Admont
Reun
St Lambrecht
Murbach
Zurich

Carte n° 4

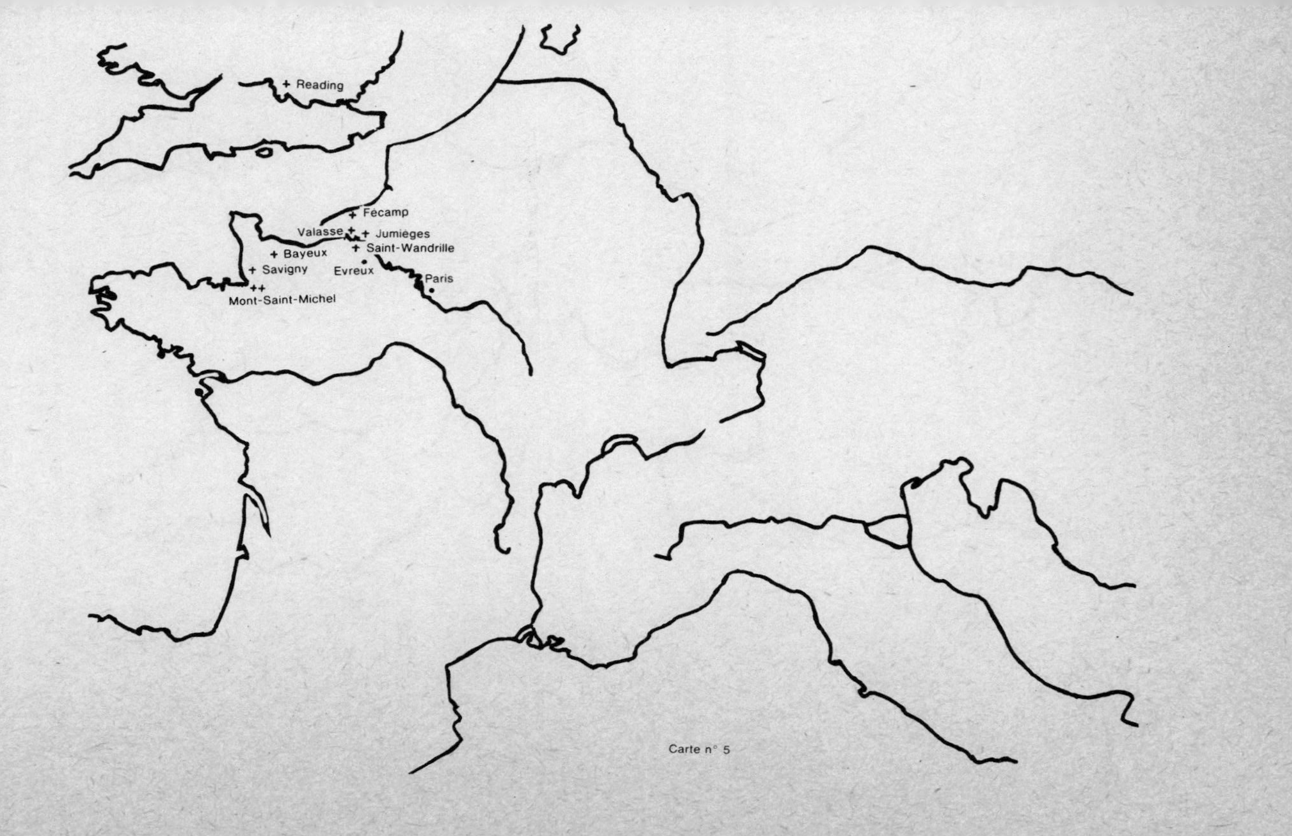
Reading
Fécamp
Valasse
Jumièges
Saint-Wandrille
Bayeux
Savigny
Evreux
Paris
Mont-Saint-Michel
Carte n° 5

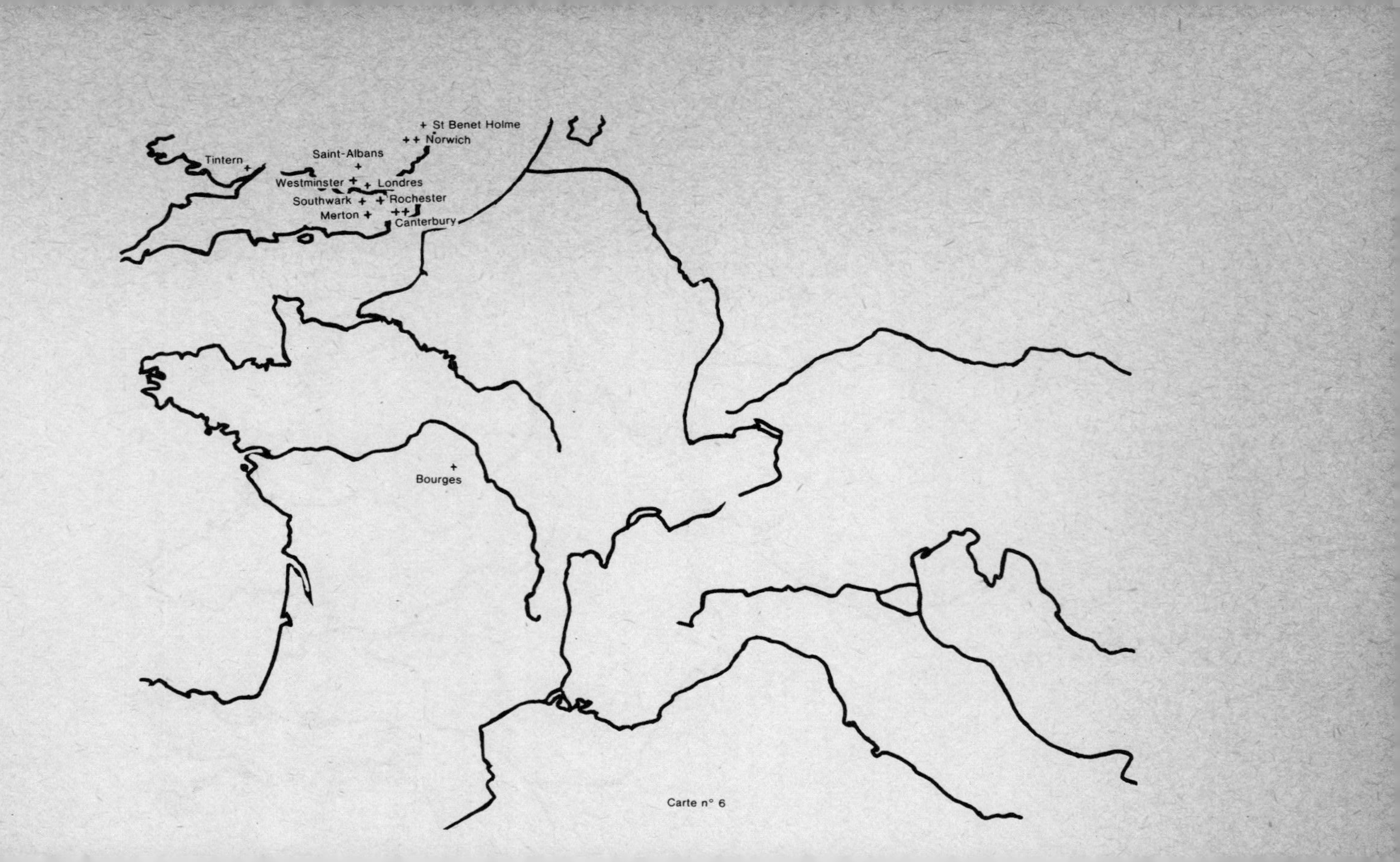
St Benet Holme
Norwich
Tintern
Saint-Albans
Westminster
Londres
Southwark
Rochester
Merton
Canterbury
Bourges

Carte n° 6

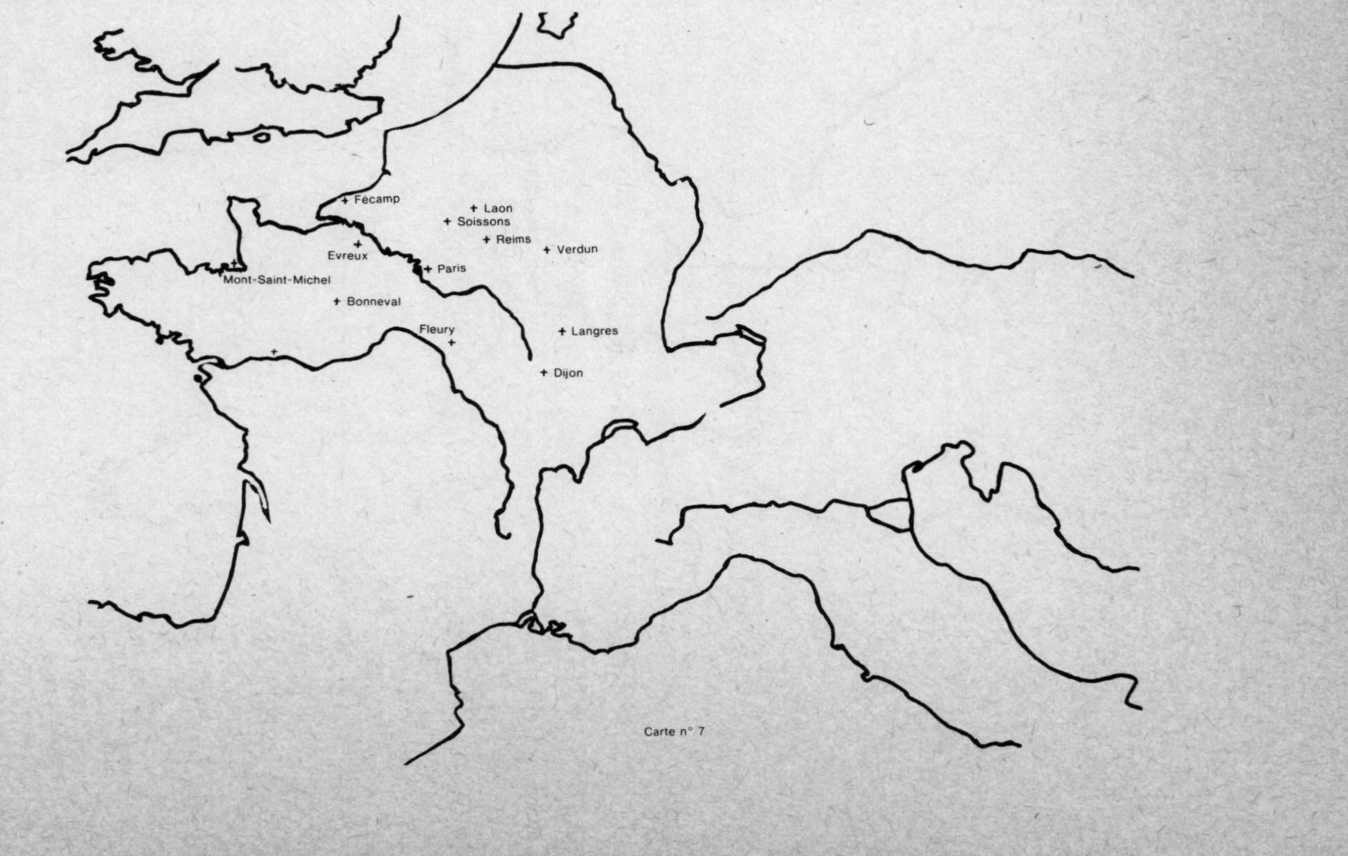
Fécamp
Laon
Soissons
Reims
Verdun
Evreux
Paris
Mont-Saint-Michel
Bonneval
Fleury
Langres
Dijon

Carte n° 7

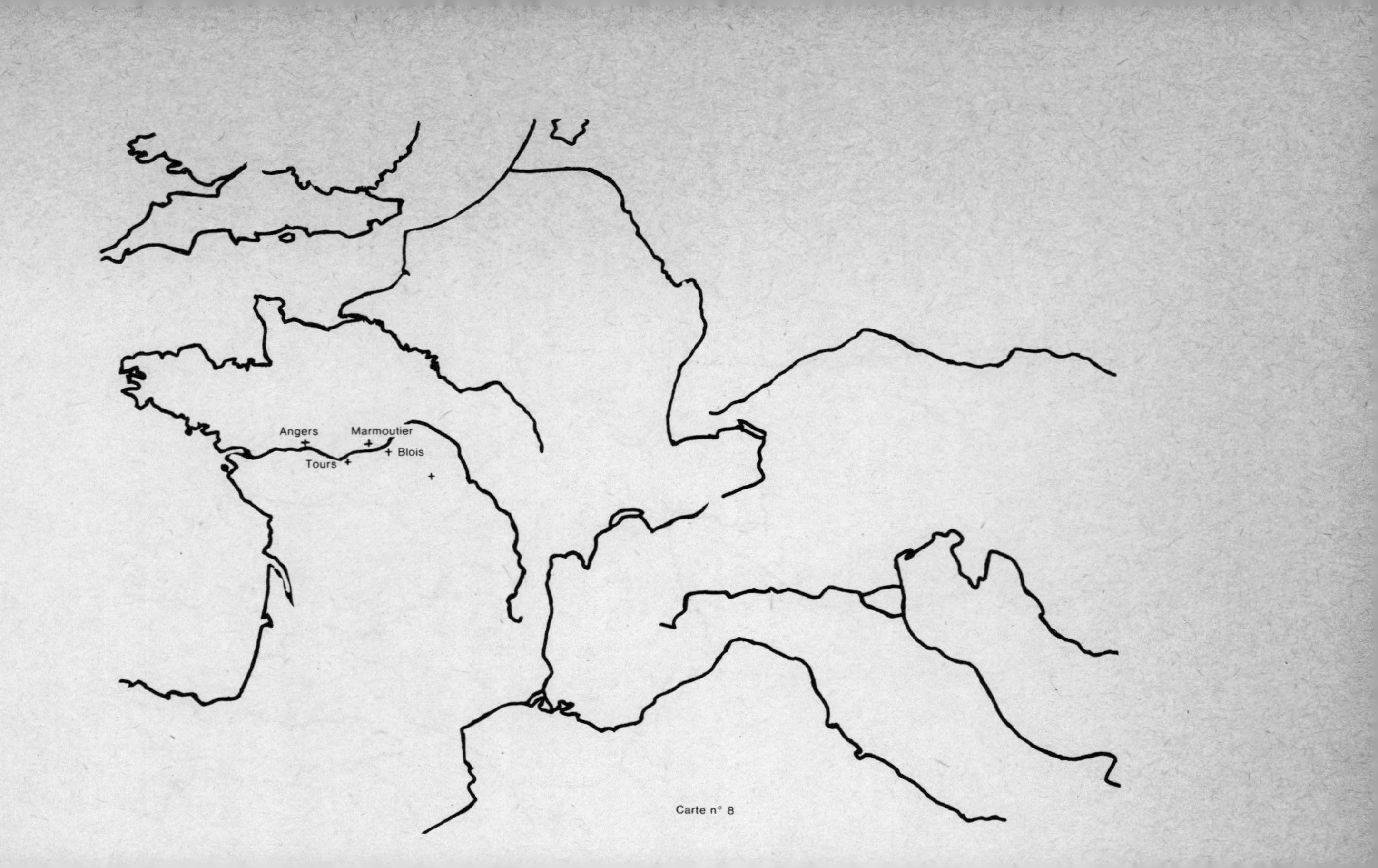

Carte n° 8

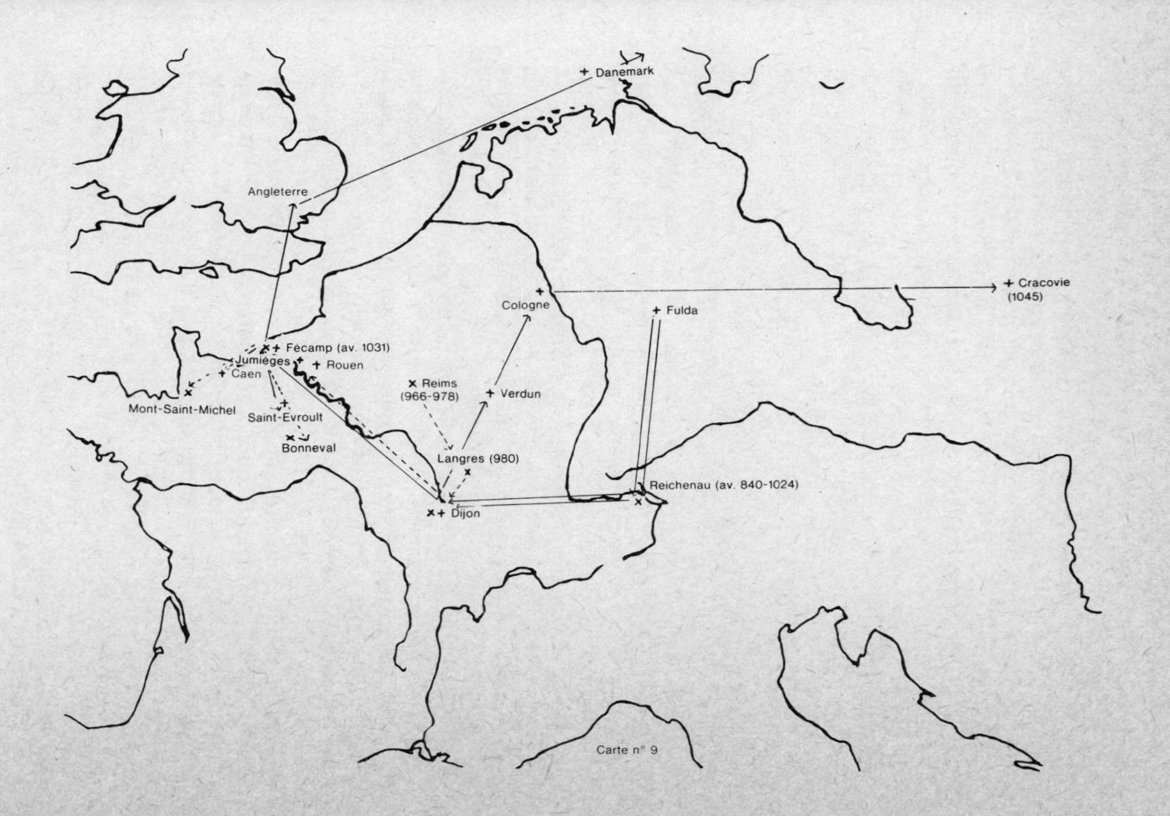
+ Danemark
Angleterre
+ Cracovie
(1045)
+ Cologne
+ Fulda
× + Fécamp (av. 1031)
Jumièges
+ Rouen
+ Caen
× Mont-Saint-Michel
+ Saint-Evroult
× Bonneval
× Reims
(966-978)
+ Verdun
Langres (980)
× + Dijon
Reichenau (av. 840-1024)

Carte n° 9

relle précise. De la même façon, de nombreux succès parmi ceux qu'on peut quantitativement qualifier de grands sont restés limités à une aire politique précise. La *Primera Crónica General de España,* écrite en castillan, n'a pas franchi les Pyrénées. L'*Histoire des rois d'Angleterre* de Guillaume de Malmesbury et la *Chronique des Polonais* de Vincent Kadłubek, écrites en latin, auraient pu être lues ailleurs ; mais leur sujet a fait que l'œuvre de Guillaume n'est pas sortie d'Angleterre ni celle de Vincent de Pologne. En somme, toutes ces œuvres et beaucoup d'autres dont le succès a été quantitativement grand ont joui d'une diffusion qu'on peut encore appeler large mais qui n'est plus, tant s'en faut, à l'échelle de l'Occident. Elle a couvert, sans pouvoir la dépasser, une aire culturelle ou politique précise. Elle a été, le plus souvent, à l'échelle d'un État d'Occident.

Avec ses dix-huit manuscrits subsistant, la chronique de Robert de Torigni a eu un succès trop limité pour même se heurter à des frontières politiques. En couvrant partie de la Normandie, en touchant Paris et, en un point au moins, l'Angleterre, l'œuvre de l'abbé du Mont-Saint-Michel n'a connu qu'une diffusion géographiquement modeste, que l'on pourrait dire régionale (carte n° 5). De même pourrait-on dire régional le succès des *Fleurs des histoires* de Mathieu Paris, limité au quart sud-est de l'Angleterre (carte n° 6). Et ainsi, le plus souvent, les œuvres dont il ne subsiste qu'une quinzaine de manuscrits ont eu un succès aussi limité géographiquement que quantitativement.

Il ne subsiste, des *Annales* de Flodoard, que six manuscrits. C'est, quantitativement, un faible succès. Et pourtant, chacun de ces six manuscrits et les quelques autres manuscrits qu'il faut bien imaginer disparus ont tellement voyagé que l'œuvre du chanoine de Reims a été connue de Verdun à Dijon et de Fécamp au Mont-Saint-Michel (carte n° 7). Un tel type de succès, quantitativement faible mais géographiquement large et claisemé, existe ; il reste exceptionnel. Le plus souvent, un faible succès laisse prévoir un succès local. La *Grande Chronique de Tours* est restée dans la vallée de la Loire, n'a pas dépassé Angers et Blois (carte n° 8). Le *Liber floridus* de Lambert de Saint-Omer n'a jamais été connu qu'à Gand et à Lille. La chronique de Michel Pintoin n'a pas quitté Saint-Denis. L'histoire de Gaspard de Vérone n'est pas sortie de Rome. Les annales de Gênes sont restées à Gênes. De telles œuvres ont pu avoir localement un grand poids. Mais leur influence est restée locale.

Il n'est pas possible de prévoir mécaniquement, à partir du nombre de manuscrits qui subsistent d'une œuvre, l'importance de l'espace où cette œuvre a été connue. Il y a eu des diffusions denses, d'autres plus clairsemées. D'une façon générale cependant, les points de vue quantitatif et géographique ont l'un avec l'autre un rapport assez constant. A un très grand succès correspond une très large diffusion, à l'échelle de l'Occident. A un grand succès correspond une large diffusion, à l'échelle d'un Etat d'Occident. De même qu'à un succès limité une diffusion régionale, et à un faible succès une diffusion locale.

§ 3. *Le point de vue du temps*

Si nous considérons maintenant la date à laquelle ont paru les œuvres qui ont eu, au Moyen Age, un très grand succès, nous constatons que ce sont dans leur majorité des œuvres de l'Antiquité païenne ou des premiers siècles chrétiens. La chose n'a rien de surprenant. Ces œuvres ont eu des siècles pour se multiplier. Mais cette observation fait mieux ressortir combien immense a été le succès d'œuvres qui subsistent en un nombre de manuscrits comparable et qui n'ont pourtant été écrites qu'au XIIe siècle comme l'*Histoire des rois de Bretagne* de Geoffroy de Monmouth et l'*Histoire de Charlemagne* du Pseudo-Turpin, au XIIIe siècle comme le *Miroir historial* de Vincent de Beauvais, voire même au XIVe siècle comme la *Polychronique* de Ranulf Higden. Assurément, ces quatre œuvres-là, si différentes qu'elles soient, ont profondément marqué la culture historique des derniers siècles de l'Occident médiéval.

	Flavius Josèphe *Antiquitates judaicae*	Orose *Historiae*	Cassiodore *Historia tripartita*
VIe s.	1	1	
VIIe s.		2	
VIIIe s.	1	9	
IXe s.	8	18	2
Xe s.	9	13	26
XIe s.	16	26	18
XIIe s.	67	47	31
XIIIe s.	27	28	15
XIVe s.	13	28	8
XVe s.	28	64	33
Total des manuscrits suffisamment datés	170	236	133

Mais considérons maintenant de plus près en quels temps ont été copiées les œuvres de l'Antiquité païenne et des premiers siècles chrétiens qui ont eu un très grand succès. Prenons d'abord trois d'entre elles, les *Antiquités juives* de Flavius Josèphe, les *Histoires* d'Orose et l'*Histoire tripartite* de Cassiodore, et voyons, dans la mesure du possible, combien, pour chacune, il nous reste de manuscrits copiés en chaque siècle. Sans doute, pour chaque œuvre, ce tableau fait-il ressortir des hauts et des bas. Il ne nous surprendra pas que le XIIe siècle apparaisse généralement comme un temps fort, et le XIVe comme un temps faible. Mais, ces variations une fois marquées, l'impression d'ensemble qui se dégage est celle d'un intérêt continu. Massivement, largement et constamment répandues, ces œuvres ont fait partie pendant des siècles et font encore partie en 1500 du fonds commun de la culture historique occidentale.

Naturellement, d'autres œuvres historiques ont pu avoir un moindre succès que celles-là et jouir pourtant, à leur niveau, d'une faveur constante. La *Primera Crónica General de España,* composée vers la fin du XIIIe siècle, n'a pas été répandue en dehors de la péninsule ibérique, mais les vingt manuscrits qui en subsistent témoignent qu'elle y eut un grand succès, et la date de ces manuscrits (un du XIIIe siècle, sept du XIVe, onze du XVe) marque bien que ce succès y fut constant. Il ne subsiste que trois manuscrits de l'œuvre que Gallus Anonymus a écrite au XIIe siècle, mais leur date témoigne que, si les *Gesta ducum Polonorum* n'ont jamais éveillé qu'un faible intérêt, cet intérêt, du moins, n'a jamais faibli puisque le premier manuscrit subsistant a été copié vers 1340 au monastère cistercien de Koprzywnica en Petite Pologne, le second entre 1434 et 1438, et le troisième en 1475 pour un amateur de Poznan.

En général cependant, un moins grand nombre de manuscrits trahit un succès moins durable. Pendant des siècles, jusqu'à la fin du XIIIe siècle, l'intérêt porté aux *Histoires* de Grégoire de Tours n'a guère faibli puisqu'

au VIIe siècle	en furent copiés	3 manuscrits
VIIIe		5
IXe		13
Xe		7
XIe		8
XIIe		3
XIIIe		8

Mais un seul manuscrit est copié au XIVe siècle, et deux au XVe : les *Histoires* n'intéressent plus. Le *Liber pontificalis,* très souvent copié au IXe siècle, l'était encore très souvent dans la première moitié du XIIe. Puis plus rien, pour ainsi dire. L'*Antapodosis* de Liutprand de Crémone était copié en plusieurs exemplaires au Xe, au XIe, au XIIe et au XIIIe siècles. Puis plus rien. La chronique d'Hugues de Saint-Victor connaissait un rapide succès au XIIe siècle (19 manuscrits) ; mais elle maintenait difficilement son audience au XIIIe siècle (12 manuscrits) et sombrait, après, dans l'oubli (deux manuscrits au XIVe siècle, un au XVe). Il y a donc toute une série d'œuvres qui ont plus ou moins marqué la culture historique de l'Occident pendant un long temps, mais qui n'on pu maintenir leur audience dans les deux ou trois derniers siècles du Moyen Age.

D'autres œuvres ont joui d'une vie encore plus éphémère. Des *Gesta Dei per Francos* que Guibert de Nogent a écrit au début du XIIe siècle, il ne reste que cinq manuscrits, et le dernier était copié guère après 1200 [98]. Des *Flores historiarum* que Mathieu Paris avait achevées avant de mourir vers 1259, il reste dix-neuf manuscrits, mais presque tous ont été copiés dans le quart sud-est de l'Angleterre et presque tous l'étaient déjà au milieu du XIVe siècle. De la chronique anglo-normande que Nicolas Trevet a écrite en 1333-1334, il reste neuf manuscrits, et le dernier a été écrit guère après 1400 [99]. Ainsi, un succès médiocre, une diffusion limitée et une vie brève vont-ils souvent de pair.

Mais voici maintenant les *Gesta Karoli Magni* de Notker le Bègue. Ils ont été écrits à la fin du IXe siècle. Ils sont cependant restés inconnus jusqu'à ce que, au XIIe siècle, on les fît entrer, avec la *Vita Karoli* d'Eginhard, dans un corpus carolingien. Après quoi ils suscitèrent, comme le prouve la date des dix-neuf manuscrits qui en subsistent, un intérêt limité mais constant. Et voici les *Gesta Frederici* d'Otton de Freising. Cinq manuscrits en ont été copiés au XIIe siècle. Mais ce modeste succès fut éphémère puisqu'aucun manuscrit n'en subsiste du XIIIe ou du XIVe siècle. C'est le XVe siècle qui redécouvrit les *Gesta* et leur fit un nouveau succès, comme le prouvent les neuf manuscrits qui en furent alors copiés et qui subsistent. Comme les *Gesta Frederici,* d'autres œuvres médiévales, celles de Lampert de Hersfeld ou celle d'Orderic Vital par exemple, furent ainsi redécouvertes au XVe siècle. Et parmi les œuvres de l'Antiquité dont il subsiste plus de soixante manuscrits, il faut bien distinguer de celles qui ont eu tout au long du Moyen Age un constant succès celles qui, à peine copiées pendant des siècles, ont enfin trouvé leur public aux XIVe et XVe siècles. De l'*Epitome* de Justin il nous reste 207 manuscrits, mais 164 d'entre eux ont été écrits en Italie au XVe et au début du XVIe siècle. Le tableau des dates auxquelles ont été copiés les manuscrits du *Bréviaire* de Festus et ceux des *Faits et dits mémorables* de Valère-Maxime est également très révélateur :

	Festus *Breviarium*	Valère-Maxime *Facta et dicta memorabilia*
VIIᵉ siècle	1	
VIIIᵉ		
IXᵉ	3	2
Xᵉ	1	
XIᵉ	1	1
XIIᵉ	3	6
XIIIᵉ	2	14
XIVᵉ	6	113
XVᵉ	66	283
soit au total	83	419

Le nombre des manuscrits de Valère-Maxime est bien supérieur à celui des manuscrits d'Orose. Mais si l'on considère les dates de ces manuscrits, la conclusion s'impose qu'Orose a marqué la culture historique de l'Occident pendant tout le Moyen Age, tandis que Valère-Maxime n'y fut l'objet que d'un tardif engouement.

Ainsi l'étude de la diffusion de quelques œuvres historiques au Moyen Age, abordée successivement sous l'angle quantitatif, géographique et chronologique, a permis de dessiner différents profils de succès. On pressent que l'addition de ces destins individuels va permettre de dessiner les grands traits de la culture historique de l'Occident médiéval, d'en préciser les nuances d'un pays à l'autre, et les variations d'un temps à l'autre. Mais il faut d'abord tenter de dire le pourquoi de ces succès, en élucider les raisons, en éclairer les voies.

II. Les raisons du succès

§ 1. *Le fond*

L'ambition des clercs, au Moyen Age, a souvent été de connaître l'histoire du monde entier de sa création au jour présent. Aussi a-t-il bien accueilli nombre d'histoires comme celles d'Orose, d'Isidore de Séville, d'Hugues de Saint-Victor ou de Ranulf Higden qui, si différentes qu'elles fussent, avaient pourtant en commun d'être des histoires universelles. Mais tous les auteurs ne se sont pas astreints à redire l'histoire du monde depuis sa création. Certains se contentèrent de reprendre le récit là où un prédécesseur prestigieux l'avait laissé. A la fin du IVe siècle, saint Jérôme avait traduit la chronique d'Eusèbe de Césarée et l'avait continuée jusqu'à la mort de Valens (378). Au début du XIIe siècle, Sigebert de Gembloux menait sa chronique de cette date à 1111. La mort l'interrompait alors, mais son œuvre était continuée, à Gembloux même, jusqu'en 1148. En 1164, Jean de Salisbury annonçait d'entrée de jeu que sa seule ambition était de donner un complément et une suite à ce corpus en écrivant le récit que nous appelons *Historia pontificalis* [100]. Hélas, alors que la chronique de Sigebert connut une large diffusion, la continuation de Jean n'eut aucun succès. Il n'en reste qu'un seul manuscrit [101]. En général pourtant, une œuvre historique avait meilleure chance d'être mieux accueillie lorsqu'elle se présentait comme l'indispensable maillon d'une chaîne ininterrompue.

De plus en plus cependant, le goût des clercs et des laïcs les poussa à privilégier certains moments de l'histoire du monde. Il était normal que l'histoire du peuple élu, telle que la racontaient la Bible, Flavius Josèphe, ou Pierre le Mangeur, retînt particulièrement l'attention de chrétiens. Mais, tout au long du Moyen Age, clercs et laïcs marquèrent aussi un intérêt passionné à une histoire qui n'avait pourtant aucune justification religieuse, celle de Troie et de sa chute. Dans les premiers siècles de notre ère avaient paru les traductions latines de deux œuvres grecques qui traitaient de la guerre de Troie : l'une, attribuée à Dictys le Crétois, donnait sur les événements le point de vue grec ; l'autre, attribuée à Darès le Phrygien, donnait des mêmes événements le point de vue troyen. Nous savons, nous, depuis le XVIIIe siècle, que ces deux récits sont des œuvres d'imagination, mais personne ne douta, au Moyen Age, qu'ils fussent les dépositions véridiques de témoins oculaires. Et ces témoignages inspirèrent d'innombrables œuvres latines très tôt largement diffusées. Dès le XIe siècle étaient lues dans les écoles des poèmes sur l'histoire de Troie [102]. Tandis que ces poèmes latins se multipliaient, la matière troyenne devint, au milieu du XIIe siècle, dans les cours laïques, l'objet d'une demande furieuse que de nombreux « romans » en vers tentèrent de satisfaire. Parmi eux les quelques 30 000 octosyllabes du *Roman de Troie* où Benoît de Sainte-Maure suivait d'abord ce qu'avaient dit « Daires e Ditis [103] », mais y ajoutait aussi beaucoup. La vogue de la matière troyenne persista longtemps. Entre 1223 et 1230, un jongleur protégé par le puissant seigneur qu'était, dans le nord de la France, Roger, châtelain de Lille, composant à la demande de son patron une histoire universelle qui serait une introduction à l'histoire de

Flandre, arrivé à l'histoire de Troie, dut l'abréger « car ensi le me proie mes sire, por ce qe l'estorie est tant oïe [104] ».

Portés par cette ferveur, les plus austères historiens accordaient à l'histoire de Troie une attention particulière. La fondation de Troie, et plus encore sa chute, étaient dans leurs chronologies des articulations majeures [105]. Troie était, comme Jérusalem, une de ces villes qu'une carte se devait de situer. Et lorsque, très lentement, l'histoire se fit peu à peu plus exigeante, les historiens, toujours fascinés par Troie mais de plus en plus réticents devant la littérature qui s'y consacrait, revinrent aux sources, à Dictys et à Darès. En 1262, Jean de Flixicourt, « pour che que li roumans de Troies rimés contient molt de coses que on ne treuve mie ens u latin », entreprit de translater « sans rime l'estoire des Troiens et du Troies de latin en roumans mot a mot ensi comme » il le trouvait « en un des livres du livraire Monseigneur Saint Pierre de Corbie », et assurait son lecteur qu'il « porroit bien savoir par chestui le verité de l'estoire [106] ». Et pendant des siècles, jusqu'au XVIe siècle encore, l'histoire de Troie resta en faveur, inspirant à la fois toute une littérature que les esprits sérieux savaient douteuse, et des œuvres érudites qu'ils croyaient authentiques, c'est-à-dire dignes de foi [107].

Sans doute certains cherchaient-ils, dans l'histoire de Troie et de sa chute, quelques utiles exemples. D'autres, plus nombreux, se délectaient au récit d'exploits guerriers. Mais, après tout, ces exploits et ces exemples, ils les trouvaient aussi ailleurs. L'attrait propre de Troie venait d'une part de ce que beaucoup croyaient descendre de ces guerriers troyens, et d'autre part, et peut-être surtout, du fait que, comme l'histoire sainte, comme l'histoire d'Alexandre [108] et d'autres encore, la matière troyenne profitait de cette fascination que, tout au long du Moyen Age, l'Orient a exercé sur les esprits occidentaux. Les croisades ont profité de cette fascination, et en même temps l'ont nourrie. Au lendemain de la première croisade, les œuvres de Flavius Josèphe étaient copiées plus nombreuses. Au lendemain de la seconde, la matière troyenne s'imposait dans les cours laïques. Et, par la suite, chaque fois que l'idée de la croisade enfiévra l'Occident, les œuvres se multiplièrent qui lui faisaient connaître l'Orient, ou l'en faisaient rêver. Dans cette ambiance, l'histoire de Troie n'avait qu'une seule concurrente, mais elle était de taille : c'était l'histoire de la croisade elle-même. Car dès le début du XIIe siècle proliférèrent les œuvres qui racontaient la geste occidentale, et leur diffusion fut exceptionnellement rapide et large. L'histoire de Troie et l'histoire des croisades avaient en commun de dire de magnifiques exploits, mais beaucoup préférèrent aux récits de la première ceux de la seconde, car ceux-ci avaient pour eux d'être le fait de chrétiens, d'être plus récents, et d'être moins douteux. Comme Gunther de Pairis au début du XIIIe siècle, beaucoup préférèrent à la vieille fable de la guerre de Troie (*vetus Troiani fabula belli*) l'histoire récente d'un triomphe (*nova... gesta triumphi*)[109] qui était celui des croisés et de Dieu. Naturellement, là encore, la passion de la croisade entraîna l'imagination occidentale de plus en plus loin de la vérité. Ce que l'érudition moderne a appelé le deuxième cycle de la croisade est un ensemble de poèmes épiques nés vers le milieu du XIVe siècle. Ce sont les dernières épopées françaises, longues et médiocres, mais vibrantes encore de l'espoir de la croisade[110]. Ainsi pendant longtemps le même mirage soutint-il le meilleur et le pire. Erudits et poètes rivalisèrent à dire la chute de Troie, les prises de Jérusalem et de Constantinople. Dans la bibliothèque du duc de Bourgogne Philippe le Hardi, le père du triste héros de Nicopolis, voisinaient des histoires de Troie, les continuations françaises de l'*Histoire* de Guillaume de Tyr, les « mémoires » de Geoffroy de Villehardouin, *Saladin,* qui est un des poèmes du second cycle de la croisade, d'autres œuvres encore, et la *Fleur des istoires de la terre d'Orient* que le prince arménien Héthoun Haython avait dictée au début du XIVe siècle et dont Philippe le Hardi avait fait acheter, en 1401, trois exemplaires[111].

A côté de l'histoire de Troie, l'histoire de Rome jouit aussi d'une faveur considérable. Mais, à vrai dire, le ressort du succès de la matière romaine n'est pas de même type. C'est que l'Occident voit dans les histoires romaines des livres de sagesse. Comme dit Jean Bodel, elles sont « sage et de sens aprendant[112] ». Aussi tous les enfants d'Occident, du fils de prince au plus modeste écolier, les lisent-ils pour y trouver des exemples. Le succès de l'histoire romaine est d'abord un succès scolaire. Certes, les adultes s'y intéressaient aussi, comme le prouve le succès des *Faits des Romains,* que Charles le Téméraire se faisait lire avec « moult grant plaisir[113] ». Mais, dans l'ensemble, du moins au nord des Alpes, beaucoup ne manquaient pas de noter le médiocre succès qu'obtenaient bon nombre de livres d'histoire romaine offerts au public. Comme Georges d'Halluin qui, au début du XVIe siècle, avouait s'être « souventes fois esbahy pourquoy pluiseurs nobles gens n'y prenoient pas plus de plaisir mais lisoient aultres histoires saintes et fantasticques[114] ». L'histoire romaine pouvait pourtant inspirer une passion exclusive, mais surtout en deçà des Alpes. C'est Pétrarque qui s'écriait : « *Quid est enim aliud omnis historia quam Romana laus ?* », « Qu'est-ce que l'histoire, sinon l'éloge de Rome[115] ? » Un humble jongleur italien disait aussi :

« Le storie di Roma son per certo
Con verità d'ogni cantare il fiore [116]. »

Dans la péninsule italienne, l'histoire romaine était d'autant plus cultivée qu'elle flattait une passion nationale qu'ailleurs d'autres histoires devaient satisfaire.

Dès le début du Moyen Age, tandis que d'autres composaient des histoires universelles, certains historiens consacraient leur œuvre à dire l'origine et l'histoire d'un peuple. Bède écrivait l'*Histoire ecclésiastique du peuple anglais,* Paul Diacre l'*Histoire des Lombards.* L'histoire des peuples et de leurs origines fut ainsi dès l'abord, à côté de l'histoire universelle et même dans l'histoire universelle, un des thèmes fondamentaux de l'historiographie médiévale. A la fin du XIe siècle, dans sa chronique, Frutolf donnait des morceaux sur l'origine des Francs, l'histoire des Goths, l'origine des Huns, l'histoire des Lombards, l'origine des Saxons [117]. Puis, au fur et à mesure que les états s'organisèrent et que les nations s'y installèrent, les histoires nationales se multiplièrent qui justifiaient ces états, témoignaient parfois de la conscience collective de ces peuples, parfois la créaient, et la renforçaient toujours. Dans la première moitié du XIIe siècle, Guillaume de Malmesbury écrivait son *Histoire des rois des Anglais,* Henri de Huntingdon son *Histoire des Anglais,* Geoffroy de Monmouth son *Histoire des rois de Bretagne,* Gallus Anonymus sa *Chronique des Polonais.* Au début du XIIIe siècle, c'était la *Chronica Polonorum* de Me Vincent, les *Gesta Danorum* de Saxo Grammaticus. Vers 1270, Alphonse X le Sage faisait compiler la *Primera Crónica General de España.* Et quelques années plus tard Primat publiait son *Roman des rois,* qui était une histoire de France où l'auteur avait adapté et traduit un lourd corpus lentement constitué.

Par nature même, ces histoires nationales ne pouvaient guère prétendre qu'à un succès national. Pourtant, elles jouaient parfois d'autres séductions. L'*Histoire* de Bède était une histoire du peuple anglais, mais c'était aussi une histoire ecclésiastique qui disait la vie des saints, leurs visions et leurs miracles. Les extraits faits, au cours des temps, de cette *Histoire* prouvent qu'elle fut plus souvent pour ses lecteurs un recueil hagiographique qu'une histoire nationale [118]. Ainsi s'explique le succès qu'elle put avoir sur le continent. Si l'œuvre de Geoffroy de Monmouth put avoir un succès à l'échelle de l'Occident, c'est que, outre qu'elle flattait les passions nationales galloises, elle traitait de cette matière de Bretagne qui fut, à partir du XIIe siècle, aussi populaire que la matière de Rome ou celle de Troie. Les esprits sérieux se méfiaient pourtant des « conte de Bretaigne », qu'ils savaient « vain et plaisant ». Ils leur préféraient « cil de France (qui) sont voir chascun jour aparant [119] ». On peut se demander cependant si l'énorme succès français de l'œuvre de Primat [120] n'est vraiment dû qu'au sérieux de son information. Car le roi de France et ses barons n'y vivent pas dans une atmosphère si différente de celle des chansons de geste. Au moment où le public laïque ne se satisfait plus des poèmes dont il s'était naguère délecté, les *Grandes Chroniques de France* prennent le relais. Elles ont été pendant deux siècles, aux XIVe et XVe siècles, l'épopée dont les Français avaient besoin.

A preuve la place considérable qu'y tient Charlemagne. La biographie n'est pas au Moyen Age un genre populaire. Laissons de côté les vies de saints. Il est bien rare qu'une vie de roi trouve un large public [121], à plus forte raison une vie de qui n'a pas été roi, que personne ne songerait d'ailleurs à écrire. Pourtant, dans cette tradition historiographique où les hommes sont broyés par les événements, quelques figures parvinrent à s'imposer, comme Alexandre, Arthur, et surtout Charlemagne, qui hanta pendant des siècles l'imagination des poètes et de leur public. Et les historiens, pour satisfaire aux curiosités de ce même public, donnaient dans leurs œuvres à Charlemagne une place exceptionnelle, utilisant pour ce faire des sources auxquelles nous faisons encore aujourd'hui confiance, des œuvres, comme l'*Historia Karoli Magni* dite de Turpin, que nous savons sans valeur historique mais qu'ils croyaient dignes de foi, mais aussi parfois, tant était grand leur désir de plaire, des récits qu'ils savaient douteux [122]. Primat n'alla pas jusque-là. Il se contenta des sources qu'il croyait sûres [123]. Mais l'usage massif qu'il en fit prouve bien qu'il entendait séduire ce même public que charmaient les récits des jongleurs.

Si sérieux qu'ils fussent, les historiens savaient qu'en parlant de Charlemagne, en racontant la chute de Troie ou les triomphes des croisés, en traitant de l'histoire des Romains ou de celle de quelque autre de ces peuples qui se partageaient, en leur temps, l'Occident, ils avaient plus de chances de toucher un large public qu'en peinant à retracer l'histoire de leur monastère, ou à reconstituer la chronologie des archevêques de Tours. Le succès ne va guère à l'érudition. Il va plus volontiers à ces œuvres dont le thème répond aux goûts et aux passions du public et se situent souvent ainsi sur les franges imprécises et douteuses où se mêlent l'histoire et la littérature.

§ 2. *La forme*

Dans l'explication du succès, la forme, autant que le fond, est un élément déterminant. La brièveté apparaît comme un atout majeur. Il y a bien peu de prologues d'œuvres historiques où l'auteur n'essaie d'attirer et de retenir son lecteur en annonçant, d'entrée de jeu, qu'il sera bref. D'abord parce que la rhétorique a appris aux historiens que la brièveté convient par nature au genre historique : un historien doit toujours essayer d'être aussi bref qu'il le peut sans tomber dans l'obscurité [124]. Ensuite et peut-être surtout parce que la fonction de l'histoire lui impose de s'offrir sous une forme aussi abrégée que possible. Car bien rares sont ceux qui cultivent l'histoire pour elle-même. Hommes d'action et hommes de science attendent de l'histoire quelques faits, quelques dates, quelques exemples qui justifient leurs projets ou leurs opinions. Ils ont peu de temps à lui consacrer. Ils écoutent volontiers l'histoire, mais ils la veulent brève.

Ce besoin de brièveté est de tous les temps. Certains cependant y poussèrent plus que d'autres. Dans les deux premiers siècles de l'Empire romain, la connaissance approfondie de l'histoire et des antiquités romaines était, pour les membres de la classe dirigeante, de rigueur. Mais après les bouleversements du troisième siècle, les descendants de cette élite durent partager le pouvoir avec des hommes nouveaux qui, venus de leurs provinces, s'enrichirent plus vite qu'ils ne se cultivèrent. Ils voulaient cependant connaître un peu le passé romain. Pour eux, les abrégés, les « bréviaires » se multiplièrent. Au IIIe siècle, Justin résumait les *Histoires philippiques* de Trogue-Pompée. A la fin du IVe siècle, l'empereur Valens demandait à Eutrope un résumé d'histoire romaine. Celui-ci écrivait un bref ouvrage dont l'édition moderne n'occupe que quatre-vingts pages. C'était trop encore. Festus répondait mieux aux vœux de l'empereur en composant un « bréviaire » dont l'édition moderne tient en vingt pages. Beaucoup de ces abrégés eurent un succès immense, au point de souvent faire oublier l'œuvre qu'ils abrégeaient, s'ils en abrégeaient une. Et ce succès fut d'autant plus durable que ces résumés, disant simplement des faits, n'ayant aucune couleur politique ou religieuse, furent dès l'abord acceptés par les chrétiens dont ils assuraient les connaissances sans gêner les convictions [125].

Après ce temps fort que furent, pour les bréviaires, les IIIe et IVe siècles, la nécessité de résumer des œuvres trop longues ne disparut pas. Les *Histoires* de Grégoire de Tours étaient, dès le début du VIIe siècle, abrégées dans l'œuvre dite du Pseudo-Frégédaire. Cassiodore avait écrit une histoire des Goths en douze livres. De son vivant même, Jordanès en faisait un résumé qui seul fut diffusé, au point que l'œuvre de Cassiodore s'est perdue [126]. Et ainsi encore d'autres œuvres pendant des siècles. Il faut bien avouer cependant que, en un temps où la culture fut surtout le fait d'une petite élite de clercs et de moines qui avaient pour eux l'éternité, l'urgence de résumés historiques s'était faite moins pressante.

Mais avec le XIIe siècle, avec le développement des écoles et de l'instruction qui multiplia le nombre des clercs et des laïcs susceptibles de lire, s'amorça une nouvelle marée d'abrégés qui enfla de siècle en siècle et, en 1500, montait encore. C'est que les gros livres, même excellents, avaient trois inconvénients majeurs. D'abord, d'une façon générale, une lecture trop longue engendrait la lassitude [127], finissait par dégoûter de lire. Ensuite, ceux qui voulaient faire copier l'ouvrage reculaient devant la dépense [128] ; sa diffusion était limitée pour une question de prix. Enfin et peut-être surtout, le temps de lire manquait de plus en plus aux étudiants et aux professeurs, dont l'histoire n'était jamais la discipline majeure, et à tous les serviteurs de l'Etat, qui ne pouvaient vaquer à lire les gros livres « pour les grandes occupacions qu'ilz ont continuellement pour les affaires de la chose publique [129] ». Lorsque, en 1451, l'empereur Frédéric III se vit offrir par Thomas Ebendorfer l'énorme pavé qu'était son *Chronicon Austriae,* il eut immédiatement la réaction qu'avait eue, onze siècles plus tôt, l'empereur Valens : il demanda à l'auteur d'en faire un résumé [130].

C'est pour tous ces lecteurs pressés que Hugues de Saint-Victor écrivait au XIIe siècle son court *Liber de tribus maximis circumstanciis gestorum,* que Martin le Polonais composait au XIIIe siècle son bref *Chronicon pontificum et imperatorum,* que Werner Rolevinck publiait à la fin du XVe siècle son petit *Fasciculus temporum.* D'autres se contentaient d'abréger des ouvrages déjà parus pour en faciliter, croyaient-ils, la diffusion. Ainsi Adam de Clermont achevait-il en 1271 un abrégé du *Speculum historiale* de Vincent de Beauvais. Vincent lui-même avait été sollicité par ses frères et par son prieur d'abréger toute son œuvre et d'en faire un « livre manuel » en un seul volume. Il s'y était essayé, mais y avait finalement renoncé [131]. Il avait pourtant plus tard consenti à détacher du *Speculum naturale* le résumé du *Speculum historiale* qu'il y avait dès l'abord inclus et à faire de ces quatre-vingts brefs chapitres un petit manuel autonome qu'il avait lui-même intitulé *Memoriale* [132]. Le besoin de manuels et d'abrégés était alors devenu si général qu'au même moment, à Saint-Albans, Mathieu Paris abrégeait par trois fois sa *Chronica majora.* Il en tirait d'abord une *Historia Anglorum* en supprimant tout ce qui ne concernait pas l'histoire de l'Angleterre et en résumant le reste, se résignant, par exemple, à ne plus citer les documents originaux. Puis il s'inspirait de la *Chronica majora* et de l'*Historia Anglorum* pour écrire une œuvre encore plus courte, l'*Abbreviatio compendiosa chronicorum Angliae*. C'était enfin, quelques années après, les *Flores historiarum* [133]. Cent cinquante ans plus tard, Thomas Walsingham continuait à Saint-Albans la tradition de Mathieu Paris. Il écrivait d'abord une *Chronica majora* puis, en supprimant le texte des documents officiels, les passages concernant Saint-Albans, les notations jugées de peu d'importance, il en tirait une version abrégée, l'*Historia anglicana* [134]. Et dans cette version abrégée, dont il espérait bien qu'elle serait largement diffusée, il ne manquait pas de renvoyer le lecteur curieux de plus de détails à l'œuvre originale, dont il n'attendait pas qu'elle quittât jamais Saint-Albans : « On se reportera à la grande chronique de frère Thomas de Walsingham à Saint-Albans » ; « on trouvera ceci plus développé à Saint-Albans dans la grande chronique [135] ». Il était naturel en effet qu'une œuvre plus brève et moins coûteuse se répandît davantage. Il ne subsiste que quatre manuscrits de la *Chronica majora* de Mathieu Paris ; il en subsiste dix-neuf de ses *Flores historiarum*.

Pour François Pétrarque, abrégés et florilèges étaient des « œuvres françaises par excellence » (*opus vere gallicum*) [136]. Et les œuvres d'un Bernard Gui étaient assurément de remarquables manuels, qui devaient à toutes leurs qualités, et entre autres à leur brièveté, leur succès. Mais la passion aveuglait Pétrarque en ceci que dès son époque les abréviateurs n'étaient pas que français, le succès des abrégés n'était pas que français. C'est tout l'Occident qui voulait des œuvres courtes. Et non seulement des œuvres récentes comme la chronique de Martin le Polonais y connaissaient dès l'abord un immense succès, mais encore l'*Epitome* que Justin avait écrit au IIIe siècle, le *Breviarium* que Festus avait composé au IVe, et d'autres de ces abrégés qui s'étaient multipliés à la fin de l'Empire romain, à peine copiés tout au long du Moyen Age, retrouvaient au XVe siècle un énorme succès, surtout, ô Pétrarque, en Italie. Et à la fin du XVe siècle l'imprimerie inondait l'Europe d'une nouvelle génération de manuels, comme le *Fasciculus temporum* de Werner Rolevinck, imprimé pour la première fois à Cologne en 1474, ou le *Rudimentum novitiorum,* imprimé pour la première fois à Lubek en 1475. Dans les derniers siècles du Moyen Age, en Occident, la culture historique avait de plus en plus gagné, mais c'était pour l'essentiel une culture d'abrégés, d'extraits, de florilèges et de manuels.

Mais alors le succès d'œuvres aussi coûteuses que le *Speculum historiale* de Vincent de Beauvais, les *Grandes Chroniques de France* ou le *Polychronicon* de Ranulf Higden, si énormes qu'elles étaient le plus souvent offertes en deux ou trois volumes, ou même davantage, en est encore plus étonnant.

III. Les voies du succès

§ 1. *Cathédrales et monastères*

Entre 820 et 835 avait été copié à Cordoue un manuscrit de Tolède qui contenait, entre autres, le *De viris illustribus* de Jérôme avec toutes ses continuations et en particulier ses dernières continuations tolédanes. Avait-il été copié pour l'évêque de Cordoue Reccafred ? Il était en tout cas, quelques années plus tard, en sa possession. A la mort de Reccafred, peu après 852, le manuscrit se retrouvait à Saint-Zoïle de Cordoue, où avait vécu Euloge. En 883, un nommé Samuel transportait de Cordoue au monastère d'Abellar, près de Léon, en même temps que les reliques de saint Euloge, ce livre. Lequel resta dans la bibliothèque de la cathédrale de Léon [137]. Et c'est ainsi que, de cathédrale en monastère et de monastère en cathédrale, la recension tolédane du *De viris illustribus* était passée, en trois siècles, de Tolède à Cordoue et de Cordoue à Léon.

On pourrait multiplier les exemples de tels « accidents » grâce auxquels, dans ces premiers siècles du Moyen Age où les voyages ne furent pourtant ni très nombreux ni très faciles, tant d'œuvres historiques se retrouvèrent bien loin du lieu de leur naissance. A la fin du VIIe siècle, l'abbé Benoît Biscop rapportait de nombreux livres de Rome, où il alla souvent, aux monastères de Wearmouth et de Jarrow ; ce fut la base de la bibliothèque historique que Bède put mettre à profit [138]. Dès avant la fin du Xe siècle, un érudit rapportait d'Italie à Metz un manuscrit de l'*Antapodosis ;* c'est une des voies par lesquelles l'œuvre de Liutprand de Crémone fut diffusée au nord des Alpes. Marianus Scotus était un moine irlandais qui quitta l'Irlande au XIe siècle et vint s'installer à Fulda où, tout en vivant une vie de reclus, il composa une grande chronique universelle qu'il mena jusqu'à sa mort, en 1082. Quelques années plus tard, l'évêque de Hereford Robert de Losinga se fit apporter cette chronique ; et cette initiative fut à l'origine de la diffusion en Angleterre de l'œuvre de Marianus [139].

Certains moments furent plus que d'autres favorables à la multiplication de ces migrations lointaines. Ainsi les grands moments de créations monastiques que furent les XIe et XIIe siècles où fondateurs et réformateurs ne partaient jamais sans quelques livres. Voici par exemple des annales dont la rédaction avait été amorcée à Fulda au début du IXe siècle. Avant 840, elles avaient été portées à Reichenau. Elles y étaient restées, en s'y enrichissant, jusqu'en 1024. Après quoi on retrouve l'ensemble du corps annalistique à Saint-Bénigne de Dijon. Mais on retrouve aussi au même moment, à Saint-Bénigne de Dijon, un manuscrit des *Annales* de Flodoard. En effet, Flodoard avait écrit ses *Annales* à Reims, où il était chanoine, et les avait continuées jusqu'à sa mort en 966. Un manuscrit de ces *Annales* avait été continué, à Reims même, jusqu'en 978. Puis Brunon de Roucy, devenu évêque de Langres en 980, l'avait emporté avec lui et l'avait finalement, plus tard, donné à Saint-Bénigne de Dijon. L'abbé de Saint-Benigne était, au début du XIe siècle, Guillaume de Volpiano, qui mit toute son ardeur à réformer non seulement Saint-Bénigne mais encore de nombreux monastères normands comme celui de Fécamp dont il était aussi abbé. C'est pendant son double abbatiat et donc avant 1031, date de sa mort, que les *Annales* de Flodoard et les annales de Fulda-Reichenau-Saint-Bénigne furent transportées de Dijon à Fécamp. De Fécamp, les deux œuvres se répandirent en Normandie. Le corps annalistique Fulda-Reichenau-Saint-Bénigne alla même beaucoup plus loin, puisqu'on le retrouve en Angleterre, puis au Danemark. Mais revenons à Dijon. Durant l'abbatiat de Guillaume de Volpiano, Richard était devenu abbé de Saint-Vanne à Verdun et avait propagé la réforme en Lotharingie. Son disciple Poppon, abbé de Stavelot, avait continué son œuvre dans le diocèse de Cologne. Les annales de Saint-Bénigne se retrouvèrent donc à l'abbaye de Brauweiler, près de Cologne, fondée en 1024 par une colonie monastique venue de Stavelot. Or, en 1034, Casimir avait été chassé de son trône polonais et s'était réfugié auprès de la famille de sa mère, Richeza, dont le frère était précisément archevêque de Cologne. Lorsque Casimir, aidé de l'archevêque, eût repris possession de la Pologne, il fit appel, pour restaurer l'église polonaise, à un familier de Richeza, un moine de Brauweiler, Aaron, qui devint évêque de Cracovie, où il arriva en 1045. Il apportait avec lui les annales que son monastère avait reçues et continuées. Et c'est ainsi que, de réformateur en réformateur, des annales qui étaient encore à Reichenau en 1024 se retrouvaient, deux décennies plus tard, à Fécamp d'une part, à Cracovie de l'autre, où elles furent recopiées et continuées jusqu'à fort avant dans le XIIIe siècle [140].

Toutes ces rapides migrations de manuscrits sont spectaculaires. Elles sont essentielles pour comprendre la diffusion de la culture dans l'Occident médiéval. Elles restent malgré tout exceptionnelles. D'ordinaire, donnés, prêtés ou copiés, les livres passaient d'une bibliothèque à l'autre, d'un *scriptorium* à l'autre, avec moins de hâte et moins d'éclat. Et cette lente diffusion obéissait alors à deux schémas principaux. Ou bien l'œuvre sautait d'un lieu à un autre, tout proche, et se diffusait ainsi peu à peu dans de nombreux établissements d'une même région ; et cette diffusion régionale était d'autant plus facile qu'un gros centre, comme le Mont-Cassin en Italie, Klosterneuburg en Autriche, York dans le nord de l'Angleterre... s'imposait mieux à la ronde. Ou bien une œuvre, jouant moins sur les relations de voisinage, suivait plus loin les réseaux d'affinités qui liaient entre eux des centres de même nature. Histoire des évêques de Rome diffusée, pour des raisons politiques évidentes, par le palais impérial, le *Liber pontificalis* a surtout dû son succès, au IXe siècle, à l'intérêt que lui ont porté les grands prélats carolingiens. On le retrouve, certes, dans quelques-unes des plus grandes abbayes de l'Empire, mais ce n'est pas un hasard s'il est surtout présent dans les bibliothèques archiépiscopales et épiscopales, à Cologne, à Worms, à Reims, à Laon, à Beauvais, à Troyes, à Auxerre, à Tours, au Mans, à Angoulême. Au même moment, la chronique de Fréculphe devait sa diffusion à l'intérêt que lui portaient les grands monastères bénédictins. Et, une fois l'Empire effondré, les réseaux monastiques furent, pour une œuvre historique, pendant des siècles, la meilleure voie du succès. Les œuvres de Guillaume de Jumièges, de Guillaume de Malmesbury et de bien d'autres durent de se répandre à la faveur bénédictine. Et, à partir du XIIe siècle, le réseau des abbayes cisterciennes devint pour nombre d'œuvres non certes pas la voie exclusive mais une des voies les plus sûres du succès. Ainsi le succès de l'*Histoire tripartite* de Cassiodore devint-il, du moins en partie, au XIIe siècle, un succès cistercien. Ainsi le manuscrit de la chronique de Sigebert de Gembloux qui était parvenu à Beauvais en 1147 dut surtout sa diffusion au fait d'être accueilli et copié par des abbayes cisterciennes picardes, normandes et champenoises, à Mortemer, à Froidmont, à Ourscamp, à Trois-Fontaines, à Valasse. Ainsi l'accueil des abbayes cisterciennes explique-t-il en partie, en France, en Italie et dans l'Empire, à partir du XIVe siècle, le très grand succès qu'y connut le *Speculum historiale* de Vincent de Beauvais.

§ 2. *Les patrons*

Longtemps, les historiens blottis dans leurs monastères ne se sont souciés d'écrire que pour leurs frères à la demande de leur abbé. Mais lorsque Guillaume de Jumièges écrivit son *Histoire des ducs de Normandie,* il eut un double souci d'édification religieuse et de justification politique ; il voulait

Une grande famille de patrons
pour les historiens monastiques des XIe et XIIe siècles

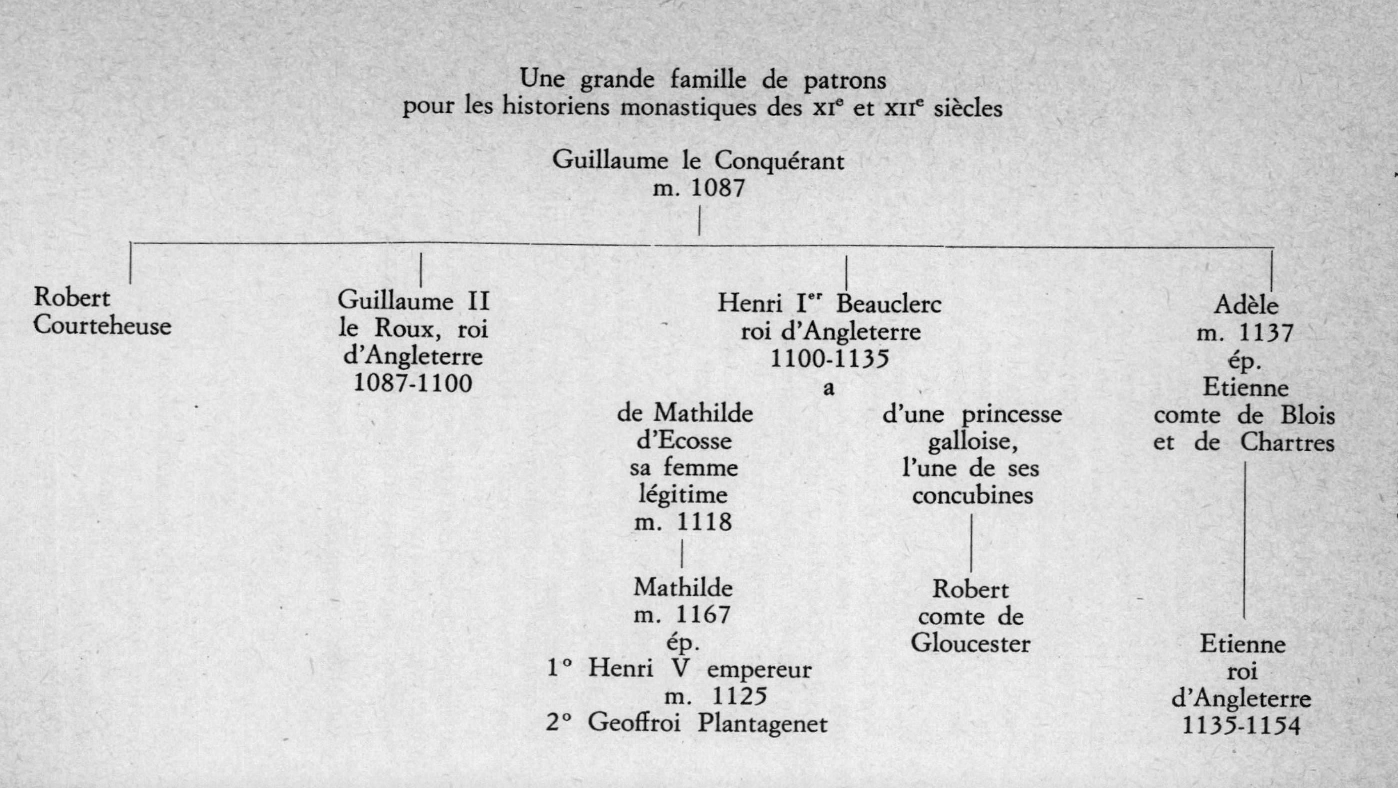

justifier l'action de tous les ducs, et en particulier du dernier, qui venait de monter sur le trône d'Angleterre. Et en 1071, une fois son œuvre achevée, il la dédia à Guillaume le Conquérant. L'œuvre du moine bénédictin, utile au roi-duc dont elle avait cherché le patronage, et à ses successeurs, eut un grand succès : elle fut diffusée, par le réseau des monastères bénédictins, dans toute la Normandie et dans toute l'Angleterre [141]. Lorsque Hugues de Fleury eut achevé, en 1110, sa *Chronique,* il la dédia à Adèle, fille de Guillaume le Conquérant, femme du comte de Blois et de Chartres. L'œuvre de Hugues n'eut d'abord, pendant vingt-cinq ans, qu'un succès français. Mais Adèle l'avait certainement dans sa bibliothèque lorsque son fils Etienne, petit-fils du Conquérant, passa en Angleterre pour en occuper le trône (1135). Adèle le suivit. Elle emporta ses livres. Et c'est ainsi que s'explique le large succès anglais de la *Chronique* de Hugues de Fleury. Quelques années plus tard, le même Hugues de Fleury achevait son *Liber qui modernorum regum Francorum continet actus,* aussi intitulée *Historia nova Francorum* ou *Historia moderna.* Il la dédiait cette fois à Mathilde, fille de Henri Ier Beauclerc et donc elle aussi petite-fille de Guillaume le Conquérant, et femme de l'empereur Henri V (de 1114 à la mort de celui-ci, en 1125). Cette dernière œuvre de Hugues n'eut aucun succès [142]. C'était sans doute une bien étrange idée que de mettre une histoire des rois de France sous le patronage d'une impératrice fille et petite-fille de rois d'Angleterre. Il faut dire que le nouveau capétien, Louis VI, ayant opté de s'appuyer sur Saint-Denis et non plus, comme son père, sur Fleury, Hugues n'avait plus guère le choix. De toutes façons, et sujet mis à part, l'impératrice Mathilde devait être un bien indolent protecteur car Guillaume de Malmesbury lui avait dédié, dans l'hiver 1126-1127, l'*Histoire des rois d'Angleterre* qu'il avait achevée en 1125. Il en fut si peu satisfait qu'il offrit la seconde et la troisième recensions de son *Histoire,* achevée vers 1135-1140, à Robert, fils illégitime de Henri Ier Beauclerc, que celui-ci avait fait comte de Gloucester [143]. Jouissant à la fois de cet efficace patronage laïc et de la faveur de ses frères bénédictins, Guillaume eut un grand succès que les qualités intrinsèques de son travail, d'ailleurs, justifiaient. Ainsi, à la fin du XIe et surtout au début du XIIe siècle, le poids d'un patronage laïc fut-il souvent, dans le destin d'une œuvre historique monastique, déterminant.

Les historiens monastiques savaient flatter les vues de leurs patrons, mais, retenus par leur érudition et leur religion, ils avaient la partialité discrète. L'*Historia novella* de Guillaume de Malmesbury a longtemps passé pour un récit impartial des événements récents. Mais l'auteur l'avait dédiée, comme son

Historia regum Anglorum, à Robert de Gloucester. Et l'on sait maintenant qu'elle est une pure et simple apologie où Guillaume s'efforce constamment à justifier l'action de Robert [144]. Or Robert avait encouragé non seulement Guillaume de Malmesbury mais encore Geoffroy de Monmouth, qui n'était qu'un clerc séculier. Et bientôt les puissants préférèrent ainsi s'entourer de clercs et de laïcs dont le destin dépendait étroitement d'eux et qui durent totalement plier leur histoire aux vœux de leurs patrons. Attentifs à leur plaire, ils abandonnèrent le latin pour les langues vulgaires ; ils passèrent du vers à la prose. Ils traitèrent les thèmes à la mode. Ils glorifièrent le lignage de leurs maîtres et justifièrent les droits auxquels ils prétendaient [145].

En compensation de quoi les auteurs gagnaient un certain confort, et leurs œuvres un certain succès. Non pas toujours cependant. Nombre d'entre eux perdirent leur temps à offrir des exemplaires de leurs œuvres à des princes qui, trop peu lettrés et trop occupés, enterraient à jamais le livre dans leur bibliothèque. Giraud le Cambien fut plusieurs fois victime d'une telle mésaventure. Il s'en plaint assez [146].

Des auteurs moins malchanceux pouvaient espérer que le puissant, flatté dans ses goûts littéraires, ses ambitions sociales ou ses projets politiques, n'aurait rien de plus pressé que de faire lire son œuvre par la petite cour qui l'entourait. Mais parfois, les choses n'allaient pas plus loin. Peu après la mort de Guillaume le Maréchal, comte de Pembroke (1219), un de ses familiers souffla à son fils aîné, le nouveau comte de Pembroke, de faire écrire par un certain Jean, venu du Cotentin, un long poème qui dirait, à partir de témoignages oraux, la vie de son père. L'œuvre, magnifique, fut achevée en 1226. Il est peu douteux que le comte de Pembroke ait au moins fait lire devant quelques parents et quelques familiers un récit qui était tout à la gloire de son père et de sa famille. Mais le comte n'avait sans doute pas l'étoffe d'un grand protecteur des lettres. Le manuscrit de l'*Histoire de Guillaume le Maréchal* ne sortit pas avant longtemps de sa bibliothèque. L'œuvre sombra dans l'oubli. Il n'en subsiste qu'un seul manuscrit [147].

Dans des milieux plus avides de littérature, l'effort de l'auteur était heureusement mieux récompensé. Son livre, à passer de main en main, gagnait peu à peu la notoriété. Geoffroy de Monmouth, qui vivait à Oxford, avait dédié son *Histoire des rois de Bretagne* à Robert de Gloucester, c'est-à-dire, concrètement, qu'il lui en avait offert au moins un exemplaire, en 1136. Peu après, un grand baron du nord de l'Angleterre, Walter Espec, avait obtenu de Robert une copie du livre. Walter prêtait bientôt cette copie à un important personnage du Lincolnshire, Ralph Fitz Gilbert. Ralph avait épousé une héritière du Hampshire, Constance, qui avait du goût pour la littérature. « Dame Constance », qui vivait alors dans le Hampshire, envoya chercher le livre dans le nord ; elle l'emprunta

« De son seignur, kele mult amat. »

Puis elle le mit entre les mains de Geoffroi Gaimar qui put ainsi, dès avant 1140, à partir de l'exemplaire de l'*Histoire des rois de Bretagne* que possédait Walter Espec et qu'il avait prêté, commencer à écrire, dans le Hampshire, son *Estoire des Engleis.* Passant d'une main aristocratique à l'autre, l'œuvre de Geoffroy de Monmouth avait fait en quelques années un véritable tour d'Angleterre, d'Oxford à Gloucester, de Gloucester dans le Lincolnshire, et du Lincolnshire dans le Hampshire [148].

Il est rare que nous puissions suivre de telles odyssées laïques de la bibliothèque du patron à leur ultime étape. Il n'y a pas lieu de douter, cependant, qu'il y en eut, à partir du XIIe siècle, souvent. Il est même sûr qu'elles se multiplièrent aux XIVe et XVe siècles lorsque le livre fût devenu, dans les milieux aristocratiques, un cadeau, et en particulier un cadeau d'étrennes, fort apprécié. Chaque bibliothèque princière ou seigneuriale était ainsi, sur la voie du succès, un carrefour important. Il y avait plusieurs exemplaires des *Grandes Chroniques de France* dans la bibliothèque du duc de Bourgogne Philippe le Hardi. L'un lui avait été donné « en bonne estraine », le 1er janvier 1396, par Gilles Malet, maître d'hôtel du roi et garde de sa bibliothèque [149]. Le 1er janvier 1400, Dino Rapondi donnait au même Philippe le Hardi « en bonne estraine un très bel livre de l'istoire de Tituliveux, eluminé de lettres d'or et hystoires d'imaiges en pluseurs et divers lieux et aussi couvert bien et richement ». Le splendide ouvrage restait quelques années dans la bibliothèque ducale. Après quoi Jean sans Peur, qui n'avait pas pour les beaux livres la même passion que son père, le fit envoyer à Constance pour donner à un cardinal [150]. Le roi de France Jean le Bon avait donné à sa fille Marie, duchesse de Bar, un autre Tite-Live dont nous pouvons, par chance, suivre tout le périple. Il était devenu la propriété du petit-fils de Marie, Edouard de Bar, puis du frère d'Edouard, le cardinal Louis de Bar, avant de passer à René d'Anjou, qui en fit cadeau à Robert de Baudricourt. En 1440, Jean de Vy, échevin de Metz, l'empruntait à Baudricourt pour le faire transcrire par le scribe Jeannin de Rouen. Nous possédons encore cette dernière copie [151].

Le désir de faire partager leurs goûts et de propager leurs idées inspira à certains patrons des initiatives plus systématiques encore. Ainsi le duc de Bourgogne Philippe le Hardi acheta-t-il d'un coup à Giacomo Rapondi au lendemain de Nicopolis, en 1401, trois exemplaires de la *Fleur des istoires de la terre d'Orient* d'Hethoun Haython. Il en garda un pour sa bibliothèque, donna le second à son frère Jean de Berry, et le troisième à son neveu Louis d'Orléans [152]. De même, quelques années plus tard, en 1408, son fils Jean sans Peur faisait-il faire quatre copies des propos que Me Jean Petit avait tenus en l'hôtel de Saint-Pol pour justifier l'assassinat du duc d'Orléans. Il en gardait une et distribuait les trois autres à ses plus proches parents [153]. La cour princière devenait un centre de diffusion d'autant plus efficace qu'était plus conscient chez le prince le souci de propagande.

Mais les trois copies de l'ouvrage d'Hethoun Haython comme les quatre copies de l'apologie de Jean Petit marquent bien à la fois l'importance et les limites de l'action du patron. Il peut favoriser ou amorcer la diffusion d'une œuvre. Il ne peut faire davantage. Si l'œuvre plaît autour de lui, elle se diffusera très vite, comme Geoffroy de Monmouth au XIIe siècle, comme Tite-Live aux XIVe et XVe siècles. Si elle ne plaît pas, elle restera confinée dans trois ou quatre bibliothèques, où elle sera bientôt oubliée. Le patron propose, mais le public dispose.

Or, précisément, dans les derniers siècles du Moyen Age, très lentement, en dehors du cercle étroit des monastères et des cours, se forme et se développe peu à peu un plus large public. Les profils de ces nouveaux lecteurs sont très divers. Ils ont en commun le goût de lire, la volonté de consacrer plus d'argent à acquérir des livres. Et c'est dans les villes, le plus souvent, qu'ils vivent. Le succès de l'œuvre dépend de moins en moins du réseau des monastères ou des faveurs d'un patron. Il doit de plus en plus passer par ces grands carrefours de la culture que deviennent, peu à peu, les villes.

§ 3. *Les villes*

Cet esprit si original qu'était Giraud le Cambrien fut sans doute un des premiers à en prendre conscience et à en tirer, pour le lancement de ses œuvres, les conclusions nécessaires. Il venait d'achever sa *Topographia hibernica* (1189). Il était avide de la faire connaître. Mais ce clerc séculier, désespérant de capter l'attention tant des moines que des puissants laïques, soucieux aussi de toucher un public plus large et plus divers, eut l'idée d'une lecture publique. Les poètes, dans les temps anciens, avaient pratiqué un tel usage, qui avait peut-être été retrouvé dans le Paris du XIIe siècle. Personne, en tout cas, en Angleterre, n'y avait encore jamais songé. Il choisit Oxford pour donner sa lecture, qui dura trois jours. Le premier jour, il convoqua tous les pauvres de la ville ; le second, tous les docteurs des diverses facultés et leurs meilleurs élèves ; le troisième, le reste des élèves, les chevaliers de la ville et de nombreux bourgeois. Chaque jour, les invités étaient royalement traités en même temps que, sans arrêt, la *Topographia* leur était lue à haute voix. Ce fut, dit Giraud lui-même qui raconte toute l'affaire, « une chose coûteuse et noble [154] ». Mais ni l'argent ni la peine de l'auteur ne furent perdus. « Après la récitation solennelle qui en avait été faite à Oxford pendant trois jours, la *Topographia* se retrouva en divers lieux », et en particulier entre les mains d'un chanoine de Salisbury [155]. Elle connut tout au long du Moyen Age un beau succès dont témoignent les vingt-quatre manuscrits qui subsistent.

Giraud le Cambrien avait choisi Oxford « où pullulaient les clercs instruits ». Il avait bien compris que les villes universitaires où travaillaient de nombreux copistes, où étaient établis de nombreux libraires, où l'on venait de loin pour s'instruire et qu'on quittait, après quelques années d'études, pour repartir au loin, allaient être, pendant plusieurs siècles, de merveilleux centres de production et de diffusion des livres. Si Raoul *de Diceto,* doyen de Saint-Paul de Londres, connaissait la chronique de Hugues de Saint-Victor, c'est qu'il avait pu la lire à Paris, où il avait été étudiant [156]. Si un franciscain du couvent de Lubeck pouvait, dès 1325, utiliser dans ses *Annales* les *Fleurs des chroniques* de Bernard Gui, dont la première édition n'était pas antérieure à 1311, c'est que, étudiant à Paris, il avait connu et apprécié cette œuvre et en avait rapporté un manuscrit [157].

Mais ce dernier exemple n'illustre pas simplement l'efficacité de la diffusion universitaire. Car Bernard Gui lui-même n'a jamais été professeur à Paris. Dominicain, il a vécu toute sa vie dans la moitié méridionale du royaume de France. Lorsqu'il achevait ses *Flores chronicorum,* il était inquisiteur à Toulouse. Et si son œuvre était si rapidement passée de Toulouse à Paris, c'est évidemment qu'elle avait profité du très efficace réseau de diffusion que constituaient, dans les villes où il en existait, les bibliothèques des couvents dominicains. L'efficacité des Mendiants, leur ardeur à copier, la richesse de leurs bibliothèques, un bibliophile comme Richard de Bury en était bien conscient [158]. Et lorsque Dominicains et Franciscains se furent implantés dans tant de villes d'Occident, être dominicain ou franciscain, pour un historien, ne fut pas un mince avantage. Son œuvre, agréée par son ordre, pouvait jouir d'une rapide et large diffusion. Et c'est ainsi que les *Flores* de Bernard Gui s'étaient très vite retrouvées dans la riche bibliothèque que les Dominicains entretenaient dans leur maison parisienne, et d'où elles avaient pu aisément se répandre dans le monde universitaire.

Mais au XIVe siècle les grandes villes universitaires ne furent plus les seuls carrefours par où passèrent les livres. Avignon, où s'était installée la cour pontificale, devint une des grandes plaques tournantes de la culture européenne. Dans le cheminement de nombreux livres d'histoire, elle fut alors une étape essentielle. Pour deux raisons. D'une part, le droit de dépouille dont jouissait le pape fit que s'accumulèrent à Avignon de nombreux livres. Quatre-vingt-dix inventaires énumèrent plus de 3 500 livres échus, entre 1325 et 1349, au pape. Celui-ci ne conserva pas tous ces livres. Beaucoup furent vendus. Et c'est ainsi qu'Avignon devint un énorme marché de livres où, par exemple, l'historien Giovanni Cavallini dei Cerroni, scribe à la cour pontificale, put acquérir son Valère-Maxime, dont il put même comparer le texte avec celui d'un autre exemplaire de Valère-Maxime [159]. D'autre part, les clercs innombrables qui séjournaient ou vivaient à Avignon étaient liés d'estime et d'amitié. Ils étaient cultivés. Ils avaient souvent de riches bibliothèques. Leurs livres passèrent de main en main. Le succès de Nicolas Trevet est d'abord un succès dominicain. Mais l'un des principaux admirateurs de Nicolas Trevet fut un dominicain qui fit une belle carrière : Nicolas de Prato était à la fin de sa vie un important personnage, cardinal-évêque d'Ostie, doyen du sacré collège. C'est lui, à n'en pas douter, qui fit connaître au pape et aux cardinaux les œuvres de Nicolas Trevet et en favorisa ainsi la diffusion. Mieux encore. Nicolas de Prato mourut en 1321. Son testament fut exécuté à Avignon par Ser Simone, notaire à Arezzo. Ser Simone lui-même mourut à Arezzo en 1338. Il avait dans sa riche bibliothèque cinq œuvres de Nicolas Trevet, celles que Nicolas de Prato appréciait le plus et qui lui étaient évidemment venues de ce dernier. Et c'est ainsi que le commentaire sur Tite-Live que Nicolas Trevet avait écrit en Angleterre se retrouvait, quelques décennies plus tard, dans la bibliothèque d'un notaire d'Arezzo [160]. Dans le même temps, le hasard de sa carrière avait fait du romain Landolfo Colonna un chanoine de Chartres, où il avait effectivement vécu. Landolfo avait de gros moyens financiers, et le goût de l'histoire. Il écrivit à Chartres son *Breviarium historiarum* grâce à la riche bibliothèque qu'il s'était constituée où se trouvaient de grands classiques comme Eusèbe de Césarée, Isidore de Séville, Eginhard ; les plus récents best-sellers comme Vincent de Beauvais et Martin le Polonais ; et quelques pièces rares : un précieux Tite-Live, et l'exemplaire du *Liber pontificalis* continué par Pandolfe et copié par Pierre Guillaume en 1142 pendant qu'il se trouvait au prieuré de Saint-Gilles d'Acy, près de Reims. En 1328, le vieux chanoine quittait définitivement Chartres et venait s'installer, avec sa riche bibliothèque, à Avignon. Son Tite-Live fut connu de Pétrarque et eut une énorme importance dans la tradition manuscrite de l'œuvre de l'historien romain. Son *Liber pontificalis* fut acquis et annoté par le même Giovanni Cavallini qui avait acquis et annoté un Valère-Maxime. Et la continuation de Pandolfe, restée inconnue jusqu'au début du XIVe siècle mais transportée par Landolfo Colonna au centre même de la chrétienté, devint, au moment du Grand Schisme, une arme importante dans la polémique qu'il suscita [161].

Quand le pape eût quitté Avignon, ce carrefour devint moins important. Mais, dans la première moitié du XVe siècle, les conciles de Constance et de Bâle firent de ces deux villes des centres actifs de production et d'échange des livres. Certes, ce ne furent pas les œuvres historiques qui profitèrent le plus de cette fébrilité. Il n'empêche qu'une *Histoire scolastique* de Pierre le Mangeur fut achetée à Constance par le recteur de l'Université de Vienne, où elle est encore aujourd'hui. Il n'empêche qu'un Florus et un Eutrope, achetés à Constance par un membre de l'ambassade des Chevaliers teutoniques devenu plus tard évêque d'Ermeland, échouaient par la suite à la bibliothèque de Greifswald [162]. De toutes façons, ces grands carrefours conciliaires ne durèrent qu'un temps. Par contre, la puissance et la prospérité peu à peu retrouvées de la papauté revenue à Rome allaient bientôt faire de cette ville la clé durable de nombreux succès. Ptolémée de Lucques avait achevé son *Historia ecclesiastica nova* entre 1313 et 1316. Un manuscrit en parvint à la bibliothèque pontificale, à Avignon. Mais, malgré ce départ favorable, l'œuvre ne connut pendant longtemps aucun succès. Tout au plus peut-on dire qu'un chapelain pontifical, Henri de Diessenhofen, lut le texte, y fit quelques interpolations, entre 1333 et 1338, et en emporta une copie lorsqu'il s'installa à Constance où il rédigeait lui-même, en 1341, sa propre chronique. Un long temps se passe encore où l'*Historia* de Ptolémée continue de dormir dans la bibliothèque pontificale, à Avignon. Elle n'en sort que pour suivre Benoît XIII à Peñiscola, et cette migration explique les deux manuscrits de l'*Historia* qui furent copiés en Espagne au XVe siècle. Rien qui ressemble encore à un succès. Jusqu'à ce que, assez tard dans le XVe siècle, l'œuvre de Ptolémée soit connue et appréciée à Rome et jouisse d'un tardif succès, d'ailleurs presque exclusivement limité aux cardinaux, et à quelques archevêques et quelques évêques étroitement liés à la curie [163].

Dans d'autres villes, et en particulier dans une grande ville comme Paris, le destin d'un livre est de moins en moins lié aux aléas de la politique. Le succès d'une œuvre dépend de moins en moins de l'humeur d'un patron. Des clercs et des laïques de plus en plus nombreux, de plus en plus instruits, de plus en plus aisés, n'ont certes pas assez d'autorité pour imposer autour d'eux la diffusion d'un texte qui leur plaît. Ils ont du moins les moyens d'en acheter pour eux-mêmes un exemplaire. La diffusion d'un livre dépend de moins en moins de la volonté de quelques « patrons », de plus en plus de la faveur de nombreux « clients », et la transition entre celui que nous appelons un « patron » et celui que nous appelons un « client » est si insensible que les Anglais ont conservé pour les deux le mot de *patron.* Pour répondre à la demande de cette clientèle, les scribes sont de plus en plus nombreux à tenir boutique, comme ce Guiot qui, installé dans un faubourg de cette grande ville de foire qu'était Provins, écrivit dans le premier quart du XIIIe siècle un gros manuscrit où il copia, entre autres, *Les empereors de Rome* de Calendre [164]. Ou comme Me Thomas de Maubeuge, « demorant en Rue Nueve Notre Dame » à Paris, qui copia en 1318 pour Pierre Honoré de Neufchâtel-en-Bray les *Croniques des Roys de France* [165]. Ou comme ce scribe dans la boutique duquel, au XVe siècle, se rendit le chancelier Guillaume Juvénal des Ursins pour lui commander une copie de la *Mer des histoires* de Giovanni Colonna [166]. Et ce n'est pas un hasard si ces deux derniers exemples sont parisiens. La multiplication des libraires à Paris, au XIVe siècle, fit de la capitale du royaume, de façon durable, un des nœuds essentiels par où devait passer le succès d'une œuvre. L'immense succès des *Grandes Chroniques de France,* à la fin du XIVe siècle, est certes dû d'abord à la faveur de quelques puissants princes. Mais c'est aussi et peut-être surtout un grand succès commercial, les libraires parisiens devant, pendant quelques décennies, multiplier les manuscrits de l'œuvre pour satisfaire la constante demande d'une riche et noble clientèle [167]. Aux XIVe et XVe siècles, malgré leur rôle encore important, ce ne sont plus les monastères, ce ne sont plus les cours qui sont les nœuds essentiels du succès. Ce sont les villes où le livre, devenu marchandise, est offert par les libraires à la convoitise de leurs clients.

L'imprimerie ne pouvait qu'accentuer cette tendance. Pourtant les premiers imprimeurs, qui avaient grand besoin d'argent pour chacune de leurs entreprises, cherchaient des mécènes comme les auteurs, depuis des siècles, avaient cherché des patrons. Les premières éditions de William Caxton n'auraient pu voir le jour sans l'appui de la puissante famille des Woodville, à laquelle appartenait la femme du roi d'Angleterre Edouard IV. Elles reflètent le plus souvent les goûts du père de la reine. Et ce n'est pas un hasard si Caxton ne s'est pas établi, en 1476, dans la cité de Londres, mais à Westminster, près de la cour [168]. De même la chronique universelle d'Hartmann Schedel n'a-t-elle pu être publiée, à Nuremberg, en 1493, par l'imprimeur Anton Koberger que grâce à l'appui et aux fonds de Sebald Schreyer qui habitait d'ailleurs, au pied du château, dans la même rue que l'auteur et que l'imprimeur [169].

Mais l'œuvre, une fois née, échappait à ses patrons. Son succès ne dépendait plus que de l'accueil d'un public qu'un large réseau commercial entendait toucher, toujours plus lointain et toujours plus modeste. Dès sa parution, la chronique de Schedel était vendue à Nuremberg. Elle était expédiée par ballots à Francfort, à Augsbourg, à Munich, à Leipzig, à Lubeck, à Danzig, à Cracovie, à Prague, à Vienne, à Budapest, à Milan, à Florence, à Gênes, à Bâle, à Strasbourg, à Lyon, à Paris... [170]. Le temps était passé des lentes migrations de manuscrits que l'érudition peine à suivre d'un lieu à l'autre. Un large marché du livre s'était construit à l'échelle de l'Occident, où étaient rapidement diffusées les œuvres imprimées dans les grands centres intellectuels ou commerciaux. Le 5 juin 1479, Richard Fitzjames, chapelain d'Edouard IV, pouvait acheter à Oxford un *Fasciculus temporum* de Werner Rolevinck imprimé à Louvain en 1475. En 1484, Thomas Rotherham, qui avait longtemps été chancelier d'Angleterre et qui était encore archevêque d'York, donnait à la bibliothèque de Cambridge un *Speculum historiale* de Vincent de Beauvais imprimé à Strasbourg en 1473 [171].

Tout avait changé. Le destin d'une œuvre n'était plus lié aux mailles plus ou moins lâches d'un réseau monastique, ou à la faveur plus ou moins efficace d'un patron. Il dépendait de l'accueil d'un large public de clercs, de nobles, de bourgeois qui, dans les villes, avaient en leur pouvoir d'acheter ou de négliger les livres qui leur étaient offerts par centaines. C'étaient les villes, désormais, qu'auteurs et éditeurs recherchaient et courtisaient. Après avoir toujours, jusque-là, dédié les œuvres qu'il publiait à un noble patron, William Caxton, en 1483, en dédiait un à la Cité de Londres. Et, en 1500, son successeur quittait Westminster pour installer ses presses à Londres même, dans Fleet Street [172].

1. Ch.-V. Langlois dans L. Petit de Julleville, *Histoire de la Langue et de la Littérature française des Origines à 1900,* t. II, Paris, 1896, p 274.
2. Vernet (828), 310.
3. Grégoire de Tours (522), I, 25.

4. Goy (578), 36-43.
5. Paris, Bibl. nat., nouv. acq. lat. 583.
6. Jacob et Hanslik (457), 5.
7. Schullian (749). L'auteur compte plus de 600 manuscrits des *Faits et dits mémorables.* Mais c'est qu'il ajoute aux textes les résumés, les extraits, les traductions. Si nous nous en tenons aux textes, D. M. Schullian en dénombre 417, auxquels il convient d'ajouter, me semble-t-il, deux manuscrits, l'un à Paris (Bibl. nat., nouv. acq. lat. 3054) et l'autre à Edimbourg (cf. *Script.,* 27 (1973), 66).
8. Bately et Ross (681).
9. Ross (638).
10. *The Latin Josephus* (485).
11. Hammer (505). Flint (504), p. 447, n. 2.
12. Short (747), 1.
13. Bède (446), lxxv-lxxvi.
14. Jacob et Hanslik (457).
15. Taylor (700), 152-158.
16. Guenée (14).
17. Communication de Mme M. Paulmier, « Atelier Vincent de Beauvais », novembre 1979.
18. Festus (482).
19. Eginhard (469), xiv.
20. Duchesne (802).
21. Guenée (7).
22. Grégoire de Tours (521), xxiii-xxxv.
23. Delisle (452), 235-252. Thomas (453), 189.
24. Jean Froissart (607), I, vi.
25. De Poerck (619).
26. Delisle (452), 215-216.
27. Sigebert de Gembloux (725). A quoi ajouter Paris, Bibl. nat., nouv. acq. lat. 583.
28. Otton de Freising, *Chronicon,* G.H. Pertz éd., Hanovre, 1867, p. xxx-xlviii.
29. Farmer (538), 43.
30. Cf. *supra,* n. 4 et 5.
31. Vidier (178), 76, 77 et 241.
32. Schleidgen (705).
33. Natunewicz (493).
34. Herkommer (783).
35. Gransden (89), 96.
36. David (81), 71.
37. Gransden (89), 194.
38. *Repertorium* (825), II, 541-542.
39. Delisle (452), 266-270.
40. Gilles le Bouvier (514), x-xxiv.
41. Cf. *supra,* n. 29.
42. *Primera Crónica General* (431), I, lvii-lxii.
43. Notker le Bègue (669), xxvii-lxii.
44. Vaughan (659), 152.
45. Robert de Torigni (716), t. I, p. liii.
46. Gransden (89), 507.
47. Schmale (471).
48. Legge (172), 72-73.
49. Schmügge (445).
50. Le Stum (426).
51. Schmale (678).
52. Genicot (787), 224 .
53. Gransden (89), 436.

54. Dupré La Tour (569).
55. Becker (651).
56. Adémar de Chabannes (415).
57. Delisle (641).
58. Suger (734), xvii-xxiv.
59. Flodoard (486), xxxii-xliv.
60. Adam de Brême (414), vii-xxxiv.
61. Delisle (710).
62. Delisle (784).
63. Lampert de Hersfeld (644), xv-xix.
64. Vaughan (659), 35.
65. Diener (596), 163-170.
66. Samaran (663), 659-663.
67. Miglio (105), 170-171.
68. Colker (735).
69. Orderic Vital, *Histoire ecclésiastique,* A. Le Prévost éd. (671), t. I, p. xciii-civ.
70. David (81), 52-53.
71. Mornet (231), 313-317.
72. Arnaldi (281), 364.
73. Brincken (21), 181.
74. Arnauld-Cancel (562).
75. Lucas (592).
76. Richer (708), I, xii.
77. Helgaud de Fleury (560), 28.
78. Jean de Salisbury (629), xlvii.
79. Legge (45), 306.
80. Ann. de l'*EPHE,* IVe section, 1976-1977, p. 605.
81. Wriedt (765).
82. Legge (45), 287.
83. Samaran (599), 286.
84. *La Chronique de Nantes* (778).
85. Guillaume de Poitiers (546), 1.
86. Etienne Maleu (478), 5.
87. Hay (484), 123.
88. Dean (667), 99-100.
89. Hugues de Saint-Victor ; Goy (578), 500.
90. Arnaldi (281), 364.
91. Gransden (89), 179-180.
92. Giraud le Cambrien (515), I, 79.
93. Gransden (89), 17.
94. Leclercq (170), 92.
95. Folda (550).
96. Morgan (552).
97. Bresc (191), 277.
98. Garand (529), 5.
99. Dean (667). Dean (668), 349-352.
100. Jean de Salisbury (629), 3.
101. *Ibid.,* xlvii.
102. Glauche (141), 70, 95, 99, 109-110.
103. Benoît de Sainte-Maure (450), v. 25988 ; t. IV, p. 156.
104. Guenée (7), 268.
105. Lambert de Saint-Omer (641), 32 v°, 155, 257 v°, 278.
106. Woledge (409), 315.
107. D. A. Bullough, Games People Played: Drama and Ritual as Propaganda in Medieval Europe, *TRHS,* 24 (1974), 97-122 en particulier p. 119.
108. Abel (364). Cary (375).

109. Swietek (554), 65.
110. Bossuat (371). Cook et Crist (379).
111. Hughes (217), 162.
112. Guenée (7), 276.
113. *Ibid.*, 283.
114. Monfrin (260), 158.
115. Schmidt-Chazan (714), 244.
116. Flutre (786), 447.
117. Brincken (21), 191.
118. Gransden (89), p. 17, n. 36.
119. Guenée (7), 276.
120. Guenée (14).
121. Gransden (89), 46.
122. *Karl der Grosse* (392). Short (406). Monfrin (399).
123. *Les Grandes Chroniques de France* (794), III, i-xxvi.
124. Simon (353), 81-88.
125. Momigliano (51), 85-87.
126. Momigliano (459), 195-196.
127. « Diuturnitas legendi inducit lassitudinem, lassitudo sensus hebetatem, hebetas pigritiam », *Eulogium* (785), III, 245.
128. « Verum quia hoc ipsum opus plerique propter sui utilitatem ac voluptatem pariter appetentes, sed studiosi laboris impatientes, solam in eo voluminis magnitudinem abhorrent propter legendi fastidium, nonnulli vero etiam hoc sibi magno opere transcribi cupientes in expensis notariorum pecuniae timent dispendium, omnibus autem pene gratum est brevitatis compendium, michi tandem utile visum est ab illo grandi volumine libellum manualem excerpere... », Vincent de Beauvais ; N. de Wailly (759), 390.
129. *Cronique des roys de France, Croniques de France abregées ;* prologue cité par P. S. Lewis dans une conférence prononcée à l'Université de Paris I en mars 1977.
130. Lhotsky (740), 99-100.
131. Schneider (757), p. 188, n. 46.
132. Telle est du moins la conclusion à laquelle est parvenue, aujourd'hui, l'érudition ; Lusignan (753), 27. Natalis de Wailly (759), pensait au contraire que le *Memoriale,* conçu d'abord autonome, avait été inséré par la suite dans le *Speculum naturale.*
133. Vaughan (659), 110-114.
134. Galbraith (162), ix-xv.
135. *Ibid.,* xlix.
136. Schmidt-Chazan (714), 243.
137. Diaz y Diaz (201), 224-226.
138. Gransden (89), 73-74.
139. *Ibid.,* 145.
140. Flodoard (486). David (81), 3-10.
141. Bezzola (17), II, 397-398. Gransden (89), 96-97.
142. Vidier (178), 79-80.
143. Könsgen (540).
144. Patterson (541).
145. Tyson (182).
146. Giraud le Cambrien (515), VI, 7.
147. Gransden (89), 345-355. Tyson (182), 202-203.
148. Chambers (376), 260-261. Legge (45), 27-28. Gransden (89), 209.
149. Cockshaw (813), n° 31. Hughes (217).
150. Cockshaw (813), n°s 37 et 84.
151. Samaran et Monfrin (689), 146.
152. Hughes (217), 162.
153. Cockshaw (813), n° 71.

154. Giraud le Cambrien (515), I, 72-73.
155. *Ibid.*, 413-414.
156. Zinn (698), 59-60.
157. Wriedt (765), 581.
158. Richard de Bury (707), 88-89, 92-93. Smalley (264), 68, 103.
159. Diener (596), 171.
160. Dean (666), 543, 554, 563.
161. Billanovich (804).
162. Lehmann (46), I, 253-280.
163. Schmügge (445).
164. Schmidt-Chazan (455), 65.
165. Guenée (14).
166. Bibl. nat., lat. 4915, f° 1.
167. Guenée (14).
168. Blake (532), 79-100.
169. Rücker (557), 7, 14.
170. *Ibid.*, 47.
171. Armstrong (183), 273, 283.
172. Blake (532), 81, 92.

CHAPITRE VII

LA CULTURE HISTORIQUE

L'analyse du succès de chaque œuvre ne peut être qu'une étape. Le but est de s'élever au-dessus de ces analyses, de regrouper leurs résultats, pour donner en synthèse le tableau aussi exact que possible d'une culture historique.

Mais il va de soi qu'il ne s'agit pas, additionnant sans ménagements tous ces succès, d'aboutir au tableau trompeur de ce qui aurait été « la » culture historique du Moyen Age. Il est bien vrai que, partout en Occident, les historiens les plus cultivés de cette longue période se durent de connaître quelques ouvrages dont on peut bien dire qu'ils furent le fonds commun de la culture historique de l'Occident médiéval. Mais d'abord, au fur et à mesure que le temps passait, ce fonds commun s'enrichissait de quelques nouveaux ouvrages. Surtout, ici ou là, s'ajoutait à ce fonds commun la connaissance d'autres œuvres dont la diffusion géographique était restée limitée. Tant que l'imprimé ne permit pas la diffusion rapide et large de la production historique, la culture des meilleurs spécialistes fut ainsi conditionnée par le lieu où ils travaillaient. Et il va sans dire que, dans la foule immense de ceux qui vécurent et peinèrent au Moyen Age, le nombre fut infime des historiens capables de maîtriser la documentation que leur temps mettait en principe à leur disposition. D'autres se consacraient à l'histoire, mais leur malheur voulut qu'ils n'eurent accès qu'à de trop pauvres bibliothèques. D'autres eurent le goût de l'histoire, mais ils furent trop occupés pour l'étudier vraiment, et n'eurent le temps que de lire quelques livres. Ainsi la connaissance du passé s'appauvrissait-elle peu à peu pour se réduire, chez le plus grand nombre, à quelques faits, à quelques noms éclairant faiblement une épaisse obscurité.

Le problème n'est donc pas d'offrir le tableau de « la » culture historique médiévale, mais de préciser quelles ont bien pu être, en tel temps et en tel lieu, la culture historique des historiens et la culture historique des autres. Et ce n'est qu'une fois bien marquées ces diversités qu'on pourra tenter de concrètement apprécier quel fut, au Moyen Age, le poids de l'histoire.

I. L'histoire des historiens

§ 1. *Le fonds commun*

Vers 560, retiré au monastère de Vivarium, Cassiodore énumérait dans ses *Institutiones* les ouvrages d'historiens chrétiens dont il estimait la connaissance indispensable [1]. Cassiodore distinguait d'ailleurs parfaitement les histoires des chroniques. Comme histoires, il retenait d'abord les deux ouvrages qu'avait écrits en grec Flavius Josèphe « à peine inférieur à Tite-Live », c'est-à-dire la *Guerre des Juifs,* traduite en latin depuis un certain temps déjà, et surtout les *Antiquités judaïques,* très gros et difficile ouvrage que quelques-uns de ses amis avaient eu bien de la peine à traduire. Puis il recommandait la lecture de l'*Histoire ecclésiastique* qu'Eusèbe de Césarée avait écrite en grec et que Rufin avait traduite en latin et continuée. Puis l'histoire ecclésiastique, prolongeant celle d'Eusèbe, que lui-même avait compilée à partir d'extraits des trois historiens grecs Socrate, Sozomène et Théodoret, qu'il avait fait traduire en latin par Epiphane et qui fut traditionnellement connue, par la suite, comme l'*Histoire tripartite* de Cassiodore. Puis l'*Histoire contre les païens* où le latin Orose, en 415-417, avait retracé l'histoire du monde depuis sa création mais surtout l'histoire de la Rome royale et républicaine pour démontrer aux païens, après le sac de Rome de 410, que, bien avant les temps chrétiens, les malheurs n'avaient pas manqué à l'humanité en général et à Rome en particulier. Cassiodore recommandait enfin le traité d'histoire et de géographie qu'avait écrit le comte Marcellin. Après ces six histoires, Cassiodore conseillait trois chroniques. D'abord celle qu'Eusèbe de Césarée, déjà cité, avait écrite en grec, que saint Jérôme avait traduite en latin et prolongée jusqu'à son temps. Puis celle, très brève, où le comte Marcellin, déjà cité, avait continué la chronique d'Eusèbe-Jérôme jusqu'à 534. Celle enfin que saint Prosper d'Aquitaine avait éditée au milieu du ve siècle et qui couvrait l'histoire du monde de sa création à son temps. Le dixième et dernier ouvrage recommandé par Cassiodore était le *De viris illustribus* de saint Jérôme et la continuation que Gennade en avait donnée sous le même titre, Cassiodore en personne ayant veillé à ce que les deux œuvres fussent réunies en un seul volume.

La sélection de Cassiodore a marqué pour mille ans la culture historique de l'Occident. Des dix ouvrages recommandés par lui, seul le traité d'histoire et de géographie du comte Marcellin a été si peu prisé que le texte même en est aujourd'hui perdu. Mais les neuf autres ont été très vite partout répandus et sont restés, pendant tout le Moyen Age, constamment connus. Dès le début du VIIIe siècle, dans son île, Bède utilisait les *Antiquités judaïques* de Flavius Josèphe, sa *Guerre des Juifs* dans l'adaptation d'Hégésippe, l'*Histoire ecclésiastique* d'Eusèbe-Rufin, l'histoire d'Orose, les chroniques d'Eusèbe-Jérôme, du comte Marcellin et de Prosper, et le *De viris illustribus* de Jérôme-Gennade [2]. Le seul ouvrage à ne pas avoir été, autant qu'on sache, connu de Bède est l'*Histoire tripartite* de Cassiodore lui-même, mais elle avait atteint l'île de Bretagne probablement dès avant la fin du VIIIe et en tout cas sûrement au IXe siècle [3]. Selon toute vraisemblance, Bède connaissait aussi la chronique qu'Isidore de Séville avait écrite quelques décennies après la mort de Cassiodore [4] et qui allait devenir classique. De même qu'allait devenir classique l'*Histoire ecclésiastique du peuple anglais* que Bède achevait peu après 725. De même qu'allaient devenir classiques l'*Histoire des Lombards* et l'*Histoire romaine* écrites par Paul Diacre à la fin du VIIIe siècle. Paul Diacre fut d'ailleurs le dernier des historiens dont les œuvres purent prétendre à suivre, fût-ce d'un peu plus loin, le glorieux destin des grands classiques de la sélection cassiodorienne. Et ainsi, pour des siècles, la culture historique de l'Occident se fonda sur une douzaine d'œuvres écrites par des historiens chrétiens et antérieures à 800. En Angleterre, au début du XIIe siècle, Guillaume de Malmesbury les connaît et les utilise toutes, sauf la petite chronique du comte Marcellin et celle de Prosper. A Nuremberg, à la fin du XVe siècle, Hartmann Schedel les a toutes dans sa bibliothèque sauf, peut-être, la petite chronique du comte Marcellin.

Sans doute, de cette douzaine d'œuvres, toutes ne sont pas également connues. Le hasard de la documentation a pu faire que tel grand historien, pourtant cultivé, n'ait pas eu sous la main telle œuvre fondamentale. Ou du moins son sujet ne le forçait pas à en faire état. Telle de ces œuvres fondamentales a pu ne pas être très répandue dans tel pays excentrique. Il est par exemple tout de même frappant que l'*Histoire* de Paul Orose n'apparaisse dans aucune des bibliothèques siciliennes dont nous connaissons, aux XIVe et XVe siècles, la composition [5]. Mais laissons de côté les exceptions. Sur l'ensemble du Moyen Age, les œuvres de Paul Diacre n'eurent pas la diffusion de la *Chronique* d'Isidore ou de l'*Histoire ecclésiastique* de Bède. Parmi les chroniques sélectionnées par Cassiodore, seule celle d'Eusèbe-Jérôme fut vraiment largement répandue. Par contre, toutes les histoires retenues par Cassiodore (sauf, bien entendu, celle du comte Marcellin) eurent pendant mille ans un succès considérable et ininterrompu. Si bien que, pendant mille ans, les deux ouvrages de Flavius Josèphe, l'*Histoire ecclésiastique* d'Eusèbe-Rufin, la *Chronique* d'Eusèbe-Jérôme, l'*Histoire* d'Orose, l'*Histoire tripartite* de Cassiodore, la *Chronique* d'Isidore et l'*Histoire ecclésiastique* de Bède ont été, pour ce qui est de l'histoire chrétienne, le fondement même de la culture occidentale. Pour ce qui est de l'histoire chrétienne, ces huit ouvrages ont été les plus lus. C'est d'eux qu'il subsiste le plus de manuscrits. Et c'est encore eux que les premiers imprimeurs, au XVe siècle, songèrent à éditer. Avec plus ou moins de succès d'ailleurs. La faveur du public n'allait plus aux chroniques. L'*Histoire ecclésiastique* de Bède fut parfois imprimée à la suite de celle d'Eusèbe-Rufin mais elle n'eut qu'une édition autonome. Par contre, les histoires de Flavius Josèphe, d'Eusèbe, d'Orose et de Cassiodore furent toutes largement éditées et rééditées avant 1500 [6]. Mille ans après, le public cultivé accueillait encore avec faveur, dans toute l'Europe, les principaux des ouvrages que Cassiodore avait recommandés.

⁂

Bède, qui connaissait si bien les historiens latins chrétiens, connaissait fort mal les historiens et les géographes latins païens. Tout au plus a-t-il utilisé le *Recueil de curiosités* que Solin avait compilé au IIIe siècle après Jésus-Christ, et l'abrégé d'histoire qu'Eutrope avait écrit au IVe siècle [7]. A l'époque carolingienne encore, d'une façon générale, la diffusion des historiens latins païens n'eut rien de comparable à celles de Flavius Josèphe, d'Orose, de Cassiodore ou même de Paul Diacre [8]. C'est bien naturel. Des bibliothèques ecclésiastiques eurent d'abord les livres dont la lecture était recommandée aux ecclésiastiques. Cependant, quelques exemplaires d'un certain nombre d'historiens païens sont mentionnés dans les bibliothèques carolingiennes. Darès et Dictys, d'abord, qui prétendaient dire l'histoire authentique de la chute de Troie. Quinte-Curce, qui racontait si pittoresquement l'histoire d'Alexandre. Justin, qui résumait les *Histoires philippiques* où Trogue-Pompée avait longuement parlé, lui aussi, entre autres, d'Alexandre. Mais si les histoires de Troie et d'Alexandre jouirent d'une plus grande faveur, on trouve aussi dans ces bibliothèques les œuvres de Salluste, à quatre exemplaires ; la *Pharsale* de Lucain, à quatre exemplaires ; l'*Histoire de Rome* de Tite-Live, à trois exemplaires ; les *Vies des douze Césars* de Suétone, à trois exemplaires ; la *Guerre des Gaules* de César, à deux exemplaires. On trouve même à un exemplaire l'histoire de Florus et l'abrégé d'Eutrope. Aucun catalogue de bibliothèque ne mentionne les *Faits et dits mémorables* de Valère-Maxime mais, si peu que ce soit, ils étaient cependant connus au IXe siècle puisque Heiric d'Auxerre et son disciple Remi d'Auxerre en firent chacun des extraits [9]. Bref, dans la culture historique carolingienne les historiens païens occupèrent une place médiocre, mais ils furent assez nombreux à se partager cette médiocre place.

Le développement des écoles aux XIe et XIIe siècles eut deux conséquences. D'une part il accrut dans la culture historique l'importance relative des historiens païens, dont les œuvres offraient aux maîtres les récits et les exemples dont ils avaient besoin. D'autre part, dans la douzaine d'œuvres que les copistes carolingiens avaient mis à sa disposition, l'enseignement fit un choix qui pesa d'un poids décisif sur le destin de chacune. Eutrope, Florus, César, Suétone et Tite-Live continuèrent d'être connus, mais leur diffusion fut relativement modeste. La guerre de Troie resta un sujet favori, mais autant l'œuvre de Darès fut populaire, autant celle de Dictys fut négligée. Justin et surtout Quinte-Curce profitèrent de toute la séduction que l'histoire d'Alexandre continuait d'exercer. Mais surtout les œuvres de Salluste et de Lucain s'imposèrent partout comme livres de lecture fondamentaux. Leur succès fut prodigieux. Les copies en furent aussi nombreuses que celles des historiens chrétiens les plus répandus. A simplifier les choses on peut dire que le XIIe et le XIIIe siècles furent le temps de Flavius Josèphe et d'Orose d'une part, de Lucain et de Salluste [10] d'autre part.

Après 1300, la diffusion de l'instruction chez les laïcs prit une telle ampleur, le nombre des livres scolaires fut tellement accru que l'importance relative des historiens chrétiens, dont le succès, pourtant, persistait, en fut encore rabaissée. Dans le même temps, Salluste et Lucain continuaient à jouir d'une immense faveur mais ils perdaient peu à peu la prééminence dont ils avaient auparavant joui. De nouveau venus apparaissaient, comme Tacite. D'autres, comme Eutrope ou César, connus mais peu connus depuis des siècles, étaient bien plus largement diffusés. D'autres, comme Suétone, Quinte-Curce, Justin ou Solin, voyaient s'amplifier le succès qui avait continûment été le leur. Mais surtout Tite-Live commençait à jouir d'une faveur prodigieuse, et plus encore Valère-Maxime dont les *Faits et dits mémorables* offrait à enfants et adultes l'inépuisable arsenal de ses anecdotes. Si bien que, à généralement parler, la culture historique de l'Occident, au XVe siècle, se fondait sur sept ou huit historiens latins païens dont les uns, comme Salluste ou Lucain, jouissaient depuis des siècles d'un succès ininterrompu, et dont les autres, comme Valère-Maxime ou Tite-Live, avaient au contraire conquis depuis peu leur prééminence.

A la fin du Moyen Age, le fonds commun de la culture historique occidentale était donc pour l'essentiel un ensemble traditionnel, un héritage conservé de siècle en siècle et composé d'une quinzaine d'œuvres d'historiens latins païens ou chrétiens dont la plus récente avait été écrite au VIIIe siècle.

⁂

Pourtant cinq autres œuvres composées aux XIIe et XIIIe siècles eurent un succès si rapide et si général qu'elles faisaient bel et bien partie, au XVe siècle, de ce fonds commun. L'*Histoire des rois de Bretagne* de Geoffroy de Monmouth dut son immense faveur à ses qualités littéraires et au fait que tous ou presque croyaient y retrouver la vérité historique de la légende arthurienne. De même l'*Histoire de Charlemagne* qu'on disait écrite par Turpin et qui avait été, en fait, compilée au XIIe siècle fut-elle partout portée par la légende carolingienne. Mais après ces récits que nous savons douteux l'érudition produisit, à la fin du XIIe et au XIIIe siècle, trois œuvres majeures que l'Occident accueillit aussitôt partout pour étancher la soif d'encyclopédies et de manuels qui désormais le tenaillait. Vers 1170, le maître parisien réputé qu'était Pierre le Mangeur donna pour les théologiens un commentaire littéral de la Bible qui se révéla être un commode résumé de l'histoire sacrée. L'œuvre de Pierre le Mangeur fut bientôt réputée comme le minimum indispensable à quiconque devait étudier l'histoire biblique. Dès la fin du XIIe siècle elle était devenue un manuel scolaire de base, l'*Histoire scolastique,* et son auteur resta pendant des siècles le prestigieux « Maître des histoires ». Au milieu du XIIIe siècle, Vincent de Beauvais répondit aux vœux de ses supérieurs dominicains en s'attelant à la composition d'une immense encyclopédie, d'un immense miroir des connaissances humaines. La faveur du roi lui ouvrit toutes les bibliothèques importantes. Son ordre lui fournit l'équipe dont il avait besoin. Et ainsi prit lentement forme le *Speculum majus* et en particulier le *Speculum historiale,* le « Miroir historial » qui résumait l'histoire du monde de sa création à sa fin, énorme et coûteuse encyclopédie que toute bibliothèque digne de ce nom se dut pourtant bientôt d'avoir. Enfin, vers 1270, pour mettre à la portée des juristes les données historiques élémentaires dont ils avaient besoin, un autre dominicain, chapelain pontifical, Martin le Polonais, composa une *Chronique des papes et des empereurs* relativement brève, et cette « chronique martinienne » eut très vite un prodigieux succès.

De ces trois œuvres fondamentales, il est bien rare, aux XIVe et XVe siècles, de ne pas trouver l'une, ou deux, ou les trois, dans toute bibliothèque un peu sérieuse. En 1307, la bibliothèque des dominicains de Dijon compte 131 volumes ; parmi eux, le *Speculum historiale* de Vincent de Beauvais et la chronique de Martin de Troppau [11]. L'évêque de Castres Amélius de Lautrec meurt en 1337. Sa bibliothèque de 118 ouvrages est riche en livres d'histoire. A côté de Flavius Josèphe, d'Eusèbe de Césarée et d'Orose, à côté de Lucain, de Salluste, de Suétone, de Tite-Live et de Valère-Maxime, s'y trouvent la *Cronica martiniana* et les *Istoriae scolasticae* [12]. L'évêque de Beauvais Jean de Dormans meurt en 1373. Sa bibliothèque, riche d'une centaine d'ouvrages, ne contient que cinq livres d'histoire mais ce sont, à côté d'un Lucain et de *Flores ystoriarum* impossibles à identifier, l'*Historia scolastica* de Pierre le Mangeur, le *Speculum historiale* de Vincent de Beauvais et la chronique de Martin [13]. Pierre Corsini, cardinal de Florence, meurt en 1405. Parmi ses 320 manuscrits se trouvent plusieurs livres d'histoire et entre autres le *Speculum ystoriale,* l'*Ystoria scolastica* et la *Cronica martiniana* [14]. Des traductions, du moins en France, mettaient aussi les trois ouvrages à la portée de ceux auxquels le latin n'était pas familier. Dans la bibliothèque de Charles d'Orléans, à côté d'un Flavius Josèphe en français, à côté d'un Salluste en latin ayant servi à l'instruction des enfants d'Orléans, à côté de Lucain, de Tite-Live et de Valère-Maxime, se trouvaient la chronique martinienne en latin et en français et, en français seulement, l'*Histoire scolastique* de Pierre le Mangeur et le *Miroir historial* de Vincent de Beauvais [15]. Dès avant 1480 les trois ouvrages étaient plusieurs fois imprimés en latin et, un peu plus tard, en français. Et lorsque, à Metz, au début du XVIe siècle, Philippe de Vigneulles écrivait sa chronique, il avouait en tirer la substance d'abord « des histoire rommainne ou Titus Livius, de l'istoire scolasticque et du faict des Apostres, de Vincent Istorial, des cronicques de Martin [16] ».

⁂

Une vingtaine de livres constitue donc le fonds commun de la culture historique occidentale à la fin du Moyen Age. Au reste, si l'Occident a, au Moyen Age, une culture historique commune, cette culture historique ne saurait être tenue pour proprement médiévale. Car toutes les œuvres qui la composent ont encore, après 1500, de longs jours à vivre. De 1450 à 1700, il y a eu 282 éditions du *Catilina* de Salluste, 271 éditions de son *Jugurtha,* 198 éditions de Valère-Maxime, 179 de Quinte-Curce, 160 de Tite-Live, 155 de Suétone [17]. Et le flot de ces éditions n'a pas cessé jusqu'à nos jours. De même que n'ont pas cessé les éditions de Flavius Josèphe. Les autres piliers de la culture historique médiévale ont joui d'une moindre longévité, mais ce n'est que très lentement qu'on voit se défaire l'ensemble qui s'y trouvait constitué. L'*Histoire* d'Orose est imprimée jusqu'à la fin du XVIIIe siècle ; l'*Histoire ecclésiastique* d'Eusèbe-Rufin jusqu'à la fin du XVIIe. La dernière édition du *Miroir* de Vincent de Beauvais est de 1624 ; celle de la *Chronique* de Martin le Polonais de 1616. L'*Histoire tripartite* de Cassiodore n'est plus imprimée après la fin du XVIe siècle ; l'*Histoire scolastique* de Pierre le Mangeur l'est pour la dernière fois en latin en 1542 et en français en 1545.

La fin du XVe siècle et le début du XVIe siècle ne sont donc nullement marqués par la disparition d'une quelconque des œuvres historiques que l'Occident médiéval avait pendant des siècles considérées comme essentielles. Ils correspondent bien plutôt à un dernier enrichissement du fonds commun, à l'apparition et au foudroyant succès d'œuvres nouvelles comme ce *Fasciculus temporum* où Werner Rolevinck résumait, en 1474, les connaissances historiques et géographiques les plus traditionnelles. Plus de trente fois imprimé dans le demi-siècle qui a suivi son apparition, et même encore en 1584 ; partout publié, en Allemagne, en Italie, en Suisse, aux Pays-Bas, en France, et même en Espagne ; traduit en allemand, en flamand, en français ; présent et consulté dans tant de bibliothèques dans le dernier quart du XVe siècle et tout au long du XVIe siècle [18], le *Fasciculus* de Werner Rolevinck est le plus remarquable représentant de cette nouvelle génération d'œuvres qui, parues à l'aube des temps modernes, concluent et prolongent à la fois la culture historique dont s'était nourri l'ensemble de l'Occident médiéval.

§ 2. *Les diversités*

Que le fonds commun de la culture historique occidentale ait été constitué pour l'essentiel d'œuvres antérieures à 800 s'explique aisément. Les relations culturelles intenses entre les îles britanniques et le continent d'une part, la construction politique carolingienne d'autre part ont permis la diffusion des œuvres de la sélection cassiodorienne et de quelques autres, postérieures, dans tout l'espace occidental. Les copies de chaque œuvres n'étaient pas encore, alors, bien nombreuses, mais leur dispersion était telle que si leur réseau gagna par la suite en densité il n'eut guère à s'étendre davantage. Si bien qu'il est un peu simple mais non pas trop inexact de dire que le fonds commun de la culture historique occidentale est dû au choix de Cassiodore et à l'action de Charlemagne.

Par la suite, l'effondrement carolingien brisa pour longtemps l'unité, même culturelle, de l'Occident. Le latin y restait pourtant la langue commune du monde savant. Mais c'est un fait qu'au Xe, au XIe, au XIIe siècle encore, les structures politiques et le tissu des échanges étaient tels qu'aucune œuvre historique, fût-elle écrite en latin, eût-elle les plus éminentes qualités, traitât-elle d'un sujet qui pût à priori intéresser n'importe qui n'importe où, ne réussit à franchir certaines limites et à s'imposer à tout l'Occident. La chronique universelle que Réginon de Prüm avait écrite au début du Xe siècle était bien informée des événements de Francie occidentale et aurait donc pu y trouver des lecteurs. Et pourtant, de la Lorraine à l'Autriche et des Pays-Bas à la Suisse, sa diffusion est restée limitée aux terres germaniques de l'Empire [19]. La chronique universelle que Sigebert de Gembloux avait écrite au début du XIIe siècle eut un grand succès. Mais, partie de Gembloux, un peu à l'ouest de la Meuse, près de Namur, sa diffusion, à l'est, fut stoppée par le succès de la chronique d'Ekkehard d'Aura et ne dépassa guère la Meuse. Par contre, l'œuvre de Sigebert se répandit relativement vite vers le sud, jusqu'à la Seine, qu'elle n'aurait pas dépassée sans l'initiative de Robert de Torigni qui la trouva à Beauvais et l'acclimata en Normandie. Cette province lui fut un bon tremplin non pas pour gagner des terres plus méridionales mais pour traverser la Manche et passer en Angleterre. Le succès de la chronique de Sigebert s'était heurté, au sud comme à l'est, à des limites précises. La chronique universelle qu'Otton de Freising avait achevé d'écrire en 1146 et où il disait l'histoire du monde de sa création à sa fin aurait pu intéresser n'importe quel lecteur dans l'Occident ou, à tout le moins, dans l'Empire. Et pourtant son succès resta confiné à la région danubienne. Ainsi, après l'effondrement carolingien, des solidarités monastiques ou l'influence des grandes bibliothèques de quelques puissantes abbayes ont dessiné dans l'Occident de grandes aires culturelles dont même une histoire universelle pouvait difficilement franchir les limites.

Des limites s'imposaient plus naturellement encore à la diffusion des œuvres qui n'entendaient dire que l'histoire d'un peuple et ne pouvaient prétendre intéresser que ceux qui avaient le sentiment d'y apprendre le passé de leur propre nation. L'universel succès de l'*Histoire ecclésiastique du peuple anglais* de Bède n'est une exception qu'en apparence. En fait, les lecteurs du continent y cherchaient plus la suite de cette histoire du peuple chrétien qu'ils avaient commencé de lire dans Eusèbe et dans Cassiodore que l'histoire du peuple anglais. Les dix livres des *Histoires* où Grégoire de Tours avait dit, à la fin du VIe siècle, le destin des Francs depuis leur venue en Gaule et leur conversion ne profitèrent pas de la même ambiguïté. On n'y vit que l'histoire des Francs en Gaule, et, à quelques rares exceptions près, les manuscrits des *Histoires* ne franchirent ni le Rhin, ni les Alpes, ni les Pyrénées. Ils furent par contre, à l'intérieur de ces limites, continûment lus et copiés. Et ce constant intérêt marque bien comment le sentiment d'un passé commun survivait à toutes les vicissitudes.

Vint le temps où des princes furent assez puissants pour construire de nouveaux Etats. Leur effort ne se borna pas à renforcer des structures politiques et administratives encore rudimentaires. Ils entendaient que l'histoire justifiât leur pouvoir aux yeux de ceux qu'ils dominaient. Parfois, il leur fallut veiller de près à ce que fût écrite l'histoire de leur pays, et glorifiée leur dynastie. Mais parfois aussi leur tâche fut facilitée. La conscience d'une origine et d'un passé communs avait dès l'abord animé les historiens. Ainsi, plus ou moins inspirées par le pouvoir, parurent au XIIe siècle des histoires « nationales » dont la diffusion resta tout naturellement limitée aux entités politiques qu'elles justifiaient. En Angleterre, Jean de Worcester avait écrit sa *Chronique,* Guillaume de Malmesbury ses *Gesta regum,* Henri de Huntingdon son *Historia Anglorum* dans la première moitié du XIIe siècle. Seule l'*Historia Anglorum* dont Henri, se rendant, en 1139, à Rome et se trouvant au Bec, avait donné à Robert de Torigni une copie, dormait à deux ou trois exemplaires dans les bibliothèques des abbayes bénédictines normandes. Autrement, ces trois œuvres étaient inconnues sur le continent. Elles furent au contraire largement diffusées dans toute l'Angleterre et elles étaient, à la fin du XIIIe siècle encore, au fondement même de la culture et de la conscience nationale des Anglais [20]. Les *Gesta Danorum* de Saxo Grammaticus jouèrent au Danemark un rôle comparable. De même que, en Pologne, les *Gesta ducum Polonorum* de Gallus Anonymus et la *Chronica Polonorum* de Vincent Kadłubek.

En France, dès l'an mille, dès le temps d'Aimoin, Fleury était devenu un grand atelier historiographique et avait consacré une part notable de ses recherches à l'histoire des Francs. Mais ces histoires ne trouvèrent pas toujours dans le royaume de France le cadre de leur succès, et la chose est aisément explicable. Par exemple, Hugues de Fleury écrivit au début du XIIe siècle deux grands ouvrages historiques complémentaires. Le premier, dit parfois *Chronique* ou *Histoire des Francs,* est en fait une histoire ecclésiastique où l'auteur retrace l'histoire de l'Occident jusqu'à la mort de Louis le Pieux. L'ouvrage eut un certain succès en France mais, offert à Adèle et passé avec elle en Angleterre, il avait de quoi intéresser des lecteurs anglais et reçut d'eux un accueil favorable. Par contre, le second ouvrage de Hugues de Fleury, son *Liber qui modernorum regum Francorum continet actus,* ou *Historia nova Francorum,* ou *Historia moderna,* qui était en un sens la continuation du premier mais ne traitait plus que de l'histoire des rois de France de la mort de Louis le Pieux à l'avènement de Louis VI, se situait dans un cadre trop étroitement national pour intéresser un public anglais. Or, Hugues de Fleury l'offrit aussi à une princesse de la dynastie normande, à Mathilde. Le résultat fut que, dédiée à une princesse d'Angleterre, l'*Histoire moderne* de Hugues de Fleury resta inconnue des Français et, traitant de l'histoire de France, elle laissa indifférents les Anglais ; elle n'eut aucun succès [21]. Mais toutes les œuvres forgées à Fleury n'eurent pas le destin paradoxal de ces deux-là. Les *Gesta regum Francorum* d'Aimoin, qui avaient dit l'histoire des rois mérovingiens, devinrent la première pierre des histoires de France qui furent compilées, à Paris et à Saint-Denis, au XIIe siècle ; elles eurent un destin vraiment national.

Ainsi le poids des réalités politiques se faisait-il de plus en plus lourd. Les Etats devenaient, pour nombre d'œuvres historiques, le cadre naturel du succès. Les données culturelles ne perdaient pas pour autant toute efficacité et contribuaient encore à morceler les espaces politiques les plus vastes. En Angleterre, par exemple, les œuvres de Jean de Worcester, de Guillaume de Malmesbury et d'Henri de Huntingdon avaient bien été diffusées jusqu'à la frontière écossaise, mais leur influence resta surtout remarquable dans le sud du royaume. Dans le nord, conscient de son particularisme, rendu plus solidaire encore par les problèmes que lui posait la toute proche menace écossaise, l'influence du gros centre historiographique qu'était Durham, celle aussi du réseau des grandes abbayes cisterciennes, telle Rievaulx, qui venaient à peine d'être fondées, diffusèrent dans la seconde moitié du XIIe siècle des œuvres historiques originales, composées sur place, et qui lui restèrent propres. Le nord de l'Angleterre eut pour longtemps une culture historique différente, et vivante [22].

En France, le Midi aquitain, du sud de la Loire aux Pyrénées, a eu d'abord des centres historiographiques actifs dont témoignent, par exemple, au début du XIe siècle, l'œuvre d'un Adémar de Chabannes, ou, au début du XIIe siècle, la grande chronique universelle connue sous le titre mutilant de « Chronique de Saint-Maixent ». Cette historiographie aquitaine participait normalement à la culture historique occidentale d'une part, à une culture historique plus particulière à la Francie occidentale de l'autre. On y trouvait des manuscrits de tous les grands classiques chrétiens, de Flavius Josèphe à Paul Diacre en passant par Cassiodore, aussi bien que des manuscrits des *Histoires* de Grégoire de Tours[23]. Tout au plus peut-on dire que la culture historique aquitaine, dès cette époque, était plus fragile : le réseau des centres historiques y était bien moins dense qu'au nord de la Loire, et surtout au nord de la Seine. Fragile, la culture historique de l'Aquitaine était aussi originale en ce sens qu'elle comptait assurément des œuvres de diffusion restreinte qui lui restaient propres. Les sources d'Adémar de Chabannes en témoignent assez. Si bien que, à Fleury, sur la Loire, l'historiographie prospérait au contact de deux aires culturelles différentes.

Or, aux environs du XIIe siècle, la renaissance juridique fut particulièrement vive dans les contrées méridionales. Celles-ci tendirent à se reconnaître plus dans la pratique d'un droit que dans la conscience d'un passé. Au moment où, dans le nord, l'histoire devenait un pilier fondamental de la culture, elle n'en était plus, au sud, qu'un champ secondaire. L'histoire ne fut pourtant pas totalement absente de la France méridionale. Mais elle s'y maintenait, en quelque sorte, en vase clos. Bouvines n'y eut aucun écho[24]. Dès le XIIe siècle, toutes les œuvres nées dans ce haut lieu de l'historiographie européenne qu'était la région d'entre Meuse et Seine gagnaient aisément la Loire, mais leur diffusion butait, à quelques lieues au sud du fleuve, contre une sorte de mur invisible. Certes, l'effacement, au cours du XIIe siècle, de la grande école historiographique de Fleury, la migration de la grande tradition historiographique française de Fleury à Sens, puis de Sens à Paris et à Saint-Denis, s'expliquent assurément par la montée de la puissance capétienne. Mais elles ne se situent pas simplement dans un contexte politique. Elles doivent aussi être mises en parallèle avec l'affaissement de l'histoire dans la France méridionale. A Fleury, l'historiographie ne pouvait plus prospérer au contact de deux cultures différentes. Elle était condamnée à s'étioler dans une contrée désormais marginale. L'histoire partit vers le nord respirer un air plus vif. Et ce retrait, de conséquence, devint cause que ce qui restait, dans le midi, d'histoire, privé d'un fondamental intermédiaire, se replia davantage encore sur soi-même.

Au total cependant, les œuvres historiques qui purent ainsi se dilater dans une aire culturelle ou politique relativement vaste ne furent pas si nombreuses. Quelques dizaines peut-être. Sûrement moins d'une centaine pour tout l'Occident médiéval. Par contre, innombrables furent celles qui, érudites ou naïves, n'intéressèrent jamais qu'un cercle limité d'auditeurs ou de lecteurs, débordèrent à peine du lieu où elles avaient été conçues, ou même ne sortirent jamais de leur monastère ou de leur ville d'origine. Renaud, par exemple, était archidiacre de la cathédrale Saint-Maurice d'Angers et jouait auprès du puissant comte d'Anjou, sans en porter toujours le titre, le rôle de chancelier. Il écrivit, pour faire suite aux *Annales* de Flodoard, une chronique qu'il mena de 965 à 1075. Il mourut sans doute peu après. Cette chronique de Renaud ne fut copiée que dans quelques villes où le comte d'Anjou était le maître, à Angers même, à Saumur et à Vendôme ; elle fut aussi connue à Poitiers, si proche des terres angevines, et à Saint-Maixent, qui tirait alors de Poitiers toute sa documentation historique[25]. L'œuvre de Renaud resta limitée à une aire très restreinte qu'explique assez le jeu des structures politiques et des relations culturelles, autour d'Angers, aux XIe et XIIe siècles. On pourrait multiplier les exemples. Ils renforceraient simplement la conclusion que, même au temps où le latin était la seule langue de culture, il ne suffisait pas qu'une œuvre historique fût écrite en latin pour qu'une large diffusion lui fût assurée. La volonté des princes, la contrainte des frontières politiques, la servitude des voies d'échanges, les goûts du public, tout contribuait à maintenir dans des limites ici plus larges là plus étroites des œuvres qui, conçues avec les soucis et dans les perspectives d'un lieu et d'une institution déterminés, ne pouvaient prétendre à capter bien loin l'intérêt.

Et lorsque, au XIIe et surtout au XIIIe siècle, les langues vulgaires devinrent langues de culture, elles ne créèrent pas, elles n'eurent qu'à confirmer et renforcer la parcellisation géographique du savoir historique qui s'était déjà imposée à l'Occident. A la fin du Moyen Age, par exemple, les *Grandes Chroniques de France* ne descendirent pas au sud de Poitiers et de Moulins. C'est peut-être bien qu'un ouvrage écrit en langue d'oil rebutait des lecteurs auxquels seule une langue d'oc était familière. Mais c'est peut-être aussi que les intérêts et les perspectives de cette histoire venue du nord n'étaient pas les leurs, et que les *Grandes Chroniques* se sont simplement heurtées à ce même mur que tant de chroniques septentrionales, fussent-elles universelles, fussent-elles latines, n'avaient pas pu franchir au XIIe siècle.

Ainsi, dans l'Occident, du Xe au XVe siècle, à un fonds commun routinier d'une vingtaine d'ouvrages fort anciens se superposa le foisonnement d'œuvres nouvelles dont les succès plus ou moins étendus, cédant au poids de structures politiques et de données culturelles ou linguistiques complexes, permettraient, additionnés les uns aux autres, de dessiner avec précision la géographie de la culture historique médiévale et d'en bien marquer les diversités. De ce jeu d'entrelacs compliqué ressortiraient des pays, des monastères, des villes où la connaissance du passé parut toujours une exigence fondamentale et où l'histoire fut cultivée avec intensité. Ainsi l'Angleterre, qui n'oublia jamais l'exemple de Bède ; où, une ou deux générations après le choc de l'invasion normande, dans la première moitié du XIIe siècle, une brillante cohorte d'érudits réussit à garder en mémoire le passé de son pays [26] ; où, au XVe siècle encore, Saint-Albans était un actif foyer historiographique. Ainsi le nord du royaume de France, où de nombreux monastères furent des centres historiographiques importants, et où la passion qu'eurent pour l'histoire les cours aristocratiques favorisa, dès la fin du XIIe siècle, l'essor de l'historiographie en prose vulgaire [27]. Ainsi l'Autriche, où la bibliothèque du monastère de Klosterneuburg fut, pour la littérature historique, un incomparable levain [28]. Ainsi la Pologne où, à la fin du Moyen Age, l'Université de Cracovie, commentant l'histoire de Pologne de maître Vincent Kadłubek comme, ailleurs, la Bible ou le Décret, soutenant la grande entreprise de Jean Długosz, fut un puissant foyer d'historiographie nationale [29]. Ailleurs, par contre, le souci de s'enraciner dans le passé, de fonder sur lui son identité, ne fut pas fondamental ; l'histoire resta longtemps un pilier secondaire de la culture. Comme en Aquitaine, comme en Sicile, où la prédominance d'un droit qui voulait se situer hors du temps laissait peu de place à l'histoire. Comme en Hongrie, où ni les monastères, ni les villes, ni les grandes familles ne marquèrent pour leur passé le moindre intérêt, et où l'histoire ne commença vraiment d'être écrite que dans la seconde moitié du XVe siècle, par la volonté du roi Mathias Corvin, et souvent par des étrangers [30].

Aux XIIe et XIIIe siècles, nous l'avons vu, il n'y eut pas une demi-douzaine d'ouvrages à pouvoir briser le carcan de cette culture parcellaire. Mais au XIVe, et surtout au XVe siècle, les conditions semblaient meilleures pour que le nouveau bouillonnement historiographique profitât mieux à l'Europe tout entière. Quelques grands marchés de livres eurent un très large rayonnement, comme Paris ou Avignon ; comme Prague avant la crise hussite [31] ; comme Constance et Bâle pendant les conciles [32]. Des traductions plus nombreuses permettaient de mieux franchir l'obstacle de la langue. Le renouveau du latin répondait au désir conscient de construire une culture qui fût véritablement européenne. L'imprimerie enfin permettait de rapidement porter partout le dernier effort de la recherche.

Ces meilleures conditions n'eurent pourtant pas les résultats qu'on en pourrait attendre. Le vieux fonds commun traditionnel en fut plus largement et plus massivement diffusé. Quelques rares œuvres nouvelles leur durent leur grand succès, mais ce fut surtout le cas de manuels élémentaires véhiculant, comme le *Fasciculus temporum* de Werner Rolevinck, un savoir routinier. Quant aux œuvres plus importantes et plus nouvelles, des princes de plus en plus puissants, des Etats de plus en plus vigoureux pesaient sur elles d'un trop grand poids, l'amour de leur cité ou de leur pays inspirait trop leurs auteurs et marquait trop leurs perspectives pour qu'elles pussent trouver, hors des frontières où elles avaient été conçues, un large écho. D'inspiration anglaise, française, bourguignonne ou florentine, la nouvelle histoire ne trouvait guère son public qu'en Angleterre, en France, en Bourgogne ou à Florence. Même les histoires nées, sous Frédéric III ou Maximilien, à l'ombre du trône impérial restaient étroitement dynastiques et nationales. Ce n'est que plus tard, au cours du XVIe siècle, que les grands débats religieux donneront aux œuvres historiques des perspectives et des publics plus larges. Pour l'heure, la géographie de la culture historique suivait et renforçait la carte politique de l'Europe.

Et la fin du Moyen Âge était au total moins marquée par la publication de quelques rares ouvrages diffusés dans tout l'Occident que par l'apparition, dans chaque pays, d'une nouvelle génération d'historiens dont les œuvres, vite répandues par l'imprimerie, allaient reléguer dans l'ombre les succès anciens. En France, par exemple, les *Grandes Chroniques de France* avaient joui, tout au long du XVe siècle encore, d'une très large audience. Mais, en 1492, Nicole Gilles faisait imprimer ses *Annales et croniques de France ;* en 1495, Robert Gaguin publiait son *Compendium super Francorum gestis,* qui fut vite traduit en français. Les *Grandes Croniques* de Robert Gaguin et les *Annales et croniques* de Nicole Gilles firent des *Grandes Chroniques de France,* dès le début du XVIe siècle, une œuvre caduque et dépassée et par la suite, pendant un siècle, leur succès fut constant. Le XVIe siècle fut le siècle de Nicole Gilles et de Robert Gaguin comme le XVe avait été celui des *Grandes Chroniques de France.*

Il ne faut point d'ailleurs exagérer la nouveauté de ces œuvres nouvelles. Elles s'étaient inspirées pour une large part des *Grandes Chroniques de France.* Tout au plus les avaient-elles reprises dans un esprit et un style un peu plus « modernes », laissant tomber quelques vieilles erreurs, accueillant quelques vérités nouvelles. Si bien que, là encore, le savoir historique du XVIe siècle ne fut pas, au fond, très différent de celui du XVe, mais il reposait, cette fois, sur d'autres livres.

II. L'HISTOIRE DES AUTRES

§ 1. *Clercs et laïques*

Même dans la société des derniers siècles du Moyen Age où nous allons nous situer maintenant parce que les gens cultivés sont moins rares et la documentation plus abondante, il va de soi que le nombre était infime des intellectuels qui avaient l'espoir de pouvoir jamais maîtriser l'ensemble, ou du moins la plus grande partie de la littérature historique que mettaient à leur disposition les quelques bibliothèques où ils avaient accès. Plus nombreux étaient ceux qui n'avaient pas grand temps à consacrer à l'histoire mais qui l'aimaient pourtant, et lisaient ou se faisaient lire des livres d'histoire.

Un clerc n'était pas toujours, loin de là, un grand amateur d'histoire mais, lorsqu'il l'était, les quelques livres d'où il tirait l'essentiel de son savoir historique n'avait rien d'inattendu. Ou bien c'était des livres de la sélection cassiodorienne, parce qu'il était homme d'église. Ou bien, comme il avait reçu une instruction élémentaire, c'était quelque historien romain « classique » ; ou quelque ouvrage traitant de la guerre de Troie, car l'histoire de Troie était, depuis le IXe siècle, un des thèmes favoris des écoles [33]. Ou bien, lorsque notre clerc avait fait des études supérieures, de théologie ou de droit, c'était une de ces grandes encyclopédies ou un de ces grands manuels parus aux XIIe et XIIIe siècles. Bref, pour l'essentiel, la culture historique d'un clerc d'Occident était le reflet plus ou moins pâle de ce mélange d'histoire sainte, d'histoire romaine, d'histoire troyenne, d'histoire ecclésiastique et d'histoire universelle qui constituait le fonds commun de la culture historique occidentale.

L'image du noble ignare s'est trop longtemps imposée à nous. Nous avons aujourd'hui conscience que les nobles, au XIIe [34] comme au XVe siècle [35], non pas toujours évidemment mais plus souvent qu'on ne le croyait naguère, ont apprécié la culture, ont pris soin de s'instruire et d'instruire leurs enfants. Le problème n'est plus de savoir s'ils étaient cultivés, mais quelle était leur culture. Or, précisément, l'histoire tenait, dans cette culture, une place fondamentale. Et cette histoire des nobles avait, avec l'histoire des clercs, plus d'un point commun.

Les nobles instruits partageaient d'abord avec les clercs le goût de l'histoire troyenne, qu'ils lisaient le plus souvent, à la vérité, dans des ouvrages en langue vulgaire [36]. Ils connaissaient surtout l'histoire romaine. Tout simplement parce que, comme n'importe quel élève de ce temps, ils avaient appris à lire, leurs maîtres leur avaient appris les rudiments de la grammaire et de la rhétorique dans quelques livres, toujours les mêmes, parmi lesquels des historiens latins « classiques ». Jean Gerson aurait voulu, vers 1409, que Louis, fils de Charles VI et duc de Guyenne, lise Salluste, Tite-Live, Valère-Maxime et Suétone [37]. Il n'y avait rien, dans ce vœu, que de très routinier puisque Louis d'Orléans avait fait acheter, dans les dernières années du XIVe siècle, un *Catilina* de Salluste dont nous sommes sûrs qu'il a servi pour l'instruction des enfants d'Orléans ; et il avait aussi fait acheter le *Jugurtha* de Salluste, un Tite-Live, un Valère-Maxime, un Lucain, dont il n'est pas douteux qu'ils répondaient au même souci [38]. Et presque un siècle plus tard, le 29 avril 1476, la duchesse Yolande de Savoie faisait acheter à Pavie, pour le maître de grammaire du jeune duc Philibert, une vingtaine de livres parmi lesquels Salluste et Justin ; Tite-Live et Valère-Maxime étaient déjà dans la bibliothèque ducale [39].

Le jeune noble, devenu adulte, perdait sans doute la pratique de la langue latine mais gardait souvent le goût de l'histoire romaine. Il pouvait le satisfaire en lisant les nombreuses traductions dont ces mêmes auteurs classiques furent souvent l'objet, comme, par exemple, la traduction que Pierre Bersuire avait faite de Tite-Live à la demande de Jean le Bon et qui eut un succès si considérable qu'il en reste soixante manuscrits dont nous savons que tous, toujours soignés, souvent luxueux, ont appartenu à la bibliothèque d'un grand seigneur [40]. Il pouvait aussi lire une des nombreuses compilations d'histoire ancienne qui se multiplièrent alors, comme ces *Faits des Romains* où un clerc anonyme, au début du XIIIe siècle, avait combiné et traduit des passages de Suétone, de Salluste, de César et de Lucain, et dont le grand succès auprès du public noble, pendant trois siècles, ne se démentit pas [41]. Capables de lire des compilations d'histoire ancienne, des nobles furent même capables d'en écrire. La plus remarquable est sans doute celle que Jean de Courcy, seigneur de Bourg-Achard, « chevalier normant, plain de jours et vuydié de jeunesse », écrivit entre 1416 et 1422, et qu'il intitula, d'après le nom de son fief, *La Boucquechardière* [42].

Si passionnés d'histoire romaine que fussent les nobles, certains se plaignaient pourtant encore, dans l'atmosphère de la renaissance triomphante, qu'ils ne l'étaient pas assez et consacraient trop de temps à lire les « histoires saintes [43] ». C'est en effet que les nobles, bons chrétiens, formés par des clercs, lisaient volontiers la Bible et eurent souvent le goût de mieux connaître l'histoire sainte. Tel ce Jean de Rochefort, chevalier, qui, en Angleterre, en 1406, avait lu avec application le texte latin des *Antiquités judaïques* de Flavius Josèphe, et en avait tiré des extraits [44]. Le plus souvent, cependant, les nobles reculaient devant le latin, mais ils lisaient en français ce que les clercs lisaient en latin. Ainsi le duc d'Orléans avait-il dans sa bibliothèque Flavius Josèphe en français [45] ; de même, plus tard, le roi d'Angleterre Edouard IV [46]. Et nombreux étaient ceux qui possédaient la *Bible historiale* de Guiart des Moulins, qui avait suivi et traduit en français tantôt la Bible elle-même, tantôt l'*Histoire scolastique* de Pierre le Mangeur [47].

Les autres grandes sommes des XIIe et XIIIe siècles n'étaient pas moins familières aux nobles. Jean Gerson aurait voulu que le duc de Guyenne lise le *Speculum historiale* de Vincent de Beauvais [48]. Il est sûr en tout cas que sa traduction française par Jean de Vignay, le *Miroir historial,* était dans de nombreuses bibliothèques princières [49]. De même les nobles lisaient-ils, sinon la *Cronica martiniana,* du moins la *Chronique martiniane,* dans l'un quelconque de ses nombreux avatars.

De tous ces ouvrages, les riches seigneurs avaient souvent, surtout au XIVe siècle, des manuscrits luxueux. Mais dès le XIVe et surtout au XVe siècle, les manuscrits bon marché s'en multiplièrent. Des amateurs moins fortunés purent les posséder ou du moins trouver à les lire. Si bien qu'il n'y avait pas de solution de continuité entre la culture historique des nobles et celle des non-nobles. Un bourgeois aussi modeste que l'auteur du *Ménagier de Paris* pouvait, vers 1393, citer la Bible, qu'il possédait ; il pouvait également citer, pour les avoir lus, « Titus Livius », « Josephus », et surtout l' « Historieur », « cellui qui fait l'Histoire sur Bible », c'est-à-dire Pierre le Mangeur [50]. Et plus d'un siècle plus tard ce bon bourgeois de Metz qu'était Philippe de Vigneulles pouvait se proposer de « mettre... en brief », entre autres, « aulcune histoire de Bible, du fait des Troyans.., des histoires rommainne ou Titus Livius, de l'istoire scolasticque et du faict des Apostres, de Vincent Istorial, des cronicques de Martin... [51] ».

Bref, il y avait entre la culture historique des laïques et celle des clercs une différence fondamentale : les laïques lisaient souvent en français ce que les clercs lisaient en latin. Mais quant au fond, les laïques comme les clercs avaient, selon l'intérêt plus ou moins grand qu'ils portaient au passé, des lueurs plus ou moins vives d'histoire sainte, d'histoire romaine, d'histoire troyenne, et d'histoire universelle. Le seul domaine qui passionnait les clercs et pour lequel les laïques ne marquaient qu'un faible intérêt était l'histoire ecclésiastique. De la sélection cassiodorienne, en effet, les laïques lisaient volontiers les *Antiquités judaïques* de Flavius Josèphe, qui les aidaient à mieux connaître l'histoire sainte. Ils lisaient aussi, mais plus rarement, Orose, qui leur était une autre façon d'apprendre l'histoire romaine [52]. Par contre, ils n'ont guère, semble-t-il, pratiqué ni l'*Histoire ecclésiastique* d'Eusèbe de Césarée, ni l'*Histoire tripartite* de Cassiodore, de même qu'ils n'ont guère lu, semble-t-il, ni Isidore ni Bède. A cette réserve près, l'histoire des laïques et celle des clercs sont jusqu'ici plus ou moins riches ; elles sont de même nature.

⁂

Mais par delà cette large histoire commune aux clercs et aux laïques de tout l'Occident fleurissait, nous l'avons vu, l'histoire des différences. Or, à généralement parler, autant les clercs étaient imperméables à toutes ces histoires nationales, provinciales ou locales, autant les laïques y étaient réceptifs. Entendons-nous bien. Les monastères bénédictins et même, parfois, comme en Angleterre, les abbayes cisterciennes avaient d'abord été et étaient longtemps restés les ateliers où l'érudition avait pu forger les grandes histoires nationales ou locales. Mais lorsque ces histoires trouvaient un public, ce public n'était pas, en général, clérical. C'est que les clercs avaient été formés dans les écoles et les universités. Quelle que fût par la suite leur carrière, d'église ou d'état, ils restaient dominés par les perspectives de l'enseignement qu'ils avaient reçu. Ils ne s'intéressaient guère à l'histoire, qui ne leur avait jamais été enseignée pour elle-même. Et, dans la faible mesure où la connaissance du passé les attirait, ils se contentaient des vues générales et lointaines à quoi l'histoire sainte, l'histoire ancienne et l'histoire universelle les avaient initiés à l'école.

Il y a sans doute des exceptions. Nicolas Trevet raconte comment il a profité de ce qu'il était étudiant à Paris pour lire tout ce qu'il a pu d'histoire de France et d'Angleterre [53]. Mais Nicolas Trevet venait précisément d'Angleterre, où la passion de l'histoire en général et de l'histoire nationale en particulier était fort vive. Et il ne faisait que prouver sa précoce vocation d'historien. De rares clercs qui, sans être historiens, avaient un certain penchant pour l'histoire, pouvaient bien avoir, dans un de leurs livres, quelques feuillets où étaient notés quelques faits du passé de leur pays, ou une rapide généalogie de leurs rois. Comme ce livre que le cardinal Guillaume Fillastre, doyen du chapitre de Reims, avait dans sa bibliothèque et où, après les soixante feuillets de l'*Historia scolastica* de Pierre le Mangeur et les cent cinquante feuillets du *Chronicon* de Martin le Polonais, il pouvait lire, sur cinq feuillets, deux généalogies des rois de France [54]. Exceptions que tout cela.

Un clerc ordinaire n'a lu et ne possède aucun livre d'histoire ou, au mieux, a simplement lu et possède les livres de l'histoire avec laquelle ses études l'ont familiarisé. Devenu maître d'école à Evreux au début du XVe siècle, Richard de Bazoques dresse la liste des 136 livres qu'il a lus lorsqu'il était étudiant à Paris vers 1390. Parmi eux, quelques rares livres d'histoire classés dans les livres de théologie, et ce sont, à côté de la *Chronique* d'Hugues de Saint-Victor, moins attendue, l'inévitable *Histoire scolastique* de Pierre le Mangeur et la non moins inévitable *Chronique* de Martin le Polonais. A la fin de la liste, parmi les ouvrages divers, il y a bien, en latin, l'*Histoire de la destruction de Troie* de Guido delle Colonne. Mais, ni en latin, ni en français, pas la moindre histoire de France [55]. En 1472, l'abbé Pierre de Virey fait faire l'inventaire de la richissime bibliothèque de l'abbaye cistercienne de Clairvaux, qui donne un magnifique exemple de ce que des clercs instruits, au XVe siècle, pouvaient lire. Or, parmi bien plus de deux mille volumes de théologie, d'hagiographie, de liturgie, de droit, etc., il y a une section d'une cinquantaine de volumes d'histoire. On y trouve Solin, Suétone et Valère-Maxime ; les deux œuvres de Flavius Josèphe, l'*Histoire* d'Eusèbe, celle d'Orose et la *Tripartite* de Cassiodore ; la chronique d'Eusèbe-Jérôme ; l'*Histoire ecclésiastique* de Bède ; l'*Histoire* de Fréculphe ; l'*Histoire scolastique* de Pierre le Mangeur (à plus de dix exemplaires !), le *Miroir* de Vincent de Beauvais et la *Chronique* de Martin le Polonais ; la chronique universelle d'Hugues de Saint-Victor et celle de Géraud de Frachet ; de nombreuses histoires des croisades ; l'*Histoire* de Geoffroy de Monmouth et l'*Histoire de Charlemagne* attribuée à Turpin. On trouve même, au hasard d'un dossier, une histoire des Anglais et une histoire des Normands. Il y a aussi les *Histoires* de Grégoire de Tours. Il y a enfin l'*Histoire des Francs* que Hugues de Fleury a composée au début du XIIe siècle mais qui s'arrête à la mort de Louis le Pieux et a souvent, aussi bien, été lue comme une histoire ecclésiastique de l'Occident. Mais pour ce qui est de l'histoire de France depuis qu'elle est précisément la France, depuis l'avènement de Charles le Chauve, il n'y a rien [56]. Les clercs étaient enfermés dans l'universel.

Instruits, les laïques des XIIIe et XIVe siècles purent l'être. Mais leurs perspectives ne furent pas bornées par les catégories de l'enseignement supérieur puisque, s'ils en avaient suivi les études, ils seraient devenus clercs. Aussi rien n'empêcha-t-il les laïques, par ailleurs curieux, comme les clercs, d'histoire sainte ou d'histoire ancienne, de se pencher sur un passé qui leur fût plus proche. C'est chez les laïques que l'histoire nationale trouva son public. Quels des laïques furent particulièrement réceptifs ? Et quand ? La réponse varie d'un pays à l'autre. La seule constante, semble-t-il, est que, dans les progrès de l'histoire nationale, une menace extérieure a toujours été une étape décisive. En Angleterre, où seule la mémoire de son passé pouvait permettre à tout un peuple, malgré la conquête normande, de conserver son identité, l'histoire d'Angleterre fut très tôt cultivée. En latin d'abord, puis en français, pour instruire l'élite des laïques, puis en anglais, pour toucher les plus humbles d'entre eux. Dans l'émotion des guerres écossaises, et pour justifier Edouard Ier, Pierre de Langtoft avait écrit, en vers français, toute une histoire d'Angleterre depuis Brutus. En 1338, Robert Manning la traduisait et l'adaptait en vers anglais

> « non pour les savants mais pour les humbles,
> pour ceux qui vivent en ce pays
> et ne savent ni latin ni français,
> pour qu'ils aient quelque plaisir
> quand ils sont assis tous ensemble.
> Car il est bon de savoir
> l'histoire de son pays... »,

il est bon de savoir l'histoire des Anglais [57]. Et l'histoire de Robert Manning fut la source du *Brut* en prose anglaise qui eut bientôt un si grand succès [58]. A Florence, c'est la menace que faisait peser sur sa ville, à la fin du XIVe siècle, Jean-Galéas Visconti, qui poussa un commerçant aussi médiocre, un citoyen d'aussi faible envergure que Goro Dati à écrire son *Istoria di Firenze.* Et l'amour que Goro Dati et ses pairs portaient à leur patrie et qui les poussait à connaître son passé fut sans doute plus précoce, et plus sincère, que celui des humanistes florentins qui tirèrent bientôt leur gloire d'écrire, en latin, l'histoire de Florence [59].

En France, au milieu du XIIIe siècle, Jean Bodel témoigne, à côté du succès des matières de Bretagne et de Rome, du grand succès de la matière de France qui avait l'avantage sur les deux autres d'être plus vraie [60]. C'est en effet que Charlemagne était devenu, au XIIe siècle, chez les laïques, un thème privilégié [61]. Et, sous le règne de Philippe Auguste, les victoires du roi aidant, à Saint-Denis et dans d'autres monastères bénédictins, comme Anchin ou Marchiennes, proches de la limite septentrionale du royaume, l'histoire de la France « moderne », c'est-à-dire de la France postérieure au partage de Verdun (843), commença d'être étudiée avec passion ; l'histoire de toute la France, avec ses trois dynasties, mérovingienne, carolingienne et capétienne, devint un champ privilégié de la recherche. Et, tout au long du XIIIe siècle, par des traductions et des adaptations, ces travaux érudits furent mis à la portée des laïques, et surtout des laïques qui, dans les châteaux et les villes de la France du nord, furent poussés plus vite qu'ailleurs, par la frontière proche et la guerre menaçante, à voir la France comme une personne. C'était, vers 1242, Philippe Mousket, un bourgeois de Tournai devenu soldat, qui voulait

> « Des rois de Franche en rimes mettre
> Toute l'estore et la lignie »

et s'aidait, entre autres, des chroniques latines de Saint-Denis [62]. C'était, vers 1260, l'anonyme Ménestrel de Reims qui, pour divertir son auditoire de nobles, multipliait les récits sur l'histoire de France et puisait, entre autres, dans l'œuvre de l'Anonyme de Béthune qui lui-même avait traduit une histoire de France en latin née sous Philippe Auguste de l'érudition parisienne [63]. C'était, en 1306, Guillaume Guiart qui, né à Orléans, blessé pendant la campagne de Flandre, ayant lu, pour se distraire, des livres d'histoire, indigné de la partialité des Flamands et des erreurs des Français, entreprenait de redire, en plus de vingt mille vers, l'histoire de France depuis Philippe Auguste, et s'astreignait à aller

> « A Saint Denys, soir et matin »

pour y transcrire

> « ... certaines croniques,
> C'est à dire paroles voires [64] »,

qu'il lui fallut encore traduire et rimer.

Sur toutes ces œuvres, le *Roman des rois* que Primat compila en 1274 avait la supériorité d'être le produit achevé de l'érudition dionysienne. Ce n'était pourtant qu'un témoin parmi d'autres de ce séculaire effort de vulgarisation. Lui aussi trouva essentiellement son succès à Paris et dans le nord de la France. Et d'ailleurs ce succès resta modeste jusqu'à ce que, dans la seconde moitié du XIVe siècle, fouettée par l'humiliation de malheurs répétés, encouragée par le sage roi Charles V, la passion pour l'histoire de France devînt, chez les laïques et surtout chez les nobles, plus vive encore. Les bibliothèques de Charles V et du duc de Berry, celles de Charles VI et du duc d'Orléans avaient de nombreux volumes consacrés à l'histoire de France, et en particulier de nombreux exemplaires des *Grandes Chroniques de France* [65]. Comme les rois et leurs frères, les seigneurs du royaume les plus puissants et les plus riches tinrent à avoir dans leur bibliothèque les *Grandes Chroniques de France*. A la fin du XVe siècle, tous les nobles instruits avaient, sinon ce coûteux ouvrage, du moins une quelconque histoire de France, plus accessible. Les nobles français ne se désintéressaient ni de l'histoire sainte ni de l'histoire ancienne, mais leur curiosité, plus vive que celle des clercs, les portait aussi vers l'histoire de France et même, d'une façon plus générale, vers l'histoire de tous les pays de ce monde où ils vivaient. En 1371, pour instruire ses filles, le chevalier de La Tour Landry leur fit faire des extraits des livres qu'il avait, « comme la Bible, Gestes des Roys et croniques de France, et de Grèce, et d'Angleterre, et de maintes autres estranges terres [66] ».

Parmi ceux qui, sous Charles VI, possédaient les *Grandes Chroniques de France* se trouvaient quelques chambellans. Nobles, et serviteurs intimes du roi, ceux-là avaient toutes les raisons de vouloir mieux connaître l'histoire des Français et de leurs rois. L'atmosphère était bien différente chez ceux qui servaient le roi dans les bureaux. Ici, l'histoire de France n'était chez elle que dans un seul service, à la chancellerie. C'est que les clercs de la chancellerie n'étaient que des techniciens de l'écriture. Ils n'avaient pas fait, en université, d'études supérieures de théologie ou de droit qui les eussent détournés de l'histoire de France. D'autre part, conservant et utilisant constamment les lettres des anciens rois, ils avaient professionnellement besoin, pour les dater et les interpréter correctement, de connaître un minimum d'histoire de France. Ce n'est pas un hasard si l'un des premiers registres de la chancellerie qui nous soient conservés, rédigé sous Philippe Auguste, contient un catalogue des rois de France précisément daté de 1220 [67]. Aux notaires de la chancellerie l'histoire de France était donc familière. Et lorsque, au début du xve siècle, Jean de Montreuil, qui était secrétaire du roi Charles VI, voulut défendre les droits de son maître et ranimer la vaillance des Français, il écrivit un petit traité sur l'histoire de France qu'il adressa « à toute la chevalerie de France [68] ».

Mais en dehors de la chancellerie, sous Charles VI, les bureaucrates royaux ne cultivaient guère l'histoire de France. Nourris et même étouffés de droit, les gens du parlement, lorsqu'ils s'intéressaient au passé, lisaient l'histoire sainte, l'histoire romaine, l'histoire troyenne. Il n'y avait pas, dans leurs bibliothèques, un seul livre d'histoire de France [69]. Et l'atmosphère était la même dans les provinces. Guillaume Saignet devait être, en 1413-1420, sénéchal de Beaucaire. Lorsque, vingt ans plus tôt, au début de sa brillante carrière, ce clerc, licencié en lois et bachelier en décret, avait encore le temps de s'intéresser à l'histoire, c'était une histoire universelle qu'il résumait, et c'était surtout ce qui y concernait l'histoire ancienne ou l'histoire de l'église qui retenait son attention [70]. Pendant des siècles et jusqu'au début du xve siècle, le roi de France fut bien servi. Mais, dans l'ensemble, lorsqu'ils construisaient l'Etat, l'énergie de ses serviteurs était bandée par des convictions religieuses, des arguments juridiques et des constructions politiques qui assuraient leur fidélité au roi. Elle n'était pas fondée sur l'amour d'un pays dont le passé leur était indifférent.

C'est au XVe siècle seulement que l'histoire de France devint une passion commune à tous les Français instruits. Les nobles et les bourgeois en furent plus que jamais friands [71]. La chancellerie continua d'être, pour l'histoire de France, un milieu si favorable que Noël de Fribois et Nicole Gilles, auxquels sont dues deux histoires de France à succès, étaient notaires et secrétaires du roi [72]. Et dans la seconde moitié du XVe siècle au moins le goût de l'histoire de France avait débordé de la chancellerie et touché les autres grands corps de l'Etat. Sous le règne de Louis XI, Pierre Amer, clerc ordinaire en la chambre des comptes, tirait de la chronique universelle de Géraud de Frachet, des archives de la chambre qu'il connaissait mieux que personne et d'autres sources encore, une brève histoire de France [73]. En 1489, « Jacques Le Picart, secretere du roy nostre sire et clerc de ses comptes », tirait des *Grandes Chroniques de France* un abrégé de l'histoire de France [74]. Ces *Grandes Chroniques de France* étaient désormais entre les mains de conseillers, d'avocats et même de procureurs au parlement de Paris. En 1459, Jean d'Acy, deuxième président au parlement de Toulouse et descendant d'une illustre famille parisienne, savait bien lire dans les *Grandes Chroniques* les services que ses ancêtres avaient rendus aux rois [75]. Même des universitaires, enfin, se mettaient à l'histoire de France. En 1481, un suppôt de l'université de Paris abrégeait pour son plaisir les histoires de France de Guillaume de Nangis et de Bernard Gui à lui prêtées par un certain Me Jacques Chevalier [76]. Et Robert Gaguin, dont le *Compendium super Francorum gestis* devait être si répandu au XVIe siècle, avait longtemps enseigné la rhétorique à Paris. En France, dans la seconde moitié du XVe siècle, il y a donc désormais un public large et divers passionné d'histoire de France, même la plus récente. C'est lui qui explique le succès qu'eurent en ce temps non seulement les *Grandes Chroniques de France* mais encore tant d'autres œuvres qui disaient tout ou partie de l'histoire de France et d'abord, parmi elles, les *Chroniques* de Froissart.

Dans les autres pays d'Occident l'histoire nationale fit à la fin du Moyen Age des progrès aussi spectaculaires qu'en France. Si bien qu'à l'aube des temps modernes, si la culture historique commune à tout l'Occident reste bien vivante, les gens instruits sont désormais moins marqués par elle que par la connaissance de leur histoire nationale, qu'ils partagent avec tous leurs compatriotes instruits.

§ 2. *De la clarté à la nuit*

Clercs ou laïques, des gens instruits ont donc eu pour l'histoire un goût si vif qu'ils en ont lu ou possédé plusieurs volumes. Ceux-là pouvaient avoir du passé une connaissance assez large et assez précise. Mais ils ne représentaient assurément dans l'ensemble de l'Occident qu'une toute petite élite. Plus nombreux furent ceux entre les mains desquels un don, un héritage ou le hasard avait mis un seul livre d'histoire. Ainsi, Pierre, vidame de Gerberoy, possédait-il, dans la seconde moitié du XIIe siècle, onze feuillets de parchemin sur lesquels avaient été écrites, dans le monastère de Saint-Wandrille, au début de ce même siècle, des annales [77]. Ainsi Raoul Thibault, procureur en cour laie à Compiègne, se trouvait-il posséder, dans la première moitié du XVe siècle, un manuscrit où avaient été copiés, au XIIIe siècle, toutes sortes de courts morceaux en langue française, dont une traduction de la chronique dite de Turpin, une chronique des ducs de Normandie et une chronique des rois de France [78]. Une chronique universelle jusqu'à la mort de Charles VI se trouvait entre les mains de « messire Tristan Lermite, chevalier, seigneur de Moulins et du Bouchet, conseiller du roy nostre sire, prevost des mareschaulx de France et de l'ostel dudit seigneur » parce qu'elle lui avait été donnée à Bayeux par « maistre Anthoine de Talentes, chanoine dudit lieu de Baieux, la veille de Noël, l'an mil CCCC soixante et trois [79] ». Et lorsque, en 1479, John Paston mourait, ne se trouvait parmi les quinze volumes de sa petite bibliothèque qu'un seul livre d'histoire, qui disait en anglais l'histoire de l'Angleterre d'Arthur à Edouard III [80]. Tous ces gens ont-ils eu le temps et le goût de lire le livre ainsi mis à leur portée ? Rien n'est moins sûr. L'auraient-ils lu qu'ils n'en auraient tiré qu'un passé superficiel et lacunaire. Pétrarque n'a pas de mots trop durs pour ces amateurs qui « se croient savants parce qu'ils ont lu un livre, alors qu'ils se jugeraient bien ignorants s'ils en avaient lu beaucoup [81] ».

Ces amateurs avaient pourtant quelque raison d'être fiers de leur savoir. Car ils avaient pu tirer des quelques dizaines de feuillets qu'ils avaient pu lire un passé beaucoup plus riche que ceux, plus nombreux, pour lesquels toute l'histoire du monde tenait en un ou deux feuillets et se réduisait à une mince chaîne de dates, ou de durées, ou de noms. Un catalogue des papes ou des empereurs, une « généalogie » de rois ou de princes, une simple suite de noms parfois accompagnés de la durée du règne mais le plus souvent sans aucun support chronologique [82] ; ou bien au contraire une suite de dates, une chronologie plus ou moins détaillée ; voilà souvent à quoi se réduisait la connaissance du passé.

C'était beaucoup encore. En 1409, à la fin d'une *Légende dorée* qu'il avait achetée quelques années plus tôt, Nicolas *de Custura,* chanoine de Senlis, jetait, en latin, sur le recto d'un feuillet, une trentaine de notations chronologiques à quoi, sans doute, se résumait pour lui l'histoire du monde. C'était d'abord les grandes périodes de l'histoire du monde jusqu'à la naissance du Christ :

« Du début du monde au déluge 2 244 ans,
Du déluge à la naissance d'Abraham 942 ans, »
Etc.

Puis venaient quatre durées qui jalonnaient l'histoire de France :

« De la nativité du Christ à Clovis... 432 ans,
De Clovis à Charlemagne 312 ans,
De Charlemagne à Hugues Capet 220 ans,
Dudit Hugues à Charles, le roi actuel 396 ans. »

Puis étaient évoquées quelques fondations de villes :

« Babylone a été fondée 2 760 ans environ avant la naissance du Christ,

Troie 1 380 ans avant la naissance du Christ,
...
Rome 720 ans avant la naissance du Christ,
Paris 800 ans avant la naissance du Christ. »

Puis était donnée la date fondamentale de l'histoire d'une douzaine de peuples :

« Les Francs ont mis fin à la domination romaine en Gaule aux environs de l'an du seigneur 430,

Les Normands se sont fixés là où ils sont maintenant aux environs de 900,

La Flandre a commencé à avoir un prince qui lui soit propre aux environs de 800,

...

Les Lombards se sont fixés là où ils sont maintenant aux environs de 560... »

Et notre chanoine concluait ces données chronologiques par une réflexion générale : « Il faut noter que tous ces peuples ont acquis leur seigneurie par la violence. En Orient aussi [83]. »

Le savoir du chanoine de Senlis était encore loin d'être quelconque. Au même moment, Thomas du Marest, ancien élève de l'université de Paris, curé de Saint-Nicolas de Coutances, ouvrait son livre de comptes par une courte vie de saint Nicolas, le patron de son église, elle-même précédée d'une douzaine d'indications de durées qui jalonnaient l'histoire du monde de sa création à la naissance du Christ : « D'Adam au déluge s'écoulèrent 2 242 ans ; du déluge à Abraham, 942 ; d'Abraham à Moïse, 550 » ; etc. [84]. Ces quelques données chronologiques marquent bien à quoi devait se borner le savoir d'un clerc un peu curieux d'histoire. C'est elles qu'on retrouve cent fois notées au hasard [85]. C'est à elles, à n'en pas douter, que se réduisait l'histoire du monde pour les clercs et pour les laïques instruits dans leur immense majorité.

Tous ceux-là n'avaient pas eu besoin d'un livre d'où tirer leur savoir. Un court manuel leur avait suffi, parfois illustré, comme ces quelques feuillets de parchemin « *continens prosapiam regis Francie cum circulis* », que possédait le cardinal Pierre Corsini et où il pouvait retrouver la généalogie des rois de France avec, pour chaque roi, un cercle, un médaillon où était dessinée la tête d'un personnage couronné [86]. Aux XIVe et XVe siècles se multiplièrent de tels opuscules. De même que se multiplièrent almanachs et calendriers où le lecteur pouvait apprendre quelques notions de chronologie, et quelques dates. Ainsi William Worcestre, au cours de ses périples anglais, trouva-t-il à Kingston-upon-Thames entre les mains de William Hunt, sculpteur, un calendrier où l'on affirmait, entre autres, que le déluge avait commencé un 11 avril ; et à Norwich, entre les mains de Georges Hevyrston, un autre calendrier, fort vieux, d'où William Worcestre retenait surtout la date de fondation des principaux ordres religieux : 534 pour les Bénédictins ; 912 pour les Clunisiens ; 1 098 pour les Cisterciens ; 1 200 pour les Prêcheurs ; 1 210 pour les Mineurs ; etc. [87]. Ces courts manuels, ces chroniques de quelques dates, ces calendriers, ces almanachs ont presque toujours disparu. Il n'ont presque jamais eu droit à une mention dans les inventaires de bibliothèques. Ils étaient dans la masse anonyme des livres négligeables. C'est pourtant cette humble piétaille qui offrait à beaucoup de ceux qui savaient lire la seule image qu'ils eussent, si pauvre et si pâle, de leur passé.

Ceux qui ne savaient pas lire en étaient réduits aux paroles et aux images. « Les notions » qu'ils « avaient de l'histoire ancienne ou chrétienne..., ils les tenaient non de livres, mais d'une tradition à la fois antique et directe, ininterrompue, orale, déformée, méconnaissable et vivante [88] ». Mais il faut dire que ceux qui savaient lire, eux non plus, n'étaient insensibles ni au poids de la parole ni à la puissance évocatrice d'images qui, d'ailleurs, se multiplièrent avec le temps. Or, souvent, ces images évoquèrent une scène ou un personnage historiques. Ainsi le passé revivait-il aux yeux de tous dans la pierre, dans les broderies, comme sur ce riche bonnet où une habile brodeuse avait figuré des scènes retraçant la guerre de Troie, et d'autres évoquant les guerres de Charlemagne contre les Sarrasins [89] ; dans les tapisseries qui ornèrent, si nombreuses à partir du XIVe siècle, les riches demeures et où l'on pouvait suivre, par exemple, l'histoire de César [90]. Mieux encore. Lorsque, en 1378, le roi de France Charles V accueillit à Paris l'empereur Charles IV, il donna un dîner en son honneur dans la grande salle du palais de la Cité. Un divertissement y fut offert, en plusieurs tableaux qui retraçaient « l'ystoire... comment Godefroy de Buillon conquist la sainte cité de Jherusalem ». Et, au dire du narrateur, le récit « mieulx et plus proprement fu fait et veu que en escript ne se puet mectre [91] ». Et ces tableaux animés devinrent, à la fin du XIVe et au XVe siècle, de plus en plus nombreux [92]. Or, tableaux et images frappaient l'esprit des hommes, mais ils ne mettaient en valeur, en dehors de tout contexte chronologique, que quelques événements capitaux, quelques personnages prestigieux. Pour beaucoup, de tout le passé, il ne restait alors que quelques noms familiers, ici celui d'Arthur [93], et là ceux de Clovis [94] et de Charlemagne. De tout le passé, l'immense majorité des hommes ne gardait en mémoire ni un récit détaillé, ni même une trame légère, mais de simples noms surgis de la nuit.

Ainsi, du plus savant au plus humble, la connaissance du passé allait-elle en se dégradant. Une solide culture historique n'était, au Moyen Age, que le fait d'une élite. La constatation paraîtra banale tant qu'on n'aura pas mesuré combien restreinte était cette élite. En effet, que les esprits les plus simples soient désarmés devant le passé ; que, écoutant les pires sornettes,

> « ... Gautier, Bebot et Dan Gile
> cuident que ce soit Evangile [95] » ;

que « de simples gens du commun » (*quidam vulgares et simplices*) ignorent la vraie histoire de Hugues Capet [96] ; il n'y a rien là qui puisse surprendre. Les savants ou les demi-savants du Moyen Age étaient les premiers à accabler ces naïfs de leur mépris.

Le plus étonnant est de voir à quel point ceux-là même qui se croyaient savants pouvaient se tromper sur des noms, sur des faits, sur des dates. Antoine de la Sale est pourtant, au XVe siècle, un noble cultivé et passionné d'histoire. Il dit « Thimostidès » pour Thémistocle, « Atistadès » pour Aristide. Il fait de Labeo Anstitius « l'Abbés Anstititus », de Lycurgue un « prince de Romme », et d'Antiochus le mari de Cléopâtre [97]. En 1367, l'évêque d'Orléans Hugues n'hésite pas à écrire que l'université d'Orléans avait été inaugurée par Virgile (dont nous savons qu'il a vécu au Ie siècle avant J.-C.) au temps de l'empereur Aurélien (qui fut empereur au IIIe siècle après J.-C.) [98]. Vers 1434, un savant clerc parisien rédigeait un mémoire politique destiné à conseiller la reine Isabeau de Bavière ; il y faisait de l'empereur Trajan un contemporain de « Charlemaigne, pour lors roy de France[99]. » Peu avant 1460, Thomas Bouqueneau, abbé de Saint-Michel-en-Thiérache, déclarait à quelques compagnons de table que les droits des Anglais sur la Normandie venaient de ce « que jadis une vefve royne de France espousa ung boucher de Paris ou de Reins qui se appelloit de Valois[100] » ; ce qui prouve, dans l'esprit de l'abbé, beaucoup de confusion, et à tout le moins une confusion fondamentale entre 987 et 1328, entre l'avènement de Hugues Capet, dont certains disaient en effet qu'il avait été boucher, et Philippe VI, qui fut en effet comte de Valois. Propos de table d'un abbé ignare ? Mais, en 1468, un avocat au parlement, dans une de ses plaidoiries, attribue à Philippe le Bel la paternité d'une ordonnance de 1337[101], et, en 1470, un très consciencieux amateur d'histoire, s'il date correctement la mort de Charles VII de 1461, fait mourir Charles VI en 1451, et Charles V en 1400[102]. Toutes erreurs qu'un bon historien, ou tout simplement un esprit exact et bien informé, ne commettaient pas.

Au Moyen Age, et même à l'extrême fin du Moyen Age, le contraste n'est donc pas entre une élite cultivée et une masse inculte. Il est entre une infime élite de clercs et de laïques qui ont eu le goût de l'histoire et ont su acquérir une connaissance du passé suffisamment précise et sûre, et la foule de tous ceux qui, même cultivés, n'ont pas eu le goût de l'histoire ou, l'ayant eu, n'ont pas su comment le satisfaire. La recherche et l'érudition historiques étaient pratiquées avec bonheur par un petit nombre de spécialistes. Mais, parce que l'histoire n'était pas enseignée, beaucoup pouvaient être instruits sans avoir la moindre connaissance du passé. Le fossé était profond entre l'infime élite des historiens et des amateurs éclairés, et tous ceux pour lesquels le passé n'était qu'obscurité. La grande faiblesse du Moyen Age ne résidait pas dans la recherche historique, qui pouvait être de haut niveau, mais dans la diffusion de la connaissance historique qui était, faute d'enseignement de l'histoire, misérable. La faiblesse fondamentale du Moyen Age, ce n'était pas l'histoire de l'élite, c'était la culture historique des autres. Mais il n'était pas possible que la profonde ignorance de ceux-ci ne réagît pas sur la science de ceux-là.

1. Cassiodore (456), I, xvii ; p. 55-57.
2. Ogilvy (232), 144, 172, 185, 186, 198, 210, 229, 236.
3. *Ibid.,* 107.
4. *Ibid.,* 166-167.
5. Bresc (191).
6. Hain (214).

7. Laistner, The Library of the Venerable Bede, dans Laistner (42).

8. Pour ce qui suit, j'ai exploité, si imparfaites que je les sache, les données fournies par Manitius (256). De même ai-je beaucoup tiré des études de Bolgar (250) ; de Burke (251) ; et de Sanford (262), (263).

9. Bolgar (250), 125.

10. Smalley (722), 165.

11. Humphreys (218), 92.

12. Carolus-Barré (192), 332-340.

13. Pellegrin (236), n°s 62, 69, 70.

14. Carolus-Barré (192), p. 357 et suiv., n°s 63-64, 169, 185.

15. Champion (195), 32, 54, 109.

16. Philippe de Vigneulles (687), I, 2.

17. Burke (251).

18. Rücker (557), 40. Labarre (224), *s. v.*

19. Werner (706), 96, 104.

20. Guenée (6), 579-580.

21. Vidier (178), 76-80.

22. Hunter Blair (729). Taylor (125). Guenée (6), 581.

23. *Chronique de Saint-Maixent* (781), xxiii-xxv.

24. Duby (380), 188.

25. O. Guillot, *Le comte d'Anjou et son entourage au XIe siècle*, Paris, 1972, *s. v.* Halphen (814), xlviii, xlix, 85, 88. Halphen (32), 150.

26. Southern (60), 246-247.

27. Tyson (182), 186-187.

28. Lhotsky (47), III, 179-227.

29. Kürbis (97), 33.

30. Malyusz (174), 251-254.

31. Hlavácek (216).

32. Lehmann (46), I, 253-280.

33. Glauche (141). Bignami-Odier et Vernet (190), n° 114. Hlavácek (216), 39.

34. Duby (380), 133-134.

35. J. Verger, Noblesse et savoir : étudiants nobles aux universités d'Avignon, Cahors, Montpellier et Toulouse (fin du XIVe siècle), *La noblesse au Moyen Age, XIe-XVe siècles. Essais à la mémoire de Robert Boutruche* réunis par Ph. Contamine, Paris, 1976, p. 289-313.

36. Champion (195), 40. Kekewich (180), 484. Edmunds (205), n°s 106, 148.

37. Thomas (609), 48-51.

38. Champion (195), 70, 95, 96, 106, 107.

39. Edmunds (205), n°s 50, 144, 148, 160.

40. Samaran et Monfrin (689), 146-156.

41. Guenée (7).

42. Monfrin (260), 149-150, 162.

43. *Ibid.*, 158.

44. Oxford, All Souls, man. 37, fol. 206.

45. Champion (195), 64.

46. Kekewich (180), 482.

47. Berger (248), v.

48. Thomas (609), 48-51.

49. Delisle (200), I, 278-280. Champion (195), 109, 112. Kekewich (180), 483.

50. *Le Ménagier de Paris, traité de morale et d'économie domestique composé vers 1393 par un bourgeois parisien...*, t. I, Paris, 1846, p. 62, 70, 77-78.

51. Philippe de Vigneulles (687), I, 2.

52. Dupré La Tour (568), 83. Doucet (202), 84. Coyecque (197).

53. Nicolas Trivet (665), 2.
54. Genicot (787), 234.
55. Bignami-Odier et Vernet (190).
56. Vernet (243), 239-244.
57. Robert Manning (715), I, 1 ; v. 6-12.
58. Gransden (89), 480.
59. Bec (156), 151-173. Guenée (3), 314-317.
60. Guenée (7), 276.
61. Guenée (11), 464.
62. Molinier (106), n° 2 522. Bossuat (19), 148.
63. Molinier (106), n°s 2 215, 2 528.
64. Guillaume Guiart (535), 173-175.
65. Delisle (200), 162-163, 261-262. Champion (195), 34.
66. *Le livre du chevalier de La Tour Landry pour l'enseignement de ses filles...*, A. de Montaiglon éd., Paris, 1854, p. 4.
67. *Recueil des actes de Philippe Auguste, roi de France,* t. I, *1179-1194,* H.-Fr. Delaborde éd., Paris, 1916, p. xxxiii-xxxiv.
68. Jean de Montreuil (624), II, 91. Bautier (155), xxxiv.
69. Autrand (185), 1238.
70. Coville (157), 319-330.
71. Delisle (199), I, 544-546.
72. Bautier (155), xxxvii.
73. Bibl. nat., fr. 4924. Je résume ici en une phrase les résultats auxquels je suis parvenu en étudiant ce manuscrit, et qui ne sont pas encore publiés.
74. Troyes, Bibl. mun., man. 812.
75. Fr. Autrand, *Naissance d'un grand corps de l'Etat. Les gens du Parlement de Paris, 1345-1454,* Thèse d'état dactylographiée, Paris, 1978, p. 772-774.
76. Université de Paris, man. 931, fol. 1, 28 v°, 31.
77. J.P. Gumbert, Un manuscrit d'annales de Saint-Wandrille retrouvé, *BEC,* 136 (1978), 74-75.
78. Bibl. nat., fr. 24431. B. Guenée, *Catalogue des gens de justice de Senlis et de leurs familles, 1380-1550,* Thèse complémentaire dactylographiée, Paris, 1963, p. 496.
79. Bibl. nat., fr. 9688.
80. *Paston Letters and Papers of the Fifteenth Century,* N. Davis éd., t. I, Oxford, 1971, p. 517.
81. P. de Nolhac, Le « De Viris Illustribus » de Pétrarque. Notice sur les manuscrits originaux, suivie de fragments inédits, *Notices et extraits des manuscrits de la Bibliothèque nationale et autres bibliothèques,* t. XXXIV, p. 50.
82. Guenée (11).
83. Paris, Bibl. Sainte-Geneviève, man. 549, fol. 162.
84. *Le livre de comptes de Thomas du Marest* (739), 2-3.
85. Notes de Jean Miélot, Bibl. nat., fr. 17001, fol. 34 v°. William Worcestre (553), 304-306.
86. Carolus-Barré (192), p. 371, n° 292.
87. William Worcestre (553), 242, 268.
88. M. Proust, *A la recherche du temps perdu,* t. I, *Du côté de chez Swann,* Paris, Gallimard, 1954 (Bibliothèque de la Pléiade), p. 151.
89. Frühmorgen-Voss (362), 1.
90. Guenée (7), 272.
91. Delachenal (795), t. II, p. 238-242.
92. Guenée et Lehoux (2), 26.
93. *Paston Letters and Papers of the Fifteenth Century,* N. Davis éd., t. I, Oxford, 1971, p. 539.
94. Beaune (366), p. 139-156. D. O' Connell, *Les propos de saint Louis,* Paris, 1974, p. 130. « Helas ! je ne cuide mie que depuis le temps

du roy Clovis qui fut le premier roy chrestien, que France fust aussi desolée et divisée comme elle est aujourduy », *Journal d'un bourgeois de Paris, 1405-1449,* A. Tuetey éd., Paris, 1881, p. 135.

95. Guillaume Guiart (535), p. 174, v. 91-92.

96. *RHF,* X, 297.

97. Lecourt (439), 209-210.

98. J. Soyer, *La légende de la fondation d'Orléans par l'empereur Aurélien,* Orléans, 1911, p. 10.

99. A. Vallet de Viriville, Advis à Isabelle de Bavière. Mémoire politique adressé à cette reine vers 1434, *BEC,* 27 (1866), p. 150.

100. *Jean de Reilhac, secrétaire, maître des comptes, général des finances et ambassadeur des rois Charles VII, Louis XI et Charles VIII. Documents pour servir à l'histoire de ces règnes de 1455 à 1499,* t. III, Paris, 1888, p. 78.

101. Arch. nat., X[1a] 4810, fol. 154.

102. Bibl. nat., fr. 1965, fol. 129 v° .

CHAPITRE VIII

LE POIDS DE L'HISTOIRE

I. Les pouvoirs et l'histoire

§ 1. *La propagande historique*

En cette fin de xxe siècle, il n'est personne qui ne soit convaincu de l'importance, dans la vie politique et la vie quotidienne, de l'information, de la propagande et de la publicité. Les médiévistes en sont tout autant convaincus que les autres et, leurs recherches s'inspirant de leurs expériences, il n'est pas une année, depuis quelques décennies, où ne paraissent un ou plusieurs articles démasquant les soucis de propagande de tel prince ou de tel auteur [1]. Et beaucoup aujourd'hui seraient tentés de voir tout au long du Moyen Age, depuis la « propagande martinienne » des clercs mérovingiens [2] jusqu'aux écrits propagandistes des humanistes de la Renaissance, de la propagande partout. Sans doute ne faut-il pas aller trop loin et, quoi qu'on en ait dit, de nombreuses œuvres sont assurément portées par des courants littéraires gratuits et ne sont le fruit d'aucune arrière-pensée politique. Tout n'est donc pas propagande. Mais, à y bien réfléchir, dans un monde où les pouvoirs disposaient de si faibles moyens de contrainte, le souci de diffuser des idées sur quoi s'appuyer et par quoi se justifier, de convaincre les esprits, de « faire de la propagande » devait être, chez tout gouvernant avisé, fondamental. Tout au long du Moyen Age, à qui voulut un pouvoir solide, il fallut une active propagande.

Ses arguments, la propagande les prenait partout. Elle les utilisait comme ils s'offraient, au mieux qu'elle pouvait. Elle jouait du sentiment religieux ou de la morale. Elle suivait pas à pas les progrès de la réflexion théologique ou de la pensée politique. Un roi du xiiie ou du xive siècle pouvait plaider qu'il tenait son pouvoir de Dieu, ou qu'il avait les vertus du roi idéal, ou qu'il portait cette couronne à laquelle chacun devait obéissance. Il n'est pas question de nier le poids que pouvaient avoir ces grandes idées intemporelles. Mais il faut dire aussi qu'une bonne partie de la propagande a toujours, et de plus en plus, situé ses arguments dans le temps. Dans le temps à venir, d'abord. Par exemple, qui pourrait prétendre comprendre les problèmes politiques des derniers siècles du Moyen Age sans avoir mesuré l'importance qu'y ont eue les prophéties fondées sur les Ecritures, ou sur l'astrologie ? Mais c'est un trait fondamental de la propagande médiévale qu'elle ancrait aussi très largement ses arguments dans le temps passé. Comment pouvait-il en être autrement ? Un noble était noble parce que ses ancêtres l'étaient. Une coutume était bonne parce qu'elle était ancienne. Un roi était sans doute légitime parce qu'il tenait son pouvoir de Dieu, qu'il avait les vertus nécessaires ou qu'il détenait la couronne, mais son meilleur argument restait encore qu'il était de sang royal. Dans un monde où le passé était la meilleure justification du présent, il était naturel que l'histoire fût le meilleur argument de la propagande, le meilleur soutien du pouvoir.

Cela dit, au début du Moyen Age, la propagande en général et la propagande historique en particulier étaient vraiment peu de chose. C'est très lentement que les pouvoirs apprirent à mieux jouer d'une propagande plus efficace grâce à des écrits, des paroles, des images, des gestes qui, au fil des temps, se multiplièrent. C'est très lentement que les pouvoirs apprirent à mieux jouer d'arguments historiques qu'une science plus assurée mettait plus nombreux à leur disposition. La propagande historique a fait en dix siècles d'étonnants progrès. Elle les a d'ailleurs faits par à-coups. Elle a eu ses temps forts et ses temps faibles. Certains moments y furent plus propices que d'autres. Certains pouvoirs y furent plus intéressés que d'autres.

Nouveau David et nouveau Constantin, Charlemagne a su jouer du passé lointain. Il eût été naturel qu'un grand essor des études historiques marquât son règne. Et pourtant il n'en fut rien. Charlemagne et ses conseillers encouragèrent bien l'étude de la Bible, mais ce n'était pas son sens historique qui, d'abord, les intéressait. Paul Diacre, qui vécut pendant quelques années dans l'entourage de Charlemagne, fut un grand historien, mais son œuvre fut moins encouragée par le roi franc que par l'atmosphère de la cour lombarde puis par celle du Mont-Cassin. En réalité, Alcuin, le père de la renaissance carolingienne, n'avait pas particulièrement la fibre historique. Et dans la mesure où il s'intéressait à l'histoire, le roi et empereur fut plus soucieux de soigner sa propre image que de raviver celle de ses prédécesseurs. Dans la propagande carolingienne, l'histoire du passé ne fut pas l'essentiel.

Une massive propagande historique apparut pour la première fois dans la seconde moitié du XIe siècle, liée aux deux événements qui marquèrent alors l'Occident : la réforme grégorienne et la querelle des investitures d'une part, la croisade de l'autre. Partisans et adversaires de la réforme, défenseurs du pape ou de l'empereur se jetaient à la tête des arguments historiques [3]. Pour les trouver, ils lurent avec avidité des livres anciens, comme l'*Histoire tripartite* de Cassiodore qui connut alors un succès considérable [4]. Ou ils en écrivirent de nouveaux. Jamais polémique et histoire ne furent plus intimement liées qu'à ce moment-là : toute l'œuvre du grand historien engagé que fut, aux côtés de l'empereur, Sigebert de Gembloux, en est le meilleur témoignage [5]. Dans le même temps, la préparation de la croisade exigeait un immense effort de propagande où les arguments historiques étaient tout naturellement essentiels. Dans les années 1070, des scribes du scriptorium de Cluny regroupaient en un dossier plusieurs œuvres historiques où la guerre contre l'infidèle trouvait sa justification [6]. La première croisade fut le succès que l'on sait. Mais, pour préserver ce fragile succès, il fallut d'autres croisades et de constantes expéditions qu'une intense propagande devait continûment justifier et où l'histoire tenait toujours sa place. C'est pour répondre aux critiques faites à la croisade que, avant le concile de Lyon de 1274, Humbert de Romans brossait, dans son *Opusculum tripartitum,* cette ample fresque historique où il entendait bien marquer la succession des temps et la diversité des causes [7].

Dans le temps même où les clercs tiraient massivement parti du passé, les princes prenaient peu à peu conscience de l'appui que les arguments historiques pouvaient offrir à leurs jeunes pouvoirs. Aux alentours de l'an mille déjà, il parut bien nécessaire à l'usurpateur capétien d'inspirer des histoires qui démontrassent que la France devait plus à Clovis qu'à Charlemagne, et où ne fussent compromis, dans un passé plus récent, ni le principe monarchique ni les ancêtres de Hugues Capet. C'est dans ce contexte qu'il faut situer les travaux de Richer et d'Aimoin [8]. Mais l'effort capétien ne fut ni massif ni durable. Par contre, dès avant 1026, sur l'ordre de Richard Ier, Dudon de Saint-Quentin recueillait les traditions orales relatives à la fondation du duché de Normandie et son histoire fut la première d'une longue suite d'œuvres propres à exalter les vertus de la famille ducale ou de la nation normande. Dès la seconde moitié du XIe siècle, les comtes d'Anjou inspiraient une historiographie qui leur fût favorable. Héritiers de ces deux traditions, les Plantagenets, au XIIe siècle, jouèrent consciemment et massivement de l'histoire pour établir l'illustre origine de leur lignage et justifier leur domination dans les pays qu'ils s'étaient acquis. Et, soucieux de convaincre d'abord leurs chevaliers, ils furent même les premiers à patronner une littérature en langue française [9]. Suger, dès la première moitié du XIIe siècle, fit aussi comprendre aux Capétiens l'importance de l'histoire. C'est lui, en quelque sorte, qui fonda, pour la plus grande gloire de Dieu, de saint Denis et du roi capétien, l'école historiographique dionysienne qui prit, sous le règne de Philippe Auguste, un essor décisif, et qui resta d'ailleurs longtemps encore, parce qu'elle était pensée par des clercs pour des clercs, fidèle au latin [10]. Sans doute tous les princes d'Occident n'ont pas alors compris, comme les Plantagenets et les Capétiens, l'importance de l'histoire. On a récemment observé que les comtes de Blois et de Champagne n'avaient pas inspiré une seule œuvre historique, n'avaient pas utilisé, dans leurs combats, un seul argument historique [11]. Mais plus le temps passait et plus nombreux furent les princes qui ne doutèrent pas du poids de l'histoire. Et lorsque, au début de la *Primera Crónica General de España,* le roi Alphonse X se faisait représenter tenant dans la main droite une épée et tendant de la main gauche à son fils et héritier le livre de cette histoire qu'il venait de faire écrire, il montrait par là qu'il avait bien conscience que son pouvoir reposait sur la force et la justice que symbolisait cette épée, mais aussi sur le passé dont il avait su, par ce livre d'histoire, conserver la mémoire [12]. Et quelques années plus tard, vers 1300, dans son traité sur la musique, le français Jean de Grouchy marquait bien que, pour lui, le principal mérite de ces chansons de geste qui disaient la vie des saints ou l'histoire du roi Charles était qu'elles importaient « *ad conservationem totius civitatis* », qu'elles étaient nécessaires à la cohésion de l'état [13].

Après 1300, il n'y a guère de pouvoir qui n'ait joué de la propagande et qui n'ait, dans sa propagande, tiré argument du passé. Plus ou moins, cependant, selon les problèmes et les tempéraments. La défense de l'Empire, par exemple, reposait avant tout sur une argumentation historique. Alexandre de Roes et Lupold de Bebenburg démontraient que Charlemagne, allemand, avait apporté l'Empire aux Allemands [14]. Marsile de Padoue démontrait que l'Empire, avec Charlemagne, était bien passé des Grecs aux Latins, mais sans l'intervention du pape dont, par conséquent, aujourd'hui encore, il ne dépendait en rien [15].

L'interminable conflit franco-anglais obligea lui aussi les adversaires, et surtout les Français, à un intense effort de propagande. Pour l'alimenter, les juristes forgeaient de nombreux arguments, mais on en demandait aussi beaucoup à l'histoire. Charles V était plus conscient que quiconque de l'importance de convaincre et lorsque, en 1378, il reçut l'empereur Charles IV à Paris, il en profita pour lui exposer son bon droit et sa juste cause dans le conflit qui l'opposait à Edouard III. L'ayant invité au Louvre, « prist le Roy à parler..., et prist sa matiere des premiers temps du royaume de France » et fit ainsi à son impérial auditeur « par longue espace de deux heures et plus » un véritable cours d'histoire de France [16]. Dans son long exposé, Charles V voulait simplement prouver que, depuis Charlemagne, la Guyenne faisait partie du royaume de France et que ses ducs, qu'ils fussent ou non rois d'Angleterre, devaient hommage au roi de France. Mais les Français étaient fiers d'un passé bien antérieur à Charlemagne et, dans les épreuves des XIVe et XVe siècles, l'idée qu'ils descendaient des Troyens leur fut un fondamental réconfort [17].

Le duc de Bourgogne, au XVe siècle, ne pouvait pas appuyer ses droits et ses prétentions sur un aussi prestigieux passé. Mais, par tempérament, Philippe le Bon entendit jouer au maximum du passé et lorsque, en 1447-1448, il négociait avec l'empereur Frédéric III pour obtenir un titre royal au moins dans ses possessions lotharingiennes, il demanda à Jean Wauquelin un énorme travail historique. Il lui donna toute la documentation nécessaire pour qu'il pût écrire en prose la vie de ce héros national bourguignon qu'était devenu Girart de Roussillon. Il lui fit apporter de Mons à Bruges les *Annales historiae illustrium principum Hannoniae* (Annales de l'histoire des illustres princes de Hainaut), que Jacques de Guise avait écrites avant 1400, pour qu'il en donnât une traduction française. Le même infatigable Wauquelin traduisit encore, au même moment, sur l'ordre de son maître, le *Chronicon nobilissimorum ducum Lotharingie et Brabantie ac regum Francorum* d'Edmond de Dynter. En deux ans, son labeur acharné avait donné au duc Valois toutes les pièces justificatives dont celui-ci avait besoin pour prétendre à faire renaître l'antique Lotharingie [18].

Jean Wauquelin n'avait rien d'un humaniste. Antonio Bonfini en était un. Mais, en écrivant, en 1487-1488, son histoire de Hongrie (*Rerum Hungaricarum Decades*), il ne faisait rien d'autre que donner à son maître le roi de Hongrie Mathias Corvin ce que Jean Wauquelin avait donné à Philippe le Bon : des arguments historiques à ses ambitions politiques [19]. Lorsque s'achevait le XVe siècle, qu'il eût recours à des historiens plus « traditionnels » ou plus « modernes », aucun prince, aucun Etat ne pouvait négliger d'asseoir son pouvoir sur l'histoire.

§ 2. *L'histoire officielle*

Les princes du Moyen Age étaient si convaincus du poids de l'histoire, ils savaient si bien l'importance des arguments que l'histoire pouvait fournir à leur propagande que nombre d'entre eux prirent grand soin de veiller à la composition d'œuvres historiques qui, disant les temps plus anciens, devaient annoncer ou justifier leur pouvoir ou qui, relatant le récent passé, devaient laisser de leur propre règne l'image la plus favorable. Pour désigner ces histoires liées aux pouvoirs, les auteurs parlent constamment aujourd'hui d'histoires officielles ou, conscients qu'ils sont parfois que les choses ne sont pas si simples, d'histoires semi-officielles. Il est bien vrai que ce mot d' « officiel » recouvre une réalité fort complexe. On voit aujourd'hui qualifier d'histoires officielles des œuvres de caractères très différents, et d'historiens officiels des auteurs de statuts bien distincts. Il vaut peut-être la peine de tenter une clarification.

Il y a d'abord eu, tout au long du Moyen Age, des auteurs qui, par conviction, sans en avoir reçu mission de quiconque, ont rédigé des ouvrages où ils faisaient passer les idées qui leur étaient chères. Jean de Fordun, dans la seconde moitié du XIVe siècle, écrivait une histoire d'Ecosse où il marquait la fierté d'un peuple qui n'avait jamais été, contrairement aux Bretons et aux Anglais, soumis par personne et dont la liberté avait toujours été sauvegardée par l'alliance du roi et du peuple. Jean de Fordun, pourtant, n'a été ni inspiré ni récompensé par le roi [20]. En 1497, le frère franciscain Jean de Legonissa justifiait les prétentions de Charles VIII sur le royaume de Naples par l'idée que les rois de France descendaient des Juifs en général et de David en particulier. Il exposait cette idée dans son *Opus Davidicum* où il déclarait qu'il combattait pour la maison de France et que la langue était sa lance et son épée ; il se qualifiait de sa propre autorité *miles domus Francie hasta et gladio lingue*. Il n'eut, autant qu'on sache, aucune récompense pour une œuvre dont il ne reste d'ailleurs qu'un manuscrit [21]. Tous les auteurs n'étaient pas aussi désintéressés, ou aussi malchanceux, que Jean de Fordun et Jean de Legonissa. D'autres n'eurent de cesse qu'ils n'eussent présenté leur ouvrage au prince dont il confortait le pouvoir ou les ambitions. Le prince, parfois, récompensait l'auteur, comme Charles VII qui fit verser 13 l. 15 s. à « maistre Jehan Domer, cronizeur », qui lui avait donné « ung petit rolet au quel sont escripts plusieurs beaux vers en latin, faisant mention d'aucunes choses advenues en ce royaume depuis certain temps en ça [22] ». Le prince, parfois, veillait à la diffusion de l'œuvre. Partiaux, mais spontanés, de tels écrits n'avaient pourtant rien d'officiel.

De nombreux travaux historiques étaient plus directement inspirés par le pouvoir. Charlemagne attacha peu d'intérêt à l'étude du passé, mais il prit grand soin de donner de son règne la meilleure image possible. Il veilla à ce que fussent rédigées, probablement par des clercs de la chapelle de son palais, des annales que nous disons royales ; il veilla aussi à ce qu'elles fussent largement diffusées [23]. En Angleterre, à la fin du IXe siècle, tout laisse à penser qu'Alfred fit de même. Il fit rédiger et diffuser la *Chronique anglo-saxonne,* à laquelle ses successeurs prirent soin de faire rédiger et diffuser des continuations [24]. Après la conquête, les rois d'Angleterre renoncèrent à une telle entreprise. Les ducs d'Autriche, pour leur part, n'encouragèrent jamais, jusqu'à la fin du Moyen Age, la moindre composition historique d'envergure [25]. Mais les rois de France et de Castille poussèrent à la réalisation, sinon d'annales dont le temps était passé, du moins de grandes sommes historiques retraçant l'histoire de leur pays depuis ses origines. Des empereurs comme Charles IV [26] ou Sigismond [27] encouragèrent la composition de livres qui soutinssent leurs vues, fournissant aux auteurs la documentation dont ils avaient besoin. Bref, annales, longues histoires ou plus courts traités, de nombreux princes d'Occident, conscients du soutien que pouvait leur donner l'histoire, inspirèrent la rédaction d'œuvres qui leur fussent favorables et reflétassent leurs vues, à la diffusion desquelles ils veillaient. Mais ces œuvres commandées par le pouvoir n'étaient pas explicitement cautionnées par lui. Elles étaient officieuses. Elles n'étaient pas, à rigoureusement parler, officielles.

Certains préféraient ces écrits officieux. Ils pensaient que, plus discrets, ils pouvaient mieux convaincre. En 1410, un porte-parole de Saint-Denis déclarait que, si les religieux avaient quelque peu voilé le caractère officiel de leur grande compilation historique, c'était « afin que les estrangiers ne dient qu'ils escripvissent aucune chose trop ou trop pou en la faveur des roys de France [28] ». Celui-là raisonnait comme nous le faisons aujourd'hui ; il avait bien compris qu'un écrit de propagande était d'autant plus efficace qu'il paraissait moins lié à ceux qu'il soutenait. Mais, d'un autre côté, comme la critique historique était fondée sur une hiérarchie d'autorités, qu'un texte semblait d'autant plus digne de foi qu'il était cautionné par une plus haute autorité, certains auteurs n'eurent de cesse qu'ils n'obtinssent pour leur œuvre l'approbation du pouvoir : appuyée sur lui, elle paraîtrait par là plus digne de foi, plus authentique. Ainsi y eut-il, à Gênes dès le XIIe siècle, à Padoue au XIIIe siècle, approuvées par le pouvoir, des histoires authentiques, tout à fait officielles, où le citoyen pouvait sans aucun doute retrouver l'entière vérité sur le passé de sa ville[29]. Dès le règne de Philippe Auguste, les religieux de Saint-Denis avaient travaillé à ce que certaines des œuvres sorties de leur atelier, présentées au roi et approuvées par lui, devinssent par là authentiques. Très vite, ils réussirent à convaincre que leurs écrits avaient un caractère officiel. Les Français crurent aux *Grandes Chroniques de France* comme à la Bible. Les rois de France furent finalement plus lents que leurs sujets à accepter l'idée d'une histoire officielle, et à en prendre l'initiative.

Pendant un long temps après la conquête, les rois d'Angleterre, eux non plus, ne virent pas l'intérêt d'une histoire officielle. Et lorsqu'ils le virent enfin, ils ne s'attachèrent pas, comme les rois de France, à faire composer de grosses histoires de leur royaume. Ils se contentèrent de faire rédiger, sur les événements qui leur paraissaient importants, de brefs rapports à la diffusion desquels ils veillèrent. Lorsque, en 1291, les prétendants au trône d'Ecosse eurent eu recours à l'arbitrage d'Edouard Ier et eurent clairement et formellement reconnu la souveraineté anglaise sur l'Ecosse, le roi Edouard en fit des lettres qu'il envoya aux principales abbayes du royaume, et qu'il leur demanda d'enregistrer dans leurs chroniques[30]. Au XIVe siècle, les successeurs d'Edouard profitèrent de chaque statut pris par le roi en son parlement pour donner, dans son préambule, une version officielle des événements qui en justifiaient la publication, et les statuts, diffusés dans tout le royaume, répandaient ainsi ce dont le gouvernement voulait que ce fût la vérité historique[31]. Au XVe siècle, la propagande d'Edouard IV n'utilisa plus le détour des monastères ou du parlement. Lorsqu'il eût recouvré son trône, le roi fit rédiger une version officielle des événements de 1471, dont il prit soin de diffuser le texte, en particulier sur le continent[32]. Si la grande masse des écrits historiques dont s'aidèrent, au Moyen Age, les pouvoirs n'eut qu'un caractère officieux, les principes mêmes de la critique historique médiévale encouragèrent certains de ces pouvoirs à concevoir les avantages d'une histoire authentique, à explicitement couvrir de leur autorité des récits qui leur étaient favorables, à patronner, sans complexes, des histoires officielles.

L'autonomie accrue de l'histoire par rapport aux autres sciences, les progrès décisifs de la bureaucratie et de l'office poussèrent à un dernier développement, tardif. De nombreux pouvoirs prirent alors l'initiative de confier la composition de l'histoire officielle à un savant qui, explicitement commis à le faire, devenait par là même un historien officiel. C'est le roi de France, semble-t-il, qui s'engagea le premier dans cette voie, mais, à l'examen, l'apparition d'un historien officiel est, même en France, beaucoup plus tardive qu'on ne l'a souvent dit. Lorsque, au début du XIIIe siècle, le moine de Saint-Denis Rigord s'intitulait « chronographe du roi de France » (*regis Francorum cronographus*)[33], cela voulait dire qu'il proclamait s'être consacré à l'histoire du roi de France, ou qu'il désirait ardemment abriter son œuvre sous l'autorité du roi de France. C'était en tout cas un titre qu'il se donnait. Il n'avait reçu du roi lui-même ni mission ni titre. Quelques décennies plus tard, c'était bien sur l'ordre de saint Louis que le moine Primat entreprenait d'écrire son *Roman des rois*[34], mais sa position dans le monastère de Saint-Denis n'en était pas changée, et il ne prétendait à aucun titre officiel, royal. Aucun titre royal non plus pour son successeur à la tête de l'école historique dionysienne, Guillaume de Nangis, qui fut simplement dit *custos cartarum,* garde des archives de Saint-Denis, de 1285 à sa mort, en 1300[35]. Aucun titre royal non plus pour Richard Lescot qui fut chantre de Saint-Denis et déploya dans le monastère une prodigieuse activité d'historien au temps où Philippe VI et Jean le Bon régnaient. En somme, jusqu'à ce moment-là, la responsabilité de la composition des *Grandes Chroniques de France* et, plus généralement, de toute la production historiographique dionysienne, que les rois encouragaient et qui était si favorable à leur pouvoir, avait reposé sur les épaules de moines qui étaient, dans le monastère, des personnages éminents, mais que le monarque n'avait jamais songé à distinguer en leur accordant un titre et un statut particuliers. Dans l'atmosphère de laïcisation de l'Etat qui fut celle de la seconde moitié du XIVe siècle, Charles V cessa de s'en remettre à Saint-Denis. Il confia à son chancelier Pierre d'Orgemont la mission d'écrire l'histoire du règne de son père et celle du sien. Le chancelier s'acquitta de sa tâche à la satisfaction du roi mais son œuvre resta anonyme et il n'en tira ni gloire, ni profit, ni titre particuliers.

Charles VI confia de nouveau à un religieux de Saint-Denis, en l'occurrence à Michel Pintoin, chantre de l'abbaye, la mission d'écrire, comme d'autres moines dionysiens l'avaient fait avant lui, d'une part une histoire de France, d'autre part l'histoire de son règne. Peut-être bien que le statut de Michel Pintoin ne fut pas différent de celui de ses prédécesseurs et qu'il ne fut rien d'autre, comme le dit Jean de Montreuil qui était bien placé pour savoir son titre exact, que « chantre et croniqueur de Saint Denis, personne de grant religion et reverence[36] ». D'ailleurs aucun document officiel ne lui donne un autre titre et, en 1410, dans le grand procès du chef de saint Denis qui oppose les moines de Saint-Denis aux chanoines de Notre-Dame de Paris, ceux-ci insistent bien sur le fait qu'il n'y a jamais eu et qu'il n'y a encore qu'un « chroniqueur de Saint-Denis » dont les œuvres ne sont donc ni authentiques, ni approuvées, mais sont simples écritures privées. C'est précisément pour écarter cette objection que les moines de Saint-Denis soulignent le caractère officiel de l'historiographie dionysienne et, pour le prouver, ils affirment que le chroniqueur de Saint-Denis « est office royal, car il est ordonné par le roy, fait serement au roy et a livrée à l'ostel du roy comme officier... Et combien que aucunes foiz le croniqueur ait esté des religieux de Saint-Denis, c'est par l'autorité du roy, et ont fait serement au roy et ont eu livrée et encores l'a cellui de present ; et si sont appellez croniqueurs de Saint-Denis, c'est une maniere de parler et afin que les estrangiers ne dient qu'ils escripvissent aucune chose trop ou trop pou en la faveur des roys de France. Mais, quelque nom qu'ilz ayent, ilz sont croniqueurs de France ordonnez pour escripre les notables faiz de France pour avoir memoire des choses passées ». Et les moines de conclure : « Il n'y a eu ne n'a à present que ung croniqueur de France [37]. » Les moines de Saint-Denis affirment donc hautement qu'un des leurs est officier royal, a prêté serment au roi, et porte le titre de « chroniqueur de France ». La seule chose qu'ils n'affirment point est qu'il touche, au titre de son office, des gages et, de fait, l'érudition contemporaine s'est épuisée en vain à chercher la trace de gages qui lui aurait été versés [38]. Michel Pintoin n'a sûrement pas touché de gages. Il est bien vrai que ses travaux historiques ont été, comme ceux, depuis longtemps, de ses prédécesseurs, encouragés par la royauté. Mais il est plus que probable que sa qualité d'officier royal et son beau titre de « chroniqueur de France » n'ont existé que dans l'imagination des moines dionysiens qui, pour les besoins de leur cause, en 1410, cherchaient désespérément à donner un caractère officiel aux écrits des « chroniqueurs de Saint-Denis ».

Les prétentions dionysiennes préparaient l'avenir et, à la faveur des événements, devinrent réalité. Charles VII était à peine rentré dans Paris qu'il confiait à nouveau à un religieux de Saint-Denis, Jean Chartier, la tâche de continuer l'œuvre de Michel Pintoin. Mais, ce faisant, il donnait à Jean Chartier un statut fort précis, dont celui-ci prit bien soin d'exposer tous les détails et dans sa chronique latine [39] et dans sa chronique française [40]. Quel titre exacte reçut-il ? La chose n'est pas nette, car Jean Chartier s'intitule « *Francorum historiografus* » dans sa chronique latine, « le plus petit d'entre les chroniqueurs ou historiographes de ce sérénissime roi » dans sa chronique française. Toujours est-il que Jean Chartier, comme tout officier royal installé en son office, prêta serment. Il prêta même serment en présence de plusieurs importants personnages, Gérard Machet, évêque de Castres, confesseur du roi, Geoffroy Vassal, général des finances, et Pierre Alant, secrétaire du roi. Après quoi, par les soins dudit secrétaire, des lettres royales lui furent expédiées le 18 novembre 1437 qui lui garantissaient, à cause de son office, des gages annuels de 200 l. par. (ou 250 l. t.) et lui assuraient, lorsqu'il était auprès du roi, les mêmes rations qu'aux maîtres d'hôtel du roi pour lui, ses deux valets et ses trois chevaux. Jean Chartier a beau insister que ce gage est « le gage accoustumé », que ces droits sont « depuis longtemps, presque depuis toujours » (*jamdudum, quasi ab omni evo*) les droits du chroniqueur royal, il n'est pas douteux, au contraire, qu'il y a là une nouveauté. Les services depuis longtemps rendus à la royauté par l'historiographie dionysienne et les sollicitations pressantes de Saint-Denis aboutissaient enfin, en 1437, à la création, en faveur d'un moine de Saint-Denis, d'un office de chroniqueur ou historiographe royal, avec un titre un peu imprécis, mais des gages bien assurés.

La création française de 1437 fut durable. Jean Chartier tint son office et toucha ses gages jusqu'à la mort de Charles VII. Lorsque Louis XI devint roi, il changea cet officier comme tant d'autres. Georges Chastellain nous dit qu' « il prist indignation contre ceux de Saint-Denis et par courroux tira hors des mains l'autorité de chroniquer ; et (la) mist en la main d'un religieux de Clugny, lequel il manda venir devers luy, appelé maistre Jehan [41] » Castel, dont on sait par ailleurs qu'il était petit-fils de Christine de Pisan et fils de Jean Castel qui avait été notaire et secrétaire du roi Charles VII. Jean Castel toucha les 200 livres de gages de son « office de croniqueur » jusqu'à sa mort, en 1476 [42]. A la fin du Moyen Age, en France, l'investiture du pouvoir devint si importante, parut si naturelle qu'il se trouva des auteurs pour réserver le nom de chronique à des œuvres ainsi composées par des historiens qui en avaient reçu mission expresse de l'Etat. Dans son prologue, Alain Bouchart expose qu'il faut réserver le nom de chronique à un livre « composé par celuy qui à ce faire a esté commis, car il n'est permis à personne composer cronique, s'il n'y a esté ordonné et député ». Et la réaction d'Alain Bouchart n'est pas isolée [43].

Suivant l'exemple français apparurent, après le milieu du XVe siècle, dans de nombreux Etats, des historiens officiels. Par exemple, beaucoup d'auteurs avaient écrit, dans la première moitié du XVe siècle, des histoires favorables à la Bourgogne. Mais le premier à recevoir explicitement mission de le faire fut Georges Chastellain, que Philippe le Bon chargea en 1455 de « mettre en forme par maniere de cronicque fais notables, dignes de memoire, advenus par chi-devant et qui adviennent et puellent advenir ». Son « estat d'orateur et historiographe » se marqua au moins par un titre, d'ailleurs variable. Il est dit en 1461 « chroniqueur de monseigneur », en 1473 « indiciaire et historiographe ». A la mort de Georges Chastellain, en 1475, Jean Molinet fut investi de la même mission, que souligne un titre d'ailleurs, là encore, variable d'un texte à l'autre. A la mort de Jean Molinet, en 1507, c'est Jean Lemaire de Belges qui devint « indiciaire ». Il est sûr que Jean Lemaire de Belges, en 1507, prêta serment. Ses prédécesseurs avaient fait probablement de même. Il est sûr aussi que Georges Chastellain, Jean Molinet et Jean Lemaire de Belges reçurent des ducs de Bourgogne de quoi vivre. Mais à quel titre recevaient-ils ces subsides ? Les recevaient-ils *parce que* ils étaient indiciaires ? Furent-ils juridiquement, comme Jean Chartier et Jean Castel, titulaires d'un office auquel attachés des gages ? La chose n'apparaît pas clairement. Ce qui est sûr en tout cas c'est que, à partir de 1455, le duc de Bourgogne eut donc très officiellement un historien qu'un titre distinguait, qui prêtait serment, auquel une pension ou des dons permettaient de vivre, et qui était chargé d'écrire l'histoire « par escripture authentique [44] ».

A Venise, contrairement à ce qui a été souvent dit, il n'y avait pas encore, au début du XVIe siècle, d'historien officiel. Le vrai est qu'en 1443 une école avait été établie à Saint-Marc, où un lecteur recevait de la république un salaire pour entraîner des jeunes gens au service de la chancellerie et donner des conférences publiques. En 1460, un second poste de lecteur avait été créé, et c'est ce poste que Lodovico Foscarini avait, en 1462, suggéré à Flavio Biondo de postuler. Flavio Biondo ne fut d'ailleurs pas élu. Lorsque, en 1485, Marcus Antonius Sabellicus eût offert au sénat de Venise les 33 livres de ses *Rerum Venetarum ab urbe condita,* il en fut récompensé par un poste de lecteur à l'école de Saint-Marc. Il devait former les futurs clercs de la chancellerie, donner des cours d'humanités et, accessoirement, continuer à écrire l'histoire de Venise. Il touchait encore ses gages de lecteur lorsqu'il mourut en 1506. Mais Venise n'avait toujours pas, alors, d'historien en titre. Peu après cependant, comme les deux lectorats de Saint-Marc étaient devenus en fait, à ce moment-là, sous la pression du mouvement humaniste, deux chaires, l'une de latin, l'autre de grec, réservées à deux érudits peu intéressés par leur temps, le sénat décida de nommer et de payer un historien spécialement chargé d'écrire l'histoire moderne de Venise. Andrea Navagero avait toutes les qualités requises pour cela. C'était un humaniste et un patricien vénitien au fait des archives et de la politique vénitiennes. Il fut, en 1516, le premier historiographe en titre de la république de Venise [45].

Entre la création française de 1437 et la création vénitienne de 1516 surgissent ainsi de la documentation non seulement dans le duché de Bourgogne mais aussi dans de nombreux autres Etats d'Occident comme, par exemple, à Naples [46], en Castille [47] ou en Hongrie [48], des historiens dont l'érudition moderne nous dit qu'ils furent officiels mais dont il conviendrait de préciser quand ils apparurent et quel fut leur statut.

L'institution d'un historiographe officiel, ayant office, titre et gages, exclusivement occupé, et lui seul, à écrire l'histoire de l'Etat qui le payait, ne se maintint d'ailleurs pas longtemps en cette forme précise. Très vite, les choses se brouillèrent et se dégradèrent. En France, sous Louis XI, alors même que Jean Castel tenait du roi l'autorité de chroniquer, c'est-à-dire, probablement, la mission d'écrire l'histoire du règne, et se disait « chroniqueur de France [49], Guillaume Danicot se dit, dans des textes qui s'échelonnent de 1466 à 1472, « conseiller et ystorien du roy » et prétend avoir reçu du roi mission d'écrire, comme il dit en latin, « *gesta regnum Francorum concernentia* » ou, comme il dit en français, de « cueillir et cercher les ystoires et legendes touchant les faiz de ce royaulme et icelles mectre par livres especiaulx [50] ». Guillaume Danicot, appuyé par de puissants protecteurs, avait obtenu le titre d'historien du roi. Sa position cependant n'avait rien de comparable à celle de Jean Castel : il n'avait ni office, ni gages [51]. Au reste, Guillaume Danicot disparut en 1472, Jean Castel mourut en 1476, et le problème intéressait si peu Louis XI qu'il n'y eut plus alors ni chroniqueur de France, ni historien du roi. Par deux fois, en 1476 et 1479, Robert Gaguin tenta d'être officiellement chargé d'écrire une histoire de France. En vain [52]. C'est simplement en 1483 que, à la prière instante de l'abbé de Saint-Denis, le roi désigna à nouveau un moine de Saint-Denis, Mathieu Levrien, comme « croniqueur de l'eglise » et lui versa, à ce titre, des gages [53]. On remarquera d'ailleurs que Mathieu Levrien n'est dit ni chroniqueur de France ni historien du roi, et que son titre n'est rien d'autre que celui que portait jadis Michel Pintoin. Au reste, Louis XI mourait en cette même année 1483 et Mathieu Levrien, qui poursuivit une longue et brillante carrière à Saint-Denis, ne se mêla plus jamais d'histoire. Ce fut un nouveau vide jusqu'à ce que, en 1498, « maistre Paule Emylius, orateur et croniqueur lombart », fût encouragé à écrire une nouvelle histoire de France et reçût pour cela, sinon un titre, qu'aucun document ne nous donne, ou un office, que rien ne nous prouve, du moins une pension [54]. Dans le temps même où Paul Emile touchait encore probablement sa pension, à partir de 1501, Jean d'Auton se disait « historiographe du roy » et s'autorisait par là à écrire une « Chronique de France ». Mais il ne toucha jamais de gages du roi en tant qu'historien. C'est simplement parce qu'il était son chapelain que Louis XII, en 1508-1509 par exemple, lui faisait verser 120 livres[55].

Office sans titulaire, pension sans titre, titre sans gages, le moins que l'on puisse dire est que, à la fin du XVe et au début du XVIe siècle, la politique du roi de France n'avait plus ici ni rigueur ni continuité. Le même affaissement se marque en Bourgogne où, après Jean Lemaire de Belges, qui quitta sa charge en 1512, ne subsista plus qu'un titre honorifique[56]. L'institution de l'historien officiel, commis à écrire l'histoire du pays et plus particulièrement son proche passé, effectivement attelé à sa tâche, titulaire d'un office dont il était investi en prêtant serment, ou à tout le moins paré d'un titre et gratifié, à ce titre, d'une pension, ne fut donc qu'un moment éphémère. Tout sombra vite dans la confusion et l'inefficacité[57].

Il n'empêche que ce moment éphémère n'était que l'aboutissement d'une longue évolution des rapports des pouvoirs et de l'histoire. Dès l'abord, les pouvoirs avaient su, dans leur propagande, utiliser l'histoire. Et pour disposer d'un passé convaincant, ils ne se contentèrent pas de récompenser les initiatives qui leur étaient favorables, ils prirent soin de patronner la composition d'œuvres dont les dires officieux devaient insidieusement marquer les esprits. Il y eut toujours des histoires officieuses, mais, au XIIe et au XIIIe siècles, certains pouvoirs furent amenés à explicitement approuver des textes dont on voulait que par là même la vérité ne fût plus discutée. De cette histoire officielle, on confia finalement la composition à un historien officiel. Et il y eut bien peu d'Etats, dans la seconde moitié du XVe siècle, qui négligèrent, sous une forme ou sous une autre, de s'en attacher un.

De cette évolution, les raisons sont claires. Les gens du Moyen Age étaient parfaitement conscients qu'une histoire officieuse, discrètement inspirée et diffusée, avait peut-être plus de chances d'imposer, sous le voile de l'impartialité, ses vues. Mais, d'un autre côté, les principes de la critique historique, qui rendaient un texte d'autant plus digne de foi qu'il était approuvé par une autorité plus haute, poussèrent parfois les pouvoirs à approuver des histoires qui devenaient par là authentiques, officielles, indiscutables. Le développement de la bureaucratie, la multiplication des offices, l'autonomie que l'histoire gagnait peu à peu sur la théologie et le droit expliquent enfin l'apparition des historiens officiels.

De telle sorte que, si l'histoire n'était plus la servante de la théologie et du droit, elle devenait très officiellement l'auxiliaire du pouvoir. L'historien officiel n'entendait certes pas renoncer à la vérité, mais il se savait et se voulait d'abord serviteur de l'Etat. « Le droiturier office et devoir de tous bons indiciaires, chroniqueurs et historiographes », dit Jean

Lemaire de Belges, est « de monstrer par escritures et raisons apparentes, et notifier à la gent populaire, les vrayes, et non flateuses louenges et merites de leurs princes, et les bonnes et justes quereles d'iceux[58] ». Et lorsque, quelques années auparavant, le bénédictin Jean d'Auton avait entrepris de raconter l'expédition qui avait mené les Français, en 1499, en Italie, il disait clairement ses intentions : « Considerant... au service de l'affaire commun le glayve m'estre interdit et mys hors de la main..., veu que par effort de main armée favorizer ne les (les Français) peulz, d'encre et de papier ay scelon mon pouvoir deliberé leur donner quelque secours[59] ». L'histoire au service de l'Etat, au secours du pays : en proclamant hautement l'éminente dignité de l'histoire officielle, les historiens de la Renaissance tiraient simplement les dernières conséquences de l'héritage que le Moyen Age leur avait laissé.

II. Exemples et précédents

Dans un monde qui n'admettait pas la nouveauté, le passé était toujours appelé à justifier le présent. Mais l'arsenal de l'histoire fournissait des armes de natures bien différentes. Les uns y cherchaient des exemples, les autres des précédents. Pendant la querelle des investitures, partisans et adversaires de la papauté firent également appel, dans leur argumentation, à l'histoire. Mais les partisans du pape demandèrent au passé lointain de l'ancien et du nouveau testament des exemples sans rapports directs avec les problèmes présents, capables pourtant d'indirectement justifier leurs audaces nouvelles. Les partisans de l'empereur au contraire, forts d'un proche passé qui leur était favorable, entendaient tirer de l'histoire récente tous les précédents qui montraient bien comme leur position reposait sur une tradition directe, immédiate et ininterrompue[60]. Le précédent prouvait ainsi une continuité, tandis que l'exemple, voilant la nouveauté aux yeux d'un monde qui ne l'aurait pas autrement acceptée, annonçant à tout le moins le désir de faire renaître un temps plus ancien et meilleur, de renouer un fil rompu en brisant avec le passé proche, marquait ou masquait une rupture.

Comme le pape pendant la querelle des investitures, de nombreux princes veillèrent à prendre un exemple dans un passé plus ou moins lointain, à tirer plus ou moins arbitrairement d'ici ou d'ailleurs un modèle auquel ils affirmaient se conformer, à s'abriter derrière une figure prestigieuse que toute leur ambition était, disaient-ils, de faire revivre. Charlemagne s'était voulu un nouveau David. Beaucoup le prirent à son tour comme modèle. Edouard III fut pour Froissart un nouvel Arthur. Pour Antonio Bonfini, le roi de Hongrie Mathias Corvin fut à la fois un nouvel Auguste, un nouveau Trajan et un nouvel Attila (lequel avait été pour les Occidentaux le fléau que l'on sait mais restait dans la mémoire des Hongrois comme le plus grand des rois) [61]. Pour convaincre, lorsqu'il le fallut, les propagandes politiques surent donc annoncer une renaissance, une rénovation, et s'appuyer sur des exemples. Elles ne le firent que faute de mieux. Le poids de la tradition était tel, l'argument de la continuité était si fort que, lorsqu'elles le purent, elles préférèrent aux exemples les précédents. Les pouvoirs utilisèrent souvent l'histoire comme une carrière d'exemples qui, d'où qu'ils vinssent, les justifiaient, mais bien plus souvent encore ils lui demandèrent des précédents qui, directement, les annonçaient. La principale mission de l'histoire fut de prouver, par des précédents, des continuités.

Continuité, d'abord, de la communauté politique telle qu'elle existait alors. Il fallait que, pour former une communauté parfaite, les membres de ce « peuple » fussent convaincus de former une seule « nation », d'avoir une commune origine, dont leurs ancêtres s'étaient toujours montrés dignes et qu'eux-mêmes ne trahissaient point [62]. Il fallait plus précisément convaincre citoyens ou sujets que les structures politiques dans lesquelles ils vivaient à présent avaient toujours été l'instrument et le garant de ce long succès. C'est l'histoire qui disait aux Vénitiens « qui il furent et dont il vindrent et qui il sont et coment il firent la noble cité que l'en apele Venise, qui est orendroit la plus bele dou siecle [63] ». A la fin du Moyen Age, au XVIe siècle encore, pas un doge ne fut installé ou enterré sans qu'un long discours ne fît l'éloge de Venise et ne rappelât son histoire : la cité avait été fondée le 25 mars 421 (ce qui permit, en 1421, d'en pompeusement célébrer le millénaire) ; et, depuis lors, la ville avait toujours su conserver sa liberté grâce aux institutions qui la régissaient encore [64]. De même Jean de Fordun expliquait-il aux Ecossais, au XIVe siècle, que cette liberté dont ils n'avaient jamais cessé de jouir et qu'ils avaient préservée même contre César ils la devaient à l'étroite alliance que le roi et le peuple avaient toujours su sauvegarder [65]. De même, au XVe siècle, Rodrigo Sánchez de Arévalo rappelait une fois de plus aux sujets du roi de Castille leurs origines wisigothiques ; c'était, depuis longtemps, un des thèmes favoris de l'historiographie castillane ; mais en ajoutant que le peuple avait pu conserver cet héritage wisigothique grâce à ses vertus et parce qu'un roi désigné par Dieu avait toujours su maintenir, malgré une noblesse turbulente, son autorité, il justifiait par avance le temps de Ferdinand et Isabelle[66]. Les Français étaient fiers d'une origine plus illustre encore. Les plus cultivés d'entre eux avaient très vite su qu'ils descendaient des Troyens. Les *Grandes Chroniques de France* ne firent que reprendre et répandre ce thème. En outre, leur long récit marquait bien, des Troyens aux Mérovingiens, des Mérovingiens aux Carolingiens, des Carolingiens aux Capétiens, la continuité de l'histoire française. Mieux même, leur récit des temps mérovingiens ne permettait pas de douter de la continuité des structures politiques françaises. Le roi mérovingien entretenait évidemment avec ses barons et son peuple les mêmes rapports que, bien plus tard, le roi capétien. Au Moyen Age, la force d'un Etat reposait d'abord sur ses origines lointaines, sur la continuité de son histoire et de ses institutions. Et ce fut, pour l'historiographie anglaise, un lourd défi et un exceptionnel stimulant que d'avoir, partant des Bretons, à construire l'histoire du pays en assumant et en dépassant ces grandes ruptures ineffaçables que représentaient, sans même compter la conquête romaine, l'invasion saxonne et l'invasion normande.

La position du prince n'était pas simplement confortée par la place que ses prédécesseurs avaient toujours tenue dans l'Etat. Sa légitimité lui venait d'abord du sang qui coulait dans ses veines. Un prince jouissait d'un pouvoir d'autant mieux assuré qu'il descendait, ou qu'il avait convaincu qu'il descendait d'une ancienne et illustre souche régnante. Laquelle, par exemple, dans tout l'espace où, au nord des Alpes, les Carolingiens avaient imposé leur pouvoir, fut précisément la souche carolingienne, dont personne ne doutait qu'elle était issue de la souche mérovingienne et remontait, par là même, aux princes de Troie. Au XIe siècle, Wipo affirmait que les Saliens descendaient des Carolingiens du côté maternel et, du côté paternel, des Mérovingiens[67]. Plus tard, le problème de l'historiographie capétienne fut, tout en reconnaissant les ruptures de 751 et de 987, tout en scandant l'histoire de France au rythme des trois dynasties mérovingienne, carolingienne et capétienne, d'établir la continuité, par les femmes, du sang royal, de telle sorte que Louis VIII ou Louis IX pussent prétendre descendre, sans solution de cette continuité, des Carolingiens, des Mérovingiens, et, par delà, des princes troyens dont les compagnons d'exil étaient les ancêtres de leurs propres sujets[68]. Au XIIe siècle, dans les royaumes de France et de Germanie, au moment où la grande figure de Charlemagne couvrait toute l'Europe de son ombre, pour mieux s'imposer à leurs sujets et mieux s'affirmer à côté de l'empereur ou du roi de France, bien d'autres familles régnantes avaient déjà proclamé à plus ou moins juste titre leur ascendance carolingienne et s'étaient ainsi rattachées à la seule souche royale qui donnât alors vraiment, aux yeux de beaucoup, le droit de commander. Les comtes de Flandre descendaient des Carolingiens. Les ducs de Brabant descendaient des Carolingiens et étaient, plus que les Capétiens, leurs vrais héritiers. Les comtes de Thuringe descendaient des Carolingiens et, l'ayant affirmé, la *Genealogia principum Reinhardsbrunnensis* continuait : « Il faut noter que la race carolingienne n'a pas tout entière disparu ; elle a simplement cessé de régner sur les Romains. Car, comme on le trouve dans les chroniques, non seulement tous les rois des Francs et des Germains mais aussi les princes, ducs ou comte de Thuringe, de Bavière, de Franconie, de Pannonie, de Carinthie, de Bohême, de Moravie, de Souabe, de Saxe, de Frise, de Lotharingie, et encore tous les nobles allemands tirent leur origine de la race caroligienne [69]. » D'une prétention si générale, les Habsbourgs ne s'étaient pas encore, au XVe siècle, souciés. Ils se contentaient, si l'on peut dire, d'une imprécise ascendance romaine. Mais, en 1507, Jakob Mennel démontrait que les Habsbourgs descendaient des Mérovingiens, et donc de Priam, et, dans l'énorme propagande sur laquelle Maximilien prit soin de s'appuyer, ce thème devint fondamental [70]. Tout au long du Moyen Age, et même au-delà, une des grandes tâches de l'histoire fut ainsi de prouver non seulement la continuité des institutions qui régissaient l'Etat, non seulement la continuité du peuple qui l'habitait, mais encore la continuité du sang princier.

Avec les progrès de l'érudition, un jour arriva où les princes ne demandèrent plus simplement à l'histoire quelques grandes idées simples sur lesquelles appuyer leur pouvoir. Ils attendirent d'elle des dossiers plus précis qui leur permissent de défendre des droits déterminés. Là encore, l'histoire devait démontrer une continuité, mais une continuité plus particulière et plus limitée. En 1245, pour défendre ses droits, au concile de Lyon, contre les prétentions pontificales, Louis IX suivait le lointain exemple qu'avaient donné, pendant la querelle des investitures, les partisans de l'empereur. Il invoquait César, mais surtout il retraçait tout l'historique des relations entre le pape et le roi de France depuis bien plus de cent ans, depuis le début du règne de Louis VI, pour en conclure que l' « histoire » ne reconnaissait pas au pape les droits qu'il prétendait, que le roi de France en jouissait par la vertu d' « un long usage et d'une coutume très ancienne » (*longaevus usus et prisca consuetudo*) [71]. De même, en 1291, Edouard III constituait-il un dossier historique pour prouver la souveraineté du roi d'Angleterre sur l'Ecosse [72]. De même, en 1378, Charles V profitait-il du passage de l'empereur Charles IV à Paris pour lui exposer longuement que, depuis Charlemagne, la Guyenne faisait partie du royaume de France et que ses ducs devaient hommage au roi [73].

C'est évidemment sa chancellerie qui avait pu mettre au service du roi de France un pareil dossier historique. Car sous Charles V, sous Charles VI encore, les juristes du parlement savaient bien trop peu l'histoire de leur pays pour en tirer ainsi parti. Et d'ailleurs, dans les plaidoiries au parlement, les arguments tirés de l'histoire de France sont alors encore rarissimes [74]. Mais, vers le milieu du XVe siècle, conseillers et avocats au parlement commencent à se familiariser avec l'histoire de France. Les faits de cette histoire commencent à plus souvent peupler les plaidoiries prononcées par ceux-ci devant ceux-là [75]. Et lorsque, en 1535, le problème est de savoir où est exactement, vers la Meuse, la frontière du royaume, si Void, qui fait partie du temporel de l'église de Toul et qui est sur la rive gauche du fleuve, est dans le royaume comme le prétend l'avocat du roi, ou n'y est pas comme l'affirme l'avocat du chapitre, les deux avocats multiplient les arguments tirés des chroniqueurs les plus anciens et des historiens les plus récents, produisent nombre de pièces originales qu'ils ont su trouver au trésor des chartes à Paris, ou dans les archives de Toul [76]. L'histoire était depuis longtemps invoquée par le pouvoir. Mais lorsque s'achève le XVe siècle et que commence le XVIe, les progrès de la culture historique sont tels que l'histoire est désormais le pain quotidien de la politique et de la justice.

Or, ce que la justice et la politique demandaient à l'histoire, c'était des précédents qui justifiassent le présent. L'une et l'autre avaient besoin que l'histoire, par des arguments précis ou de grandes idées simples, établît des continuités. Ce n'est pas que les historiens n'avaient aucun sens du passé et n'étaient pas conscients que les choses évoluaient. Mais, outre que leur culture ne les aidait pas toujours à imaginer un passé différent, la fonction de justification que les pouvoirs attendaient d'eux, à laquelle eux-mêmes n'entendaient point se dérober, les amenait à écraser toute évolution, à estomper toute nouveauté. Et les œuvres historiques, par leur texte et plus encore par leurs illustrations, renvoyaient au lecteur l'image d'un présent cent fois réfléchi par les glaces du passé.

III. Histoire et vérité

Fournisseur d'exemples et de précédents, le passé est donc, dans les débats du Moyen Age, un enjeu essentiel. Et l'historien, qui sait le passé, jouit, semble-t-il, d'un pouvoir redoutable. Il a d'abord au Moyen Age le même pouvoir que toujours : celui de réinterpréter le passé. Exercice délicat, tout en nuances, que facilitèrent peu à peu les lents progrès du discours historique. En 1272, André de Hongrie écrivait un récit de la conquête de Charles d'Anjou en Italie qui, inspiré par Charles lui-même, faisait du conquérant le héros des barons et de la noblesse guerrière, une sorte de roi de la guerre. Primat, dans son *Roman des rois,* reprenait les thèmes d'André de Hongrie et donnait à Charles d'Anjou la même stature. Mais, quelques années plus tard, sous le règne d'un Philippe le Bel plus exigeant, Guillaume de Nangis récupérait les ardeurs guerrières de la noblesse au profit de la royauté. Charles d'Anjou restait grand. Mais ce n'était plus que le héros de la monarchie, le bon artisan de la grandeur française [77]. De même Bertrand Du Guesclin fut-il le modèle du preux chevalier avant de devenir l'exemplaire serviteur du roi. Le destin posthume du roi lui-même fut parfois plus étonnant encore. Clovis était, aux dires de ses premiers historiens, un grand guerrier sans scrupules, un prince fourbe et sanguinaire. Mais l'image convenait mal au premier roi chrétien que la France avait eu. Il devint peu à peu un combattant héroïque et chevaleresque. Il grandit, de siècle en siècle, en mœurs et en probité [78]. Ainsi la France, en même temps qu'elle se construisait, construisait son histoire. Et bien d'autres pouvoirs, au Moyen Age, surent faire de même.

Mais, pour répondre aux désirs de son temps, l'historien, au Moyen Age, n'eut pas simplement le pouvoir de réinterpréter le passé ; il eut celui de le réinventer. S'adressant à un public dont la culture historique était des plus limitées, et à des confrères qui n'avaient que de faibles moyens pour vérifier et critiquer ses dires, il était maître d'un passé singulièrement flexible, où les faits mêmes surgissaient, nouveaux, en liberté. Au début du IXe siècle, pour mieux assurer le pouvoir de la nouvelle dynastie, une généalogie était forgée qui liait par le sang les souverains carolingiens à leurs prédécesseurs mérovingiens. Et cette généalogie eut un grand et durable succès [79]. Au XIIe siècle, tirant peut-être parti de récits plus anciens, l'historiographie dionysienne racontait longuement le voyage de Charlemagne à Jérusalem dans le temps même où le roi de France prenait la croix [80]. Et ce voyage passa longtemps pour vrai. Au XIVe siècle encore, le seigneur d'Yvetot n'hésitait pas à enraciner ses prétentions dans un lointain passé mérovingien. Et le succès de son audace fut total. Des lettres de Louis XI d'octobre 1464 reprenaient cette histoire que « le premier roy Clotaire, filz du roy Clovis, premier roy chrestien, que Dieu absoille, pour la reparacion de la mort du seigneur d'Yvetot, qui lors se nommoit Gaultier d'Yvetot, que le roy Clotaire avoit occis en la chappelle du palais de Soissons, icelluy roy Clotaire, à l'instigacion et poursuite de nostre saint père le pape qui lors estoit et du collège des cardinaulx, par deliberacion de son conseil, eust voulu et ordonné que le seigneur d'Yvetot et ses successeurs seigneurs dudit lieu ne feussent tenuz de là en avant faire aucun hommaige d'icelle terre et seigneurie d'Yvetot, et en feust dès lors icelle terre et seigneurie exempte ». Et, trente ans plus tard, Robert Gaguin ne voyait aucune raison de douter d'un récit que des lettres royales avaient, en somme, rendu authentique [81]. Le passé, au Moyen Age, était aussi complaisant qu'il était respecté, aussi malléable qu'il était prestigieux.

Observons toutefois que si, au XIIe siècle, pouvaient soudain surgir dans le champ de l'histoire des nouveautés majeures comme le règne d'Arthur ou le pélerinage de Charlemagne, deux ou trois siècles plus tard le succès ne couronnait plus que des inventions mineures reportées dans un obscur et lointain passé. C'est que, peu à peu, la critique historique était plus efficace, la culture historique plus répandue, le public plus averti, les pouvoirs plus scrupuleux, l'histoire moins malléable. Lorsque, en 1356, Robert le Coq justifia la prétention des états de déposer le chancelier en évoquant les événements de 751 et en déclarant « que ce n'estoit pas grant chose, car l'en avoit bien veu autrefoiz que les trois estas du royaume avoient deposé le roy de France », il se trouva aussitôt, à ses côtés, quelqu'un pour l'amener à rectifier une affirmation aussi dangereusement contraire à la vérité, « un de ses complices li marcha sur le pié ». Et l'évêque se hâta de rétablir, pour l'essentiel, les faits, sans renoncer, pourtant, à parler des états : « Lors il se efforca de soy corrigier et dist telles paroles en substance : "Ce que j'ay dist, que autrefoiz les trois estas deposerent le roy de France, je entendoie à dire que le pape le deposa à la requeste des trois estats [82]". » Plus tard, pour défendre son trône, Charles VII entendit bien faire jouer l'argument de la loi salique que l'érudition dionysienne avait mis à la disposition des rois Valois, mais, avant le congrès d'Arras, lui-même et ses conseillers voulurent connaître les termes exacts de la loi et firent faire pour cela, dans tout le « royaume de Bourges », une enquête approfondie [83]. Plus tard encore, au début du XVIe siècle, Maximilien et son entourage cherchaient à la famille des Habsbourgs de lointaines et illustres origines. Jakob Mennel, nommé conseiller impérial en 1505, démontrait en un long poème allemand offert à l'empereur en 1507 que les Habsbourgs descendaient des rois mérovingiens et par là des princes troyens. L'origine troyenne des Habsbourgs fut dès lors un des thèmes fondamentaux de la propagande impériale, mais la généalogie de Mennel n'était plus une de ces généalogies faciles telles qu'un historien, quelques siècles plus tôt, pouvait en forger. C'était une généalogie qui reposait sur une enquête érudite approfondie. Le fait est que, malheureusement, elle était fausse. Elle se heurta d'ailleurs à l'incrédulité de ceux mêmes des confrères de Mennel qui entouraient l'empereur. Devant ces objections, l'historien dut faire de nouvelles recherches et parfaire son tableau généalogique et, critiquée dans le détail, sa thèse fut finalement acceptée pour l'essentiel [84]. Mais les difficultés de Jacob Mennel marquaient bien que les temps étaient révolus d'un passé complaisant. Les progrès de la critique et de la culture historiques tendaient à imposer désormais aux pouvoirs des faits inévitables.

Les faits devenaient inévitables. Ils étaient aussi mieux établis. On découvrait peu à peu que nombre d'entre eux, sur lesquels les pouvoirs, parfois depuis longtemps, s'appuyaient, étaient faux. A ce présent qui disait vénérer le passé, l'érudition donnait un nouveau passé. Or, et c'est là que le poids apparent de l'histoire se révélait illusoire, rien n'en fut ébranlé. Les nouvelles vérités furent aisément adoptées et enrôlées. De nouveaux arguments furent simplement mis au service des mêmes ambitions. Philippe le Bon et Charles le Téméraire poursuivirent tous les deux le rêve d'un grand royaume d'Entre-Deux. Pour l'un comme pour l'autre les arguments historiques furent enssentiels. Mais Philippe le Bon avait invoqué « le royaulme de Lothier », ce royaume lotharingien créé « à cause de Lothaire premier roi » en 843, tandis que les historiens de Charles le Téméraire préférèrent remonter au royaume de Bourgogne, au royaume burgonde des temps mérovingiens [35]. De même lorsque, à la fin du XVe siècle, les progrès de la critique historique commencèrent à mettre en doute les origines troyennes des Français, leur fierté nationale n'en fut pas pour autant ébranlée, mais elle se nourrit davantage des origines gauloises que l'histoire lui retrouvait.

Inversement, les faits et les grandes figures qui, rendues à leur vérité, ne pouvaient décidément plus servir, ici, d'argument, étaient utilisées, ailleurs, à d'autres causes. Chez les historiens français du XVe siècle, l'image de Charlemagne était encore l'image traditionnelle que le Moyen Age avait peu à peu construite. Et puis, en 1461, un jeune historien florentin, Donato Acciaiuoli, faisant partie d'une ambassade envoyée par Florence à Louis XI, offrait au roi de France la vie de Charlemagne qu'il avait composée pour la circonstance. Toute pénétrée des exigences humanistes, cette vie prétendait rejeter les oripeaux dont le grand empereur avait été peu à peu couvert et retrouver, en suivant le texte d'Eginhard, sa pure vérité. Toutefois, lorsque Charlemagne, couronné empereur de Rome, retourne en Gaule, Donato Acciaiuoli abandonne un moment Eginhard pour suivre Leonardo Bruni qui venait d'écrire, quelques décennies plus tôt, l'histoire de Florence et, dit-il, « en mémoire du titre illustre qui était désormais le sien, l'empereur releva dans tout son éclat Florence, que les Goths avaient presque entièrement ruinée [86] ». Et le nouveau Charlemagne, qui ne pouvait plus justifier la croisade, justifia l'alliance du roi de France et de la république florentine.

Ainsi l'érudition forgeait-elle un passé de plus en plus vrai. Mais, si vénéré qu'il fût, un passé mieux connu n'ébranlait ni les ambitions ni les convictions présentes. Les progrès de l'histoire n'allaient pas jusqu'à détourner le cours de l'histoire. Ils lui donnaient seulement de nouveaux arguments. Et l'histoire, pendant la Renaissance comme au Moyen Age, restait une science qui ne gagnait son audience qu'à servir des passions.

Faut-il s'en étonner ? L'histoire a-t-elle fait mieux depuis ? A-t-elle trouvé des oreilles plus désintéressées ? En trouvera-t-elle jamais ? Si, par impossible, les historiens cessaient d'être un jour l'écho et le garant des courants qui portent leur temps, s'ils cessaient un jour d'alimenter et de justifier les passions de leur temps, ne deviendraient-ils pas par là même les prêtres d'une religion sans fidèles ?

1. Guenée (4), 57-65.
2. Fontaine (381), 114.
3. Ziese (410).
4. Laistner (458), 33.
5. Beumann (727).
6. Garand (211), 282.
7. Carozzi (583), 851-854.
8. Werner (427), 95-96.
9. Tyson (182), 185.
10. Spiegel (176), 44-68.
11. M. Bur, *La formation du comté de Champagne, v. 950-v. 1150*, Nancy, 1977, p. 479-485.
12. *Primera Crónica General* (431), I, lvii, pl. hors-texte.
13. J. Wolf, Die Musiklehre des Johannes de Grocheo. Ein Beitrag zur Musikgeschichte des Mittelalters, *Sammelbände der internationalen Musikgesellschaft*, 1 (1899-1900), 90. E. Vance, Roland et la poétique de la mémoire, *Cahiers d'études médiévales*, t. I, *Epopées, légendes et miracles*, Montréal-Paris, 1974, p. 107.
14. Runge (404), 146-149.
15. Marsile de Padoue (653), 11, 320 et suiv.
16. *Les Grandes Chroniques de France* (795), II, 251.
17. Bossuat (370), 188.
18. Lacaze (393), 313, 331, 347, 380.
19. Bérenger (368), 260.
20. Utz (606), 305.
21. Linder (615), 182.

22. A. Vallet de Viriville, Jean Domer, *Nouvelle biographie générale...*, t. XIV, Paris, 1858, col. 487-488.
23. *La Storiografia Altomedievale* (63), II, 675-677.
24. Gransden (89), 34-38.
25. Lhotsky (98), 17-18.
26. Hlavácek (216), 15.
27. Webb (436), 202-203.
28. Delaborde (661), 96.
29. Guenée (13).
30. Guenée (6), 574, 584.
31. Genet (140).
32. Gransden (386), 375.
33. Rigord (709), I, 1.
34. *Les Grandes Chroniques de France* (794), I, xx, 1.
35. Molinier (106), n° 2 532.
36. Grévy-Pons et Ornato (662), 87.
37. Delaborde (661), 96.
38. Grévy-Pons et Ornato (662), 100-101.
39. Samaran (598), 146-148. Samaran (599), 351-352.
40. Jean Chartier (597), 2-3.
41. Georges Chastellain (509), IV, 100.
42. Quicherat (595). Bossuat (594), 296-297.
43. *Journal de Jean de Roye* (628), I, 2.
44. Naïs (400).
45. Gilbert (385).
46. Fueter (29), 46.
47. Fernando del Pulgar (481), xxxiii.
48. Bérenger (368), 262.
49. Lesellier (533), 26.
50. Samaran (534), 14, 19.
51. Lesellier (533), 27.
52. Robert Gaguin (711), I, n° 23, p. 252-255 ; et n° 30, p. 278-281.
53. Samaran (655).
54. Comte de Laborde, *Les ducs de Bourgogne,* t. III, Paris, 1852, p. 501, n° 7 433.
55. Jean d'Auton (589), II, 3 ; IV, xvi, xxiv-xxv.
56. Naïs (400), 214.
57. Fossier (382).
58. Jean Lemaire de Belges (617), II, 232.
59. Jean d'Auton (589), I, 3.
60. Ziese (410).
61. J. Bérenger, Humanisme et absolutisme dans la Hongrie de Mathias Corvin (1458-1490), *Etudes Finno-Ougriennes,* 10 (1973), p. 173.
62. Guenée (1).
63. Martin da Canal (654), 2.
64. Buck (373), 189-190.
65. Utz (606).
66. Tate (717), 72 et suiv. ; Tate (718), 121-122.
67. Althoff (365), 71.
68. Guenée (11).
69. Althoff (365), 73.
70. Althoff (365).
71. Mathieu Paris (656), VI, 99-112, en particulier 104, 111.
72. Guenée (6). Stones et Simpson (408).
73. *Les Grandes Chroniques de France* (795), II, 251.
74. J'en dois la remarque à Fr. Autrand.

75. S. Metzger (398) en cite de nombreux exemples. Entre autres : 1476, X[1a] 4818, 49 v° ; 1483, X[1a] 4825, 205 ; 1485, X[1a] 4826, 297 ; 1486, X[1a] 4828, 268 ; etc.
76. Rigault (402).
77. Capo (545), 812, 873, 879.
78. Beaune (366), 140-144.
79. Oexle (401), 252 et suiv.
80. *Les Grandes Chroniques de France* (794), III, 160. Spiegel (407), 316.
81. *Ordonnances des rois de France de la troisième race,* t. XVI, p. 271. Robert Gaguin (711), I, 123-125.
82. L. Douët-d'Arcq, Acte d'accusation contre Robert Le Coq, évêque de Laon, *BEC,* 2 (1840-1841), 378.
83. Beaune (367).
84. Althoff (365).
85. P. S. Lewis, *Later Medieval France. The Polity,* Londres, 1968, p. 232, n. 3. Schneider (405), e. a. p. 32. Y. Cazaux, L'idée de Bourgogne fondement de la politique du duc Charles, *Publications du Centre européen d'études burgundo-médianes,* 10 (1968), 88-90. A. Leguai, Charles le Téméraire face au roi de France et au royaume de France, *Cinq-centième anniversaire de la bataille de Nancy (1477). Actes du colloque organisé par l'Institut de recherche régionale en sciences sociales, humaines et économiques de l'Université de Nancy II (Nancy, 22-24 septembre 1977),* Nancy, 1979, p. 287-288. Je remercie d'autre part A. Leguai d'avoir bien voulu m'adresser, pour répondre à mes questions, une longue note qui m'a été fort utile.
86. Monfrin (399), 76.

CONCLUSION

Lorsque, aux deux premiers siècles de notre ère, l'empire romain brillait de tout son éclat, le passé en fascinait beaucoup. Mais chacun attendait de l'histoire qu'elle prît d'autres formes et traitât d'autres thèmes. Dans l'Orient, qu'imprégnait la culture grecque, un vaste public accueillait avec passion des récits qui lui disaient la guerre de Troie ou l'épopée d'Alexandre. L'une et l'autre surgissaient d'un passé trop lointain pour être contrôlé. L'imaginaire envahissait le récit historique. Peu s'en souciaient, pourvu qu'il fût plaisant.

Dans tout l'empire, une histoire plus austère était portée par une élite politique de vieille tradition culturelle qui comptait sur elle pour garder vivante la mémoire du passé romain. Celle-là était servie par les héritiers de deux traditions fort anciennes : par des chronographes dont l'humble érudition s'attachait simplement à situer les événements dans le temps ; et par des auteurs qui, utilisant essentiellement des témoignages oraux, les critiquant avec toute l'indépendance de leur jugement, écrivant à partir d'eux des récits qu'embellisait une savante rhétorique et que ponctuaient de splendides discours, étaient fiers de se dire historiens.

Après la tourmente du IIIe siècle, l'histoire des IVe, Ve et VIe siècles fut fidèle à ces traditions. Elle dut toutefois s'adapter à une atmosphère qui avait bien changé. Une nouvelle classe politique était apparue qui n'avait pas de passé et que satisfaisait une culture élémentaire. La circulation de l'information et des livres se faisait de plus en plus difficile, la vérité de moins en moins accessible. L'érudition la plus raffinée pouvait côtoyer l'ignorance la plus profonde. Le christianisme, enfin, triomphait.

Il en résulta que les plaisants récits qui faisaient la part belle à l'imaginaire, traduits en latin, gagnèrent tout l'empire. Mais la savante rhétorique des historiens païens fut boudée et par l'élite politique qu'elle dépassait et par l'élite chrétienne qui s'en méfiait. Inversement, les chronographes et les abréviateurs païens eurent d'autant plus de succès qu'ils transmirent à la première le modeste savoir dont elle avait besoin et que leurs œuvres, porteuses de faits et non d'idéologies, furent utilisées par la seconde sans réticence.

Les chrétiens, quant à eux, lorsqu'ils furent historiens, perdirent la superbe des païens qui les avaient précédés. Ils ne firent plus confiance à leur propre jugement. Ils se soumirent à l'autorité de l'Eglise et à celle de l'Etat. Ils voulurent que leur histoire fût l'humble servante de la théologie. Ils quêtèrent pour elle l'approbation de l'empereur. Au ve siècle, Sozomène demandait à Théodose II d'approuver officiellement son livre car « personne, expliquait-il, ne pourra rien objecter à ce que vous, empereur, aurez approuvé [1] ». L'histoire avait appris, pour longtemps, la modestie.

Ces modestes historiens chrétiens, à la fois appuyés sur les traditions de l'historiographie antique et sur leurs convictions religieuses, surent pourtant engager l'histoire dans des voies nouvelles. Eusèbe de Césarée fut leur initiateur. Alors que les historiens de l'Antiquité avaient considéré séparément chaque civilisation, son christianisme encouragea Eusèbe à embrasser d'un seul regard toute l'histoire du monde. Confrontant tous les travaux des chronographes qui l'avaient précédé, il eut l'audace d'en tirer une chronologie universelle comparée. De même, écrivant l'histoire du peuple chrétien, il conserva le moule antique de l'histoire mais il renonça à mettre dans la bouche de ses héros des discours inventés, il remonta au-delà de la mémoire en utilisant, outre les sources orales, des sources écrites qu'il identifia et cita presque mot à mot.

Après Eusèbe, ses successeurs surent comme lui concilier perspectives religieuses, formes antiques et érudition nouvelle. Et, vers 560, retiré au monastère de Vivarium, Cassiodore pouvait retenir une dizaine d'ouvrages d'auteurs chrétiens des IVe, V^e^ et VIe siècles, soit histoires, soit chroniques, qu'il estimait nécessaires à la formation de ses moines.

⁂

Les temps difficiles que furent les VIIe et VIIIe siècles n'ajoutèrent guère à la sélection cassiodorienne que deux œuvres d'envergure, celles d'Isidore de Séville et de Bède. C'est que l'histoire, réfugiée à l'ombre des cathédrales et des cloîtres, mal soutenue par des bibliothèques trop modestes, n'avait plus les moyens d'être ambitieuse. Clercs et moines gardaient à tout le moins la volonté de se situer dans la perspective, si mal éclairée qu'elle fût parfois, de l'histoire universelle que Dieu avait voulue. Ils entendaient surtout garder en mémoire la fondation de leur cathédrale ou de leur monastère et le souvenir, depuis lors, de son passé ininterrompu. Aussi l'essentiel de leur activité historique consistait-il à tenir à jour des annales où était noté, chaque année, quelque fait saillant, et des listes, des catalogues où étaient consignés les noms des évêques du diocèse et même, parfois, la durée de leur pontificat.

Grâce à la construction politique carolingienne, la circulation des hommes et des livres fut plus aisée ; les évêchés et les monastères prospérèrent dans la paix ; leurs bibliothèques se développèrent ; la culture s'y épanouit. Annales et catalogues se multiplièrent. Le *Liber pontificalis,* qui donnait non seulement le nom des évêques de Rome et la durée de leur pontificat mais encore les faits essentiels de chacun d'eux, et les *Annales royales* qui, écrites à la chancellerie royale, disaient officieusement le point de vue de l'Etat, sont les meilleurs exemples de la production historique carolingienne. Parce que l'une et l'autre œuvre s'inscrivaient dans une forme déjà préparée et pratiquée par leur temps, la portaient à la perfection et, largement diffusées par les organes de l'Etat, servirent souvent, par la suite, de modèles.

Les temps carolingiens ne furent pas simplement propices à la diffusion des œuvres qu'ils avaient vu naître. Dans tout l'empire et même au-delà, des bibliothèques capitulaires et monastiques relativement nombreuses accueillirent les histoires et les chroniques que Cassiodore avait sélectionnées, à quoi s'ajoutèrent les œuvres d'Isidore et de Bède. Mieux encore. De nombreux auteurs de l'Antiquité païenne y trouvèrent refuge, les abréviateurs du Bas Empire comme les historiens antérieurs, ceux aussi qui avaient dit d'une façon que nous savons suspecte l'histoire d'Alexandre ou de Troie. L'époque carolingienne fut moins importante par ce qu'elle créa que par ce qu'elle diffusa. La paix carolingienne avait donné pour des siècles à l'Occident le fonds commun de sa culture historique.

⁂

C'est déjà beaucoup que les monastères, pendant les deux siècles suivants, malgré l'affaissement des structures politiques, malgré les ravages des invasions, malgré les désordres qui, souvent, les paralysaient, aient pu simplement transmettre l'héritage. Leurs bibliothèques un temps endormies furent le refuge d'où l'histoire put reprendre, le moment venu, son essor. Ce moment vint à la fin du XIe siècle. Et pendant cinquante ans, jusque vers le milieu du XIIe siècle, l'histoire connut un moment d'extraordinaire épanouissement.

C'est que, dans tout l'Occident, la réforme avait multiplié les écoles. La culture des clercs et des moines s'était développée. L'histoire profita de ce progrès général. Plus particulièrement l'étude de la Bible, dont les exégètes scrutaient alors surtout le sens littéral, ne put que favoriser le goût du fait, de la chronologie, de la généalogie. La querelle des investitures, d'autre part, révéla le poids de l'histoire aux partisans du pape et à ceux de l'empereur. Les uns et les autres n'invoquaient pas le même passé car les premiers, voulant en revenir à une tradition plus authentique, se tournaient vers un passé plus lointain et les seconds, s'appuyant sur la coutume, étudiaient un passé plus proche, mais tous étaient conscients que l'histoire, qui leur ouvrait le passé, leur était essentielle. La croisade, aussi, joua dans le développement de l'histoire un rôle primordial. Car la propagande par laquelle les clercs y poussèrent fut pour une large part historique. C'est par l'histoire sainte mais aussi par l'histoire d'Alexandre et de Troie que l'Orient fascina et attira jusqu'à lui l'Occident. Et la croisade elle-même fut une telle épopée que les récits, très vite, s'en multiplièrent. Ils se répandirent partout en quelques années. En développant chez tous les Occidentaux le goût du récit historique, en leur apprenant à mieux maîtriser le temps et l'espace, la croisade a été un moment fondamental dans l'histoire de leur historiographie.

A quoi s'ajoutent, ici et là, des causes plus particulières. En Angleterre, la brutale conquête de 1066 avait touché à mort une civilisation florissante. Toute une génération fut paralysée par la stupeur. Puis, aux alentours de 1100, une nouvelle génération mit, dans les monastères, toute son ardeur à effacer cette rupture, à affirmer une continuité, à sauver du passé ce qui pouvait l'être. L'histoire fut sa passion. Plus prosaïquement aussi, les vieux monastères menacés par les nouveaux maîtres demandèrent à l'histoire de prouver leurs droits et leurs possessions. Sur le continent enfin, de nouvelles entités politiques et de nouvelles forces sociales apparurent. Les courtisans des princes et les bourgeois des villes offrirent aux récits des historiens une oreille d'autant plus attentive que, outre le plaisir qu'ils y trouvaient, mal assurés d'un présent trop récent, ils cherchaient à pousser dans le passé leurs racines.

Ainsi s'explique, dans l'histoire de l'historiographie occidentale, un moment exceptionnel, où les historiens furent relativement nombreux à être d'une qualité rare. Parmi eux, déjà, dans les cours et dans les villes, des clercs séculiers. Mais pour sa plus grande part l'histoire de ce temps a été l'œuvre de moines bénédictins soutenus par les bibliothèques et les *scriptoria* de leurs monastères. Car la grandeur des historiens d'alors n'a pas simplement été de dire leur temps et d'en conserver la mémoire Leur principal effort a tendu à retrouver le passé. La fin du XIe et le début du XIIe siècle sont d'abord le temps d'une érudition triomphante.

Celle-ci sut jouer de toutes les sources. Sources écrites, récits et documents d'archives. Mais aussi sources orales. Est-ce que, en ce temps de renaissance que fut le XIIe siècle, nos érudits furent alors encouragés par l'exemple des historiens de l'Antiquité ? N'est-ce pas tout simplement qu'en un temps où l'écrit prenait, de façon décisive, le relais de l'oral, la tâche s'imposa à eux de confier au parchemin tout ce qu'avait pu conserver du passé la mémoire des hommes ? Toujours est-il qu'une des principales audaces de l'érudition du XIIe siècle fut de vouloir tirer parti des témoignages oraux et de la tradition orale.

Une autre de ses grandes entreprises, peut-être la plus difficile, fut la conquête du temps. Après une évolution séculaire, tout l'Occident s'accordait enfin à situer chaque année dans une série continue depuis la naissance du Christ, et, sauf exceptions, chacun acceptait enfin, quels que fussent ses doutes, de fixer cette naissance à la même année. Et maintenant que l'usage de l'ère chrétienne s'était ainsi généralisé, la tâche difficile des historiens fut de transcrire en années de l'incarnation les diverses dates que leur livraient les textes et de fixer sur la même échelle chronologique les faits que les sources écrites ou la mémoire des hommes ne situaient qu'approximativement dans le temps. Passionnés de comput, virtuoses de la chronologie, les moines du XIIe siècle s'acquittèrent de cette tâche avec un succès qui nous étonne encore. Sans doute, ce succès reste tout relatif. Notre érudition, mieux armée, a pu aller beaucoup plus loin. Du moins les érudits de ce temps firent-ils tout ce qui était en leur pouvoir pour suivre les leçons d'Eusèbe de Césarée. Ils avaient bien compris que la première tâche de l'historien était la lente et difficile conquête d'un temps uniforme.

Arrivés au moment de la composition, lorsqu'ils disaient le passé proche et ne pouvaient s'appuyer sur aucun écrit, les historiens de ce temps furent souvent capables de construire la prose la plus élaborée, obéissant non seulement aux règles de la rhétorique antique mais encore à celles, plus récentes, du *cursus*. Mais là où un ou plusieurs écrits les guidaient, leur exigeante érudition leur imposait de s'effacer devant l'autorité de ceux-ci et de citer leurs mots mêmes. Ils pouvaient par contre les ordonner autrement, au gré de leurs intentions. Et la compilation à quoi ils aboutissaient finalement reflétait leur savoir et leur modestie sans masquer pour autant leur personnalité. De toutes façons, composition personnelle ou compilation, les meilleures histoires de ce temps furent le contraire d'histoires naïves. Ce furent de remarquables achèvements d'une histoire savante.

Cette histoire savante trouvait pourtant très vite ses limites. L'histoire souffrait d'abord de n'être pas reconnue comme une discipline autonome. On la voulait au service de la morale, du droit et surtout de la religion. L'histoire était une science auxiliaire. C'était une science si modeste qu'elle renonçait à expliquer les événements qu'elle rapportait. Les historiens étaient certes capables de leur concevoir des causes particulières, qu'ils suggéraient parfois en quelque mots. Mais dérouler plus longuement l'enchaînement des causes particulières aurait d'abord brouillé la trame chronologique à laquelle ils étaient tenus. Et aussi ils attachaient à ces causes particulières moins d'importance qu'à cette cause générale qu'était la volonté divine. Par conviction et par nécessité, ils admettaient qu'expliquer était du ressort du philosophe et du théologien, non du leur. L'histoire était cantonnée dans les faits.

Et ces faits eux-mêmes, l'érudition la plus ingénieuse peinait souvent à les établir. C'était une bonne idée que de tenter de tirer parti de la tradition orale ; mais celle-ci était porteuse de déformations inévitables que rien d'autre, souvent, ne permettait de corriger. Les historiens étaient fort attentifs à tous les monuments qu'avaient laissés sur leur sol les temps passés ; mais, désarmés devant eux, ils n'en pouvaient rien conclure. Les chercheurs, dans les monastères, pouvaient bien utiliser les documents d'archives ; mais ils étaient réduits aux archives de leur seul monastère. Pour porter plus haut et plus loin leurs regards, ils n'avaient que les livres ; et ceux-là étaient trop souvent peu nombreux. Si bien que l'histoire neuve ne pouvait être que locale, l'histoire générale ne pouvait être que routinière.

Enfin et peut-être surtout, les érudits capables, au XIIe siècle, de grands achèvements étaient au total bien peu nombreux. Ils étaient accrochés, à travers tout l'Occident, à quelques grands centres historiographiques dispersés. Ils avaient peu de chances de se rencontrer. Ils avaient même peu de chances de pouvoir lire les œuvres que leur contemporains venaient d'écrire ailleurs. Leur culture historique n'était pas à la hauteur de leur érudition.

Leur critique en fut paralysée. Ce n'est pas que les historiens du XIIe siècle n'avaient pas le sens critique mais, mal informés, ils n'avaient pas les moyens de l'exercer. Ne pouvant contrôler les faits eux-mêmes, ils n'avaient pas d'autre voie que de recourir à la critique d'autorités que la scolastique avait, au même moment, forgée. De deux affirmations contradictoires, ils devaient croire celle de l'autorité la plus haute. Et, pour être crus à leur tour, ils n'eurent d'autre recours, imitant Sozomène, que de se faire approuver par l'autorité la plus haute qu'ils pouvaient toucher.

Si faible que fût la culture historique des historiens, elle était brillante, comparée à l'ignorance profonde de ceux qui les entouraient. La tentation des historiens fut grande de jouer de leur savoir et de profiter de cette ignorance. Certes, le problème du faux médiéval, ou de ce que nous appelons le faux médiéval, est d'une complexité redoutable. Mais on ne peut échapper à la conclusion que les plus grands ateliers historiques furent aussi, parfois, les plus actifs producteurs de faux. On peut peut-être dire que leurs auteurs ne fabriquaient pas des faux avec l'ambition de les faire passer pour vrais. Ils composaient peut-être des documents apocryphes qu'ils voulaient soumettre à l'approbation d'une autorité et rendre ainsi authentiques. D'une manière ou d'une autre, il n'est pas douteux qu'ils faisaient jouer à leur profit, ou plutôt au profit de leur maison, le privilège de leur savoir. Le manque d'un public averti mettait l'érudition en déséquilibre. En dernière analyse, la plus grande faiblesse des historiens d'alors, ce fut l'ignorance des autres.

⁂

En un demi-siècle d'intense activité, les érudits bénédictins avaient sauvé du passé tout ce qui pouvait l'être, compte tenu de leurs moyens. Par la force des choses, leurs successeurs ne furent pas encouragés à renouveler leur effort. Ils le continuèrent simplement en racontant leur temps. Les historiens du XIIe siècle avaient surtout été des chercheurs. Ceux du XIIIe furent d'abord des témoins.

Mais l'essentiel fut que l'histoire sortit des monastères et fut entraînée par d'autres courants. Dès avant la fin de la première moitié du XIIe siècle, elle dut aller au-devant d'un large public de laïques passionnés d'histoires mais plus soucieux de beaux récits que de récits vrais. Pour lui, des clercs qui n'avaient pas à leur disposition les grandes bibliothèques monastiques et qui d'ailleurs avaient moins le goût de la recherche historique que celui de la littérature écrivirent en langue vulgaire des « chansons de geste » qui, malgré leurs promesses, charrièrent plus de poésie que de vérité.

Même le public lettré ne soutint plus l'histoire dans ses ambitions de naguère. En passant des monastères aux villes, les écoles perdaient le contact avec ces fonds d'archives et ces grandes bibliothèques qui avaient nourri l'érudition bénédictine. Et la multiplication des écoles urbaines ne profita pas à l'histoire qui n'avait toujours pas, dans l'enseignement, sa place autonome. Mieux même, l'évolution des disciplines scolaires fondamentales paralysa l'histoire. Le souci de la pastorale, qu'on sent plus vif dès 1130-1140, orientait les moralistes vers des exemples dont la vérité leur importait moins que l'efficacité. La renaissance d'un droit romain rendu intemporel et adapté aux besoins d'un monde nouveau détournait les juristes de situer leurs textes dans une perspective chronologique. Les progrès d'une théologie appuyée non plus sur la Bible mais sur le raisonnement scolastique dissuadait les théologiens de trop étudier le cours de l'histoire. Autant, au début du XIIe siècle, l'érudition historique avait trouvé dans les monastères un milieu favorable, autant l'atmosphère des écoles dans la seconde moitié du XIIe siècle et celle de l'université au XIIIe lui fut hostile.

Le développement des universités n'eut cependant pas pour l'histoire que des conséquences néfastes. Les nécessités de l'enseignement obligèrent les intellectuels à mettre au point au XIIIe siècle des techniques de présentation et de multiplication des textes dont l'histoire devait peu à peu profiter. Et si les juristes et les théologiens n'encourageaient pas la recherche historique, ils se rendaient pourtant bien compte qu'ils avaient besoin d'une connaissance, fût-elle élémentaire, du passé. Des encyclopédies, des manuels furent compilés pour eux. Ils furent largement diffusés. L'*Histoire scolastique* de Pierre Le Mangeur, le *Miroir historial* de Vincent de Beauvais, la *Chronique des papes et des empereurs* de Martin le Polonais vinrent s'ajouter au fonds commun de la culture historique occidentale.

Au même moment, dans chaque pays, un vaste public laïc qui n'était point paralysé par les catégories universitaires continuait à aimer l'histoire. Mais, lassé des fables des jongleurs, il était plus soucieux de retrouver dans sa vérité l'histoire de l'Antiquité ou le passé de son pays. Pour lui, nombre d'œuvres sérieuses furent traduites du latin. Plusieurs synthèses furent élaborées en langue vulgaire. Il accueillit les unes et les autres avec ferveur.

Si bien que le XIIe siècle avait été le temps de l'érudition historique. Le XIIIe, avec ses encyclopédies, ses synthèses, ses manuels, ses traductions, fut celui de la vulgarisation.

⁂

Tout est relatif cependant. A l'aube du XIVe siècle, en Occident, la place de l'histoire était encore modeste ; une culture historique même légère restait le fait d'une minorité infime. Les XIVe et XVe siècles furent des temps difficiles. C'est pourtant en ces temps-là que la recherche et la culture historiques firent ensemble de décisifs progrès.

Il y eut d'abord plus de gens qui eurent besoin de l'histoire. En ce temps où les Etats modernes apprenaient à forger leur nouvelle puissance, il n'y eut pas de grands débats politiques entre Etats sans arguments historiques. Et, dans chaque Etat, le gouvernement appuya ses droits et ses ambitions sur des dossiers historiques, le peuple, qui voulait être une nation, chercha dans le passé sa commune origine.

Les historiens furent plus nombreux et surtout de types plus variés. A côté des moines dont l'érudition continuait à bien servir l'histoire, à côté des littérateurs dont les plaisants récits trouvaient toujours une large audience, apparaissaient, dans les nombreux bureaux nés du service public, des historiens auxquels l'importance du document n'échappait pas et que le maniement d'archives n'effrayait pas. Et les amateurs se multiplièrent pour lesquels, chevaliers ou marchands, l'histoire fut une passion qu'ils pouvaient désormais satisfaire.

Car la culture historique devint plus accessible. Des scribes plus nombreux aux méthodes plus rationnelles produisirent plus de livres. Et si la Peste noire tua tant d'hommes et paralysa un moment la vie intellectuelle, elle eut du moins cet heureux effet que, la même quantité de livres s'offrant à une demande plus restreinte, le prix des livres baissa. L'historien n'eut plus simplement à sa disposition des bibliothèques plus nombreuses et plus riches. Il put avoir, chez lui, quelques livres.

D'un autre côté, les progrès de la cartographie lui firent mieux saisir l'espace. Il put enfin s'aider de sciences auxiliaires comme l'épigraphie et la numismatique qui firent alors leurs premiers pas et dont les progrès furent d'autant plus rapides qu'étaient constituées des collections d'inscriptions et de monnaies qui facilitaient les comparaisons.

Entre historiens, le contact fut aussi plus facile. Les années jubilaires furent l'occasion de fructueux voyages. Les grands conciles de Constance et de Bâle provoquèrent des rassemblements dont on ne saurait, dans l'histoire intellectuelle de l'Occident, exagérer l'importance. En dehors même de ces grands moments, les tournées érudites et les correspondances savantes facilitèrent singulièrement l'information des historiens.

Les conséquences de l'invention de l'imprimerie furent lentes à se faire sentir mais, au début du XVIe siècle, elles étaient évidentes. D'une part la reproduction exacte, à des centaines d'exemplaires, de cartes, de monuments, de monnaies, d'inscriptions, fit de l'illustration, qui n'avait jamais été que décorative, un véritable instrument de travail dont l'historien put s'aider. D'autre part chaque historien put désormais aisément consulter non seulement les œuvres les plus anciennes mais encore les plus récentes, vieilles de quelques années à peine, où qu'elles aient été, en Occident, imprimées. Le hasard, qui avait tant pesé sur la documentation des historiens du XIIe siècle, avait enfin été éliminé.

A ces historiens mieux armés et mieux informés, la critique

devint plus facile. Au lieu de se fier aux autorités, au lieu de peser des témoins, ils purent oser peser, peu à peu, des témoignages. Et sans jamais oublier des explications aussi générales que la volonté de Dieu ou les caprices de la Fortune, ils s'attachèrent peu à peu à mieux dégager les causes particulières.

Dans ce grand mouvement général de progrès de l'érudition et de la culture historiques, les humanistes jouèrent assurément leur rôle. Mais d'abord ils ne furent pas les seuls. Dans les monastères et dans les bureaux, l'érudition fut soutenue dans sa marche par de bons ouvriers que n'avait pas touchés le courant humaniste. Ensuite, plus que les humanistes n'en eurent conscience, leur histoire s'inscrivit dans la tradition médiévale. Plus qu'ils ne le reconnurent, ils furent les fils d'Eusèbe, de Cassiodore et de Bède [2]. Et ce qu'il y eut chez eux de nouveau ne fut pas tout profit pour l'histoire. Le retour à la géographie antique fut un contestable progrès. Le retour au beau latin, qu'ils voulaient de Tite-Live, avec ses pompeux discours et ses vains ornements, leur fit trop souvent oublier les leçons des érudits moins prétentieux qui, depuis des siècles, avaient donné à l'histoire le respect des documents originaux et le goût des citations exactes.

Du moins leurs prétentions encouragèrent-elles l'histoire à rejeter cette modestie qui, depuis dix siècles, la marquait, et à retrouver son antique fierté. L'histoire ne se voulut plus au service de la théologie ou du droit. Elle se conçut plus autonome. Elle se donna des buts plus ambitieux.

Mais cet ambitieux historien avait des convictions. Il aimait son pays. Et il lui fallait bien vivre. Il aimait qui le payait. L'institution de l'historien officiel qui fleurit, dans la seconde moitié du XVe siècle, dans tout l'Occident, marque bien l'ambiguïté où se débattait l'histoire. Elle était devenue majeure. Elle avait conquis son autonomie. Mais elle n'avait cessé de servir l'Eglise que pour entrer au service de l'Etat.

⁂

Beaucoup se sont demandé quand donc l'histoire moderne était née. Pour les uns, ce furent les professeurs du XIXe siècle qui la tinrent sur les fonts baptismaux ; pour d'autres, ce furent les philosophes et les érudits du XVIIIe ; pour d'autres encore, les juristes de la seconde moitié du XVIe siècle ; et pour beaucoup, les humanistes de la Renaissance. On me forcerait à répondre, je dirais que, si l'histoire moderne est discours, peut-être bien que les humanistes de la Renaissance ont largement contribué à son développement. Mais si elle est érudition, c'est dans les monastères, aux alentours de 1100, qu'elle est assurément née.

Mais je ne répondrai pas à cette question. Car elle suppose une rupture entre une histoire qui serait ancienne et une autre qui serait moderne. Et tout mon livre a au contraire tendu à montrer, à travers les âges, la continuité de l'effort historique, la solidarité de tous ces historiens qui ont voulu retrouver, à tout le moins conserver, et dire le passé. Et dans cette longue chaîne de solidarité, les mille ans que l'on appelle le Moyen Age ne représentent pas une rupture. Fiers d'être nous-mêmes historiens, cessons de voir avec condescendance ces temps peuplés de naïfs conteurs. Certains le furent. Mais beaucoup d'autres ne furent rien de moins que nos lointains « camarades [3] », nos dignes collègues, dont ce livre aurait voulu simplement marquer, avec toute la sympathie due à des collègues, surtout si lointains, les servitudes et les grandeurs.

1. Momigliano (50), 62.
2. Momigliano (50), 70.
3. G. Duby et G. Lardreau, *Dialogues,* Paris, 1980, p. 87.

ABREVIATIONS

AHR = American historical review.
Ann. = Annales. Economies. Sociétés. Civilisations.
BEC = Bibliothèque de l'Ecole des chartes.
BIHR = Bulletin of the Institute of historical research.
BJRL = Bulletin of the John Rylands University library of Manchester.
BPH = Bulletin philologique et historique (jusqu'à 1610) du Comité des travaux historiques et scientifiques.
CCM = Cahiers de civilisation médiévale, X^e^-XIIe siècles.
CHB = Cambridge History of the Bible.
CRAIBL = Comptes rendus de l'Académie des inscriptions et belles-lettres.
DA = Deutsches Archiv für Erforschung des Mittelalters.
EPHE = Ecole pratique des Hautes Etudes.
HJ = Historisches Jahrbuch im Auftrage der Goerres-Gesellschaft.
HLF = Histoire littéraire de la France.
JWCI = Journal of the Warburg and Courtauld Institutes.
MA = Le Moyen Age.
MAHEFR = Mélanges d'archéologie et d'histoire de l'Ecole française de Rome.
MEFRM = Mélanges de l'Ecole française de Rome. Moyen Age-Temps Modernes.
MGH, AA = Monumenta Germaniae historica, Auctores antiquissimi.
MGH, SS = Monumenta Germaniae historica, Scriptores.
MIöG = Mitteilungen des Instituts für österreichische Geschichtsforschung.
PL = J. P. Migne, Patrologiae cursus completus..., Series Latina.
PTEC = Positions des thèses de l'Ecole des chartes.
RH = Revue historique.
RHC, HO = Académie des inscriptions et belles-lettres, Recueil des historiens des croisades, Historiens occidentaux.
RHE = Revue d'histoire ecclésiastique.
RHEF = Revue d'histoire de l'Eglise de France.

RHF = Académie des inscriptions et belles-lettres, Recueil des historiens des Gaules et de la France.
RIS = L. A. Muratori, Rerum Italicarum scriptores..., 25 vol., Milan, 1723-1751.
RIS[2] = L. A. Muratori, Rerum Italicarum scriptores..., Editio altera, 34 vol., Città di Castello puis Bologne, 1900...
RSI = Rivista storica italiana.
Script. = Scriptorium.
Spec. = Speculum.
TRHS = Transactions of the Royal historical Society.
ZRP = Zeitschrift für romanische Philologie.

ORIENTATION BIBLIOGRAPHIQUE

§ 1. *Etudes préparatoires*

1. Guenée (B.), Etat et nation en France au Moyen Age, *RH,* 237 (1967), 17-30.
2. Guenée (B.) et Lehoux (Fr.), *Les entrées royales françaises de 1329 à 1515,* Paris, 1968.
3. Guenée (B.), *L'Occident aux XIVe et XVe siècles. Les Etats,* Paris, 1971.
4. Guenée (B.), Les tendances actuelles de l'histoire politique du Moyen Age français, *Comité des travaux historiques et scientifiques. Actes du 100e Congrès national des Sociétés savantes, Paris, 1975. Section de philologie et d'histoire jusqu'à 1610,* t. I, Paris, 1977, p. 45-70.
5. Guenée (B.), Histoires, annales, chroniques. Essai sur les genres historiques au Moyen Age, *Ann.,* 1973, p. 997-1016.
6. Guenée (B.), L'enquête historique ordonnée par Edouard Ier, roi d'Angleterre, en 1291, *CRAIBL,* 1975, p. 572-584.
7. Guenée (B.), La culture historique des nobles : le succès des *Faits des Romains* (XIIIe-XVe siècles), *La noblesse au Moyen Age. Essais à la mémoire de Robert Boutruche* réunis par Ph. Contamine, Paris, 1976, p. 261-288.
8. Guenée (B.), Temps de l'histoire et temps de la mémoire, *Ann. - Bull. de la Soc. de l'hist. de France,* 1976-1977, p. 25-35.
9. Guenée (B.), L'historien par les mots, *Le métier d'historien au Moyen Age. Etudes sur l'historiographie médiévale* sous la direction de B. Guenée, Paris, 1977, p. 1-17.
10. Guenée (B.), Y a-t-il une historiographie médiévale ? *RH,* 258 (1977), p. 261-275.
11. Guenée (B.), Les généalogies entre l'histoire et la politique : la fierté d'être Capétien, en France, au Moyen Age, *Ann.,* 1978, p. 450-477.
12. Guenée (B.), Marsile de Padoue et l'histoire. Avant-propos à Marsile de Padoue, *Œuvres mineures. Defensor pacis, De translatione imperii,* texte établi, traduit et annoté par C. Jeudy et J. Quillet, Paris, 1979, p. 1-14.
13. Guenée (B.), « Authentique et approuvé ». Recherches sur les principes de la critique historique au Moyen Age, *Actes du Colloque international sur la lexicographie du latin médiéval, Paris, 1978,* à paraître.
14. Guenée (B.), Histoire d'un succès : construction et diffusion des *Grandes Chroniques de France* (1274-1518), à paraître.
15. Guenée (B.), *Politique et histoire au Moyen Age. Recueil d'études sur l'histoire politique et l'historiographie médiévales (1956-1980),* à paraître.

§ 2. *Généralités*

16. Beumann (H.), *Wissenschaft vom Mittelalter. Ausgewählte Aufsätze,* Cologne-Vienne, 1972.
17. Bezzola (R. R.), *Les origines et la formation de la littérature courtoise en Occident (500-1200),* 5 vol., Paris, 1958-1967.
18. Boia (L.), *Mari Istorici ai Lumii* (Grands historiens du monde entier), Bucarest, 1978.
19. Bossuat (R.), *Le Moyen Age,* Paris, 1955 (Histoire de la littérature française publiée sous la direction de J. Calvet).
20. Brandt (W. J.), *The Shape of Medieval History. Studies in Modes of Perception,* New Haven-Londres, 1966.
21. Brincken (A.-D. von den), *Studien zur lateinischen Weltchronistik bis in das Zeitalter Ottos von Freising,* Düsseldorf, 1957.
22. Brunhölzl (Fr.), *Geschichte der lateinischen Literatur des Mittelalters,* t. I, *Von Cassiodor bis zum Ausklang der karolingischen Erneuerung,* Munich, 1975.
23. Chesnut (Gl. F.), *The First Christian Histories : Eusebius, Socrates, Sozomen, Theodoret and Evagrius,* Paris, 1977.
24. Cognasso (Fr.), Storiografia medievale, *Questioni di storia medioevale,* E. Rota éd., Milan, 1951, p. 785-837.
25. De Ghellinck (J.), *Littérature latine au Moyen Age,* 2 vol., Paris, 1939.
26. De Ghellinck (J.), *L'essor de la littérature latine au XIIe siècle,* 2e éd., 2 vol., Bruxelles, 1955.
27. Eisenstein (E. L.), The Advent of Printing and the Problem of the Renaissance, *Past and Present,* 45 (1969), 19-89.
28. Fitzsimons (M. A.), Pundt (A. G.) et Nowell (Ch. E.) éd., *The development of historiography,* Harrisburg, Pa, 1954.
29. Fueter (E.), *Geschichte der neueren Historiographie,* 3e éd., Munich-Berlin, 1936. Trad. fr. : *Histoire de l'historiographie moderne,* Paris, 1914.
30. Grundmann (H.), *Geschichtsschreibung im Mittelalter. Gattungen, Epochen, Eigenart,* 2e éd., Göttingen, 1965.
31. Guenée (B.) éd., *Le métier d'historien au Moyen Age. Etudes sur l'historiographie médiévale,* Paris, 1977.
32. Halphen (L.), *A travers l'histoire du Moyen Age,* Paris, 1950.
33. Hellmann (S.), *Ausgewählte Abhandlungen zur Historiographie und Geistesgeschichte des Mittelalters,* H. Beumann éd., Weimar, 1961.
34. L'Historiographie en Occident du ve au xve siècle. Actes du Congrès de la Société des historiens médiévistes de l'enseignement supérieur, Tours, 1977. Avant-propos et conclusion de B. Guenée, *Annales de Bretagne et des pays de l'Ouest,* 87 (1980), n° 2, p. 163-417.
35. Hoffmann (H.), *Untersuchungen zur karolingischen Annalistik,* Bonn, 1958.
36. Huppert (G.), *The Idea of Perfect History. Historical Erudition and Historical Philosophy in Renaissance France,* Urbana-Chicago-Londres, 1970. Trad. fr. : *L'idée de l'histoire parfaite,* Paris, 1973.
37. Jonsson (R.), *Historia. Etude sur la genèse des offices versifiés,* Stockholm, 1968.
38. Kelley (D. R.), *Foundations of Modern Historical Scholarship. Language, Law and History in the French Renaissance,* New York, 1970.
39. Keuck (K.), *Historia. Geschichte des Wortes und seiner Bedeutung in der Antike und in den romanischen Sprachen,* Munster, 1934.
40. Krüger (K. H.), *Die Universalchroniken,* Turnhout, 1976.

41. Lacroix (B.), *L'historien au Moyen Age,* Montréal-Paris, 1971.
42. Laistner (M. L. W.), *The Intellectual Heritage of the Early Middle Ages. Selected Essays,* Ch. G. Starr éd., Ithaca, 1957.
43. Lammers (W.) éd., *Geschichtsdenken und Geschichtsbild im Mittelalter. Ausgewählte Aufsätze und Arbeiten aus den Jahren 1933 bis 1959,* Darmstadt, 1965.
44. Landfester (R.), *Historia Magistra Vitae. Untersuchungen zur humanistischen Geschichtstheorie des 14. bis 16. Jahrhunderts,* Genève, 1972.
45. Legge (M. D.), *Anglo-Norman Literature and its Background,* Oxford, 1963.
46. Lehmann (P.), *Erforschung des Mittelalters. Ausgewählte Abhandlungen und Aufsätze,* 5 vol., Stuttgart, 1941-1962.
47. Lhotsky (A.), *Aufsätze und Vorträge,* 5 vol., Munich, 1970-1976.
48. Manitius (M.), *Geschichte der lateinischen Literatur des Mittelalters... bis zum Ende des zwölften Jahrhunderts,* 3 vol., Munich, 1911-1931.
49. Melville (G.), System und Diachronie. Untersuchungen zur theoretischen Grundlegung geschichtsschreiberischer Praxis im Mittelalter, *HJ,* 95 (1975), 33-67 et 308-341.
50. Momigliano (A.), L'Età del trapasso fra storiografia antica e storiografia medievale (320-550 d. C.), *RSI,* 81 (1969), 286-303 ; réimpr. dans A. Momigliano, *Quinto contributo alla storia degli studi classici e del mondo antico,* t. I, Rome, 1975, p. 49-71.
51. Momigliano (A.), Pagan and Christian Historiography in the Fourth Century A. D., *The Conflict between Paganism and Christianity in the Fourth Century,* A. Momigliano éd., Oxford, 1963, p. 77-99 ; réimpr. dans A. Momigliano, *Essays in Ancient and Modern Historiography,* Oxford, 1977, p. 107-126.
52. Ray (R. D.), Medieval historiography through the twelfth century : problems and progress of research, *Viator,* 5 (1974), 33-59.
53. Reynolds (B. R.), Latin Historiography : A Survey, 1400-1600, *Studies in the Renaissance,* 2 (1955), 7-66.
54. Riché (P.), *Education et Culture dans l'Occident barbare (VIe-VIIIe siècles),* 3e éd., Paris, 1972.
55. Schneider (H.), *Das kausale Denken in deutschen Quellen zur Geschichte und Literatur des zehnten, elften und zwölften Jahrhunderts,* Gotha, 1905.
56. Smalley (B.), *Historians in the Middle Ages,* Londres, 1974.
57. Southern (R. W.), Aspects of the European Tradition of Historical Writing: 1. The Classical Tradition from Einhard to Geoffrey of Monmouth, *TRHS,* 20 (1970), 173-196.
58. Southern (R. W.), *Id. :* 2. Hugh of St Victor and the Idea of Historical Development, *TRHS,* 21 (1971), 159-179.
59. Southern (R. W.), *Id. :* 3. History as Prophecy, *TRHS,* 22 (1972), 159-180.
60. Southern (R. W.), *Id. :* 4. The Sense of the Past, *TRHS,* 23 (1973), 243-263.
61. Southern (R. W.), *Medieval Humanism and Other Studies,* Oxford, 1970.
62. Spörl (J.), *Grundformen hochmittelalterlicher Geschichtsanschauung. Studien zum Weltbild der Geschichtsschreiber des 12. Jahrhunderts,* Munich, 1935.
63. *La Storiografia Altomedievale, 10-16 aprile 1969,* 2 vol., Spolète, 1970 (Settimane di Studio del Centro Italiano di Studi sull'Alto Medioevo, XVII).
64. Thompson (J. W.), *A History of Historical Writing,* t. I, *From*

the Earliest Times to the End of the Seventeenth Century, New York, 1942.
65. Voss (J.), *Das Mittelalter in historischen Denken Frankreichs. Untersuchungen zur Geschichte des Mittelalterbegriffes und der Mittelalterbewertung von der zweiten Hälfte des 16. bis zur Mitte des 19. Jahrhunderts,* Munich, 1972.
66. Voss (J.), Le problème du Moyen Age dans la pensée historique en France (XVIe-XIXe siècles), *Revue d'histoire moderne et contemporaine,* 24 (1977), 321-340.

§ 3. *Etudes par pays*

67. Arnaldi (G.), *Studi sui cronisti della marca trevigiana nell'età di Ezzelino da Romano,* Rome, 1963.
68. Arnold (U.), Geschichtsschreibung im Preussenland bis zum Ausgang des 16. Jahrhunderts, *Jahrbuch für die Geschichte Mittel- und Ostdeutschlands,* 19 (1970), 74-126.
69. Arnould (M. A.), *Historiographie de la Belgique. Des origines à 1830,* Bruxelles, 1947.
70. Balbi (G.), La storiografia genovese fino al secolo XV, *Studi sul Medioevo cristiano offerti a Raffaello Morghen,* t. II, Rome, 1974, p. 763-850.
71. Balzani (U.), *Le cronache italiane nel Medio Evo,* 3e éd., Milan, 1909.
72. Banti (O.), Studio sulla genesi dei testi cronistici pisani del secolo XIV, *Bulletino dell'Istituto Storico Italiano per il Medio Evo e Archivio Muratoriano,* 75 (1963), 259-319.
73. Bautier (R.-H.), L'historiographie en France aux Xe et XIe siècles (France du Nord et de l'Est), *La Storiografia Altomedievale* (63), II, 793-855.
74. Benito Ruano (E.), La historiografía en la alta edad media española. Ideología y estructura, *Cuadernos de Historia de España,* 17 (1952), 50-104.
75. Bodmer (J.-P.), *Chroniken und Chronisten im Spätmittelalter,* Berne, 1976 (Monographien zur Schweizergeschichte, 10).
76. Brentano (R.), *Two Churches. England and Italy in the thirteenth century,* Princeton, 1968.
77. Capitani (O.), Motivi e momenti di storiografia medioevale italiana : sec. V-XIV, *Nuove questioni di storia medioevale,* Milan, 1964, p. 729-800.
78. Catalán (D.), *De Alfonso X al conde de Barcelos,* Madrid, 1962.
79. Catalán (D.), La historiografía en verso y en prosa de Alfonso XI a la luz de nuevos textos, *Boletin de la Real Academia de la Historia,* 154 (1964), 79-126 et 156 (1965), 55-87 ; *Anuario de Estudios Medievales,* 2 (1965), 257-299.
80. Dabrowski (J.), *Dawne dziejopisarstwo polskie do roku 1480* (L'ancienne historiographie polonaise jusqu'à 1480) (résumé en français), Wroclaw, 1964.
81. David (P.), *Les sources de l'histoire de Pologne à l'époque des Piasts (963-1386),* Paris, 1934.
82. Del Monte (A.), La storiografia fiorentina dei secoli XII e XIII, *Bulletino dell'Istituto Storico Italiano per il Medio Evo e Archivio Muratoriano,* 62 (1950), 175-282.
83. Díaz y Díaz (M. C.), La historiografia hispana desde la invasion arabe hasta el año 1000, *De Isidoro al siglo XI : Ocho estudios sobre la vida literaria peninsular,* Barcelone, 1976, p. 203-234.
84. Doutrepont (G.), *La littérature française à la cour des ducs de*

Bourgogne. Philippe le Hardi, Jean sans Peur, Philippe le Bon, Charles le Téméraire, Paris, 1909.
85. Ellehøj (Sv.), *Studier over den aeldste norrøne historieskrivning*, Copenhague, 1965.
86. Fuiano (M.), *Studi di storiografia medioevale*, Naples, 1960.
87. Galbraith (V. H.), *Historical Research in Medieval England*, Londres, 1951.
88. Gransden (A.), Realistic Observation in Twelfth-Century England, *Spec.*, 47 (1972), 29-51.
89. Gransden (A.), *Historical Writing in England, c. 550-c. 1307*, Londres, 1974.
90. Hay (D.), History and Historians in France and England during the Fifteenth Century, *BIHR*, 35 (1962), 111-127.
91. Heck (R.), Główne linie rozwoju średniowiecznego dziejopisarstwa śląskiego (Ueber die Entwicklung der schlesischen Geschichtsschreibung im Mittelalter), *Studia Źródłoznawcze. Commentationes* 22 (1977), 61-75.
92. Joachimsen (P.), *Geschichtsauffassung und Geschichtsschreibung in Deutschland unter dem Einfluss des Humanismus*, t. I, seul paru, Berlin-Leipzig, 1910.
93. Jørgensen (E.), *Historieforskning og Historieskrivning i Danmark indtil Aar 1800*, Copenhague, 1931.
94. Kingsford (Ch. L.), *English Historical Literature in the Fifteenth Century*, Oxford, 1913.
95. Korta (W.), *Sredniowieczna annalistyka śląska* (L'annalistique silésienne du Moyen Age) (résumé anglais), Wroclaw, 1966.
96. Kristensen (A. K. G.), *Danmarks aeldste annalistik. Studier over Lundensisk annalskrivning i 12. og 13. arhundrede* (résumé anglais), Copenhague, 1969.
97. Kürbis (B.), L'historiographie médiévale en Pologne, *Acta Poloniae Historica*, 6 (1962), 7-34.
98. Lhotsky (A.), *Oesterreichische Historiographie*, Munich, 1962.
99. Lloyd (J. E.), The Welsh Chronicles, *Proceedings of the British Academy*, 14 (1928), 369-391.
100. Macartney (C. A.), *The Medieval Hungarian Historians. A Critical and Analytical Guide*, Cambridge, 1953.
101. McKisack (M.), *Medieval History in the Tudor Age*, Oxford, 1971.
102. Mac Niocaill (G.), *The Medieval Irish Annals*, Dublin, 1975.
103. Martini (G.), La spirito cittadino e le origini della storiografia comunale lombarda, *Nuova rivista storica*, 54 (1970), 1-22.
104. Miczka (G.), Antike und Gegenwart in der italianischen Geschichtsschreibung des frühen Trecento, *Miscellanea Mediaevalia*, t. IX, *Antiqui und Moderni. Traditionsbewusstsein und Fortschrittsbewusstsein im späten Mittelalter*, Berlin, 1974, p. 221-235.
105. Miglio (M.), *Storiografia pontificia del quattrocento*, Bologne, 1975.
106. Molinier (A.), *Les sources de l'histoire de France des origines aux guerres d'Italie (1494)*, 6 vol., Paris, 1901-1906.
107. Morghen (R.), La storiografia fiorentina del Trecento : Ricordano Malispini, Dino Compagni e Giovanni Villani, *Libera cattedra di storia della civiltà fiorentina. Secoli vari ('300-'400-'500)*, Florence, 1958, p. 69-93.
108. Ortalli (G.), Aspetti e Motivi di Cronachistica Romagnola, *Studi Romagnoli*, 24 (1973), 1-39.
109. Ortalli (G.), Tra Passato e Presente : la Storiografia Medioevale, *Storia dell'Emilia Romagna*, Bologne, 197., p. 615-636.

110. Paravicini Bagliani (A.), La storiografia pontificia del secolo XIII. Prospettive di ricerca, *Römische historische Mitteilungen,* 18 (1976), 45-54.
111. Partner (N. F.), *Serious Entertainments : the Writing of History in Twelfth-Century England,* Chicago, 1977.
112. Pertusi (A.) éd., *La Storiografia Veneziana fino al secolo XVI. Aspetti e problemi,* Florence, 1970.
113. Reuss (R.), *De Scriptoribus rerum alsaticarum historicis inde a primordiis ad saeculi XVIII exitum,* Strasbourg, 1897.
114. Sanchez-Albornoz (Cl.), *Investigaciones sobre historiografia hispana medieval (Siglos VIII al XII),* Buenos Aires, 1967.
115. Sanchez Alonso (B.), *Historia de la Historiografia española,* t. I, *Hasta la publicación de la crónica de Ocampo (... 1543),* 2e éd., Madrid, 1947.
116. Santschi (C.), *Les évêques de Lausanne et leurs historiens des origines au XVIIIe siècle. Erudition et société,* Lausanne, 1975.
117. Sayers (W. J. S.), *The Beginnings and Early Development of Old French Historiography (1100-1274),* University Microfilms, Ann Arbor, Michigan, 1967.
118. Schmale (Fr.-J.), Die österreichische Annalistik im 12. Jahrhundert, *DA,* 31 (1975), 144-203.
119. Schmeidler (B.), *Italienische Geschichtsschreiber des XII. und XIII. Jahrhunderts. Ein Beitrag zur Kulturgeschichte,* Leipzig, 1909.
120. Schnith (K.), Bayerische Geschichtsschreibung im Spätmittelalter. Eine Studie zu den Quellen von Passau-Kremsmünster, *HJ,* 97-98 (1978), 194-212.
121. Serrão (J. V.), *A Historiografia Portuguesa. Doutrina e crítica,* t. I, *Séculos XII-XVI,* Lisbonne, 1972.
122. Serrão (J. V.), *Cronistas do Século XV posteriores a Fernão Lopes,* Lisbonne, 1977.
123. Szymański (J.), W sprawie genesy roczni karstwa śląskiego (Zum Ursprung der schlesischen Annalen), *Studia Źródłoznawcze. Commentationes,* 22 (1977), 77-82.
124. Tate (R. B.), *Ensayos sobre la historiografía peninsular del siglo XV,* Madrid, 1970.
125. Taylor (J.), *Medieval Historical Writing in Yorkshire,* York, 1961.
126. Toubert (P.), *Les structures du Latium médiéval. Le Latium méridional et la Sabine du IXe siècle à la fin du XIIe siècle,* 2 vol., Rome, 1973.
127. Ullman (B. L.), *Studies in the Italian Renaissance,* Rome, 1955.
128. Usinger (R.), *Die dänischen Annalen und Chroniken des Mittelalters,* Hanovre, 1861.
129. Wattenbach (W.), Levison (W.) et Löwe (H.), *Deutschlands Geschichtsquellen im Mittelalter. Vorzeit und Karolinger,* 5 fasc., Weimar, 1952-1973.
130. Wattenbach (W.), Holtzmann (R.) et Schmale (Fr.-J.), *Deutschlands Geschichtsquellen im Mittelalter. Die Zeit der Sachsen und Salier,* 3 vol., Darmstadt, 1967-1971.
131. Wattenbach (W.), Schmale (Fr.-J.), Schmale-Ott (I.) et Berg (D.), *Deutschlands Geschichtsquellen im Mittelalter. Vom Tode Kaiser Heinrichs V. bis zum Ende des Interregnum,* t. I, Darmstadt, 1976.
132. Wilcox (D. J.), *The Development of Florentine Humanist Historiography in the Fifteenth Century,* Cambridge, Mass., 1969.
133. Wyss (G. von), *Geschichte der Historiographie in der Schweiz,* Zurich, 1895.

§ 4. *Les frontières de l'histoire*

134. Borst (A.), *Geschichte an mittelalterlichen Universitäten,* Constance, 1969.
135. Chalon (L.), *L'histoire et l'épopée castillane du Moyen Age. Le cycle du Cid. Le cycle des comtes de Castille,* Paris, 1976.
136. Chenu (M.-D.), Conscience de l'histoire et théologie au XIIe siècle, *Archives d'Histoire Doctrinale et Littéraire du Moyen Age,* 29 (1954), 107-133.
137. Delehaye (H.), *Les légendes hagiographiques,* Bruxelles, 1905.
138. Frappier (J.), Réflexions sur les rapports des chansons de geste et de l'histoire, *ZRP,* 73 (1957), 1-19 ; réimpr. dans J. Frappier, *Histoire, mythes et symboles. Etudes de littérature française,* Genève, 1976, p. 1-19.
139. Gaiffier d'Hestroy (B. de), L'hagiographe et son public au XIe siècle, *Miscellanea historica in honorem Leonis van der Essen...,* t. I, Bruxelles-Paris, 1947, p. 135-166 ; réimpr. dans B. de Gaiffier d'Hestroy, *Etudes critiques d'hagiographie et d'iconologie,* Bruxelles, 1967, p. 475-507.
140. Genet (J.-Ph.), Droit et histoire en Angleterre : la préhistoire de la « révolution historique » (34), 319-366.
141. Glauche (G.), *Schullektüre im Mittelalter. Entstehung und Wandlungen des Lektürekanons bis 1200, nach den Quellen dargestellt,* Munich, 1970.
142. Heinzelmann (M.), Neue Aspekte der biographischen und hagiographischen Literatur in der lateinischen Welt (1.-6. Jahrhundert), *Francia,* 1 (1973), 27-44.
143. Jones (Ch.), *Saints' Lives and Chronicles in Early England,* Ithaca, N.-Y., 1947.
144. Kelley (D. R.), Clio and the Lawyers : Forms of Historical Consciousness in Medieval Jurisprudence, *Medievalia et Humanistica,* 5 (1974), 25-49.
145. Kelley (D. R.), Vera Philosophia : The Philosophical Significance of Renaissance Jurisprudence, *Journal of the history of philosophy,* 14 (1976), 267-279.
146. Lejeune (R.), *Recherches sur le Thème : les Chansons de Geste et l'Histoire,* Liège, 1948.
147. Lot (F.), *Etudes sur les légendes épiques françaises,* Paris, 1958.
148. Louis (R.), *De l'histoire à la légende : Girart, comte de Vienne, dans les chansons de geste : Girart de Vienne, Girart de Fraite, Girart de Roussillon,* 2 vol., Auxerre, 1947.
149. Raynaud de Lage (G.), « La morale de l'histoire », *MA,* 69 (1963), 365-369.
150. Voss (B. R.), Berührungen von Hagiographie und Historiographie in der Spätantike, *Frühmittelalterliche Studien,* 4 (1970), 53-69.
151. Wolpers (Th.), *Die Englische Heiligenlegende des Mittelalters. Eine Formgeschichte des Legendenerzählens von der spätantiken Tradition bis zur Mitte des 16. Jahrhunderts,* Tübingen, 1964.
152. Wolter (H.), Geschichtliche Bildung im Rahmen der Artes liberales, *Artes liberales. Von der antiken Bildung zur Wissenschaft des Mittelalters,* J. Koch éd., Leyde-Cologne, 1959, p. 50-83.

§ 5. *Profils d'historiens*

153. Arnaldi (G.), Il notaio-cronista e le cronache cittadine in Italia, *La storia del diritto nel quadro delle scienze storiche. Atti del primo congresso internazionale della Società Italiana di Storia del Diritto,* Florence, 1966, p. 293-309.

154. Baethgen (Fr.), Franziskanische Studien, *Historische Zeitschrift,* 131 (1925), 421-471 ; réimpr. dans Fr. Baethgen, *Mediaevalia,* t. II, Stuttgart, 1960, p. 319-362.
155. Bautier (R.-H.), Les notaires et secrétaires du roi des origines au milieu du XVIe siècle, *Les notaires et secrétaires du roi sous les règnes de Louis XI, Charles VIII et Louis XII (1461-1515).* Notices personnelles et généalogies établies par A. Lapeyre et R. Scheurer, t. I, Paris, 1978, p. vii-xxxix.
156. Bec (Chr.), *Les marchands écrivains. Affaires et humanisme à Florence, 1375-1434,* Paris-La Haye, 1967.
157. Coville (A.), *La vie intellectuelle dans les domaines d'Anjou-Provence de 1380 à 1435,* Paris, 1941.
158. Du Pouget (M.), Recherches sur les chroniques latines de Saint-Denis. Edition critique et commentaire de la *Descriptio clavi et corone Domini* et de deux séries de textes relatifs à la légende carolingienne, *PTEC,* 1978, p. 41-46.
159. Faral (E.), *Les jongleurs en France au Moyen Age,* 2e éd., Paris, 1964.
160. Fisher (J. H.), Chancery and the Emergence of Standard Written English in the Fifteenth Century, *Spec.,* 52 (1977), 870-899.
161. Fossier (Fr.), Les chroniques de fra Paolo da Gualdo et de fra Elemosina. Premières tentatives historiographiques en Ombrie, *MEFRM,* 89 (1977), 411-483.
162. Galbraith (V. H.), *The St. Albans Chronicle, 1406-1420,* edited from Bodley MS. 462 by..., Oxford, 1937.
163. Gilmore (M. P.), *Humanists and Jurists. Six Studies in the Renaissance,* Cambridge, Mass., 1963.
164. Haider (S.), Zum Verhältnis von Kapellanat und Geschichtsschreibung im Mittelalter, *Geschichtsschreibung und geistiges Leben im Mittelalter. Festschrift für H. Löwe zum 65. Geburtstag,* K. Hauck et H. Mordek éd., Cologne-Vienne, 1978, p. 102-138.
165. Jodogne (O.), La personnalité de l'écrivain d'oil du XIIe au XIVe siècle, *L'humanisme médiéval dans les littératures romanes du XIIe au XIVe siècle,* A. Fournier éd., Paris, 1964, p. 87-106.
166. Kleinschmidt (E.), Die Colmarer Dominikaner-Geschichtsschreibung im 13. und 14. Jahrhundert. Neue Handschriftenfunde und Forschungen zur Ueberlieferungsgeschichte, *DA,* 28 (1972), 371-496.
167. Knowles (D.), *The Monastic Order in England. A history of its development from the times of St. Dunstan to the fourth Lateran council, 943-1216,* 2e éd., Cambridge, 1963.
168. Krzyżaniakowa (J.), Kancelaria królewska Władysława Jagiełły jako ośrodek kultury historycznej (Die königliche Kanzlei von Władysław Jagiełło als Zentrum der historischen Kultur), *Studia Zródłoznawcze. Commentationes,* 18 (1973), 67-96.
169. Lamma (P.), *Momenti di storiografia Cluniacense,* Rome, 1961.
170. Leclercq (J.), *L'amour des lettres et le désir de Dieu. Initiation aux auteurs monastiques du Moyen Age,* Paris, 1957.
171. Leclercq (J.), Monastic historiography from Leo IX to Calixtus II, *Studia monastica,* 12 (1970), 57-86.
172. Legge (M. D.), *Anglo-Norman in the Cloisters. The influence of the orders upon Anglo-Norman literature,* Edimbourg, 1950.
173. Little (A. G.), Chronicles of the Mendicant Friars, *Franciscan Papers, Lists and Documents,* Manchester, 1943, p. 25-41.
174. Malyusz (E), La chancellerie royale et la rédaction des chroniques dans la Hongrie médiévale, *MA,* 75 (1969), 51-86 et 219-254.
175. Prevenier (W.), Officials in Town and Countryside in the Low

Countries. Social and Professional Developments from the Fourteenth to the Sixteenth Century, *Acta Historiae Neerlandicae,* 7 (1974), 1-17.
176. Spiegel (G. M.), *The Chronicle Tradition of Saint-Denis : A Survey,* Brookline, Mass., et Leyde, 1978.
177. Strayer (J. R.), Laicization of French and English Society in the Thirteenth Century, *Spec.,* 15 (1940), 76-86.
178. Vidier (A.), *L'historiographie à Saint-Benoît-sur-Loire et les miracles de saint Benoît,* Paris, 1965.
179. Wendehorst (A.), Monachus scribere nesciens, *MIöG,* 71 (1963), 67-75.

§ 6. *Profils de patrons*

180. Kekewich (M.), Edward IV, William Caxton and Literary Patronage in Yorkist England, *Modern Language Review,* 66 (1971), 481-487.
181. Procter (E. S.), *Alfonso X of Castile, Patron of Literature and Learning,* Oxford, 1951.
182. Tyson (D. B.), Patronage of French Vernacular History Writers in the Twelfth and Thirteenth Centuries, *Romania,* 100 (1979), 180-222.

§ 7. *Livres et bibliothèques*

183. Armstrong (E.), English Purchases of Printed Books from the Continent, 1465-1526, *English historical review,* 94 (1979), 268-290.
184. Auger (M.-L.), La bibliothèque des Cordeliers de Troyes, *Bulletin de l'Institut de recherche et d'histoire des textes,* 15 (1967-1968), 183-250.
185. Autrand (Fr.), Les librairies des gens du Parlement au temps de Charles VI, *Ann.,* 1973, p. 1219-1244.
186. Avril (Fr.), Trois manuscrits napolitains des collections de Charles V et de Jean de Berry, *BEC,* 127 (1969), 291-328.
187. Becker (G.), *Catalogi bibliothecarum antiqui,* Bonn, 1885.
188. Beddie (J. S.), Libraries in the Twelfth Century : their Catalogues and their Contents, *Anniversary Essays in Mediaeval History by Students of C. H. Haskins,* New York, 1929, p. 1-23.
189. Bergier (J.-Fr.), Humanisme et vie d'affaires. La bibliothèque du banquier Francesco Sassetti, *Mélanges en l'honneur de Fernand Braudel,* t. I, Toulouse, 1973, p. 107-121.
190. Bignami-Odier (J.) et Vernet (A.), Les livres de Richard de Bazoques, *BEC,* 110 (1952), 124-153.
191. Bresc (H.), *Livre et société en Sicile (1299-1499),* Palerme, 1971.
192. Carolus-Barré (L.), Bibliothèques médiévales inédites d'après les Archives du Vatican, *MAHEFR,* 53 (1936), 330-377.
193. Castan (A.), La bibliothèque de l'abbaye de Saint-Claude du Jura. Esquisse de son histoire, *BEC,* 50 (1889), 301-354.
194. Cenci (C.), Biblioteche e bibliofili francescani a tutto il secolo XV, *Picenum Seraphicum,* 8 (1971), 66-80.
195. Champion (P.), *La librairie de Charles d'Orléans,* Paris, 1910.
196. Clark (J. W.), *The Care of Books. An essay on the development of libraries and their fittings, from the earliest times to the end of the eighteenth century,* Cambridge, 1901.

197. Coyecque (E.), La bibliothèque d'un procureur en Parlement sous Louis XII (1508), *BEC,* 100 (1939), 240-245.
198. Csapodi (Cs.), *The Corvinian Library. History and Stock,* Budapest, 1973.
199. Delisle (L.), *Le Cabinet des manuscrits de la Bibliothèque impériale (puis nationale),* 4 vol., Paris, 1868-1881.
200. Delisle (L.), *Recherches sur la librairie de Charles V,* 2 vol., Paris, 1907.
201. Díaz y Díaz (M. C.), La circulation des manuscrits dans la Péninsule ibérique du VIIIe au XIe siècle, *CCM,* 12 (1969), 219-241 et 383-392.
202. Doucet (R.), *Les bibliothèques parisiennes au XVIe siècle,* Paris, 1956.
203. Doutrepont (G.), *Inventaire de la « librairie » de Philippe le Bon, 1420,* Bruxelles, 1906.
204. Dubled (H.), La bibliothèque Inguimbertine de Carpentras, *Revue française d'histoire du livre,* 3 (1973), 125-174.
205. Edmunds (Sh.), The Library of Savoy : Documents, *Script.,* 24 (1970), 318-327 ; 25 (1971), 253-284 ; 26 (1972), 269-293.
206. Falk (F.), Zur Geschichte der öffentlichen Bibliotheken in Deutschland von Gutenberg bis um 1520, *HJ,* 1 (1880), 297-304.
207. Falk (F.), Zur Geschichte der öffentlichen Büchersammlungen in Deutschland im 15. Jahrhundert, *HJ,* 17 (1896), 343-344.
208. Febvre (L.) et Martin (H.-J.), *L'apparition du livre,* 2e éd., Paris, 1971.
209. Fournier (M.), Les bibliothèques des collèges de l'Université de Toulouse. Etude sur les moyens de travail mis à la disposition des étudiants au Moyen Age, *BEC,* 51 (1890), 443-476.
210. Garand (M.-C.), Les copistes de Jean Budé (1430-1502), *Bulletin de l'Institut de recherche et d'histoire des textes,* 15 (1967-1968), 293-331.
211. Garand (M.-C.), Le scriptorium de Cluny, carrefour d'influences au XIe siècle : le manuscrit Paris, B. N., Nouv. acq. lat. 1548, *Journal des Savants,* 1977, p. 257-283.
212. Gasparri (Fr.), Un copiste lettré de l'abbaye de Saint-Victor de Paris au XIIe siècle, *Script.,* 30 (1976), 232-237.
213. Genet (J.-Ph.), Essai de bibliométrie médiévale : l'histoire dans les bibliothèques anglaises, *Revue française d'histoire du livre,* 16 (1977), 3-40.
214. Hain (L.), *Repertorium Bibliographicum, in quo libri omnes ab arte typographica inventa usque ad annum MD... recensentur,* 4 vol., Stuttgart-Paris, 1826-1838.
215. Hlaváček (I.), Das mittelalterliche Bibliothekswesen in tschechischer Forschung der Nachkriegszeit, *Mediaevalia Bohemica,* 1 (1969), 129-155.
216. Hlaváček (I.), Z knižni kultury doby Karla IV. a Václava IV. v českých zemích (Aus der Buchkultur in den böhmischen Ländern in der Zeit Karl IV. und Wenzel IV.) (résumé allemand), *Acta Universitatis Carolinae. Historia Universitatis Carolinae Pragensis,* 18 (1978), 7-60.
217. Hugues (M. J.), The Library of Philip the Bold and Margaret of Flanders, first Valois duke and duchess of Burgundy, *Journal of Medieval History,* 4 (1978), 145-188.
218. Humphreys (K. W.), *The Book Provisions of the Mediaeval Friars, 1215-1400,* Amsterdam, 1964.
219. James (M. R.), The Catalogue of the Library of the Augustinian Friars at York, *Fasciculus J. W. Clark dicatus,* Cambridge, 1909, p. 2-96.

220. James (M. R.), Catalogue of the Library of Leicester Abbey, *Transactions of the Leicestershire Archaeological Society,* 19 (1936-1937), 118-161 et 378-440 ; 21 (1939-1941), 1-88.
221. Jones (L. W.), The Library of St. Aubin's at Angers in the XIIth century, *Classical and Mediaeval Studies in honor of E. K. Rand,* New York, 1938, p. 143-161.
222. Jones (W. R.), Franciscan Education and Monastic Libraries : Some Documents, *Traditio,* 30 (1974), 435-445.
223. Ker (N. R.), *Medieval Libraries of Great Britain,* 2e éd., Londres, 1964.
224. Labarre (A.), *Le livre dans la vie amiénoise du seizième siècle. L'enseignement des inventaires après décès, 1503-1576,* Paris-Louvain, 1971.
225. La Borderie (A. de), Notes sur les livres et les bibliothèques au Moyen Age en Bretagne, *BEC,* 23 (1862), 39-53.
226. Leclercq (J.), Une bibliothèque vivante, *Millénaire monastique du Mont-Saint-Michel,* t. II, Paris, 1967, p. 247-255.
227. Lesne (E.), *Histoire de la propriété ecclésiastique en France,* t. IV, *Les livres. « Scriptoria » et bibliothèques du commencement du VIIIe à la fin du XIe siècle,* Lille, 1938.
228. Masson (A.), La bibliothèque du chapitre de Bayeux et ses « escriteaux », *Bulletin des bibliothèques de France,* 2 (1957), 789-793.
229. Masson (A.), La « librairie » du chapitre de Noyon et l'architecture des bibliothèques françaises à la fin du Moyen Age, *Bulletin des bibliothèques de France,* 2 (1957), 95-110.
230. Milkau (Fr.) et Leyh (G.), *Handbuch der Bibliothekswissenschaft,* t. III, *Geschichte der Bibliotheken,* Wiesbaden, 1955.
231. Mornet (E.), Les livres d'histoire dans les bibliothèques danoises du début du XIVe siècle à la Réforme (34), 285-318.
232. Ogilvy (J. D. A.), *Books Known to the English, 597-1066,* Cambridge, Mass., 1967.
233. Omont (H.), Recherches sur la bibliothèque de l'église cathédrale de Beauvais, *Mémoires de l'Institut national de France. Académie des Inscriptions et Belles-Lettres,* t. XL, Paris, 1916, p. 1-93.
234. Pélicier (P.), Inventaire des meubles et joyaux de l'église cathédrale de Châlons-sur-Marne (1410-1413), *Bulletin archéologique du Comité des travaux historiques et scientifiques,* 1886, p. 147-188.
235. Pellegrin (E.), *La Bibliothèque des Visconti et des Sforza, ducs de Milan, au XVe siècle,* 2 vol., Paris, 1955-1969.
236. Pellegrin (E.), La bibliothèque de l'ancien collège de Dormans-Beauvais à Paris, *BPH,* 1944-1945, p. 99-164.
237. Riché (P.), Les bibliothèques de trois aristocrates laïcs carolingiens, *MA,* 69 (1963), 87-104.
238. Ross (D. J. A.), Methods of Book-Production in a XIVth Century French Miscellany (London, B. M., MS. Royal 19. D. 1), *Script.,* 6 (1952), 63-75.
239. Rouse (R. H.), The Early Library of the Sorbonne, *Script.,* 21 (1967), 42-71 et 227-251.
240. Samaran (Ch.), Les archives et la bibliothèque du chapitre de Notre-Dame, *RHEF,* 50 (1964), 99-107.
241. Thompson (J. W.), *The Medieval Library,* Chicago, 1939.
242. Ullman (B. L.) et Stadter (Ph. A.), *The Public Library of Renaissance Florence. Niccolo Niccoli, Cosimo de' Medici and the Library of San Marco,* Padoue, 1972.

243. Vernet (A.) éd., *La bibliothèque de l'abbaye de Clairvaux du XIIe au XVIIIe siècle,* t. I, *Catalogues et répertoires,* Paris, 1979.
244. Wiesiolowski (J.), *Kolekcje historyczne w Polsce średniowiecnej XIV-XV wieku* (Les collections historiques en Pologne médiévale, XIVe-XVe siècles) (résumé français), Varsovie, 1967.
245. Wilmart (A.), Le couvent et la bibliothèque de Cluny vers le milieu du XIe siècle, *Revue Mabillon,* 1921, p. 89-124.
246. Zathey (J.), La bibliothèque de l'église Notre-Dame de Cracovie à la fin du XIVe et au début du XVe siècle (en polonais, résumé français), *Roczniki Biblioteczne,* 8 (1964), 19-31.

§ 8. *Histoire sainte, histoire ancienne*

247. Adhémar (J.), *Influences antiques dans l'art du Moyen Age français. Recherches sur les sources et les thèmes d'inspiration,* Londres, 1937.
248. Berger (S.), *La Bible française au Moyen Age. Etude sur les plus anciennes versions de la Bible écrites en prose de langue d'oïl,* Paris, 1884.
249. *La Bibbia nell'alto medioevo, 26 aprile-2 maggio 1962,* Spolète, 1963 (Settimane di Studio del Centro Italiano di Studi sull'Alto Medioevo, X).
250. Bolgar (R. R.), *The Classical Heritage and its Beneficiaries,* 2e éd., Cambridge, 1958.
251. Burke (P.), A Survey of the Popularity of Ancient Historians, *History and Theory,* 5 (1966), 132-152.
252. *The Cambridge History of the Bible,* t. II, *The West from the Fathers to the Reformation,* G. W. H. Lampe éd., Cambridge, 1969.
253. Kendrick (T. D.), *British Antiquity,* Londres, 1950.
254. Lucas (R. H.), Mediaeval French Translations of the Latin Classics to 1500, *Spec.,* 45 (1970), 225-253.
255. Luttrell (A.), Greek Histories Translated and Compiled for Juan Fernández de Heredia, Master of Rhodes, 1377-1396, *Spec.,* 35 (1960), 401-407.
256. Manitius (M.), *Handschriften antiker Autoren in mittelalterlichen Bibliothekskatalogen,* Leipzig, 1935.
257. Monfrin (J.), Humanisme et traductions au Moyen Age, *Journal des Savants,* 1963, p. 161-190.
258. Monfrin (J.), Humanisme et traductions au Moyen Age, *L'humanisme médiéval dans les littératures romanes du XIIe au XIVe siècle,* A. Fourrier éd., Paris, 1964, p. 217-246.
259. Monfrin (J.), Les traducteurs et leur public en France au Moyen Age, *L'humanisme médiéval dans les littératures romanes du XIIe au XIVe siècle,* A. Fourrier éd., Paris, 1964, p. 247-262.
260. Monfrin (J.), La connaissance de l'Antiquité et le problème de l'humanisme en langue vulgaire dans la France du XVe siècle, *The Late Middle Ages and the Dawn of Humanism outside Italy. Proceedings of the International Conference, Louvain, 11-13 May 1970,* G. Verbeke et J. Ijsewijn éd., Louvain-La Haye, 1972 (Mediaevalia Lovaniensia, Series I / Studia I), p. 131-170.
261. Ross (J. B.), A Study of Twelfth-Century Interest in the Antiquities of Rome, *Medieval and Historical Essays in Honor of J. W. Thompson,* J. L. Cate et E. N. Anderson éd., Chicago, 1938, p. 302-321.
262. Sanford (E. M.), The Use of Classical Latin Authors in the

Libri Manuales, *Transactions and Proceedings of the American Philological Association,* 55 (1924), 190-248.
263. Sanford (E. M.), The Study of Ancient History in the Middle Ages, *Journal of History of Ideas,* 5 (1944), 21-43.
264. Smalley (B.), *English Friars and Antiquity in the Early Fourteenth Century,* Oxford, 1960.
265. Uiblein (P.), Die Anfänge der Erforschung Carnuntums, *MIöG,* 59 (1951), 95-108.
266. Weiss (R.), *The Renaissance Discovery of Classical Antiquity,* Oxford, 1969.
267. Wright (Th.), On Antiquarian Excavations and Researches in the Middle Ages, *Archaeologia,* 30 (1844), 438-457.

§ 9. *Catalogues et généalogies*

268. Anderson (M. O.), *Kings and Kingship in Early Scotland,* Edimbourg-Londres, 1973.
269. Casalduero (J. G.), Sobre las numeraciones de los reyes de Castilla, *Nueva Revista de Filología Hispánica,* 14 (1960), 271-294.
270. Duby (G.), Remarques sur la littérature généalogique en France aux XIe et XIIe siècles, *CRAIBL,* 1967, p. 335-345 ; réimpr. dans G. Duby, *Hommes et structures du Moyen Age,* Paris, 1973, p. 287-298.
271. Duby (G.), Structures de parenté et noblesse dans la France du Nord aux XIe et XIIe siècles, *Hommes et structures du Moyen Age,* Paris, 1973, p. 267-285.
272. Duchesne (L.), *Fastes épiscopaux de l'ancienne Gaule,* 3 vol., Paris, 1894-1915.
273. Erlande-Brandenburg (A.), *Le roi est mort. Etude sur les funérailles, les sépultures et les tombeaux des rois de France jusqu'à la fin du XIIIe siècle,* Paris, 1975.
274. Genicot (L.), *Les généalogies,* Turnhout, 1975.
275. Harrison (K.), *The Framework of Anglo-Saxon History to A. D. 900,* Cambridge, 1976.
276. Hunter Blair (P.), The Moore Memoranda on Northumbrian History, *The Early Culture of North-West Europe (H. M. Chadwick Memorial Studies),* C. Fox et B. Dickins éd., Cambridge, 1950, p. 243-259.
277. Hyde (J. K.), Italian Social Chronicles in the Middle Ages, *BJRL,* 49 (1966-1967), 107-132.
278. Labuda (G.), Kroniki genealogiczne jako źródła do dziejów rozbicia i zjednoczenia monarchii w Polsce średniowiecznej (Les chroniques généalogiques, sources à l'histoire du morcellement et de l'unification de la monarchie en Pologne médiévale), *Studia Źródłoznawcze. Commentationes,* 22 (1977), 41-60.
279. Poupardin (R.), Généalogies angevines du XIe siècle, *MAHEFR,* 20 (1900), 199-208.
280. Sot (M.), Historiographie épiscopale et modèle familial en Occident au IXe siècle, *Ann.,* 1978, p. 433-449.

§ 10. *La critique historique*

281. Arnaldi (G.), Cronache con documenti, cronache « autentiche » e pubblica storiografia, *Fonti Medioevali e Problematica Storiografica. Atti del congresso internazionale tenuto in occasione del 90° anniversario della fondazione dell'Istituto Storico Italiano*

(1883-1973), Roma 22-27 ottobre 1973, t. I, *Relazioni,* Rome, 1976, p. 351-374.

282. Boüard (M. de), *Manuel de diplomatique française et pontificale,* 2 vol., Paris, 1929-1948.
283. Brincken (A.-D. von den), Privilegium falsitatis vitio depravatum. Diplomatik im Dienst der Diplomatie Karls IV. (1375), *Archiv für Diplomatik,* 23 (1977), 405-424.
284. Chibnall (M.), Charter and Chronicle : the use of archive sources by Norman historians, *Church and Government in the Middle Ages. Essays presented to C.R. Cheney...,* C.N.L. Brooke, D.E. Luscombe, G.H. Martin et D. Owen éd., Cambridge, 1976, p. 1-17.
285. Delaborde (H.-Fr.), Le procès du chef de saint Denis en 1410, *Mémoires de la Société de l'histoire de Paris et de l'Ile-de-France,* 11 (1884), 297-409.
286. Foerster (H.), Beispiele mittelalterlicher Urkundenkritik, *Archivalische Zeitschrift,* 50/51 (1955), 301-318.
287. Fuhrmann (H.), Die Fälschungen im Mittelalter. Ueberlegungen zum mittelalterlichen Wahrheitsbegriff, *Historische Zeitschrift,* 197 (1963), 529-601.
288. Genet (J.-Ph.), Cartulaires, registres et histoire : l'exemple anglais (31), 95-138.
289. Giry (A.), Etudes de critique historique. Histoire de la diplomatique, *RH,* 48 (1892), 225-256 ; réimpr. dans A. Giry, *Manuel de diplomatique,* nouv. éd., Paris, 1925, chap. II.
290. Goez (W.), Die Anfänge der historischen Methoden-Reflexion in der italienischen Renaissance und ihre Aufnahme in der Geschichtsschreibung des deutschen Humanismus, *Archiv für Kulturgeschichte,* 56 (1974), 25-48.
291. Herde (P.), Römisches und kanonisches Recht bei der Verfolgung des Fälschungsdelikts im Mittelalter, *Traditio,* 21 (1965), 291-362.
292. Huyghebaert (N.), La Donation de Constantin ramenée à ses véritables dimensions. A propos de deux publications récentes, *RHE,* 71 (1976), 45-69.
293. Lasch (B.), *Das Erwachen und die Entwicklung der historischen Kritik im Mittelalter (vom VI.-XII. Jahrh.),* Breslau, 1887.
294. Lubac (H. de), *Exégèse médiévale. Les quatre sens de l'Ecriture,* 3 vol., Paris, 1959-1964.
295. Schreiner (Kl.), « Discrimen veri et falsi ». Ansätze und Formen der Kritik in der Heiligen- und Reliquienverehrung des Mittelalters, *Archiv für Kulturgeschichte,* 48 (1966), 1-53.
296. Schulz (M.), *Die Lehre von der historischen Methode bei den Geschichtsschreibern des Mittelalters (VI.-XIII. Jh.),* Berlin-Leipzig, 1909.
297. Silvestre (H.), Le problème des faux au Moyen Age (A propos d'un livre récent de M. Saxer), *MA,* 66 (1960), 351-370.

§ 11. *Le temps*

298. Autrand (Fr.), Les dates, la mémoire et les juges (31), 157-182.
299. Cordoliani (A.), Les traités de comput du Haut Moyen Age (526-1003), *Bulletin Du Cange,* 17 (1942), 51-72.
300. Cordoliani (A.), Les traités de comput ecclésiastique de 525 à 990, *PTEC,* 1942, p. 51-56.
301. Coulet (N.), Le livre de raison de Guillaume de Rouffilhac (1354-1364), *Genèse et débuts du Grand Schisme d'Occident, Avignon, 25-28 septembre 1978,* Paris, 1980, p. 73-88.

302. Deluz (Chr.), Indifférence au temps dans les récits de pèlerinage (du XIIe au XIVe siècle), *Annales de Bretagne et des pays de l'Ouest,* 83 (1976), 303-313.
303. Ernst (Fr.), Zeitgeschehen und Geschichtsschreibung. Eine Skizze, *Die Welt als Geschichte,* 17 (1957), 137-189.
304. Freund (W.), *Modernus und andere Zeitbegriffe des Mittelalters,* Cologne-Vienne, 1957.
305. Geremek (Br.), Wyobraźnia czasowa polskiego dziejopisarstwa średniowiecznego (Imagination temporelle de l'historiographie médiévale polonaise) (résumé français), *Studia Źródłoznawcze. Commentationes,* 22 (1977), 1-17.
306. Gramain (M.), Mémoires paysannes. Des exemples bas languedociens aux XIIIe et XIVe siècles, *Annales de Bretagne et des pays de l'Ouest,* 83 (1976), 315-324.
307. Marsch (E.), *Biblische Prophetie und chronographische Dichtung. Stoff- und Wirkungsgeschichte der Vision des Propheten Daniel nach Dan. VII,* Berlin, 1972.
308. Roger (J.-M.), L'enquête sur l'âge de Jean II d'Estouteville (21-22 août 1397), *BPH,* 1975, p. 103-128.
309. Schmidt (R.), Aetates Mundi. Die Weltalter als Gliederungsprinzip der Geschichte, *Zeitschrift für Kirchengeschichte,* 67 (1955-1956), 288-317.
310. Werner (K. F.), La date de naissance de Charlemagne, *Bulletin de la Société nationale des antiquaires de France,* 1972, p. 116-143.
311. Werner (K. F.), Das Geburtsdatum Karls des Grossen, *Francia,* 1 (1972), 115-157.

§ 12. *L'espace*

312. Bagrow (L.), *History of Cartography,* éd. revue et augmentée par R. A. Skelton, Londres, 1964.
313. Brincken (A.-D. von den), Mappa Mundi und Chronographia. Studien zur *imago mundi* des abendländischen Mittelalters, *DA,* 24 (1968), 118-186.
314. Brincken (A.-D. von den), Europa in der Kartographie des Mittelalters, *Archiv für Kulturgeschichte,* 55 (1973), 289-304.
315. Brincken (A.-D. von den), Die Kugelgestalt der Erde in der Kartographie des Mittelalters, *Archiv für Kulturgeschichte,* 58 (1976), 77-95.
316. Colker (M. L.), America Rediscovered in the Thirteenth Century ? *Spec.,* 54 (1979), 712-726.
317. Dainville (Fr. de), *La géographie des humanistes,* Paris, 1940.
318. Dainville (Fr. de), Cartes et contestations au XVe siècle, *Imago Mundi,* 24 (1970), 99-121.
319. De Smet (A.), Les géographes de la Renaissance et la cosmographie, *L'Univers à la Renaissance. Microcosme et macrocosme,* Bruxelles-Paris, 1970, p. 13-29 ; réimpr. dans *Album Antoine De Smet,* Bruxelles, 1974, p. 149-160.
320. Durand (D. B.), *The Vienna-Klosterneuburg Map Corpus of the Fifteenth-Century. A Study in the Transition from Medieval to Modern Science,* Leyde, 1952.
321. Härtel (R.), Inhalt und Bedeutung des « Albertinischen Planes » von Wien. Ein Beitrag zur Kartographie des Mittelalters, *MIöG,* 87 (1979), 337-362.
322. Kletler (P.), Die Gestaltung des geographischen Weltbildes unter dem Einflusz der Kreuzzüge, *MIöG,* 70 (1962), 294-322.
323. Langlois (Ch.-V.), *La vie en France au Moyen Age du XIIIe au*

milieu du XIVe siècle, t. III, *La connaissance de la nature et du monde d'après des écrits français à l'usage des laïcs,* Paris, 1927. Ce livre reproduit en général les études déjà parues sous le même titre en 1911. Toutefois, l'étude sur Barthélemy l'Anglais, p. 114-179 de l'édition de 1911, n'a pas été reprise en 1927.

324. Miller (K.), *Die ältesten Weltkarten,* 6 vol., Stuttgart, 1895-1896.
325. Musset (L.), Un aspect de l'esprit médiéval : la « cacogéographie » des Normands et de la Normandie, *Revue du Moyen Âge latin,* 2 (1946), 129-138.
326. Staab (Fr.), Ostrogothic Geographers at the Court of Theodoric the Great : A Study of Some Sources of the Anonymous Cosmographer of Ravenna, *Viator,* 7 (1976), 27-64.
327. Tricard (J.), La Touraine d'un Tourangeau au XIIe siècle (31), 79-93.
328. Voigt (Kl.), *Italienische Berichte aus dem spätmittelalterlichen Deutschland. Von Francesco Petrarca zur Andrea de'Franceschi (1333-1492),* Stuttgart, 1973.
329. Witzel (H. J.), *Der geographische Exkurs in den lateinischen Geschichtsquellen des Mittelalters,* Francfort, 1952.
330. Wright (J. K.), *Geographical lore of the time of the crusades. A study in the history of medieval science and tradition in Western Europe,* New York, 1925.

§ 13. *Le nombre*

331. Le Goff (J.), Le concile et la prise de conscience de l'espace de la chrétienté, *1274, année charnière. Mutations et continuités,* Paris, 1977, p. 481-489.
332. Meyer (H.), *Die Zahlenallegorese im Mittelalter : Methode und Gebrauch,* Munich, 1975.
333. Reiss (E.), Number Symbolism and Medieval Literature, *Medievalia et Humanistica,* N. S., 1 (1970), 161-174.
334. Sapori (A.), L'attendibilità di alcune testimonianze cronistiche dell'economia medievale, *Archivio storico italiano,* S. 7, vol. 12 (1929), 19-30.

§ 14. *L'étymologie*

335. Guiette (R.), L'invention étymologique dans les lettres françaises au Moyen Âge, *Cahiers de l'Association internationale des études françaises,* 11 (1959), 273-285.
336. Klinck (R.), *Die lateinische Etymologie des Mittelalters,* Munich, 1970.
337. Stach (W.), Wort und Bedeutung im mittelalterlichen Latein, *DA,* 9 (1951-1952), 332-352.
338. *Verbum et signum. Beiträge zur mediävistischen Bedeutungsforschung,* H. Fromm, W. Harms et U. Ruberg éd., 2 vol., Munich, 1975.

§ 15. *La forme*

339. Arbusow (L.), *Colores Rhetorici. Eine Auswahl rhetorischer Figuren und Gemeinplätze als Hilfsmittel für akademische Uebungen an mittelalterlichen Texten,* 2e éd., Göttingen, 1963.
340. Arbusow (L.), *Liturgie und Geschichtsschreibung im Mittelalter,*

in ihren Beziehungen erläutert an den Schriften Ottos von Freising (+ 1158), Heinrichs Livlandchronik (1227) und den anderen Missionsgeschichten des Bremischen Erzsprengels : Rimberts, Adams von Bremen, Helmolds, Bonn, 1951.

341. Auerbach (E.), *Literatursprache und Publikum in der lateinischen Spätantike und im Mittelalter,* Berne, 1958 ; trad. angl., New York, 1965.

342. Bradley (R.), Backgrounds of the Title *Speculum* in Mediaeval Literature, Spec., 29 (1954), 100-115.

343. Brincken (A.-D. von den), Tabula Alphabetica. Von den Anfängen alphabetischer Registerarbeiten zu Geschichtswerken (Vincenz von Beauvais OP, Johannes von Hautfuney, Paulinus Minorita OFM), *Festschrift für Hermann Heimpel,* t. II, Göttingen, 1972, p. 900-923.

344. Carolus-Barré (L.), L'apparition de la langue française dans les actes de l'administration royale, *CRAIBL,* 1976, p. 148-155.

345. Daly (L. W.), *Contributions to a History of Alphabetization in Antiquity and the Middle Ages,* Bruxelles, 1967.

346. McCormick (M.), *Les Annales du Haut Moyen Age,* Turnhout, 1975.

347. Melville (G.), Zur « Flores-Metaphorik » in der mittelalterlichen Geschichtsschreibung. Ausdruck eines Formungsprinzips, *HJ,* 90 (1970), 65-80.

348. Murphy (J. J.), *Rhetoric in the Middle Ages. A history of rhetorical theory from St. Augustine to the Renaissance,* Berkeley-Los Angeles, 1974.

349. Parkes (M. B.), The Influence of the Concepts of *Ordinatio* and *Compilatio* on the Development of the Book, *Medieval Learning and Literature. Essays presented to Richard William Hunt,* J. J. Alexander et M. T. Gibson éd., Oxford, 1976, p. 115-141.

350. Ponert (D. J.), *Deutsch und Latein in deutscher Literatur und Geschichtsschreibung des Mittelalters,* Stuttgart-Berlin-Cologne-Mayence, 1975.

351. Rouse (R. H.) et Rouse (M. A.), *Preachers, Florilegia and Sermons : Studies on the* Manipulus florum *of Thomas of Ireland,* Toronto, 1979.

352. Schmitt (J.-Cl.), Recueils franciscains d'*Exempla* et perfectionnement des techniques intellectuelles du XIIIe au XVe siècle, *BEC,* 135 (1977), 5-21.

353. Simon (G.), Untersuchungen zur Topik der Widmungsbriefe mittelalterlicher Geschichtsschreiber bis zum Ende des 12. Jahrhunderts, *Archiv für Diplomatik,* 4 (1958), 52-119 et 5/6 (1959-1960), 73-153.

354. Struever (N. S.), *The Language of History in the Renaissance. Rhetoric and Historical Consciousness in Florentine Humanism,* Princeton, 1970.

355. Zimmermann (M.), Protocoles et préambules dans les documents catalans du Xe au XIIe siècle : évolution diplomatique et signification spirituelle, *Mélanges de la Casa de Velasquez,* 10 (1974), 41-76.

§ 16. *L'illustration*

356. Barroux (R.), Recueil historique en français composé, transcrit et enluminé à Saint-Denis, vers 1280, *Mélanges F. Calot,* Paris, 1960, p. 15-34.

357. Baumann (C. G.), *Ueber die Entstehung der ältesten Schweizer*

Bilderchroniken (1468-1485). Unter besonderer Berücksichtigung der Illustrationen in Diebold Schillings Grosser Burgunderchronik in Zürich, Berne, 1971.
358. Branner (R.), *Manuscript Painting in Paris during the Reign of Saint Louis,* Berkeley-Los Angeles, 1977.
359. Buchthal (H.), *Historia Troiana. Studies in the history of medieval secular illustration,* Londres-Leyde, 1971.
360. Delisle (L.), Notice sur un livre à peintures exécuté en 1250 dans l'abbaye de Saint-Denis, *BEC,* 38 (1877), 444-476.
361. Dercsényi (D.) éd., *The Hungarian Illuminated Chronicle. Chronica de Gestis Hungarorum,* Budapest, 1969.
362. Frühmorgen-Voss (H.), *Text und Illustration im Mittelalter. Aufsätze zu den Wechselbeziehungen zwischen Literatur und bildender Kunst,* N. H. Ott. éd., Munich, 1975.
363. Zemp (J.), *Die schweizerischen Bilderchroniken und ihre Architektur-Darstellungen,* Zurich, 1897.

§ 17. *Histoire et politique*

364. Abel (A.), *Le Roman d'Alexandre, légendaire médiéval,* Bruxelles, 1955.
365. Althoff (G.), Studien zur habsburgischen Merowingersage, *MIöG,* 87 (1979), 71-100.
366. Beaune (C.), Saint Clovis : histoire, religion royale et sentiment national en France à la fin du Moyen Age (31), 139-156.
367. Beaune (C.), Histoire et politique : la recherche du texte de la loi salique de 1350 à 1450, *Comité des travaux historiques et scientifiques. Actes du 104e congrès national des Sociétés savantes, Bordeaux, 1979. Section de philologie et d'histoire jusqu'à 1610,* Paris, à paraître.
368. Bérenger (J.), Caractères originaux de l'humanisme hongrois, *Journal des Savants,* 1973, p. 257-288.
369. Bodmer (J.-P.), Die französische Historiographie des Spätmittelalters und die Franken. Ein Beitrag zur Kenntnis des französischen Geschichtsdenkens, *Archiv für Kulturgeschichte,* 45 (1963), 91-118.
370. Bossuat (A.), Les origines troyennes : leur rôle dans la littérature historique au XVe siècle, *Annales de Normandie,* 8 (1958), 187-197.
371. Bossuat (R.), Réflexions sur le deuxième Cycle de la Croisade, *MA,* 64 (1958), 139-147.
372. Brincken (A.-D. von den), *Die « Nationes Christianorum Orientalium » im Verständnis der lateinischen Historiographie von der Mitte des 12. bis in die zweite Hälfte des 14. Jahrhunderts,* Cologne-Vienne, 1973.
373. Buck (A.), « Laus Venetiae » und Politik im 16. Jahrhundert, *Archiv für Kulturgeschichte,* 57 (1975), 186-194.
374. Carozzi (C.), Le dernier des Carolingiens : de l'histoire au mythe, *MA,* 82 (1976), 453-476.
375. Cary (G.), *The Medieval Alexander,* Cambridge, 1956.
376. Chambers (E. K.), *Arthur of Britain,* Londres, 1927.
377. Connell (C. W.), Western views of the origin of the « Tartars » : an example of the influence of myth in the second half of the thirteenth century, *Journal of Medieval and Renaissance Studies,* 3 (1973), 115-137.
378. Contamine (Ph.), Contribution à l'histoire d'un mythe : les 1 700 000 clochers du royaume de France (XVe-XVIe siècles), *Econo-*

mies et sociétés au Moyen Age. Mélanges offerts à Edouard Perroy, Paris, 1973, p. 414-427.

379. Cook (R.-F.), et Crist (L.-S.), *Le Deuxième Cycle de la Croisade. Deux études sur son développement...*, Genève, 1972.
380. Duby (G.), *Le dimanche de Bouvines, 27 juillet 1214*, Paris, 1973.
381. Fontaine (J.), Hagiographie et politique de Sulpice Sévère à Venance Fortunat, *RHEF*, 62 (1976), 113-140.
382. Fossier (Fr.), La charge d'historiographe du seizième au dix-neuvième siècle, *RH*, 258 (1977), 73-92.
383. Gieysztor (A.), Gens Polonica : aux origines d'une conscience nationale, *Etudes de civilisation médiévale (IXe-XIIe siècles). Mélanges E.-R. Labande*, Poitiers, 1974, p. 352-362.
384. Gilbert (F.), *Machiavelli and Guicciardini. Politics and History in Sixteenth Century Florence*, Princeton, 1965.
385. Gilbert (F.), Biondo, Sabellico and the beginnings of Venetian official historiography, *Florilegium Historiale. Essays presented to Wallace K. Ferguson*, J. G. Rowe et W. H. Stockdale éd., Toronto, 1971, p. 275-293.
386. Gransden (A.), Propaganda in English medieval historiography, *Journal of Medieval History*, 1 (1975), 363-381.
387. Grau (A.), *Der Gedanke der Herkunft in der deutschen Geschichtsschreibung des Mittelalters. Trojasage und Verwandtes*, Leipzig, 1938.
388. Graus (Fr.), Přemysl Otakar II., sein Ruhm und sein Nachleben. Ein Beitrag zur Geschichte politischer Propaganda und Chronistik, *MIöG*, 79 (1971), 57-110.
389. Graus (Fr.), *Lebendige Vergangenheit. Ueberlieferung im Mittelalter und in den Vorstellungen vom Mittelalter*, Cologne-Vienne, 1975.
390. Green (L.), Historical Interpretation in Fourteenth-Century Florentine Chronicles, *Journal of the History of Ideas*, 28 (1967), 161-178.
391. Green (L.), *Chronicle into History. An essay on the interpretation of history in Florentine fourteenth-century chronicles*, Cambridge, 1972.
392. *Karl der Grosse. Lebenswerk und Nachleben*, t. IV, *Das Nachleben*, W. Braunfels et P. E. Schramm éd., Dusseldorf, 1967.
393. Lacaze (Y.), Le rôle des traditions dans la genèse d'un sentiment national au xve siècle. La Bourgogne de Philippe le Bon, *BEC*, 129 (1971), 303-385.
394. Lewis (P. S.), War Propaganda and Historiography in Fifteenth-Century France and England, *TRHS*, 5e s., 15 (1965), 1-21.
395. Linder (A.), Ecclesia and Synagoga in the Medieval Myth of Constantine the Great, *Revue belge de philologie et d'histoire*, 54 (1976), 1019-1060.
396. Lot (F.), Geoffroi Grisegonelle dans l'épopée, *Romania*, 19 (1890), 377-393.
397. Meneghetti (M. L.), Storiografia celebrativa e politica culturale da Riccardo II di Normandia a Guglielmo il Conquistatore, *Atti dell'Istituto Veneto di Scienze, Lettere ed Arti*, 132 (1973-1974), 491-514.
398. Metzger (S.), *Les idées et les mots politiques et sociaux dans les plaidoiries des avocats au Parlement de Paris (1475-1490). Etude sur la cohésion nationale en France à la fin du XVe siècle*, Mémoire de maîtrise dactylographié, Paris, 1973.
399. Monfrin (J.), La figure de Charlemagne dans l'historiographie du xve siècle, *Annuaire-Bulletin de la Société de l'histoire de France*, 1964-1965, p. 67-78.

400. Naïs (H.), Grand temps et longs jours sont, monsieur l'indiciaire, *Travaux de linguistique et de littérature publiés par le Centre de philologie et de littératures romanes de l'Université de Strasbourg,* 11 (1973), 207-218.
401. Oexle (O. G.), Die Karolinger und die Stadt des heiligen Arnulf, *Frühmittelalterliche Studien,* 1 (1967), 250-364.
402. Rigault (J.), La frontière de la Meuse. L'utilisation des sources historiques dans un procès devant le Parlement de Paris en 1535, *BEC,* 106 (1945-1946), 80-99.
403. Rubinstein (N.), The Beginnings of Political Thought in Florence. A Study in Medieval Historiography, *JWCI,* 5 (1942), 198-227.
404. Runge (K.), *Die fränkisch-karolingische Tradition in der Geschichtsschreibung des späten Mittelalters,* Hambourg, 1965.
405. Schneider (J.), Lotharingie, Bourgogne ou Provence ? L'idée d'un royaume d'Entre-Deux aux derniers siècles du Moyen Age, *Liège et Bourgogne. Actes du colloque tenu à Liège les 28, 29 et 30 octobre 1968,* Liège, 1972, p. 15-44.
406. Short (I.), A Study in Carolingian Legend and its Persistence in Latin Historiography (XII-XVI Centuries), *Mittellateinisches Jahrbuch,* 7 (1972), 127-152.
407. Spiegel (G. M.), Political Utility in Medieval Historiography : a Sketch, *History and Theory,* 14 (1975), 314-325.
408. Stones (E. L. G.) et Simpson (G. G.), *Edward I and the Throne of Scotland, 1290-1296. An Edition of the Record Sources for the Great Cause,* 2 vol., Oxford, 1978.
409. Woledge (B.), La légende de Troie et les débuts de la prose française, *Mélanges de linguistique et de littérature romanes offerts à Mario Roques,* t. II, Paris, 1953, p. 313-324.
410. Ziese (J.), *Historische Beweisführung in Streitschriften des Investiturstreites,* Munich, 1972.
411. Zimmermann (H.), *Ecclesia als Objekt der Historiographie. Studien zur Kirchengeschichtsschreibung im Mittelalter und in der frühen Neuzeit,* Vienne, 1960.

§ 18. *Quelques auteurs*

A

412. Cordoliani (A.), ABBON DE FLEURY, Hériger de Lobbes et Gerland de Besançon sur l'ère de l'incarnation de Denys le Petit, *RHE,* 44 (1949), 463-487.
413. Cousin (P.), *Abbon de Fleury-sur-Loire,* Paris, 1954.
414. ADAM DE BRÊME, *Gesta Hammaburgensis ecclesiae pontificum,* B. Schmeidler éd., Hanovre, 1917.
415. ADÉMAR DE CHABANNES, *Chronique,* J. Chavanon éd., Paris, 1897.
416. Gaborit-Chopin (D.), Un dessin de l'église d'Aix-la-Chapelle par Adémar de Chabannes dans un manuscrit de la Bibliothèque vaticane, *Cahiers archéologiques,* 14 (1964), 233-235.
417. Werner (K. F.), Ademar von Chabannes und die Historia pontificum et comitum Engolismensium, *DA,* 19 (1963), 296-326.
418. AENEAS SYLVIUS PICCOLOMINI, *De liberorum educatione,* J. St. Nelson éd. et trad., Washington, 1940.
419. Ady (C. M.), *Pius II (Aeneas Silvius Piccolomini), the Humanist Pope,* Londres, 1913.
420. Casella (N.), Pio II tra geografia e storia : la « Cosmografia », *Archivio della Società romana di Storia patria,* 95 (1972), 35-112.

421. *Chronicon AETHELWEARDI,* A. Campbell éd. et trad., Londres, 1962.
422. AGNELLUS DE RAVENNE, Liber Pontificalis Ecclesiae Ravennatis, *MGH, Scriptores Rerum Langobardicarum et Italicarum, saec. VI-IX,* Hanovre, 1878, p. 265-391.
423. Nauerth (Cl.), *Agnellus von Ravenna. Untersuchungen zur archäologischen Methode des ravennatischen Chronisten,* Munich, 1974.
424. AIMOIN, De gestis regum Francorum libri IV, *RHF,* t. III, p. 21-139.
425. Lemarignier (J.-Fr.), La continuation d'Aimoin et le manuscrit latin 12711 de la Bibliothèque nationale, *BEC,* 113 (1955), 25-36.
426. Le Stum (Chr.), L' « Historia Francorum » d'Aimoin de Fleury. Etude et édition critique, *PTEC,* 1976, p. 89-93.
427. Werner (K. F.), Die literarischen Vorbilder des Aimoin von Fleury und die Entstehung seiner « Gesta Francorum », *Medium aevum vivum. Festschrift für Walther Bust,* Heidelberg, 1960, p. 69-103.
428. ALAIN BOUCHART, *Les grandes chroniques de Bretaigne,* Paris, 1514.
429. Auger (M.-L.) prépare une nouvelle édition d'Alain Bouchart, sur l'œuvre duquel elle m'a amplement renseigné.
430. Rico (Fr.), *ALFONSO EL SABIO y la General Estoria,* Barcelone, 1972.
431. *Primera Crónica General de España...,* R. Menendez Pidal éd., 2ᵉ éd., 2 vol., Madrid, 1955.
432. Catalán (D.), El taller historiográfico Alfonsí. Métodos y problemas en el trabajo compilatorio, *Romania,* 84 (1963), 354-375.
433. Chalon (L.), De quelques vocables utilisés par la « Primera Crónica General de España » (Cantar, Crónica, Cuento, Escriptura, Estoria, Fabla, Romanz), *MA,* 77 (1971), 79-84.
434. Chalon (L.), Comment travaillaient les compilateurs de la « Primera Crónica General de España », *MA,* 82 (1976), 289-300.
435. AMBROISE, *L'Estoire de la guerre sainte. Histoire en vers de la troisième croisade (1190-1192),* G. Paris éd., Paris, 1897.
436. Webb (D. M.), The Decline and Fall of Eastern Christianity : a Fifteenth-Century View, *BIHR,* 49 (1976), 198-216 (ANDREA BIGLIA).
437. ANDRÉ DE FLEURY, *Vie de Gauzlin, abbé de Fleury,* R.-H. Bautier et G. Labory éd. et trad., Paris, 1969.
438. Werner (K. F.), ANDREAS VON MARCHIENNES und die Geschichtsschreibung von Anchin und Marchiennes in der zweiten Hälfte des 12. Jahrhunderts, *DA,* 9 (1952), 402-463.
439. Lecourt (M.), Une source d'ANTOINE DE LA SALE : Simon de Hesdin, *Romania,* 76 (1955), 39-83 et 183-211.
440. Pasquier (F.) et Courteault (H.) éd., *Chroniques romanes des comtes de Foix composées au XVᵉ siècle par ARNAUD ESQUERRIER et Miégeville...,* Foix, 1895.
441. *ASSER's Life of King Alfred, together with the Annales of Saint Neots erroneously ascribed to Asser,* W. H. Stevenson éd., Oxford, 1904 ; réimpr. 1959.
442. Marrou (H. I.), La division en chapitres des livres de la « Cité de Dieu », *Mélanges J. De Ghellinck,* t. I, Gembloux, 1951, p. 235-249 (AUGUSTIN).
443. AULU-GELLE, *Nuits attiques,* C. Hosius éd., 2 vol., Stuttgart, 1903.

B

444. Trinkhaus (Ch.), A Humanist's Image of Humanism : the Inaugural Orations of BARTOLOMMEO DELLA FONTE, *Studies in the Renaissance,* 7 (1960), 90-147.
445. Schmügge (L.), Zur Ueberlieferung der « Historia Ecclesiastica Nova » des Tholomeus von Lucca, *DA,* 32 (1976), 495-545 (BARTHÉLEMY DE LUCQUES).
446. BÈDE, *Ecclesiastical History of the English People,* B. Colgrave et R. A. B. Mynors éd. et trad., Oxford, 1969.
447. *Bedae Opera de Temporibus,* Ch. Jones éd., Cambridge, Mass., 1943.
448. Kendall (C. B.), Bede's « Historia ecclesiastica » : the Rhetoric of Faith, *Medieval Eloquence. Studies in the Theory and Practice of Medieval Rhetoric,* J. J. Murphy éd., Berkeley-Los Angeles-Londres, 1978, p. 145-172.
449. Ray (R.), Bede's « Vera Lex Historiae », *Spec.,* 55 (1980), 1-21.
450. BENOIT DE SAINTE-MAURE, *Le Roman de Troie,* L. Constans éd., 6 vol., Paris, 1904-1912.
451. Giocarinis (K.), BERNARD DE CLUNY and the antique, *Classica et Mediaevalia,* 27 (1966), 310-348.
452. Delisle (L.), Notice sur les manuscrits de BERNARD GUI, *Notices et extraits des manuscrits de la Bibliothèque nationale et autres bibliothèques...,* t. XXVII, 2e partie, Paris, 1879, p. 169-455.
453. Thomas (A.), Bernard Gui, frère prêcheur, *HLF,* t. XXXV, Paris, 1921, p. 139-232.
454. Toynbee (P.), BRUNETTO LATINO's Obligations to Solinus, *Romania,* 23 (1894), 62-77.

C

455. Schmidt-Chazan (M.), Un Lorrain de cœur : le champenois CALENDRE, *Les Cahiers Lorrains,* 1979, p. 65-75.
456. CASSIODORE, *Institutiones,* R. A. B. Mynors éd., Oxford, 1937.
457. Jacob (W.) et Hanslik (R.), *Die handschriftliche Ueberlieferung der sogenannten* Historia tripartita *des Epiphanius-Cassiodor,* Berlin, 1954.
458. Laistner (M. L. W.), The Value and Influence of Cassiodorus' Ecclesiastical History, *The Intellectual Heritage of the Early Middle Ages. Selected Essays by M. L. W. Laistner,* Ch. G. Starr éd., Ithaca, 1957, p. 22-39.
459. Momigliano (A.), Cassiodorus and Italian Culture of his Time, *Studies in Historiography,* Londres, 1966, p. 181-210.
460. CICÉRON, *De l'orateur,* E. Courbaud éd. et trad., 2e éd., 3 vol., Paris, 1950-1956.
461. *Chronique de Saint-Pierre-le-Vif de Sens, dite de CLARIUS. Chronicon Sancti Petri Vivi Senonensis,* R.-H. Bautier, M. Gilles et A.-M. Bautier éd. et trad., Paris, 1979.
462. Piur (P.), *COLA DI RIENZO. Darstellung seines Lebens und seines Geistes,* Vienne, 1931.

D

463. *The Trojan War. The Chronicles of Dictys of Crete and DARES the Phrygian* translated with an introduction and notes by R. M. Frazer, Indiana Univ. Press, 1966.
464. Guiette (R.), Chanson de geste, chronique et mise en prose, *CCM,* 6 (1963), 423-440 (DAVID AUBERT).
465. Schobben (J. M. G.), *La part du Pseudo-Turpin dans les* Croniques et Conquestes de Charlemaine *de David Aubert,* La Haye, 1969.

466. Fauroux (M.), Deux autographes de DUDON DE SAINT-QUENTIN (1011, 1015), *BEC,* 111 (1953), 229-234.
467. Prentout (H.), *Etude critique sur Dudon de Saint-Quentin et son histoire des premiers ducs normands,* Paris, 1916.

E

468. EADMER, *Historia Novorum in Anglia,* M. Rule éd., Londres, 1884.
469. EGINHARD, *Vie de Charlemagne,* L. Halphen éd. et trad., 4e éd., Paris, 1967.
470. EKKEHARD D'AURA, *Chronicon universale,* G. Waitz éd., *MGH, SS,* t. VI, Hanovre, 1844, p. 33-265.
471. Schmale (Fr. J.), Ueberlieferungskritik und Editionsprinzipien der Chronik Ekkehards von Aura, *DA,* 27 (1971), 110-134.
472. Fowler (G. B.), *Intellectual Interests of ENGELBERT OF ADMONT,* New York, 1947.
473. *La chronique d'ENGUERRAN DE MONSTRELET en deux livres, avec pièces justificatives, 1400-1444,* L. Douët-d'Arcq éd., 6 vol., Paris, 1857-1862.
474. Moranvillé (H.), Note sur l'origine de quelques passages de Monstrelet, *BEC,* 62 (1901), 52-56.
475. Bietenholz (P. G.), *History and Biography in the work of ERASMUS of Rotterdam,* Genève, 1966.
476. ETIENNE DE BOURBON, *Anecdotes historiques, légendes et apologues, tirés du recueil inédit d'Etienne de Bourbon, dominicain du XIIIe siècle,* A. Lecoy de la Marche éd., Paris, 1877.
477. Contamine (Ph.), Une interpolation de la « Chronique Martinienne » : le « Brevis Tractatus » d'ETIENNE DE CONTY, official de Corbie (+ 1413) (34), 367-386.
478. *Chronique d'ETIENNE MALEU, chanoine de Saint-Junien, mort en 1322...,* Abbé Arbellot éd., Saint-Junien-Paris, 1847.
479. *Die Summa des STEPHANUS TORNACENSIS über das Decretum Gratiani,* J. Fr. Schulte éd., Giessen, 1891.
480. Sirinelli (J.), *Les vues historiques d'EUSÈBE DE CÉSARÉE durant la période prénicéenne,* Dakar, 1961.

F

481. FERNANDO DEL PULGAR, *Claros Varones de Castilla,* R. B. Tate éd., Oxford, 1971.
482. *The Brevarium of FESTUS. A Critical Edition with Historical Commentary,* J. W Eadie éd., Londres, 1967.
483. FLAVIO BIONDO, *Historiarum ab inclinatione Romani imperii decades tres,* Bâle, 1559.
484. Hay (D.), Flavio Biondo and the Middle Ages, *Proceedings of the British Academy,* 45 (1959), 97-128.
485. Blatt (Fr.) éd., *The Latin JOSEPHUS,* t. I, *Introduction and Text. The Antiquities : Books I-V,* Copenhague, 1958.
486. FLODOARD, *Les Annales,* Ph. Lauer éd., Paris, 1905.
487. Flodoard, Historia Remensis ecclesiae, *MGH, SS,* t. XIII, Hanovre, 1881, p. 409-599.
488. Bautier (R.-H.), Un recueil de textes pour servir à la biographie de l'archevêque de Reims Hervé (xe siècle). Son attribution à Flodoard, *Mélanges d'histoire du Moyen Age dédiés à la mémoire de Louis Halphen,* Paris, 1951, p. 1-6.
489. Jacobsen (P. C.), *Flodoard von Reims. Sein Leben und seine Dichtung « De triumphis Christi »,* Leyde-Cologne, 1978.

490. FOLCUIN, Gesta abbatum Lobiensium, *MGH, SS,* t. IV, Hanovre, 1841, p. 52-74.
491. Boutemy (A.) et Vercauteren (F.), FOULCOIE DE BEAUVAIS et l'intérêt pour l'archéologie antique au XIe et XIIe siècle, *Latomus,* 1 (1937), 173-186.
492. Kohl (B. G.), PETRARCH's Prefaces to « De Viris Illustribus », *History and Theory,* 13 (1974), 132-144.
493. Natunewicz (Ch. F.), FRECULPHUS of Lisieux, his Chronicle and a Mont St. Michel Manuscript, *Horae eruditae* ad codices Sancti Michaelis de Periculo Maris, Series I, Anno Millenario Fausto MCMLXVI, Abbatia Sancti Petri Aldenburgensis apud Steenbrugge, 1966, p. 90-134.

G

494. GALBERT DE BRUGES, *Le meurtre de Charles le Bon,* traduit du latin par J. Gengoux, ... publié sous la direction et avec une introduction historique par R. C. Van Caenegem, Anvers, 1978.
495. Sproemberg (H.), Galbert von Brügge. Die Geschichtsschreibung des flandrischen Bürgertums, *Mittelalter und demokratische Geschichtsschreibung. Ausgewählte Abhandlungen,* Berlin, 1971, p. 221-374.
496. GALLUS ANONYMUS, Chronicae Polonorum, *MGH, SS,* t. IX, p. 418-478.
497. Maleczynski (K.), *Galli anonymi Cronica et Gesta ducum sive principum Polonorum,* Cracovie, 1952.
498. Gallus anonymus, *Chronik und Taten der Herzöge und Fürsten von Polen,* J. Bujnoch trad., Graz-Vienne-Cologne, 1978.
499. *The Chronicle of WALTER OF GUISBOROUGH previously edited as the chronicle of Walter of Hemingford or Hemingburgh,* H. Rothwell éd., Londres, 1957.
500. GAUTIER MAP, *De nugis curialium,* M. R. James éd., Oxford, 1914.
501. GEOFFROI GAIMAR, *L'estoire des Engleis,* A. Bell éd., Oxford, 1960.
502. *The Historia Regum Britanniae of GEOFFREY OF MONMOUTH,* A. Griscom et R. E. Jones éd., Londres, 1929.
503. Geoffrey of Monmouth, *The History of the Kings of Britain,* translated with an introduction by L. Thorpe, Harmondsworth, 1966.
504. Flint (V. I. J.), The « Historia Regum Britanniae » of Geoffrey of Monmouth : parody and its purpose. A suggestion, *Spec.,* 54 (1979), 447-468.
505. Hammer (J.), Some Additional Manuscripts of Geoffrey of Monmouth's « Historia Regum Britanniae », *Modern Language Quarterly,* 3 (1942), 235-242.
506. Keeler (L.), *Geoffrey of Monmouth and the Late Latin Chroniclers, 1300-1500,* Berkeley, 1946.
507. Schlauch (M.), Geoffrey of Monmouth and Early Polish Historiography : a Supplement, *Spec.,* 44 (1969), 258-263.
508. GEOFFROY DE VITERBE, Memoria Seculorum, *MHG, SS,* t. XXII, p. 94-106.
509. *Œuvres de GEORGES CHASTELLAIN,* Baron Kervyn de Lettenhove éd., 8 vol., Bruxelles, 1863-1866.
510. GEORGES DE TRÉBIZONDE, *Rhetoricorum libri V,* Lyon, 1547.
511. Monfasani (J.), *George of Trebizond : A Biography and a Study of His Rhetoric and Logic,* Leyde, 1976.

512. *The Historical Works of GERVASE OF CANTERBURY,* W. Stubbs éd., 2 vol., Londres, 1879-1880.
513. Lewis (A. W.), Dynastic Structures and Capetian Throne-Right : the Views of GILES OF PARIS, *Traditio,* 33 (1977), 225-252.
514. GILLES LE BOUVIER dit le Héraut Berry, *Les Chroniques du roi Charles VII,* H. Courteault et L. Celier éd., Paris, 1979.
515. *GIRALDI CAMBRENSIS Opera,* J. S. Brewer et autres éd., 8 vol., Londres, 1861-1891.
516. Coulter (C. C.) et Magoun (F. P.) Jr, Giraldus Cambrensis and Indo-Germanic Philology, *Spec.,* 1 (1926), 104-109.
517. Huygens (R. B. C.), Une lettre de Giraud le Cambrien à propos de ses ouvrages historiques, *Latomus,* 24 (1965), 90-100.
518. Tombeur (P.), Un nouveau nom de la littérature médiolatine : GISLEBERT DE SAINT-TROND, *CCM,* 10 (1967), 435-446.
519. Rushforth (G. M.), Magister GREGORIUS « De Mirabilibus Urbis Romae » : A New Description of Rome in the Twelfth Century, *The Journal of Roman Studies,* 9 (1919), 14-58.
520. Zielinski (H.), *Studien zu den spoletinischen « Privaturkunden » des 8. Jahrhunderts und ihrer Ueberlieferung im Regestum Farfense,* Tubingen, 1972 (GREGORIO DI CATINO).
521. GRÉGOIRE DE TOURS, *Libri Historiarum X,* B. Krusch et W. Levison éd., *MGH, Scriptores rerum Merovingicarum,* t. I, 2ᵉ éd., Hanovre, 1951.
522. Grégoire de Tours, *Histoire des Francs,* R. Latouche trad., 2 vol., Paris, 1963-1965.
523. Beumann (H.), Gregor von Tours und der « Sermo rusticus », *Spiegel der Geschichte. Festgabe für Max Braubach,* Munster, 1964, p. 69-98.
524. Monod (G.), *Etudes critiques sur les sources de l'histoire mérovingienne.* Première partie, Introduction. *Grégoire de Tours, Marius d'Avenches,* Paris, 1872.
525. Walter (E. H.), Hagiographisches in Gregors Frankengeschichte, *Archiv für Kulturgeschichte,* 48 (1966), 291-310.
526. GUIBERT DE NOGENT, Gesta Dei per Francos, *PL* 156, col. 679-838 ; et *RHC, HO,* t. IV, Paris, 1879, p. 113-263.
527. Guibert de Nogent, *Histoire de sa vie (1053-1124),* G. Bourgin éd., Paris, 1907.
528. Burstein (E.), Quelques remarques sur le vocabulaire de Guibert de Nogent, *CCM,* 21 (1978), 247-263.
529. Garand (M.-C.), Le scriptorium de Guibert de Nogent, *Script.,* 31 (1977), 3-29.
530. Labande (E.-R.), L'art de Guibert de Nogent, *Economies et sociétés au Moyen Age. Mélanges offerts à Edouard Perroy,* Paris, 1973, p. 608-625.
531. Monod (B.), *Le moine Guibert et son temps (1053-1124),* Paris, 1905.
532. Blake (N. F.), *CAXTON and his World,* Londres, 1969.
533. Lesellier (J.), Un historiographe de Louis XI demeuré inconnu, GUILLAUME DANICOT, *MAHEFR,* 43 (1926), 1-42.
534. Samaran (Ch.), Un ouvrage de Guillaume Danicot, historiographe de Louis XI, *MAHEFR,* 45 (1928), 8-20.
535. GUILLAUME GUIART, La Branche des royaux lignages, *RHF,* t. XXII, p. 171-300.
536. GUILLAUME DE MALMESBURY, *Gesta Regum Anglorum,* W. Stubbs éd., 2 vol., Londres, 1887-1889.
537. Guillaume de Malmesbury, *Historia Novella,* K. R. Potter éd., Londres, 1955.

538. Farmer (H.), William of Malmesbury's Life and Work, *Journal of Ecclesiastical History,* 13 (1962), 39-54.
539. Ker (N. R.), William of Malmesbury's Handwriting, *English historical review,* 59 (1944), 371-376.
540. Könsgen (E.), Zwei unbekannte Briefe zu den « Gesta Regum Anglorum » des Wilhelm von Malmesbury, *DA,* 31 (1975), 204-214.
541. Patterson (R. B.), William of Malmesbury's Robert of Gloucester. A Re-evaluation of the « Historia Novella », *AHR,* 70 (1964-1965), 983-997.
542. Thomson (R. M.), The Reading of William of Malmesbury, *Revue bénédictine,* 85 (1975), 362-402 ; 86 (1976), 327-335 ; et 89 (1979), 313-324.
543. Thomson (R. M.), William of Malmesbury and the Letters of Alcuin, *Medievalia et Humanistica,* 8 (1977), 147-161.
544. GUILLAUME DE NEWBURGH, *Historia rerum anglicarum, Chronicles of the reigns of Stephen, Henry II and Richard I,* R. Howlett éd., t. I-II, Londres, 1884-1885.
545. Capo (L.), Da Andrea Ungaro a GUILLAUME DE NANGIS : un'ipotesi sui rapporti tra Carlo I d'Angiò e il regno di Francia, *MEFRM,* 89 (1977), 811-888.
546. GUILLAUME DE POITIERS, *Histoire de Guillaume le Conquérant,* R. Foreville éd. et trad., Paris, 1952.
547. GUILLAUME DE PUYLAURENS, *Chronique, 1203-1275,* J. Duvernoy éd. et trad., Paris, 1976.
548. Fournier (G.), *Châteaux, villages et villes d'Auvergne au XVe siècle d'après l'Armorial de GUILLAUME REVEL,* Paris, 1973.
549. GUILLAUME DE TYR, Historia rerum in partibus transmarinis gestarum..., *RHC, HO,* t. I, Paris, 1844, p. 1-702.
550. Folda (J.), Manuscripts of the History of Outremer by William of Tyr : a Handlist, *Script.,* 27 (1973), 90-95.
551. Huygens (R. B. C.), La tradition manuscrite de Guillaume de Tyr, *Studi Medievali,* 3e s., 5 (1964), 281-373.
552. Morgan (M. R.), *The Chronicle of Ernoul and the Continuations of William of Tyre,* Oxford, 1973.
553. WILLIAM WORCESTRE, *Itineraries,* J. H. Harvey éd., Oxford, 1969.
554. Swietek (Fr. R.), GUNTHER OF PAIRIS and the « Historia Constantinopolitana », *Spec.,* 53 (1978), 49-79.
555. Wattenbach (W.), Aus den Briefen des GUIDO VON BAZOCHES, *Neues Archiv,* 16 (1891), 67-113.

H I

556. HARIULF, *Chronique de l'abbaye de Saint-Riquier (Ve s.-1104),* F. Lot éd., Paris, 1894 ; le marquis Le Ver trad., Abbeville, 1899.
557. Rücker (E.), *Die Schedelsche Weltchronik. Das grösste Buchunternehmen der Dürer Zeit. Mit einem Katalog der Städteansichten,* Munich, 1973 (HARTMANN SCHEDEL).
558. Stauber (R.), *Die Schedelsche Bibliothek. Ein Beitrag zur Geschichte der Ausbreitung der italienischen Renaissance, des deutschen Humanismus und der medizinischen Literatur,* Fribourg-en-Brisgau, 1908.
559. Brincken (A.-D. von den), Die Welt- und Inkarnationsära bei HEIMO VON ST. JAKOB. Kritik an der christlichen Zeitrechnung durch Bamberger Komputisten in der ersten Hälfte des 12. Jahrhunderts, *DA,* 16 (1960), 155-194.
560. HELGAUD DE FLEURY, *Vie de Robert le Pieux,* R.-H. Bautier et G. Labory éd. et trad., Paris, 1965.

561. Carozzi (Cl.), La vie du roi Robert par Helgaud de Fleury : historiographie et hagiographie (34), 219-235.
562. Arnauld-Cancel (M.-P.), Le huitième livre de la chronique d'HÉLINAND DE FROIDMONT, *PTEC,* 1971, p. 9-14.
563. Delisle (L.), La chronique d'Hélinand moine de Froidmont, *Notices et documents publiés par la Société de l'histoire de France à l'occasion du 50e anniversaire de sa fondation,* Paris, 1884, p. 141-154.
564. HENRI DE HUNTINGDON, *Historia Anglorum,* Th. Arnold éd., Londres, 1879.
565. HENRI KNIGHTON, *Chronicon...,* J. R. Lumby éd., 2 vol., Londres, 1889-1895.
566. Galbraith (V. H.), The Chronicle of Henry Knighton, *Fritz Saxl, 1890-1948. A Volume of Memorial Essays from his friends in England,* D. J. Gordon éd., Londres, 1957, p. 136-148.
567. Hilgers (H. A.), *Die Ueberlieferung der Valerius-Maximus-Auslegung HEINRICHS VON MUEGEL. Vorstudien zu einer kritischen Ausgabe,* Cologne-Vienne, 1973.
568. Dupré La Tour (L.), Le « Compendium historial » d'HENRI ROMAIN. Edition critique du Livre I, *PTEC,* 1973, p. 79-84.
569. Dupré La Tour (L.), La tradition manuscrite du « Compendium historial » d'Henri Romain, *Revue d'histoire des textes,* 5 (1975), 137-168.
570. Stiennon (J.), Une description peu connue de l'Aquitaine par HÉRIGER DE LOBBES (+ 1007), *Annales du Midi,* 72 (1960), 273-286.
571. HERMANN DE REICHENAU, *Chronicon, PL* 143, col. 55-263.
572. Devisse (J.), *HINCMAR, archevêque de Reims, 845-882,* 3 vol., Genève, 1976.
573. Van der Essen (L.), HUCBALD DE SAINT-AMAND (c. 840-930) et sa place dans le mouvement hagiographique médiéval, *RHE,* 19 (1923), 333-351 et 522-552.
574. Jedin (H.), Zur Widmungsepistel der « Historia ecclesiastica » HUGOS VON FLEURY, *Speculum historiale. Geschichte im Spiegel von Geschichtsschreibung und Geschichtsdeutung. Johannes Spörl aus Anlass seines sechzigsten Geburtstages,* Fribourg-Munich, 1965, p. 559-566.
575. Wilmart (A.), L'histoire ecclésiastique composée par Hugues de Fleury et ses destinataires, *Revue bénédictine,* 50 (1938), 293-305.
576. Huygens (R. B. C.) éd., *Monumenta Vizeliacensia : textes relatifs à l'histoire de l'abbaye de Vézelay,* Turnhout, 1976 (HUGUES DE POITIERS).
577. HUGUES DE SAINT-VICTOR, *Didascalicon. De Studio Legendi,* Ch. H. Buttimer éd., Washington, 1939.
578. Goy (R.), *Die Ueberlieferung der Werke Hugos von St. Viktor. Ein Beitrag zur Kommunikationsgeschichte des Mittelalters,* Stuttgart, 1976.
579. Green (W. M.), Hugo of St Victor, « De tribus maximis circumstanciis gestorum », *Spec.,* 18 (1943), 484-493.
580. Schneider (W.), *Geschichte und Geschichtsphilosophie bei Hugo von St. Victor,* Munster, 1933.
581. Zinn (Gr. A.) Jr, Historia fundamentum est : the role of history in the contemplative life according to Hugh of St. Victor, *Contemporary reflections on the medieval Christian tradition. Essays in honor of Ray C. Petry,* G. H. Shriver éd., Durham, N. C., 1974, p. 135-158.
582. HUGH THE CHANTOR, *The History of the Church of York,*

1066-1127, Ch. Johnson éd. et trad., Edimbourg, 1961.
583. Carozzi (Cl.), HUMBERT DE ROMANS et l'histoire, *1274, année charnière. Mutations et continuités,* Paris, 1977, p. 849-862.
584. HYDACE, *Chronique,* A. Tranoy éd., 2 vol., Paris, 1975.
585. ISIDORE DE SÉVILLE, Chronica majora, Th. Mommsen éd., *MGH, AA,* t. XI, vol. II, p. 391-506.
586. Fontaine (J.), *Isidore de Séville et la culture classique dans l'Espagne wisigothique,* 2 vol., Paris, 1959.

J K

587. JACQUES DE VORAGINE, *Legenda aurea,* Th. Graesse éd., Dresde-Leipzig, 1846.
588. Jacques de Voragine, *La légende dorée,* T. de Wyzewa trad., 3 vol., Paris, 1929.
589. JEAN D'AUTON, *Chroniques de Louis XII,* R. de Maulde La Clavière éd., 4 vol., Paris, 1889-1895.
590. JEAN DE BEKE, *Chronographia,* H. Bruch éd., La Haye, 1973.
591. JOHN CAPGRAVE, *Liber de Illustribus Henricis,* Fr. Ch. Hingeston éd., Londres, 1858.
592. Lucas (P. J.), John Capgrave, O. S. A. (1393-1464), scribe and « publisher », *Transactions of the Cambridge Bibliographical Society,* 5 (1969), 1-35.
593. Meijer (A. de), John Capgrave, O. E. S. A. (Lynn, 21 april 1393-Lynn, 12 august 1464), *Augustiniana,* 5 (1955), 400-440.
594. Bossuat (A.), JEAN CASTEL, chroniqueur de France, *MA,* 64 (1958), 285-304 et 499-538.
595. Quicherat (J.), Recherches sur le chroniqueur Jean Castel, *BEC,* 2 (1840-1841), 461-477.
596. Diener (H.), JOHANNES CAVALLINI, der Verfasser der « Polistoria de virtutibus et dotibus Romanorum », *Storiografia e Storia. Studi in onore di Eugenio Duprè Theseider,* Rome, 1974, p. 151-173.
597. JEAN CHARTIER, *Chronique de Charles VII, roi de France,* A. Vallet de Viriville éd., 3 vol., Paris, 1858.
598. Samaran (Ch.), La chronique latine inédite de Jean Chartier (1422-1450) et les derniers livres du Religieux de Saint-Denis, *BEC,* 87 (1926), 142-163.
599. Samaran (Ch.), La chronique latine de Jean Chartier (1422-1450), *Annuaire-Bulletin de la Société de l'histoire de France,* 1926, p. 183-273 ; réimpr. *Une longue vie d'érudit. Recueil d'études de Charles Samaran,* t. I, Paris, 1978, p. 285-375.
600. Ross (W. B.) Jr, GIOVANNI COLONNA, Historian at Avignon, *Spec.,* 45 (1970), 533-563.
601. Palmer (J. J. N.), *The Authorship, Date and Historical Value of the French Chronicles on the Lancastrian Revolution,* Manchester, 1979 (extrait du *Bulletin of the John Rylands University Library of Manchester,* 61 (1978-1979) (JEAN CRETON).
602. Ankwicz-Kleehoven (H. von), *Der Wiener Humanist JOHANNES CUSPINIAN, Gelehrter und Diplomat zur Zeit Kaiser Maximilians I,* Graz-Cologne, 1959.
603. Turkowska (D.), *Etudes sur la langue et le style de JEAN DLUGOSZ,* Cracovie, 1973. Cf. *Script.,* 29 (1975), n° 1438.
604. Zarebski (I.), Humanistyczna lektura Długosza : Antonio Panormita Beccadelli. W sporze o Długosza argument nowy (La lecture humaniste de Długosz : Antonio Panormita Beccadelli. Argument neuf dans la controverse sur Długosz) (résumé français), *Biuletyn Biblioteki Jagiellonskiej,* 17 (1965), 5-21. Cf. *Script.,* 30 (1976), n° 1049.

605. Des Ritters HANS EBRAN von Wildenberg *Chronik von den Fürsten aus Bayern,* Fr. Roth éd., Munich, 1905.
606. Utz (H.), Erste Spuren von Nationalismus im spätmittelalterlichen Schottland : FORDUNS « Chronica Gentis Scotorum », *Revue suisse d'histoire,* 29 (1979), 305-329.
607. JEAN FROISSART, *Chroniques,* S. Luce, G. Raynaud, L. et A. Mirot éd., 15 vol., Paris, 1869-1975.
608. Cartier (N. R.), The Lost Chronicle, *Spec.,* 36 (1961), 424-434 (Jean Froissart).
609. Thomas (A.), *JEAN DE GERSON et l'éducation des dauphins de France...,* Paris, 1930.
610. JOANNIS DE CAPELLA, *Cronica abbreviata dominorum et sanctorum abbatum Sancti Richarii.* Nova editio..., E. Prarond éd., Paris, 1893.
611. JEAN DE LA GOGUE, Histoire des princes de Déols, seigneurs de Chasteau-Raoulx, dans Grillon des Chapelles, *Esquisses biographiques du département de l'Indre,* 2e éd., t. III, Paris, 1865, p. 295-409. M. Jean Hubert m'a appris l'existence de cet historien et m'a fait entrer dans sa familiarité. Je l'en remercie vivement.
612. Ouy (G.), Le songe et les ambitions d'un jeune humaniste parisien vers 1395 (Une épître latine inconnue de JEAN LEBÈGUE à Pierre Lorfèvre, chancelier de Louis d'Orléans, lui demandant la main de sa fille Catherine. -Ms. Paris, Bibl. nat. lat. 10400, f. 30-35), *Miscellanea di Studi e ricerche sul Quattrocento francese,* Fr. Simone éd., Turin, 1966, p. 355-407.
613. Porcher (J.), Un amateur de peinture sous Charles VI : Jean Lebègue, *Mélanges d'histoire du livre et des bibliothèques offerts à Monsieur Frantz Callot,* Paris, 1960, p. 35-41.
614. JEAN LE BEL, *Chronique,* J. Viard et E. Déprez éd., 2 vol., Paris, 1904-1905.
615. Linder (A.), L'expédition italienne de Charles VIII et les espérances messianiques des Juifs : témoignage du manuscrit Bibl. nat. lat. 5971 A, *Revue des études juives,* 137 (1978), 179-186 (JEAN DE LEGONISSA).
616. JEAN LEMAIRE DE BELGES, *Les Illustrations de Gaule et Singularitez de Troye,* Paris, 1548.
617. *Œuvres de Jean Lemaire de Belges,* A. J. Stécher éd., 4 vol., Louvain, 1882-1891.
618. Jodogne (P.), *Jean Lemaire de Belges, écrivain franco-bourguignon,* Bruxelles, 1972.
619. De Poerck (G.), *Introduction à la « Fleur des Histoires » de JEAN MANSEL (XVe siècle),* Gand, 1936.
620. Tate (R. B.), Italian Humanism and Spanish Historiography of the Fifteenth Century. A Study of the « Paralipomenon Hispaniae » of JOAN MARGARIT, Cardinal Bishop of Gerona, *BJRL,* 34 (1951), 137-165.
621. Brincken (A.-D. von den), Die universalhistorischen Vorstellungen des JOHANN VON MARIGNOLA, O. F. M. Der einzige mittelalterliche Weltchronist mit Fernostkenntnis, *Archiv für Kulturgeschichte,* 49 (1967), 297-339.
622. Giese (W.), Tradition und Empirie in den Reiseberichten der Kronika Marignolova, *Archiv für Kulturgeschichte,* 56 (1974), 447-456.
623. Bossuat (R.), JEAN MIÉLOT, traducteur de Cicéron, *BEC,* 99 (1938), 82-124.
624. JEAN DE MONTREUIL, *Opera,* t. II, *L'œuvre historique et polémique,* N. Grévy, E. Ornato et G. Ouy éd., Turin, 1975.
625. Ouy (G.), Jean de Montreuil et l'introduction de l'écriture huma-

nistique en France au début du XVe siècle, « *Litterae Textuales* ». *Miniatures, Scripts, Collections. Essays presented to G. I. Lieftinck*, Amsterdam, 1976, p. 53-61.

626. GIOVANNI NANNI, *Commentaria super opera diversorum auctorum de antiquitatibus loquentium*, Rome, 1498 ; Paris, Bibl. nat., Rés. G 172.
627. JEAN DE PLANCARPIN, *Histoire des Mongols*, J. Becquet et L. Hambis éd. et trad., Paris, 1965.
628. *Journal de JEAN DE ROYE connu sous le nom de Chronique scandaleuse, 1460-1483*, B. de Mandrot éd., 2 vol., Paris, 1894-1896.
629. JEAN DE SALISBURY, *Historia pontificalis (Memoirs of the Papal Court)*, M. Chibnall éd. et trad., Edimbourg, 1956.
630. Mályusz (E.), Thuróczy János krónikája és a Corvina (La chronique de JEAN THUROCZY et la bibliothèque corvinienne), *Filológiai Közlöny*, 12 (1966), 282-302. Cf. *Script.*, 28 (1974), n° 324.
631. Arnold (Kl.), *JOHANNES TRITHEMIUS (1462-1516)*, Wurzburg, 1971.
632. Knowles (Chr.), JEAN DE VIGNAY, un traducteur du XIVe siècle, *Romania*, 75 (1954), 353-383.
633. Frugoni (A.), G. VILLANI, « Cronica », XI, 94, *Bulletino dell' Istituto Storico Italiano per il Medio Evo*, 77 (1965), 229-255.
634. Brentano (R.), The Jurisdictio Spiritualis : an Example of Fifteenth-Century English Historiography, *Spec.*, 32 (1957), 326-332 (JOHN WESSINGTON).
635. Dobson (R. B.), *Durham Priory, 1400-1450*, Cambridge, 1973 (John Wessington).
636. JÉROME DE BORSELLI, Cronica Gestorum ac Factorum Memorabilium Civitatis Bononie, A. Sorbelli éd., *RIS* 2, XXIII/2, 1911-1929.
637. JORDAN FANTOSME, Chronique de la guerre entre les Anglais et les Ecossais en 1173 et 1174, *Chronicles of the Reigns of Stephen, Henry II and Richard I*, R. Howlett éd., t. III, Londres, 1886, p. 201-377.
638. Ross (D. J. A.), An Illustrated Humanistic Manuscript of JUSTIN's « Epitome » of the « Historiae Philippicae » of Trogus Pompeius, *Script.*, 10 (1956), 261-267.

L

639. LAMBERT D'ARDRES, Historia comitum Ghisnensium, J. Heller éd., *MGH, SS*, t. XXIV, Hanovre, 1879, p. 550-642.
640. LAMBERT DE SAINT-OMER, *Liber Floridus. Codex autographus Bibliothecae Universitatis Gandavensis...*, A. Derolez éd., Gand, 1968.
641. Delisle (L.), Notice sur les manuscrits du « Liber Floridus » de Lambert, chanoine de Saint-Omer, *Notices et extraits des manuscrits de la Bibliothèque nationale et autres bibliothèques*, t. XXXVIII, Paris, 1906, p. 577-791.
642. Derolez (A.), *Lambertus qui librum fecit. Een codicologische studie van de « Liber Floridus » autograaf (Gent, Universiteitsbibliotheek, handschrift 92). With a summary in english : the genesis of the « Liber Floridus » of Lambert of Saint-Omer*, Bruxelles, 1978.
643. LAMBERT DE WATERLOS, Annales Cameracenses, *MGH, SS*, t. XVI, p. 509-554.
644. LAMPERT DE HERSFELD, *Annales*, W. D. Fritz éd., A. Schmidt trad., Darmstadt, 1973.

645. Hlaváček (I.), Das diplomatische Material in der hussitischen Chronik des LAURENTIUS VON BREZOVA, *Folia Diplomatica,* t. II, Brno, 1976, p. 173-186.
646. Janik (L. G.), LORENZO VALLA : the Primacy of Rhetoric and the De-moralization of History, *History and Theory,* 12 (1973), 389-404.
647. Setz (W.), *Lorenzo Vallas Schrift gegen die Konstantinische Schenkung. « De falso credita et ementita Constantini donatione. » Zur Interpretation und Wirkungsgeschichte,* Tubingen, 1975.
648. LEONARDO BRUNI ARETINO, Historiarum Florentini populi libri XII, *RIS*², XIX/3, 1914-1926.
649. Ullman (B. L.), Leonardo Bruni and Humanistic Historiography, *Mediaevalia et Humanistica,* 4 (1946), 45-61 ; réimpr. dans B. L. Ullman, *Studies in the Italian Renaissance,* Rome, 1955, p. 321-344.
650. *Oesterreichische Chronik von den 95. Herrschaften,* J. Seemüller éd., Hanovre-Leipzig, 1909 (LÉOPOLD STAINREUTER).
651. Becker (J.), *Textgeschichte LIUDPRANDS VON CREMONA,* Munich, 1908.

M

652. MARIN SANUDO, Vitae ducum Venetorum, *RIS,* XXII, col. 399-1252.
653. MARSILE DE PADOUE, *Œuvres mineures. Defenso Minor, de Translatione Imperii,* C. Jeudy et J. Quillet éd., Paris, 1979.
654. MARTIN DA CANAL, *Les Estoires de Venise,* A. Limentani éd., Florence, 1973.
655. Samaran (Ch.), MATHIEU LEVRIEN, chroniqueur de Saint-Denis à la fin du règne de Louis XI, *BEC,* 99 (1938), 125-131 ; réimpr. dans *Une longue vie d'érudit. Recueil d'études de Charles Samaran,* t. II, Paris, 1978, p. 489-495.
656. MATHIEU PARIS, *Chronica Majora,* H. R. Luard éd., 7 vol., Londres, 1872-1883.
657. *Flores Historiarum,* H. R. Luard éd., 3 vol., Londres, 1890.
658. Gransden (A.), The Continuations of the « Flores Historiarum » from 1265 to 1327, *Mediaeval Studies,* 36 (1974), 472-492.
659. Vaughan (R.), *Matthew Paris,* 2ᵉ éd., Cambridge, 1979.
660. Courteault (H.), Un archiviste des comtes de Foix au xvᵉ siècle. Le chroniqueur MICHEL DU BERNIS, *Annales du Midi,* 6 (1894), 272-300.
661. Delaborde (H.-Fr.), La vraie chronique du Religieux de Saint-Denis, *BEC,* 51 (1890), 93-110 (MICHEL PINTOIN).
662. Grévy-Pons (N.) et Ornato (E.), Qui est l'auteur de la chronique latine de Charles VI dite du Religieux de Saint-Denis ? *BEC,* 134 (1976), 85-102.
663. Samaran (Ch.), Les manuscrits de la chronique latine de Charles VI dite du Religieux de Saint-Denis, *MA,* 69 (1963), 657-671.

N

664. NENNIUS, Historia Brittonum, *MGH, AA,* t. XIII, Th. Mommsen éd., Berlin, 1898, p. 111-222.
665. NICOLAS TRIVET, *Annales...,* Th. Hog éd., Londres, 1845.
666. Dean (R. J.), Cultural Relations in the Middle Ages : Nicholas Trevet and Nicholas of Prato, *Studies in philology,* 65 (1948), 541-564.
667. Dean (R. J.), The Manuscripts of Nicholas Trevet's Anglo-Norman « Cronicles », *Medievalia et Humanistica,* 14 (1962), 95-105.

668. Dean (R. J.), Nicholas Trevet, Historian, *Medieval Learning and Literature. Essays presented to R. W. Hunt,* J. J. G. Alexander et M. T. Gibson éd., Oxford, 1976, p. 328-352.
669. *NOTKERI BALBULI Gesta Karoli Magni Imperatoris,* H. F. Haefele éd., Berlin, 1959.

O

670. ODORANNUS DE SENS, *Opera omnia,* R.-H. Bautier et M. Gilles éd. et trad., Paris, 1972.
671. ORDERIC VITAL, *Histoire ecclésiastique,* A. Le Prevost éd., 5 vol., Paris, 1838-1855. En cours d'édition : *The Ecclesiastical History of Orderic Vitalis,* M. Chibnall éd. et trad., 4 vol. parus, Oxford, 1972-1978.
672. Ray (R. D.), Orderic Vitalis and William of Poitiers : a Monastic Reinterpretation of William the Conqueror, *Revue belge de philologie et d'histoire,* 50 (1972), 1116-1127.
673. Ray (R. D.), Orderic Vitalis and his readers, *Studia Monastica,* 14 (1972), 17-33.
674. Wolter (H.), *Ordericus Vitalis. Ein Beitrag zur kluniasensischen Geschichtsschreibung,* Wiesbaden, 1955.
675. Loehr (M.), Der Steirische Reimchronist her OTACHER OUZ DER GEUL, *MIöG,* 51 (1937), 89-130.
676. OTTON DE FREISING, *Chronica sive historia de duabus civitatibus,* W. Lammers éd., A. Schmidt trad., Darmstadt, 1960.
677. Otton de Freising, *Gesta Frederici seu rectius cronica,* Fr.-J. Schmale éd., A. Schmidt trad., Darmstadt, 1974.
678. Schmale (Fr.-J.), Die Gesta Friderici I imperatoris Otto von Freising und Rahewins. Ursprüngliche Form und Ueberlieferung, *DA,* 19 (1963), 168-214.

P Q

679. PAUL DIACRE, *Historia Langobardorum,* G. Waitz éd., Hanovre, 1878.
680. Bately (J. M.), The Relationship between geographical information in the Old English Orosius and Latin texts other than OROSIUS, *Anglo-Saxon England,* 1 (1972), 45-62.
681. Bately (J. M.) et Ross (D. J. A.), A Check List of Manuscripts of Orosius « Historiarum adversum paganos libri septem », *Script.,* 15 (1961), 329-334.
682. Lacroix (B.), *Orose et ses idées,* Montréal-Paris, 1965.
683. Ross (D. J. A.), Illustrated Manuscripts of Orosius, *Script.,* 9 (1955), 35-56.
684. Degenhart (B.) et Schmitt (A.), Marino Sanudo und PAOLINO VENETO. Zwei Literaten des 14. Jahrhunderts in ihrer Wirkung auf Buchillustrierung und Kartographie in Venedig, Avignon und Neapel, *Römisches Jahrbuch für Kunstgeschichte,* 14 (1973), 1-137.
685. PHILIPPE DE COMMYNES, *Mémoires,* J. Calmette éd., 3 vol., Paris, 1924-1925.
686. Mandrot (B. de), L'autorité historique de Philippe de Commynes, *RH,* 73 (1900), 241-257 et 74 (1900), 1-38.
687. *La Chronique de PHILIPPE DE VIGNEULLES,* Ch. Bruneau éd., 4 vol., Besançon-Metz, 1927-1933.
688. Buron (E.), *Ymago Mundi de PIERRE D'AILLY, cardinal de Cambrai et chancelier de l'Université de Paris (1350-1420). Texte latin et traduction française des quatre traités cosmographiques de d'Ailly et des notes marginales de Christophe Colomb. Etude sur les sources de l'auteur,* 3 vol., Paris, 1930.

689. Samaran (Ch.) et Monfrin (J.), *PIERRE BERSUIRE, prieur de Saint-Eloi de Paris (1290 ?-1362),* Paris, 1962 (extrait de l'*HLF,* t. XXXIX).
690. PIERRE CHOISNET, *Le rosier des guerres,* Paris, Bibl. nat., fr. 1238.
691. PIERRE DE LANGTOFT, *The Chronicle,* Th. Wright éd., 2 vol., Londres, 1866-1868.
692. Smallwood (T. M.), The Text of Langtoft's Chronicle, *Medium Aevum,* 46 (1977), 219-230.
693. PIERRE LE BAUD, *Cronicques et ystoires des Bretons,* Ch. de La Lande de Calan éd., 2 vol., Rennes, 1907-1922. Le manuscrit Paris, Bibl. nat., fr. 8266 renferme des parties inédites.
694. Pierre Le Baud, *Chroniques des rois, ducs et princes royaux de Bretagne armoricaine, autrement nommée la moindre Bretagne,* Paris, Bibl. nat., nouv. acq. fr. 2615.
695. Chauvois (B.), *Les Chroniques... de Bretagne de Pierre Le Baud,* Mémoire de maîtrise dactylographié, Paris, 1975.
696. Daly (S. R.), PETER COMESTOR, Master of Histories, *Spec.,* 32 (1957), 62-73.

R

697. *The Historical Works of Master RALPH DE DICETO, Dean of London,* W. Stubbs éd., 2 vol., Londres, 1876.
698. Zinn (Gr. A.) Jr, The Influence of Hugh of St. Victor's « Chronicon » on the « Abbreviationes Chronicorum » by Ralph of Diceto, *Spec.,* 52 (1977), 38-61.
699. RANULF HIGDEN, *Polychronicon...,* Ch. Babington et J. R. Lumby éd., 9 vol., Londres, 1865-1886.
700. Taylor (J.), *The Universal Chronicle of Ranulf Higden,* Oxford, 1966.
701. Taylor (J.), Higden and Erghome : Two Fourteenth-Century Scholars, *Economies et sociétés au Moyen Age. Mélanges offerts à Edouard Perroy,* Paris, 1973, p. 644-649.
702. RAOUL GLABER, *Les cinq livres de ses histoires (900-1044),* M. Prou éd., Paris, 1886.
703. Petit (E.), Raoul Glaber, *RH,* 48 (1892), 283-299.
704. RÉGINON DE PRUM, *Chronicon...,* Fr. Kurze éd., Hanovre, 1890.
705. Schleidgen (W.-R.), *Die Ueberlieferungsgeschichte des Regino von Prüm,* Mayence, 1977.
706. Werner (K. F.), Zur Arbeitsweise des Regino von Prüm, *Die Welt als Geschichte,* 19 (1959), 96-116.
707. RICHARD DE BURY, *Philobiblon,* E. C. Thomas éd. et trad., Oxford, 1970.
708. RICHER, *Histoire de France (888-995),* R. Latouche éd. et trad., 2 vol., Paris, 1930-1937.
709. *Œuvres de RIGORD et de Guillaume le Breton, historiens de Philippe-Auguste,* H.-Fr. Delaborde éd., 2 vol., Paris, 1882-1885.
710. Delisle (L.), Chronique de ROBERT de Saint-Marien D'AUXERRE, *HLF,* t. XXXII, Paris, 1898, p. 503-535.
711. ROBERT GAGUIN, *Epistole et Orationes,* L. Thuasne éd., 2 vol., Paris, 1903.
712. Robert Gaguin, *Les Grandes Croniques...,* Paris, 1514 ; Paris, Bibl. nat., Rés. L 35^{15}.
713. Robert Gaguin, *Compendium super Francorum gestis,* Paris, 1501 ; Paris, Bibl. nat., Rés. L 35^{11}.
714. Schmidt-Chazan (M.), Histoire et sentiment national chez Robert Gaguin (31), 233-300.

715. ROBERT MANNING OF BRUNNE, *The Story of England,* Fr. J. Furnivall éd., 2 vol., Londres, 1887.
716. *Chronique de ROBERT DE TORIGNI, abbé du Mont-Saint-Michel...,* L. Delisle éd., 2 vol., Rouen, 1872-1873.
717. Tate (R. B.), RODRIGO SANCHEZ DE AREVALO (1404-1470) and his « Compendiosa historia hispanica », *Nottingham Mediaeval Studies,* 4 (1960), 58-80.
718. Tate (R. B.), An Apology for Monarchy. A Study of an Unpublished Fifteenth-Century Castilian Historical Pamphlet, *Romance Philology,* 15 (1961), 111-123.
719. ROGER DE HOVEDENE, *Chronique,* W. Stubbs éd., 4 vol., Londres, 1868-1871.
720. Silvestre (H.), Les citations et réminiscences classiques dans l'œuvre de RUPERT DE DEUTZ, *Revue d'histoire ecclésiastique,* 45 (1950), 140-174.

S

721. Archambault (P.), SALLUST in France : Thomas Basin's Idea of History and of the Human Condition, *Papers on Language and Literature,* 4 (1968), 227-257.
722. Smalley (B.), Sallust in the Middle Ages, *Classical Influences on European Culture, A. D. 500-1500,* R. R. Bolgar éd., Cambridge, 1971, p. 165-175.
723. Dumézil (G.), *Du mythe au roman. La Saga de Hadingus (SAXO GRAMMATICUS, I, v-viii) et autres essais,* Paris, 1970.
724. *Saxostudier. Saxo-kollokvierne ved Københavne universitet,* Copenhague, 1975.
725. SIGEBERTI GEMBLACENSIS Chronographia, L. C. Bethmann éd., *MGH, SS,* VI, 268-535.
726. *Catalogus Sigeberti Gemblacensis monachi de viris illustribus,* R. Witte éd., Berne, 1974.
727. Beumann (J.), *Sigebert von Gembloux und der Traktat « de Investitura episcoporum »,* Sigmaringen, 1976.
728. Wiesenbach (J.), Der « Liber decennalis » in der Hs. Rom, Biblioteca Angelica 1413, als Werk Sigeberts von Gembloux, *DA,* 33 (1977), 171-181.
729. Hunter Blair (P.), Some Observations on the « Historia Regum » attributed to SYMEON OF DURHAM, *Celt and Saxon. Studies in the Early British Border,* N. K. Chadwick éd., 2e éd., Cambridge, 1964, p. 63-118.
730. SIMON DE SAINT-QUENTIN, *Histoire des Tartares,* J. Richard éd., Paris, 1965.
731. Guzman (G. G.), Simon of Saint-Quentin as Historian of the Mongols and Seljuk Turks, *Medievalia et Humanistica,* 3 (1972), 155-178.
732. SOLIN, *Collectanea rerum memorabilium,* Th. Mommsen éd., Berlin, 1895.
733. SUGER, *Œuvres,* A. Lecoy de la Marche éd., Paris, 1867.
734. Suger, *Vie de Louis VI le Gros,* H. Waquet éd. et trad., Paris, 1929.

T U

735. Colker (M. L.), The earliest manuscript representing the Korvei revision of THIETMAR's Chronicle, *Script.,* 25 (1971), 62-67.
736. Lippelt (H.), *Thietmar von Merseburg, Reichsbischof und Chronist,* Cologne-Vienne, 1973.
737. THOMAS BASIN, *Histoire de Charles VII,* Ch. Samaran éd. et trad., 2 vol., Paris, 1933-1944.

738. THOMAS BURTON, *Chronica Monasterii de Melsa,* E. A. Bond éd., 3 vol., Londres, 1866-1868.
739. *Le livre de comptes de THOMAS DU MAREST, curé de Saint-Nicolas de Coutances (1397-1433),* P. Le Cacheux éd., Paris-Rouen, 1905.
740. Lhotsky (A.), *THOMAS EBENDORFER. Ein österreischicher Geschichtsschreiber, Theologe und Diplomat des 15. Jahrhunderts,* Stuttgart, 1957.
741. Hunter (M.), The Facsimiles in THOMAS ELMHAM's History of St. Augustine's, Canterbury, *The Library,* 5e s., 28 (1973), 215-220.
742. THOMAS GRAY OF HEATON, *Scalacronica,* J. Stevenson éd., 1836.
743. THOMAS RUDBORNE, Historia Maior de Fundatione et Successione Ecclesiae Wintoniensis, 164-1138, *Anglia Sacra,* H. Wharton éd., t. I, Londres, 1691, p. 177-288.
744. THOMAS WALSINGHAM, *Gesta abbatum monasterii Sancti Albani,* H. T. Riley éd., 3 vol., Londres, 1867-1869.
745. Auracher (Th.), Der sogenannte poitevinische Pseudo-TURPIN, *ZRP,* 1 (1877), 259-336.
746. Meredith-Jones (C.), *Historia Karoli Magni et Rotholandi ou Chronique du Pseudo-Turpin,* Paris, 1936.
747. Short (I.), The Pseudo-Turpin Chronicle : Some Unnoticed Versions and their Sources, *Medium Aevum,* 38 (1969), 1-22.
748. Smyser (H. M.), *The Pseudo-Turpin...,* Cambridge, Mass., 1937.

V

749. Schullian (D. M.), A Preliminary List of Manuscripts of VALERIUS MAXIMUS, *Studies in Honor of B. L. Ullman,* St Louis, Miss., 1960, p. 81-95.
750. Di Stefano (G.), Ricerche su Nicolas de Gonesse traduttore di Valerio Massimo nel Trecento, *Studi Francesi,* 26 (1965), 201-221.
751. VINCENT DE BEAUVAIS, *Speculum majus,* 4 vol., Douai, 1624.
752. Brincken (A.-D. von den), Geschichtsbetrachtung bei Vincenz von Beauvais. Die « Apologia Actoris » zum « Speculum Maius », *DA,* 34 (1978), 410-499.
753. Lusignan (S.), *Préface au « Speculum maius » de Vincent de Beauvais : réfraction et diffraction,* Montréal-Paris, 1979.
754. Oursel (Ch.), Un exemplaire du « Speculum majus » de Vincent de Beauvais provenant de la bibliothèque de saint Louis, *BEC,* 85 (1924), 251-262.
755. Paulmier (M.), Etude sur l'état des connaissances au milieu du XIIIe siècle : nouvelles recherches sur la genèse du « Speculum maius » de Vincent de Beauvais, *Spicae. Cahiers de l'Atelier Vincent de Beauvais,* 1 (1978), 91-121.
756. Paulmier-Foucart (M.), L'Atelier Vincent de Beauvais. Recherches sur l'état des connaissances au Moyen Age d'après une encyclopédie du XIIIe siècle, *MA,* 85 (1979), 87-99.
757. Schneider (J.), Recherches sur une encyclopédie du XIIIe siècle : le « Speculum majus » de Vincent de Beauvais, *CRAIBL,* 1976, p. 174-189.
758. Schneider (J.), Vincent de Beauvais. Orientation bibliographique, *Spicae. Cahiers de l'Atelier Vincent de Beauvais,* 1 (1978), 7-29.
759. Wailly (N. de), Notice sur une chronique anonyme du treizième siècle, *BEC,* 6 (1844), 389-395.
760. Zwiercan (M.), *Komentarz Jana z Dąbrówki do kroniki mistrza Wincentego zwanego Kadłubkiem* (Le commentaire de Jean de Dabrowka sur la chronique du maître VINCENT DIT KADLU-

BEK) (résumés anglais et russe), Varsovie, 1969. Cf. *Script.*, 30 (1976), 119-120.

W

761. WACE, *Le Roman de Brut,* I. Arnold éd., 2 vol., Paris, 1938-1940.
762. *Le Roman de Rou de Wace,* A. J. Holden éd., 3 vol., Paris, 1970-1973.
763. WIDUKIND DE CORVEY, *Rerum Gestarum Saxonicorum Libri Tres,* G. Waitz, K. A. Kehr, P. Hirsch et H.-E. Lohmann éd., Hanovre, 1935.
764. Beumann (H.), *Widukind von Korvei. Untersuchungen zur Geschichtsschreibung und Ideengeschichte des 10. Jahrhunderts,* Weimar, 1950.

§ 19. *Quelques œuvres anonymes*

765. Wriedt (Kl.), Die ANNALES LUBICENSES und ihre Stellung in der Lübecker Geschichtsschreibung des 14. Jahrhunderts, *DA,* 22 (1966), 556-586.
766. *ANNALES METTENSES PRIORES,* B. de Simson éd., Hanovre-Leipzig, 1905.
767. *ANNALES DE SAINT-BERTIN,* F. Grat, J. Vielliard et S. Clémencet éd., avec une introduction et des notes par L. Levillain, Paris, 1964.
768. Galbraith (V. H.) éd., *The ANONIMALLE CHRONICLE, 1333 to 1381,* Manchester, nouv. éd., 1970.
769. Hanquet (K.), *Etude critique sur la chronique de Saint-Hubert dite CANTATORIUM,* Bruxelles, 1900.
770. Duparc-Quioc (S.), La compilation de la *CHANSON D'ANTIOCHE, Romania,* 83 (1962), 1-29 et 210-247.
771. *CHRONIQUE ARTÉSIENNE (1295-1304), nouvelle édition, et Chronique tournaisienne (1296-1314),* Fr. FUNCK-BRENTANO éd., Paris, 1899.
772. Bougaud (E.) et Garnier (J.), *CHRONIQUE de l'abbaye Saint-Bénigne de DIJON...,* Dijon, 1875.
773. Dahlmann (Ch.), Untersuchungen zur Chronik von Saint-Bénigne in Dijon, *Neues Archiv der Gesellschaft für ältere deutsche Geschichtskunde,* 49 (1932), 281-331.
774. *CHRONICON Abbatiae de EVESHAM ad annum 1418,* W. D. Macray éd., Londres, 1863.
775. CHRONICA Abbatiae ALTAECOMBAE, *Monumenta Historiae Patriae..., Scriptorum Tomus* I, Turin, 1840, col. 671-678.
776. Bertin (P.), *La CHRONIQUE et les chartes de l'abbaye de MAROEUIL de l'Ordre de Saint-Augustin et de la Congrégation d'Arrouaise au diocèse d'Arras,* Lille, 1959.
777. Geary (P. J.), Un fragment récemment découvert du CHRONICON MOISSIACENSE, *BEC,* 136 (1978), 69-73.
778. *La CHRONIQUE de NANTES (570 environ-1049),* R. Merlet éd., Paris, 1896.
779. *CHRONICON Abbatiae RAMESEIENSIS a saec. X usque ad an. circiter 1200...,* W. D. Macray éd., Londres, 1886.
780. *Chronicon Briocense. CHRONIQUE de SAINT-BRIEUC,* G. Le Duc et C. Sterckx éd. et trad., t. I, Paris, 1972.
781. *La CHRONIQUE de SAINT-MAIXENT, 751-1140,* J. Verdon éd., Paris, 1979.
782. *CHRONIQUE et chartes de l'abbaye de SAINT-MIHIEL,* A. Lesort éd., Paris, 1909-1912.

783. Herkommer (H.), *Ueberlieferungsgeschichte der « SACHSISCHEN WELTCHRONIK ». Ein Beitrag zur deutschen Geschichtsschreibung des Mittelalters,* Munich, 1972.
784. Delisle (L.), CHRONIQUE de TOURS, *HLF,* t. XXXII, Paris, 1898, p. 537-546.
785. *EULOGIUM Historiarum sive Temporis...,* F.S. Haydon éd., 3 vol., Londres, 1858-1863.
786. Flutre (L.-F.), *Li FAIT DES ROMAINS dans les littératures française et italienne du XIII*[e] *au XVI*[e] *siècle,* Paris, 1932.
787. Genicot (L.), Princes territoriaux et sang carolingien. La GENEALOGIA COMITUM BULONIENSIUM, dans L. Genicot, *Etudes sur les principautés lotharingiennes,* Louvain, 1975, p. 217-306.
788. GESTA episcoporum CAMERACENSIUM, *MGH, SS,* t. VII, Hanovre, 1846, p. 393-489.
789. Wailly (N. de), Examen de quelques questions relatives à l'origine des chroniques de Saint-Denis, *Mémoires de l'Institut Royal de France. Académie des Inscriptions et Belles-Lettres,* t. XVII, 1re partie, Paris, 1847, p. 379-407 (GESTA FRANCORUM usque ad annum 1214).
790. *GESTA REGIS HENRICI SECUNDI Benedicti abbatis. The Chronicle of the reigns of Henry II and Richard I, A. D. 1169-1192, known commonly under the name of Benedict of Peterborough,* W. Stubbs éd., 2 vol., Londres, 1867.
791. Krepinsky (M.), Quelques remarques relatives à l'histoire des GESTA ROMANORUM, *MA,* 24 (1911), 307-318 et 346-367.
792. *GESTA STEPHANI,* K.R. Potter éd. et trad., Londres, 1955.
793. Hayez (M.), Un exemple de culture historique au xve siècle : la GESTE DES NOBLES FRANÇOIS, *MAHEFR,* 75 (1963), 127-178.
794. *Les GRANDES CHRONIQUES DE FRANCE,* J. Viard éd., 10 vol., Paris, 1920-1953.
795. *Les Grandes Chroniques de France. Chronique des règnes de Jean II et de Charles V,* R. Delachenal éd., 4 vol., Paris, 1910-1920.
796. Raynaud de Lage (G.), « La morale de l'histoire », *MA,* 69 (1963), 365-369 (HISTOIRE ANCIENNE JUSQU'A CÉSAR).
797. *HISTOIRE DE GUILLAUME LE MARÉCHAL, comte de Striguil et de Pembroke, régent d'Angleterre de 1216 à 1219,* P. Meyer éd., 3 vol., Paris, 1891-1901.
798. *HISTORIA PONTIFICUM ET COMITUM ENGOLISMENSIUM,* J. Boussard éd., Paris, 1957.
799. *HISTORIAE ROMANORUM. Codex 151 in scrin. der Staats- und Universitätsbibliothek Hamburg...,* T. Brandis et O. Pächt éd., 2 vol., Francfort-Berlin-Vienne, 1974.
800. HISTORIAE TORNACENSES, *MGH, SS,* t. XIV, p. 327-352.
801. *LIBER ELIENSIS,* E.O. Blake éd., Londres, 1962.
802. *Le LIBER PONTIFICALIS,* L. Duchesne éd., 2e éd., 3 vol., Paris, 1955-1957.
803. *Liber Pontificalis. Nella recensione di Pietro Guglielmo, OSB, e del card. Pandolfo, glossato da Pietro Bohier, OSB; vescovo di Orvieto,* U. Přerovsky éd., 3 vol., Rome, 1978.
804. Billanovich (G.), Gli Umanisti e le cronache medioevali. Il « Liber Pontificalis », le « Decadi » di Tito Livio e il primo umanesimo a Roma, *Italia Medioevale e Umanistica,* 1 (1958), 103-138.
805. Buchner (M.), Zur Ueberlieferungsgeschichte des « Liber Pontificalis » und zu seiner Verbreitung im Frankenreiche im 9. Jahrhundert. Zugleich ein Beitrag zur Geschichte der karolingischen

Hofbibliothek und Hofkapelle, *Römische Quartalschrift für christliche Altertumskunde und für Kirchengeschichte,* 34 (1926), 141-165.

806. Couderc (C.), Le MANUEL D'HISTOIRE de Philippe VI de Valois, *Etudes dédiées à Gabriel Monod,* Paris, 1896, p. 417-444.
807. Ross (D. J. A.), Les MERVEILLES DE ROME. Two Medieval French Versions of the « Mirabilia Urbis Romae », *Classica et Mediaevalia,* 30 (1969), 617-665.
808. MIRACULA SANCTAE RICTRUDIS, P. Poncelet éd., *Analecta Bollandiana,* 20 (1901), 445-459.
809. Bull (W. E.) et Williams (H. F.), *SEMEIANÇA DEL MUNDO. A Medieval Description of the World,* Berkeley-Los Angeles, 1959.
810. Schnerb-Lièvre (M.), Citations et références erronées dans le SOMNIUM VIRIDARII et le SONGE DU VERGER, *Revue du Moyen Age latin,* 24 (1977), 31-36.
811. Bossuat (R.), THESÉUS DE COLOGNE, *MA,* 65 (1959), 97-133, 293-320 et 539-577.

§ 20. *Autre documentation*

812. Bordier (H.), *Les Archives de la France...,* Paris, 1855.
813. Cockshaw (P.), Mentions d'auteurs, de copistes, d'enlumineurs et de libraires dans les comptes généraux de l'Etat bourguignon (1384-1419), *Script.,* 23 (1969), 122-144.
814. Halphen (L.), *Recueil d'annales angevines et vendômoises,* Paris, 1903.
815. Halphen (L.) et Poupardin (R.), *Chroniques des comtes d'Anjou et des seigneurs d'Amboise,* Paris, 1913.
816. Hardy (Th. D.), *Descriptive catalogue of materials relating to the history of Great Britain and Ireland to the end of the reign of Henry VII,* 3 vol., Londres, 1862-1871.
817. Labande (E.-R.), *Corpus des inscriptions de la France médiévale,* t. I, *Poitou-Charentes.* Textes établis et présentés par R. Favreau et J. Michaud sous la direction de..., 3 fasc., Paris, 1974-1977.
818. Labbe (Ph.), *Novae Bibliothecae manuscriptorum librorum tomus primus-tomus secundus,* 2 vol., Paris, 1657.
819. Marchegay (P.) et Mabille (E.), *Chroniques des églises d'Anjou,* Paris, 1869.
820. Martène (E.) et Durand (U.), *Veterum scriptorum et monumentorum historicorum dogmaticorum moralium amplissima collectio...,* 9 vol., Paris, 1724-1733.
821. Migne (J.-P.), *Patrologie Latine,* 217 vol., Paris, 1844-1855.
822. Muratori (L.-A.), *Rerum italicarum scriptores,* 28 vol., Milan, 1723-1751.
823. Potthast (A.), *Bibliotheca Historica Medii Aevi. Wegweiser durch die Geschichtswerke des europäischen Mittelalters bis 1500,* 2e éd., 2 vol., Berlin, 1896.
824. Poupardin (R.), *Monuments de l'histoire des abbayes de Saint-Philibert (Noirmoutier, Grandlieu, Tournus)* publiés d'après les notes d'A. Giry par..., Paris, 1905.
825. *Repertorium Fontium Historiae Medii Aevi* primum ab Augusto Potthast digestum, nunc cura collegii historicorum e pluribus nationibus emendatum et auctum, 5 vol., Rome, 1962-1977.
826. Salmon (A.), *Recueil de chroniques de Touraine,* Tours, 1854.
827. Staines (D.), Havelok the Dane : a Thirteenth-Century Handbook for Princes, *Spec.,* 51 (1976), 602-623.
828. Vernet (A.), Problemi specifici delle edizioni delle cronache medioe-

vali, *Fonti Medioevali e Problematica Storiografica. Atti del congresso internazionale tenuto in occasione del 90° anniversario della fondazione dell'Istituto Storico Italiano (1883-1973), Roma 22-27 ottobre 1973,* t. I, *Relazioni,* Rome, 1976, p. 301-316.

829. Vielliard (J.), *Le guide du pèlerin de Saint-Jacques de Compostelle. Texte latin du XIIe siècle, édité et traduit en français d'après les manuscrits de Compostelle et de Ripoll,* 4e éd., Mâcon, 1969.

INDEX DES AUTEURS ET EDITEURS MODERNES

20 renvoie à l'orientation bibliographique
p. 20 et p. 20 , n. 1 renvoient au texte

C

D

E

F

G

H

J

K

L

M

S

T

U

V

INDEX DES PERSONNES

ap. = après, av. = avant, m. = mort, v. = vers

A

B

C

D

E

L

M

Q

R

S

T

U V

W

Y Z

INDEX DES ŒUVRES ANONYMES

INDEX DES LIEUX

H

I J K

L

M

N

O

P Q

R

S

T

V

W Y

TABLE DES CARTES

TABLE DES MATIERES

ACHEVÉ D'IMPRIMER LE 10 DÉCEMBRE 1980
SUR LES PRESSES DE L'IMPRIMERIE COR-
BIÈRE ET JUGAIN, A ALENÇON (ORNE)
N° D'ÉDITION : 1588